PEOPLE OR NOT PEOPLE

LAUREN WEISBERGER

PEOPLE OR
NOT PEOPLE

Traduit de l'anglais par Christine Barbaste

FLEUVE NOIR

Titre original :
EVERYONE WORTH KNOWING

Première publication : Simon & Schuster

Pour mes grands-parents :

Ceci devrait les aider à se souvenir laquelle de leurs petites-filles je suis.

1

« How does it feel to be one of the beautiful people ? »
Baby, You're a Rich Man
John Lennon & Paul McCartney

Même si je ne l'avais qu'entr'aperçue du coin de l'œil, j'ai immédiatement identifié la créature marron qui venait de détaler sur mon plancher gauchi : c'était une blatte – et le spécimen le plus gros, le plus charnu que j'avais jamais vu. La superblatte avait, *in extremis*, évité de frôler mes pieds nus avant de disparaître sous la bibliothèque, mais je tremblais tout de même comme une feuille. Je me suis obligée à ventiler mes chakras – une technique que j'avais apprise lors d'une semaine de retraite dans un ashram où mes parents m'avaient traînée bien malgré moi – et, à force de concentration, mon rythme cardiaque a légèrement ralenti. Quelques minutes plus tard, j'étais redevenue assez fonctionnelle pour parer aux mesures d'urgence qui s'imposaient. D'abord, voler au secours de Millington qui s'était, elle aussi, recroquevillée de terreur et avait filé aux abris sous le canapé. Dans la foulée, j'ai enfilé une paire de bottes pour protéger mes mollets, j'ai ouvert grand la porte d'entrée pour encourager la blatte à vider les lieux et j'ai commencé à vaporiser un insecticide superpuissant et exclusivement vendu sous le manteau sur toutes les surfaces planes de l'appartement. À voir avec quelle force je pressais le doigt sur la gâche du pulvérisateur, on aurait pu croire qu'il s'agissait d'une bombe d'autodéfense. Lorsque le téléphone a sonné, près de dix minutes plus tard, j'étais encore en train de vaporiser.

Le numéro de Penelope s'est affiché sur l'écran et j'étais à deux doigts de filtrer son appel quand j'ai réalisé que son appartement était l'un de mes deux seuls refuges potentiels. Si jamais la blatte réussissait à survivre à la fumigation de choc et refaisait surface, je n'aurais d'autre choix que partir squatter chez elle, ou chez Oncle Will. Ne sachant pas trop où était Will ce soir-là, il m'a paru plus avisé de garder les lignes de communication intactes. J'ai décroché et me suis aussitôt écriée :

— Pen ! Je suis attaquée par le plus gros cafard de Manhattan ! Qu'est-ce que je fais ?

— Beth, j'ai une SUPER nouvelle ! a-t-elle crié en retour, visiblement indifférente à ma panique.

— Une nouvelle plus urgente que mon invasion de blattes ?

— Avery vient de me demander en mariage ! On est fiancés !

Mince alors.

On est fiancés – trois mots qui pouvaient propulser une personne au septième ciel et en précipiter une autre dans un puits de désespoir. Mon pilote automatique s'est heureusement aussitôt enclenché pour me rappeler qu'il serait pour le moins inapproprié de verbaliser le fond de ma pensée. *C'est un naze, Pen. Ce n'est qu'un sale môme pourri-gâté qui passe sa vie à fumer des pétards dans un corps de grand garçon. Il sait pertinemment que tu es trop bien pour lui, et il te met la bague au doigt avant que tu ne t'en rendes compte. Pire : en l'épousant, tu ne feras qu'attendre le moment où il te remplacera par une nana plus jeune et plus sexy et te laissera ramasser les morceaux. Ne fais pas ça ! Ne fais pas ça ! Ne fais pas ça !*

— Pen ! C'est génial ! Félicitations ! Je suis tellement, tellement heureuse pour toi !

— Oh Beth, je savais que ça te ferait plaisir. C'est à peine si j'arrive encore à parler. Tout ça est tellement rapide !

Rapide ?

Rapide ? C'est le seul mec avec lequel tu sois sortie depuis que tu as dix-neuf ans. Ce n'est pas exactement inattendu – ça fait huit ans, maintenant. Espérons juste qu'il ne va pas attraper de l'herpès à son enterrement de vie de garçon à Vegas.

— Raconte-moi tout. Quand ? Comment ? La bague ?

Je l'ai mitraillée de questions, en honorant mon rôle de meilleure amie d'une façon qui, tout bien considéré, me paraissait plutôt convaincante.

— Écoute, je n'ai pas trop le temps de discuter. On est au St. Regis. Tu te souviens combien Avery a insisté pour venir me chercher au bureau aujourd'hui ? (Avant même d'attendre ma réponse, elle a enchaîné sans reprendre son souffle :) Il m'a annoncé qu'on était attendus chez ses parents dix minutes plus tard pour dîner. Évidemment, ça m'a un peu énervée qu'il ne m'ait même pas consultée, mais il a ajouté qu'il avait réservé au Per Se – et tu sais quelle galère c'est d'obtenir une table dans ce restau. Bref, on prenait l'apéritif dans la bibliothèque quand nos quatre parents sont entrés. Et avant que je puisse comprendre ce qui se passait, il avait un genou à terre !

— Devant vos parents ? Il a fait sa demande *en public* ?

Je savais bien que j'avais l'air horrifié, mais c'était plus fort que moi.

— Beth… En public, c'est beaucoup dire. Il n'y avait que nos parents, et il a dit des choses adorables. Il a rappelé que sans eux, jamais nous ne nous serions rencontrés, donc c'était logique qu'ils soient là. Et écoute bien – il m'a offert deux bagues !

— Deux ?

— Oui, deux ! Une en platine avec un solitaire de six carats qui vient de son arrière-arrière-grand-mère et que la famille considère comme la vraie bague, et puis une autre, avec un diamant baguette de trois carats, qui est plus portable.

— *Portable ?*

— Ben… C'est un peu délicat de se balader dans les rues de New York avec un caillou de six carats, non ? J'ai trouvé ça vraiment futé.

— *Deux bagues ?*

— Beth, tu es incohérente. De là, on est allé au Per Se. Mon père a même réussi à éteindre son portable le temps du dîner – un véritable exploit – et il a porté un toast assez sympa ; ensuite, on a fait une promenade en calèche dans Central Park, et maintenant, on est dans une suite au St. Regis. Il fallait que je t'appelle pour te raconter !

Où – ô ! où était donc passée mon amie Penelope ? Penelope, qui jugeait que les bagues de fiançailles se ressemblaient toutes et qui, jamais de sa vie, n'avait regardé les vitrines des joailliers. Qui m'avait dit, trois mois plus tôt, lorsqu'une de nos amies de fac s'était fiancée à l'arrière d'une calèche, que c'était le truc le plus ringard au monde. Penelope, *ma* Penelope, venait de se métamorphoser en une caricature d'épouse décérébrée. Ou bien… Était-ce de l'amertume de ma part ? Évidemment que je l'avais mauvaise ! En matière de fiançailles, je n'avais jamais été plus avant que la lec-

ture, tous les dimanches, du Carnet du *New York Times*
– l'équivalent de la page Sport pour les filles célibataires. Mais le problème n'était pas là.

— Je suis folle de joie pour toi ! Et je grille d'impatience d'entendre tous les détails, mais tu as des
fiançailles à consommer, non ? Alors raccroche, et va
t'occuper de ton fiancé. « Fiancé »… Ça fait tellement
bizarre !

— Oh, Avery est pendu au téléphone. Le boulot. Je
n'arrête pas de lui dire de raccrocher…, a-t-elle ajouté
en haussant la voix pour le bénéfice dudit fiancé, mais il
parle, il parle. Comment s'est passée ta soirée ?

— Encore un merveilleux vendredi soir. Voyons
voir… Millington et moi nous sommes baladées sur
les quais et un clodo lui a offert un biscuit. Elle était
ravie. Ensuite, je suis rentrée, et avec un peu de bol, j'ai
anéanti ce qui doit être le plus gros insecte vivant du
monde occidental. J'ai commandé à dîner chez le Viet,
mais j'ai tout jeté à la poubelle quand je me suis souvenue avoir lu qu'un restau vietnamien pas loin de chez
moi avait fermé pour avoir cuisiné du chien. Donc là, je
m'apprête à manger du riz et une boîte de haricots avec
un paquet de chips éventées. Pathétique, non ?

Penelope s'est contentée de rire – manifestement, elle
n'avait pas la tête à chercher des paroles de réconfort.
Puis, j'ai entendu un déclic, qui indiquait qu'elle avait
un double appel.

— Beth, c'est Michael ! Il faut que je lui raconte. Ça
t'embête, si je passe en conversation à trois ?

— Du tout. J'adorerais t'entendre lui annoncer la
nouvelle.

D'autant qu'une fois que Penelope aurait raccroché,
Michael ne manquerait pas de déplorer la situation avec
moi – vu qu'il détestait Avery encore plus que moi.
Après un clic, un silence, puis un autre clic, Penelope

13

(qui, en des circonstances normales, n'était pas le genre de fille à piailler) a demandé d'une voix suraiguë :

— Tout le monde est là ? Michael ? Beth ? Vous m'entendez ?

Michael était un de nos collègues d'UBS, mais depuis qu'il avait été nommé vice-président (le plus jeune vice-président de tous les temps), nous ne le voyions plus guère. Michael lui aussi avait une petite amie – une relation tout ce qu'il avait de plus stable – mais les fiançailles de Penelope nous forçaient à regarder un fait bien en face : nous étions devenus adultes.

— Salut les filles, a dit Michael d'une voix exténuée.

— Michael, devine ! Je suis fiancée !

Michael a marqué la plus minuscule des hésitations. Je savais que, comme moi, il n'était pas surpris, mais qu'il s'efforcerait de manifester un enthousiasme crédible.

— Pen, c'est une nouvelle fantastique !

Le volume sonore de son exclamation ne compensait cependant pas l'absence d'exultation sincère et, mentalement, j'ai pris note de m'en souvenir à l'avenir.

— Je savais que Beth et toi seriez superheureux pour moi ! C'est arrivé il y a quelques heures à peine, et je suis sur un petit nuage.

— Bon, il faut fêter ça, a déclaré Michael. Au Black Door, rien que nous trois et plusieurs tournées d'un alcool fort et pas cher.

— Absolument d'accord, ai-je renchéri, heureuse d'avoir un truc à dire. Oui, il faut fêter ça. Ça s'impose.

— Oui, mon chéri, deux secondes ! a lancé Penelope à tue-tête, guère passionnée – on pouvait le comprendre – par nos projets de libations. Bon, les amis, Avery a enfin lâché son téléphone, et du coup il s'impatiente. Avery, arrête ! Je dois raccrocher, mais je vous rappelle plus tard. Beth, à demain au bureau. Je vous adore !

Il y a eu un clic, puis Michael a demandé :

— Tu es toujours là ?

— Évidemment. Je te rappelle, ou tu le fais ?

Nous avions tous appris très tôt à nous méfier des conversations à trois. Comme on ne pouvait jamais être absolument certain que le troisième interlocuteur avait raccroché, on prenait toujours la précaution de recommencer une nouvelle communication avant de casser du sucre sur le dos de celui ou celle qui avait raccroché en premier.

J'ai entendu, en arrière-plan, une voix électronique aiguë, et Michael s'est exclamé :

— Merde ! J'ai un message. On se rappelle demain ?

— Pas de problème. Passe le bonjour à Megu, O.K. ? Hé, Michael ? S'il te plaît, attends un peu pour te fiancer. Deux d'un coup, je ne crois pas pouvoir l'encaisser.

Il a éclaté de rire.

— T'inquiète pas, c'est promis. Je te rappelle demain. Courage, Beth ! Il est peut-être l'un des pires mecs qu'on ait jamais rencontrés toi et moi, mais elle a l'air heureuse, et c'est tout ce qui compte.

Une fois qu'on a eu raccroché, j'ai fixé quelques instants le téléphone, puis j'ai passé la tête à la fenêtre et je me suis contorsionnée pour tenter d'apercevoir, sans grand succès, quelques centimètres de quais, histoire de me remonter le moral. Mon appartement n'était pas terrible, mais il était, par chance, tout à moi depuis le départ de Cameron, presque deux ans auparavant. Même s'il était disposé tout en longueur, et si étroit qu'en étirant mes jambes je touchais presque le mur opposé, même s'il était situé à Murray Hill, même si le plancher était légèrement gauchi et que les blattes avaient pris le dessus, seul importait le fait que je régnais sans partage dans mon petit palais. L'immeuble, un monstre de béton doté de plusieurs ailes sis à l'angle de la Trente-Quatrième Rue et de la Première Avenue, abritait de prestigieux résidents tels qu'un adolescent membre d'un *boys' band*, un joueur professionnel de squash, une pornostar de seconde zone et son écurie de visiteurs, un monsieur lambda, une ancienne enfant-star qui n'avait plus tourné de films depuis vingt ans, et des centaines et des centaines de jeunes diplômés qui rechignaient à l'idée de quitter l'ambiance de la fraternité pour de bon. L'immeuble offrait un panorama sur East River, à condition d'inclure dans la définition de « panorama » une grue de chantier, une paire de bennes à ordures, le mur de l'immeuble voisin et une dizaine de centimètres de rivière qui n'était visible qu'au prix d'énigmatiques contorsions. Cette merveille était mienne pour l'équivalent du loyer mensuel d'un pavillon de quatre pièces – deux salles de bains – plus salle de douche dans n'importe quelle ville de banlieue.

Tout en poursuivant mes contorsions, j'ai repensé à ma réaction. Il me semblait avoir eu l'air assez sincère, à défaut d'extatique, mais Penelope savait que l'extase n'était pas dans ma nature. J'avais réussi à m'enquérir des bagues – les bagues, *au pluriel* – et à affirmer que j'étais très heureuse pour elle. Certes, aucune de mes paroles n'était sortie droit du cœur, mais Penelope était probablement trop étourdie par tout ça pour l'avoir remarqué. Grosso modo, ma performance valait un bon B+.

J'ai recouvré une respiration assez régulière pour fumer une autre cigarette, qui m'a un peu rassérénée. Que la blatte n'ait pas encore refait surface aidait pas mal, également. J'ai tenté de m'autopersuader que ma contrariété découlait de l'inquiétude (sincère, pour le coup) de voir Penelope épouser un parfait connard, et non d'une jalousie profondément enracinée de savoir qu'elle avait un fiancé quand moi, j'étais le plus souvent infichue de décrocher un second rencard. Cela faisait deux ans que Cameron était parti. J'étais passée par tous les stades requis de la convalescence – fixation sur le boulot, fixation sur le shopping, fixation sur la bouffe – et j'avais eu mon lot de rendez-vous arrangés, de rendez-vous pour boire un verre et basta, et plus rarement, de rendez-vous avec dîner à la clé. Deux garçons seulement étaient revenus en troisième semaine. Et aucun en quatrième. Je passais mon temps à me répéter que rien ne clochait chez moi – ce que Penelope confirmait – mais je commençais sérieusement à en douter.

J'ai allumé une seconde cigarette au mégot de la précédente, sans tenir compte du regard désapprobateur de Millington. Le dégoût de soi-même a commencé à peser sur mes épaules comme une couverture familière et tiède. N'était-ce pas odieux, de ne pas pouvoir sauter sincèrement de joie quand sa plus proche amie venait de vivre le plus beau jour de sa vie ? Ne fallait-il pas être une fieffée intrigante mal dans sa peau pour prier que toute l'affaire ne se révèle un gigantesque malentendu ?

J'ai décidé d'appeler Oncle Will, pour quêter de sa part une sorte d'approbation. Will, en plus de posséder l'esprit le plus brillant et le plus vache de la planète, était toujours là pour me remonter le moral. Il a répondu d'une voix imperceptiblement empâtée par le gin tonic, et je me suis mise en devoir de lui exposer la version abrégée et la plus indolore de la dernière trahison en date de Penelope.

— On dirait que tu te sens coupable parce que Penelope est aux anges et que toi, tu n'es pas aussi heureuse pour elle que tu devrais l'être.

— Ouais, c'est exactement ça.

— Eh bien, ma chérie, ce pourrait être bien pire. Au moins, ce n'est qu'une variation sur le thème « Le malheur de Penelope fait mon bonheur », pas vrai ?

— Hein ?

— La *Schadenfreude*. Tu ne retires aucun plaisir ni bénéfice de son malheur, n'est-ce pas ?

— Elle n'est pas malheureuse. Elle est euphorique. C'est moi qui suis malheureuse.

— Bien, tu as compris ! Tu vois bien que tu n'es pas abominable. Et ce n'est pas toi, ma chère, qui épouses cet abruti de fils à papa, dont les talents semblent se limiter à dilapider l'argent de ses parents et fumer de grandes quantités de marijuana. Est-ce que je me trompe ?

— Non, bien sûr que non. C'est juste que j'ai l'impression que tout est en train de changer. Penelope est toute ma vie, et voilà qu'elle se marie ! Je savais que ça finirait par arriver un jour, mais je ne pensais pas que ça serait si vite.

— Le mariage, c'est une affaire de bourgeois. Tu sais ça, Beth.

Cette remarque m'a immédiatement fait penser à tous nos brunches hebdomadaires au fil des années : Will, Simon, moi et le cahier *Style* de l'édition dominicale du *New York Times*. Nous disséquions les annonces de mariage du Carnet et piquions des fous rires malveillants en imaginant tout ce qui pouvait se lire entre les lignes.

— Pourquoi diable tiens-tu tant à t'établir dans une relation à long terme ? a poursuivi Will. Une relation dont le seul but sera de museler jusqu'au dernier iota de ta personnalité ? Regarde-moi ! Soixante-six ans, jamais marié et je nage dans la félicité.

— Will, tu es gay. Et qui plus est, tu portes une alliance à la main gauche.

— Et alors ? Où veux-tu en venir ? Tu crois que j'aurais *épousé* Simon, même si je l'avais pu ? Tout ce cirque de mariages entre personnes du même sexe à la mairie de San Francisco... Merci bien !

— Mais tu vis avec Simon depuis avant même ma naissance. Tu réalises bien que tu es, au fond, marié.

— Négatif, ma chérie. L'un comme l'autre, nous sommes libres de partir n'importe quand, sans pataquès juridique ni ramifications émotionnelles. Voilà pourquoi ça marche. Bon, je ne te dis rien que tu ne saches déjà. Parle-moi plutôt de la bague.

Je lui ai donné les seuls détails qui l'intéressaient vraiment tout en mastiquant ce qui restait de chips dans mon paquet, et une fois raccroché, sans m'en rendre compte, je me suis endormie sur le canapé. Vers trois heures du matin, Millington m'a signifié par ses jappements son désir de dormir dans un vrai lit. Je nous ai traînées toutes les deux dans ma chambre et j'ai enfoui la tête sous l'oreiller en me rappelant en boucle que rien, dans tout ça, n'était un désastre. Rien. Rien.

2

C'était bien ma chance : la soirée de fiançailles de Penelope tombait un jeudi soir – le soir attitré de mon dîner hebdomadaire avec Oncle Will et Simon. Je ne pouvais me défiler ni d'un côté, ni de l'autre. Plantée devant mon hideux immeuble datant de l'avant-guerre, j'essayais désespérément de trouver un taxi pour gagner l'immense duplex de mon oncle, sur Central Park West. Ce n'était pas l'heure de pointe, ni celle du changement de service, ni Noël, ni un jour de pluie diluvienne, mais il n'y avait pas un seul taxi en vue. Je me démenais en vain depuis vingt minutes, à grand renfort de sifflements, de cris et de bonds, quand un taxi solitaire a enfin freiné à ma hauteur. Mais lorsque j'ai demandé au chauffeur de me conduire *uptown*, il m'a lancé : « Trop de circulation ! », avant de redémarrer dans un crissement de pneus. Quand enfin j'ai trouvé un taxi qui acceptait de me prendre, de soulagement et de reconnaissance, je lui ai laissé cinquante pour cent du prix de la course en pourboire.

— Bonsoir, Bettina, tu n'as pas l'air contente. Tout va bien ?

J'avais insisté pour que les gens m'appellent Beth,

et la plupart s'y pliaient. Seuls mes parents et George, le portier d'Oncle Will (mais qui était si vieux et tellement adorable que je lui passais tout), faisaient acte d'insubordination.

— Bah, juste les éternels problèmes pour trouver un taxi, ai-je soupiré en lui plantant un baiser sur la joue. Bonne journée ?

— Épatante, comme toujours, m'a-t-il répondu, sans une once de sarcasme. J'ai vu quelques rayons de soleil ce matin, et ça m'a fait la journée.

Écœurant.

— Beth ! s'est exclamé Simon, depuis le renfoncement du hall où étaient planquées les boîtes aux lettres. C'est toi ?

Il est apparu, chaussé de tennis blanches, un sac en forme de raquette glissé à l'une de ses larges épaules, et il m'a enveloppée dans une étreinte affectueuse, comme aucun mec hétéro ne l'avait jamais fait. C'était un sacrilège de sécher un de ces dîners hebdomadaires qui étaient toujours l'occasion, en plus de celle de faire un bon repas, d'être au centre de plus d'attention masculine que je n'y avais jamais eu droit.

En presque trente ans de vie commune, Will et Simon avaient développé tout un tas de rituels. Ils ne fréquentaient que trois lieux de villégiature : St. Barth fin janvier (encore que, depuis quelque temps, Will se plaignait que l'île soit devenue « trop française »), Palm Springs à la mi-mars, et de temps à autre, Key West, le temps d'un petit week-end improvisé. Ils ne buvaient leur gin tonic que dans des verres en baccarat, dînaient tous les lundis soir de dix-neuf à vingt-trois heures chez Elaine, et recevaient chez eux tous les Noël, vêtus l'un d'un pull en cachemire vert, l'autre d'un rouge. Will, un gaillard de près d'un mètre quatre-vingt-dix, avait des cheveux argentés coupés très court et affectionnait les pulls avec des coudières en daim ; Simon dépassait à peine le mètre soixante-douze, et n'habillait son corps nerveux et athlétique que de lin, quelle que soit la saison. « Les gays ont carte blanche pour passer outre les conventions vestimentaires, soulignait-il volontiers. C'est un droit que nous avons gagné. » Même là, de retour du tennis, il avait trouvé le moyen d'enfiler une veste à capuche en lin.

— Alors, ma belle, comment vas-tu ? Viens, viens, Will doit se demander où on est passés et je sais que la nouvelle cuisinière nous a préparé un dîner fantastique.

En gentleman toujours irréprochable, il m'a déchargée de mon cabas bourré à exploser et m'a tenu la porte de l'ascenseur avant d'enfoncer la touche marquée PH[1].

— C'était bien, le tennis ? ai-je demandé, en cherchant à comprendre pourquoi cet homme de soixante-six ans avait un corps bien plus beau que tous les garçons de ma connaissance.

— Oh, tu sais comment c'est – une bande de vieux bonshommes qui galopent après des balles qu'ils n'ont aucune chance de rattraper mais qui s'imaginent avoir le coup droit de Roddick. Un peu pathétique, mais toujours amusant.

La porte de leur appartement était légèrement entrouverte et j'ai entendu Will qui, dans son bureau, parlait à la télé, comme d'habitude. Autrefois, Will avait publié quelques beaux scoops en exclusivité – la rechute de Liza Minnelli, le scandale de RFK, la reconversion de Patty Hearst de jeune fille du monde en membre de secte. C'était l'« amoralité » des démocrates qui l'avait finalement détourné de l'actualité glamour et poussé vers la politique. La faute à Clinton, répétait-il. Depuis, Will était devenu accro aux infos, avec des sympathies

1. Pour « Penthouse ». *(N.d.T.)*

22

politiques qui se rangeaient légèrement à droite d'Attila. Il était presque à coup sûr le seul chroniqueur gay de droite, spécialiste des sujets « loisirs et société » et vivant à Manhattan dans l'Upper West Side, qui se refusait à tout commentaire à propos des loisirs ou de la société. Des deux téléviseurs qui se trouvaient dans son bureau, le plus grand était branché en continu sur Fox News[1]. « Enfin une chaîne qui parle à *mes* lecteurs », adorait-il dire.

Ce à quoi Simon répondait invariablement : « Absoluuuuuument. Ce vaste public des chroniqueurs gays de droite spécialistes des sujets "loisirs et société" et qui vivent à Manhattan dans l'Upper West Side. »

Sur le plus petit des deux téléviseurs, Will passait son temps à zapper entre CNN, CNN Headline News, C-Span et MSNBC, suppôts de ce qu'il nommait « La conspiration libérale ». Une affichette posée sur ce téléviseur portait la mention manuscrite : SACHE RECONNAÎTRE TON ENNEMI.

Aaron Brown, sur CNN, était en train d'interviewer Frank Rich à propos de la couverture médiatique des dernières élections.

— Cet Aaron Brown est un poltron, une lavette et une chiffe molle ! a grogné Will en reposant son verre en cristal pour balancer un de ses mocassins en direction de l'écran.

— Salut, Will, ai-je dit en piochant une pleine poignée de raisins enrobés de chocolat dans la coupe qu'il gardait toujours à portée de main sur son bureau.

— Pourquoi, de tous les analystes politiques qualifiés que nous avons dans ce pays – des gens qui ont des clés,

---

1. Chaîne d'infos en continu politiquement très orientée à droite. Les autres chaînes citées quelques lignes plus bas sont également toutes des chaînes consacrées à l'information. (*N.d.T.*)

ou une lecture pertinente de la façon dont la couverture des médias a pu affecter ou non le résultat des élections – faut-il que ces crétins choisissent d'interviewer quelqu'un du *New York Times*? La planète tout entière saigne plus qu'une côte de bœuf et il faudrait que je reste assis là à écouter leur avis là-dessus?

— Rien ne t'y oblige vraiment, Will. Tu peux l'éteindre, tu sais.

J'ai réprimé un sourire en voyant comment son regard restait rivé à l'écran. Combien de temps lui faudrait-il, me suis-je demandé à part moi, pour traiter le *New York Times* d'*Izvestia*[1], ou amener sur le tapis la débâcle de Jayson Blair pour preuve supplémentaire que le *NYT* était au mieux un torchon, au pire l'artisan d'une conspiration contre les honnêtes et vaillants travailleurs américains?

— Ça rime à quoi, cette mascarade? a-t-il éructé. Sérieusement, Beth, c'est du même tonneau que ces articles bidons que les reporters forgent de toutes pièces quand la menace de la *deadline* se fait imminente.

Il a bu une gorgée et enfoncé simultanément les touches des deux télécommandes pour réduire les télés au silence. En seulement quinze secondes ce soir-là – un record.

— Assez d'âneries pour l'instant, a-t-il repris en me serrant dans ses bras et en me plantant un baiser sur chaque joue. Tu es resplendissante, ma chérie, comme d'habitude, mais cela te tuerait-il de mettre une robe, une fois de temps en temps?

Il avait, pas si adroitement que ça, bifurqué vers son

1. Soit « information » en russe. Dans l'ex-URSS, à la différence de la *Pravda* qui était l'organe officiel du Parti communiste, le quotidien *Izvestia* était celui du Soviet suprême et du gouvernement. *(N.d.T.)*

second sujet de prédilection : ma vie. Oncle Will était de neuf ans l'aîné de ma mère et ils avaient beau jurer l'un et l'autre être issus exactement des mêmes parents, cela paraissait impossible. Ma mère était atterrée que j'aie opté pour un poste en entreprise qui m'obligeait à porter autre chose que des caftans et des espadrilles ; mon oncle jugeait que le déguisement suprême était d'avoir élevé au rang d'uniforme le tailleur, et non les robes du soir de Valentino ou les fabuleux escarpins à bride de Louboutin.

— Will, on s'habille comme ça dans les banques d'investissement, tu sais.

— C'est ce que j'ai cru comprendre. Simplement, je n'imaginais pas que tu finirais dans une banque.

C'était reparti pour un tour.

— Mais tes lecteurs, par exemple, ils adorent le capitalisme, non ? Je veux parler des Républicains – plus que des gays.

Il a haussé ses épais sourcils gris et m'a considérée depuis le canapé.

— Ah c'est malin, ça. Tu sais bien que je n'ai rien contre la finance, ma chérie. C'est une bonne carrière, respectable, et je préfère te voir faire ça plutôt qu'un de ces boulots de hippy qui veulent sauver le monde et que tes parents préconiseraient – simplement, je te trouve bien jeune pour t'enfermer dans un truc aussi ennuyeux. Tu devrais sortir, rencontrer des gens, faire la fête, profiter de ce que New York offre à une jeune célibataire, et non pas être enchaînée dans le bureau d'une banque. Que veux tu faire *vraiment* ?

Chaque fois qu'il m'avait posé cette question, jamais je n'avais réussi à trouver de réponse percutante – ni même juste correcte. C'était pourtant une bonne question. Du temps où j'étais encore au lycée, j'imaginais que je ferais du volontariat au Peace Corps. Mes parents m'avaient inculqué que c'était l'étape qui suivait naturellement un diplôme universitaire. Mais ensuite, je suis entrée à Emory University, et j'ai rencontré Penelope. Cela lui plaisait que je sois incapable de réciter la liste de toutes les écoles privées de Manhattan et que je n'aie jamais mis les pieds à Martha's Vineyard, et moi, naturellement, j'adorais qu'elle puisse faire l'un et connaisse l'autre. Aux vacances de Noël, nous étions déjà inséparables, et à la fin de notre première année, j'ai mis au rencard mes T-shirts préférés de Grateful Dead – Jerry était mort depuis belle lurette, de toute façon. Et puis, c'était marrant d'assister à des matches de basket-ball, d'aller à des fêtes ou de participer au championnat universitaire de touch football[1] avec une bande de copains qui ne passaient pas leur temps à se faire des dreadlocks, qui ne recyclaient pas l'eau de leur bain, qui ne se parfumaient pas à l'huile de patchouli. Je n'étais plus la fille excentrique qui se distinguait toujours par son odeur un peu bizarre et sa connaissance trop pointue de la culture des séquoias. Je portais les mêmes T-shirts et les mêmes jeans que tous mes camarades (sans même vérifier qu'ils avaient bien été fabriqués dans un atelier respectant le travail des enfants), je mangeais les mêmes hamburgers, buvais les mêmes bières et c'était génial. Pendant quatre ans, j'avais eu des amis et à l'occasion, des petits amis, avec lesquels j'étais sur la même longueur d'onde et dont aucun n'entretenait de liens avec les Peace Corps. Aussi, lorsque toutes les grandes entreprises se sont pointées sur le campus en agitant des promesses de salaires exorbitants et de primes au rendement, et en proposant d'envoyer les candidats à New York, à leurs frais, pour des entretiens, j'ai foncé. Presque tous mes amis de la fac avaient accepté

1. Variante du rugby à treize, mais sans plaquage. *(N.d.T.)*

un poste similaire au mien – car quand on en vient au fond du problème, comment, sinon, un jeune diplômé de vingt-deux ans serait-il en mesure de se payer un loyer à Manhattan ? Le plus incroyable, dans tout cela, c'était de constater à quelle allure ces cinq dernières années avaient filé. Cinq années entières qui s'étaient évanouies dans un trou noir de programmes de stage, de rapports trimestriels et de primes de fin d'année, et qui ne m'avaient guère laissé de temps pour considérer combien je méprisais ce à quoi j'employais mes journées. Le fait que je réussissais plutôt bien dans ce boulot n'aidait pas non plus – quelque part, cela semblait corroborer l'idée que j'avais choisi la bonne voie. Cependant, Will, lui, savait que je faisais fausse route, mais jusque-là, j'avais toujours sous-estimé le problème et je ne m'étais jamais donné la peine de sauter le pas pour me lancer dans une autre direction.

— Qu'est-ce que je veux faire vraiment ? Comment veux-tu que je sache répondre à une telle question ?

— Comment peux-tu éviter d'y répondre ? m'a rétorqué Will. Si tu ne te tires pas de là bientôt, un beau matin, tu te réveilleras, tu auras quarante ans, tu seras vice-présidente et tu sauteras du haut d'un pont. Il n'y a pas de mal à travailler dans la finance, ma chérie, simplement, tu n'es pas faite pour ça. Tu devrais rencontrer des *gens*. Rire un peu. *Écrire*. Et tu devrais également porter de plus beaux habits.

Je me suis bien gardée de lui dire que j'envisageais de travailler pour une organisation à but non lucratif. Sinon, il se serait lancé dans une diatribe pour souligner l'inutilité de toute son énergie dépensée à me laver le cerveau des idées inculquées par mes parents, et il passerait la soirée à bouder. J'avais déjà tâté le terrain en mentionnant que j'envisageais de postuler au Planning familial, et il m'avait informée que ce projet, pour noble qu'il soit, me ramènerait directement à aller grossir les rangs de « La Confrérie des Crasseux ». Nous nous sommes donc rabattus sur les sujets habituels : ma vie sentimentale, en premier lieu (« Ma chérie, tu es trop jeune et trop jolie pour que ton boulot soit ton seul amant ») ; puis quelques ratiocinations à propos de sa dernière chronique (« Est-ce de ma faute si la sous-éducation est aujourd'hui telle à Manhattan que ses habitants ne souhaitent plus entendre la vérité à propos de leurs élus ? ») ; et après un détour qui nous a ramenés à mes années d'activisme politique au lycée (« Dieu merci, l'Ère de l'Encens est révolue »), une fois de plus, nous en sommes revenus au sujet favori de tout le monde, toutes époques confondues : mon hideuse garde-robe. (« Rien de tel qu'un pantalon masculin et mal coupé pour faire capoter un rendez-vous galant. »)

Will menaçait de se lancer dans un soliloque sur les bénéfices à long terme qu'il y avait à posséder un tailleur Chanel quand la bonne a annoncé que le dîner était servi. Nous avons émigré avec nos verres jusque dans la salle à manger où Simon, qui s'était douché et avait enfilé un pyjama de lin digne de Hugh Hefner[1], nous a rejoints, une flûte de champagne à la main.

— Alors, journée productive ? s'est-il enquis en embrassant Will sur la joue.

— Tu parles ! a répondu celui-ci en répudiant son reste de gin tonic pour nous servir du champagne. J'ai jusqu'à minuit pour rendre mon papier, a-t-il ajouté en me tendant une flûte. Pourquoi m'y mettrais-je avant dix heures du soir ? Que fêtons-nous ?

Je me suis jetée sur ma salade au gorgonzola, reconnaissante de manger une nourriture qui ne sortait pas de la carriole d'un vendeur des rues, et j'ai bu une gorgée

1. Fondateur et patron de *PlayBoy*. (*N.d.T.*)

de champagne. Si j'avais pu me débrouiller pour resquiller un repas par soir chez mon oncle sans passer pour la pire des bonnes à rien, je l'aurais fait dans l'instant. Mais même moi j'avais assez de dignité pour savoir qu'être disponible pour les mêmes personnes – quand bien même il s'agissait de mon oncle et de son partenaire – plus d'une fois par semaine pour dîner et d'une fois pour le brunch était absolument pathétique.

— Faut-il avoir quelque chose à fêter pour boire un peu de champagne ? a relevé Simon en se servant d'émincé de bœuf. Je pensais que ça nous changerait. Beth, quels sont tes projets pour la suite de la soirée ?

— Penelope fête ses fiançailles. Je vais devoir m'éclipser bientôt, d'ailleurs. Les mères ont tout organisé avant que Avery ou Penelope aient pu mettre leur veto. Heureusement, elles ont choisi un club à Chelsea plutôt que dans l'Upper East Side – et je pense que c'est là leur seule concession au plaisir de leurs enfants.

— Quel club ? s'est enquis Will – auquel le nom ne dirait pourtant rien puisqu'il ne fréquentait que des lieux sombres, lambrissés et enfumés par les cigares.

— Elle m'a dit le nom, mais j'ai oublié. Ça commence par un B, je crois. Attends... (J'ai sorti une feuille de bloc-notes de mon sac.) C'est sur la Vingt-Septième Rue, entre la Dixième et la Onzième Avenue et ça s'appelle...

— Bungalow 8, ont entonné Wil et Simon à l'unisson.

— Comment savez-vous ça, vous deux ?

— Ma chérie, ce club est cité si souvent en Page Six[1] que c'est presque à croire qu'il appartient à Richard Johnson[2].

— J'ai lu quelque part qu'il a été conçu d'après les

1. Surnom de la rubrique *people* du *New York Post*. *(N.d.T.)*
2. Chroniqueur de la Page Six. *(N.d.T.)*

bungalows du Beverly Hills Hotel, et que le service y est tout aussi excellent, a précisé Simon. Ce n'est qu'un night-club, mais à en croire cet article, le concierge peut satisfaire tous les caprices – commander une catégorie rare de sushi, réserver un hélicoptère… Nombre de lieux sont à la mode pendant quelques mois, puis on n'entend plus parler d'eux, mais tout le monde s'accorde à reconnaître que ce Bungalow 8 résiste aux engouements éphémères.

— Je reconnais que ce ne sont pas les soirées que je passe au Black Door qui vont booster ma vie sociale, ai-je dit en écartant mon assiette. Ça ne vous ennuie pas si je me sauve de bonne heure ? Penelope aimerait que j'arrive avant la horde des amis d'Avery et la famille.

— File donc, ma chérie. Prends juste le temps de remettre du rouge à lèvres et file ! Et ce ne serait pas une mauvaise chose, si tu te trouvais un fringant jeune homme avec lequel sortir, a déclaré Simon, comme si les bons partis au physique sublime qui n'attendaient rien d'autre que me voir entrer dans leur vie couraient les rues.

Et Will de renchérir, avec un clin d'œil, mais en ne plaisantant qu'à moitié :

— Ou mieux, un fringant petit con avec lequel t'amuser l'espace une nuit.

J'ai pris mon sac, mon manteau et me suis penchée pour les embrasser.

— Je vous adore ! Vous n'avez aucun scrupule à pousser votre unique nièce à la débauche, n'est-ce pas ?

— Absolument aucun, a dit Will tandis que Simon hochait la tête d'un air grave. Sois donc une bonne petite catin et amuse-toi, d'accord ?

Quand le taxi a freiné devant le club, la queue à l'entrée s'étirait déjà de la porte jusqu'à l'extrémité du bloc, sur trois rangs. N'aurait été la soirée de fiançailles de Penelope, j'aurais dit au chauffeur de continuer sa route. Au lieu de quoi, j'ai accroché un grand sourire à mes lèvres et je me suis avancée jusqu'à la porte, devant une espèce de malabar géant muni d'un écouteur digne des services secrets et qui tenait un bloc à pince.

— Bonsoir, je m'appelle Beth et je suis invitée à la soirée de Penelope, ai-je dit en inspectant les gens dans la queue sans reconnaître un seul visage.

Le type m'a dévisagée d'un air absent.

— Génial. Enchanté, Penelope. Si vous pouviez attendre dans la queue comme tout le monde... Nous vous laisserons entrer dès que possible.

— Non, non, je suis une amie de Penelope, qui organise la soirée. Elle m'a demandé d'arriver de bonne heure, alors ce serait vraiment bien que je puisse entrer tout de suite.

— Hum, super. Écoutez, écartez-vous et...

Il s'est interrompu pour poser une main en coupe sur son oreillette et a semblé écouter attentivement, en hochant plusieurs fois la tête et en observant la queue qui ne cessait de grossir.

— O.K., écoutez-moi, tout le monde ! a-t-il lancé. (Et immédiatement, le silence s'est fait dans les rangs des fêtards en *stand-by* et plutôt court vêtus pour la saison.) On est déjà à notre capacité maximale légale... Nous ne laisserons entrer de nouveaux clients qu'au fur et à mesure que d'autres partent, alors soit ça vous va, soit vous revenez plus tard.

Des grognements se sont élevés. *Bon, ça, ça ne va pas le faire*, ai-je pensé. *Il n'a pas dû piger la situation.*

— Excusez-moi ? Monsieur ? (Il m'a jeté un nouveau regard, visiblement agacé cette fois.) Je vois bien que beaucoup de gens attendent pour entrer, mais c'est la soirée de fiançailles de ma meilleure amie, et elle a vraiment besoin de moi. Si seulement vous connaissiez sa mère, vous comprendriez combien il est impératif que je puisse entrer.

— Hum, passionnant… Écoutez, votre copine Penelope peut épouser le prince William si ça lui chante, ce n'est pas mon problème. Personne ne peut entrer pour l'instant. On serait en violation du code anti-incendie. Vous ne voudriez pas ça, n'est-ce pas ? Faites la queue, et on vous laissera entrer dès que possible, okay ?

À mon avis, il cherchait à me réconforter, mais il n'a réussi qu'à attiser ma colère. Je lui trouvais un air vaguement familier, sans que je puisse m'expliquer pourquoi. Son T-shirt fané et moulant prouvait qu'il avait les moyens de tenir qui il désirait à distance, mais son jean délavé, un rien baggy et super taille basse suggérait qu'il ne se prenait pas trop au sérieux. Juste au moment où je lui concédais de posséder les plus beaux cheveux que j'avais jamais vus sur un garçon – une épaisse toison brune coupée juste au-dessus du menton, et si brillante que c'en était crispant –, il a enfilé d'un mouvement d'épaule un blouson en velours côtelé et s'est débrouillé pour avoir l'air encore plus canon.

Un mannequin – à coup sûr. Je me suis retenue de lui assener d'un ton fielleux qu'il devait se payer un méga-trip de pouvoir (pour quelqu'un qui n'avait, selon toute apparence, pas réussi à passer le cap de la cinquième) et j'ai filé furtivement rejoindre le bout de la queue. Mes tentatives répétées pour joindre Penelope ou Avery ont toutes fini directement sur les boîtes vocales, et je poireautais quasiment depuis une heure en fantasmant sur les multiples façons dont je pourrais humilier ou blesser le videur quand j'ai aperçu Michael et sa copine, qui allumaient des cigarettes à quelques pas de la porte avant de s'éclipser en douce.

— Michael ! ai-je braillé – j'étais consciente d'être

32

absolument pathétique mais franchement, je m'en fichais. Michael ! Megu ! Ici !

Ils se sont retournés, et vu que je hurlais et gesticulais sans aucune dignité, ils n'ont eu aucune difficulté à me repérer dans la foule. Je les ai rejoints, presque en courant.

— Il faut que je rentre ! Ça suffit maintenant ! J'attends devant ce maudit bouge depuis une éternité et cet abruti de malabar lobotomisé refuse de me laisser passer. Penelope va me tuer !

— Salut Beth ! Ça fait plaisir de te voir.

Michael s'est penché pour m'embrasser, puis j'ai embrassé Megu, l'adorable étudiante en médecine japonaise avec qui il vivait désormais.

— Excusez-moi. Vous allez bien ? Comment diable avez-vous réussi à venir ici tous les deux ?

Megu a souri et pris la main de Michael pour la poser sur ses reins.

— Une fois tous les six mois, nos emplois du temps s'alignent pour douze heures d'affilée, sans que je sois de garde ni qu'il travaille.

— Et vous êtes venus ici ? Mais vous êtes fous ! Megu, tu es vraiment bonne joueuse. Michael, tu réalises quelle perle tu as là ?

— Évidemment, a-t-il répondu en la couvant d'un regard rempli d'adoration. Mais elle sait aussi que Penelope m'aurait tué si nous n'étions pas venus. Je crois qu'on va se sauver, ceci dit. Je dois être au bureau dans, voyons… quatre heures maintenant, et Megu espérait pouvoir dormir six heures d'une traite pour la première fois depuis des semaines. Tiens, on dirait que ça rentre, maintenant.

Je me suis retournée et j'ai vu qu'un échange massif de gens avait lieu à la porte : une foule de gens sublimes se déversait sur le trottoir, manifestement prête à rejoindre une « vraie » soirée quelque part à Tribeca, tandis que la relève entrait au compte-gouttes dès que le videur soulevait le cordon en velours. J'ai apostrophé le cerbère d'un ton neutre :

— Je croyais que vous aviez dit que c'était mon tour.

— Je vous en prie. Allez rejoindre Princesse Penelope, m'a-t-il répondu avec un ample mouvement de bras, avant de réajuster son oreillette pour écouter ce qui devait être – indubitablement – une information cruciale.

— Tu vois, tu peux entrer, a dit Michael en entraînant Megu. On s'appelle cette semaine pour boire un verre. Amène Penelope – je n'ai même pas réussi à lui dire deux mots ce soir, et ça fait des lustres qu'on s'est pas vus tous les trois. Dis-lui au revoir de ma part.

Sur ce, ils ont filé, certainement ravis de s'échapper.

Seules quelques personnes traînaillaient encore sur le trottoir, pendues au téléphone, peu intéressées d'entrer ou pas. La queue s'était évanouie comme par magie, et enfin, j'étais autorisée à entrer.

— Merci infiniment pour votre extraordinaire secours, ai-je lancé en franchissant le cordon.

J'ai poussé la porte vitrée d'un coup sec et me suis retrouvée dans un hall d'entrée très sombre, où Avery était en grande conversation avec une très jolie bimbo qu'il serrait de près. Sitôt qu'il m'a vue, il est immédiatement venu vers moi.

— Salut Beth, où étais-tu passée ?

Tandis qu'il me débarrassait de mon manteau, Penelope a surgi, le visage empourpré, puis a pris l'air soulagé. À voir sa petite robe de cocktail noire, son étole en fourrure et ses sandales argentées aux talons vertigineux, j'ai immédiatement su que c'était sa mère qui l'avait habillée.

— Beth ! a-t-elle sifflé en m'attrapant le bras et m'écartant d'Avery – qui a immédiatement repris son intense discussion avec la fille. Pourquoi as-tu tant traîné ? J'ai passé la soirée à souffrir seule.

J'ai haussé les sourcils en balayant la salle des yeux.

— Seule ? Il y a au moins deux cents personnes là-dedans. Depuis le temps qu'on se connaît, jamais je n'aurais imaginé que tu avais deux cents amis. Ça, c'est une fête !

— Ouais, impressionnant, non ? Exactement cinq personnes ici sont venues pour me voir moi : ma mère, mon frère, une fille avec qui je bosse, la secrétaire de mon père, et maintenant, toi. Megu et Michael se sont sauvés, hein ? (J'ai hoché la tête.) Tous les autres, ce sont des amis d'Avery. Et de ma mère. Où étais-tu passée ?

Elle a bu une gorgée et m'a tendu son verre, d'une main imperceptiblement tremblante, comme s'il s'agissait d'une pipe de crack et non d'une flûte de champagne.

— Mon chou, je suis arrivée il y a plus d'une heure, comme je te l'avais promis. Mais j'ai eu quelques soucis à la porte.

— Non ! s'est-elle récriée, épouvantée.

— Si. Le videur est supercanon, mais c'est un crétin fini.

— Oh, Beth, je suis désolée ! Pourquoi ne m'as-tu pas appelée ?

— Je l'ai fait, une douzaine de fois au moins, mais j'imagine que tu n'as pas entendu la sonnerie. Écoute, ce n'est pas grave. Ce soir, c'est ta soirée, alors essaie de euh… t'amuser ?

— Prends donc un verre, a-t-elle dit en capturant un cosmopolitan sur le plateau d'un serveur. Tu as vu un peu cette fête ?

— C'est dingue. Depuis combien de temps ta mère la prépare-t-elle ?

— Elle a lu en Page Six il y a quelques semaines qu'on avait vu Gisele et Leo en train de « se faire des mamours » ici, alors j'imagine qu'elle a réservé dans la foulée. Elle me rabâche que c'est le genre d'endroits « exclusifs et chic » que je devrais fréquenter régulièrement. Je me suis bien gardée de lui dire que la seule fois où Avery m'avait traînée ici, la clientèle chic, pour résumer, baisait quasiment sur la piste.

— Ce qui n'aurait sans doute fait que l'encourager davantage.

— Exact.

Une femme format mannequin s'est interposée entre Penelope et moi pour l'embrasser – d'un de ces baisers qui n'embrassent que l'air et sont tout sauf sincères. J'ai serré les dents, avalé mon cosmo et je me suis éloignée. Je me suis laissé embringuer dans une conversation sans queue ni tête avec quelques collègues de la banque qui venaient d'arriver et qui semblaient un peu perdus sans leur ordinateur, puis j'ai bavardé le plus brièvement possible avec la mère de Penelope, qui a immédiatement mentionné qu'elle portait un tailleur et des escarpins Chanel avant d'intercepter Penelope pour la pousser vers un autre groupe d'invités. J'ai observé la foule habillée à grands frais par des créateurs en m'efforçant de faire bonne figure dans ma propre tenue – un combiné de J. Crew et de Banana Republic acheté en ligne à trois heures du matin quelques mois auparavant. Souvent, ces derniers temps, Will insistait qu'il me fallait acheter des vêtements « pour sortir », mais ce n'était pas la VPC qu'il avait en tête. J'avais le net sentiment que n'importe laquelle des personnes présentes ce soir-là aurait pu se balader à poil et se sentir parfaitement à l'aise. Ils affichaient tous une assurance inébranlable qui ne devait rien à leurs fringues – irréprochables au demeurant. Deux heures et trois cosmos plus tard, fin éméchée, je commençais à envisager un repli vers chez moi. Au lieu de quoi, j'ai attrapé un autre verre et je suis sortie faire un tour dehors.

Il n'y avait plus personne sur le trottoir, à l'exception du videur qui m'avait retenue si longtemps au purgatoire. J'étais en train de concocter quelques remarques narquoises au cas où il m'aurait adressé la parole, mais il s'est contenté de me sourire et de se replonger dans la lecture de son bouquin de poche tout écorné, qui dans ses grandes pattes avait l'air d'une pochette d'allumettes. Quelle misère qu'il soit si mignon – mais les cons sont toujours mignons.

— Alors, qu'est-ce qui ne vous plaisait pas chez moi ?

C'était plus fort que moi. En cinq ans dans cette ville, j'avais essayé d'éviter – sauf cas d'absolue nécessité – les lieux gardés par des cerbères et des cordons de velours ; j'avais au moins hérité d'un peu de l'orgueil égalitariste de mes parents – ou de leur intense sentiment d'insécurité, selon le point de vue.

— Pardon ?

— Tout à l'heure, vous ne vouliez pas me laisser entrer alors que c'est la soirée de fiançailles de ma meilleure amie.

Le mec a secoué la tête en esquissant un sourire pour lui-même.

— Écoutez, ce n'est rien de personnel. Ils m'ont donné une liste, m'ont dit de m'y tenir et de contrôler les entrées. Si vous n'êtes pas sur la liste, ou si vous vous pointez en même temps que cent autres zozos, je dois vous faire patienter un petit moment. Ce n'est pas plus compliqué que ça.

— Évidemment. (J'avais tout de même failli louper la soirée de fiançailles de ma meilleure amie à cause de sa politique d'admission.) Rien de personnel. C'est vrai.

— Vous croyez que j'ai besoin d'entendre vos raisonnements, ce soir ? J'ai déjà dû me coltiner un tas de gens bien plus experts que vous dans l'art de prendre la tête, alors pourquoi ne pas économiser votre salive, et me laisser vous trouver un taxi ?

Était-ce la faute au quatrième cosmo – ce pur courage liquide ? Je n'étais pas d'humeur à encaisser sa condescendance. J'ai donc pivoté sur mes semelles compensées et tiré la porte d'entrée d'un coup sec.

— Je n'ai pas besoin de votre charité. Merci tout de même, ai-je lancé avec hargne en pénétrant à nouveau dans le club de la démarche la plus sobre dont j'étais capable.

Je suis allée serrer Penelope dans mes bras, saluer Avery et j'ai foncé en ligne droite vers la sortie avant que quelqu'un d'autre puisse m'infliger un surcroît de bavardages ineptes. J'ai aperçu une fille affalée sur un divan qui sanglotait en silence, consciente et heureuse de se donner en spectacle, puis me suis écartée pour éviter de buter sur un couple d'étrangers incroyablement stylés qui se pelotaient furieusement avec force frottements de bassins. Enfin, j'ai mis un point d'honneur à ignorer ostensiblement le videur décérébré – qui, soit dit en passant, lisait *L'Amant de Lady Chatterley* (un obsédé sexuel, en plus !) – et j'ai levé haut le bras pour héler un taxi. Sauf que la rue était déserte, et que le crachin qui commençait à tomber garantissait qu'il n'y aurait aucun taxi dans mon proche avenir.

— Hé, vous avez besoin d'aide ? a lancé le videur après avoir fait entrer trois filles à la démarche titubante et au babil perçant. C'est dur, dans cette rue, de trouver un taxi quand il pleut.

— Non merci, ça ira.

— Comme vous voulez.

Les minutes ont commencé à ressembler à des heures, et le petit crachin estival s'est vite transformé en une pluie froide et insistante. Que cherchais-je à prouver, exactement, ici ? Le videur, qui s'était rabattu à l'abri contre la porte, sous la marquise, poursuivait tranquillement sa lecture, indifférent à l'ouragan qui était en train de se lever. J'ai commencé à le fixer, jusqu'à ce qu'il relève la tête.

— Vous avez l'air de vous débrouiller très bien toute seule, a-t-il remarqué en me souriant. Je prends note de la leçon : vous avez absolument raison de ne pas accepter un de ces immenses parapluies, qui vous permettrait de marcher jusqu'à la Huitième Avenue, où vous n'auriez aucun mal à trouver un taxi. Non vraiment, vous vous débrouillez comme un chef…

— Vous avez des parapluies ? ai-je lâché avant d'avoir pu retenir ma langue.

J'étais trempée jusqu'aux os et je sentais ma longue tignasse se coller en mèches ruisselantes contre mon cou.

— Ouais, précisément pour ce genre de situation. Mais je suis certain que ça ne vous intéresse pas. Exact ?

— Exact. Tout va bien.

Quand on pense que je commençais tout juste à l'avoir un peu à la bonne. Pile à ce moment-là, j'ai vu passer une voiture d'une compagnie de louage et ça m'a donné une idée de génie : appeler le service de voiturage de ma boîte.

— Bonsoir, Beth Robinson, abonnement numéro six-trois-trois-huit. J'ai besoin d'une voiture à…

— Aucune voiture libre ! a braillé avec hargne une voix féminine.

— Non, vous n'avez pas compris. J'ai un abonnement chez vous et…

Clic.

Je suis restée là, trempée jusqu'aux os, bouillonnante de rage.

— Pas de bagnole, hein ? a gloussé le videur avec sympathie sans lever les yeux de son bouquin. C'est dur.

À douze ans, alors que j'avais déjà glané toutes les informations sur le sexe qu'il était possible de trouver dans les romans de Judith Blume et *Qu'arrive-t-il à mon corps ? Un ouvrage à l'usage des jeunes filles*, je m'étais débrouillée pour feuilleter *L'Amant de Lady Chatterley*, mais n'en avais à ce jour gardé aucun souvenir. Était-ce à cause d'une mémoire défaillante, ou au fait que le sexe n'avait pas habité ma conscience depuis deux ans ? Ou encore parce que les intrigues de mes romans sentimentaux adorés peuplaient en permanence mes pensées ? Quoi qu'il en soit, j'étais infichue de trouver la moindre pique à balancer à propos de *Lady Chatterley* – sans même parler d'une remarque intelligente.

— Pas de voiture libre, ai-je soupiré. C'est pas ma soirée.

Le videur s'est avancé sous la pluie et m'a tendu un grand parapluie, ouvert et estampillé du nom du club.

— Prenez ça. Marchez jusqu'à la Huitième, et s'il n'y a toujours pas de taxi en vue, adressez-vous au portier du Serena, sur la Vingt-Troisième, entre la Septième et la Huitième. Dites-lui que vous venez de ma part et il vous arrangera ça.

J'ai songé un instant à refuser, et marcher jusqu'au métro, mais l'idée de me retrouver dans un train à une heure du matin n'avait rien d'attrayant.

— Merci, ai-je marmonné en refusant de croiser son regard qui devait étinceler de jubilation malveillante.

J'ai pris le parapluie et je me suis mise en route, en sentant que le videur me suivait des yeux.

Cinq minutes plus tard, j'étais sur la banquette d'un gros taxi jaune, dégoulinante mais enfin au chaud.

J'ai indiqué mon adresse au chauffeur et je me suis affalée contre le dossier, lessivée. À une heure pareille, l'intérêt d'un taxi se résume à deux choses : soit on se pelote avec quelqu'un sur le trajet de la maison en sortant d'une bonne soirée, soit on profite de la course pour passer des coups de fil de moins de trois minutes à plein de gens qu'on n'a pas vus depuis longtemps, juste pour garder le contact. Comme ni l'un ni l'autre n'était une option, j'ai calé mes cheveux mouillés sur la têtière en vinyle où tant de chevelures grasses, sales, huilées, farcies de poux ou tout simplement négligées s'étaient appuyées avant la mienne, j'ai fermé les yeux et j'ai anticipé l'accueil tout en éternuements hystériques auquel j'allais bientôt avoir droit de la part de Millington. Qui a besoin d'un homme – ou même d'une meilleure amie fraîchement fiancée – quand on a un chien ?

3

La semaine qui a suivi les fiançailles de Penelope a été à la limite du supportable. C'était de ma faute, évidemment : il existe des tas de façons d'emmerder ses parents et de se rebeller contre leur éducation sans se rendre esclave dans le même temps, mais j'étais à l'évidence trop idiote pour les trouver. Du coup, comme tous les jours depuis cinquante-six mois, j'étais dans mon box à peine plus grand qu'une cabine de douche chez UBS Wartburg, la main cramponnée au téléphone, en train de me faire sonner les cloches par un « minimum » – un client qui n'investit que le million de dollars minimum requis par ma division et se montre, par conséquent, horriblement exigeant, avec une tendance à focaliser sur des détails comme ne le feront jamais les clients en possession d'un portefeuille de quarante millions.

— Oui, Mrs. Kaufman, je comprends tout à fait vos inquiétudes face au léger déclin du marché, mais je puis vous assurer que nous contrôlons entièrement la situation. J'entends bien que selon votre neveu décorateur d'intérieur votre portefeuille est trop lourd en obligations privées, mais je vous garantis que nos traders sont excellents, et cherchent toujours votre meilleur intérêt.

Je ne sais pas si un bénéfice annuel de trente-deux pour cent est réaliste dans le contexte actuel, mais je vais demander à Aaron de vous appeler sitôt qu'il sera de retour à son bureau. Oui. Bien sûr. Oui. Oui. Oui, je lui demande sans faute de vous appeler dès qu'il sort de réunion. Oui. Absolument. Bien sûr. Ça va de soi. Oui. Naturellement. Oui. C'est toujours un plaisir de vous entendre. Très bien d'accord. Au revoir.

J'ai attendu qu'elle raccroche la première avant de reposer mon combiné d'un geste rageur.

Jamais encore, après presque cinq ans de métier, je n'avais réussi à dire « non », et apparemment il faut au moins soixante-douze mois d'expérience avant de pouvoir s'y aventurer. J'ai expédié un mail à Aaron, le suppliant de rappeler Mrs. Kaufman pour qu'elle cesse de me harceler, et ô surprise ! il était de retour à son bureau, occupé à nous pondre sa débilité de stimulation du jour :

Bonjour les petits gars. N'oublions jamais de montrer à nos clients les torrents d'énergie qui bouillonnent en nous ! C'est sur la qualité de nos relations avec ces braves gens que repose tout notre travail – ils apprécient notre patience et notre considération autant que notre gestion toujours orientée vers des résultats. J'ai le plaisir de vous annoncer la création d'une nouvelle réunion d'équipe hebdomadaire qui, je l'espère, nous permettra de réfléchir en commun aux façons de mieux servir nos clients. Elle se tiendra tous les vendredis matin à sept heures et nous donnera l'opportunité de réfléchir en dehors des sentiers battus. J'offre le petit déjeuner, alors apportez juste votre matière grise et n'oubliez pas que « les grandes découvertes et les grandes améliorations demandent invariablement la coopération de plusieurs esprits ». Alexander Graham Bell.

J'ai fixé ce mail si longtemps qu'un filet de salive s'est échappé de la commissure de mes lèvres. Qu'est-ce qui était le plus agaçant ? Son insistance à nous appeler ses « petits gars » et son obsession à vouloir « réfléchir en dehors des sentiers battus » ? Ou l'emploi de l'expression « matière grise » ? Concoctait-il ces mails uniquement pour ajouter à la misère et à la désespérance qui minaient mes journées ? Je me suis penchée sur cette question, prête à tout pour chasser de mon esprit cette histoire de réunion aux aurores. Puis j'ai répondu au pied levé à un autre appel frénétique – le neveu de Mrs. Kaufman cette fois, qui m'a tenu la jambe cinquante-sept minutes (un record), dont cinquante consacrées à me reprocher des choses qui n'étaient absolument pas de mon ressort, tandis que je restais muette, me contentant de rectifier de temps à autre un point de détail, et d'acquiescer au fait que j'étais aussi bouchée et inutile qu'il le prétendait.

Après avoir raccroché, j'ai contemplé à nouveau le mail d'Aaron, frappée d'apathie. J'ignorais comment, précisément, la citation de Mr. Bell pouvait s'appliquer à ma vie, et même si je devrais m'en préoccuper, mais je savais en revanche que si je voulais m'échapper pour aller déjeuner, c'était le moment ou jamais. Au cours de mes premières années chez UBS, j'avais commandé consciencieusement chaque jour un plateau-déjeuner, ainsi que le préconisait la politique interne. Mais récemment, Penelope et moi avions effrontément pris le pli de nous éclipser dix ou douze minutes pour descendre acheter nous-mêmes notre déjeuner, et nous en profitions pour caser dans ce court laps de temps le plus de lamentations et de ragots possible. Un IM s'est ouvert sur mon écran.

P. Lo : Prête ? Fallalel, ça te dit ? RV marchand 52e R dans 5 mn ?

J'ai tapé juste un « O », j'ai envoyé le message et posé mon manteau sur mon dossier de chaise pour indiquer ma présence. Comme un des managers m'a décoché un coup d'œil au moment où je prenais mon porte-monnaie, j'ai également rempli ma tasse de café – preuve supplémentaire que je ne quittais pas le navire – et l'ai posée bien en évidence sur mon bureau. J'ai vaguement marmonné à mes voisins de box (bien trop occupés de toute façon à transférer la transpiration de leur visage sur leur téléphone pour remarquer quoi que ce soit) que j'allais aux toilettes et j'ai gagné le couloir d'un pas assuré. Penelope, qui travaillait au département des investissements immobiliers deux étages plus haut, se trouvait déjà dans l'ascenseur, mais tels deux agents de la CIA parfaitement entraînés, nous n'avons échangé guère plus qu'un coup d'œil rapide. Elle m'a laissée sortir en premier de la cabine et traîner une minute dans le hall tandis qu'elle fonçait sur le parvis et dépassait avec naturel la fontaine. Je l'ai suivie du mieux que j'ai pu sur mes affreuses chaussures à talons et nous nous sommes mêlées sans échanger un mot à la cohorte de drones évadés des bureaux du quartier, qui faisaient la queue dans un silence nerveux, avides de savourer ces quelques précieuses minutes quotidiennes de liberté, mais instinctivement agacés et frustrés par l'attente imposée.

Penelope a passé en revue les trois stands ambulants où grésillaient des nourritures ethniques puissamment odorantes. Des hommes vêtus selon diverses coutumes et arborant tous des barbes de forme et longueur variées s'activaient à découper, faire sauter ou cuire à la vapeur des aliments qu'ils tendaient aux costumes affamés.

— Beth, tu prends quoi ?

— Une de ces brochettes de viandes assorties, ou

un chausson farci à quelque chose, ai-je répondu d'une voix éteinte en contemplant les fumées de viande. N'importe.

— On est de superhumeur aujourd'hui, on dirait.

— Excuse-moi. C'est vrai que je devrais m'extasier du résultat de ces cinq ans d'esclavage, j'avais oublié. Sans rire, regarde-nous ! Quelle vie de rêve ! C'est déjà assez triste qu'on ne puisse pas sortir déjeuner dans une journée de boulot de seize heures, mais qu'on n'ait même pas la permission de descendre s'acheter à manger, c'est carrément *pathétique* !

— Ce n'est pas nouveau, Beth. Je ne vois pas pour-quoi ça te stresse autant aujourd'hui.

— Parce que c'est une journée particulièrement pour-rie. Si tant est que je peux encore la différencier de la précédente et de la suivante.

— Pourquoi ? Il s'est passé un truc ?

« Deux bagues ? » ai-je eu envie de lui rétorquer, mais je me suis retenue. Devant moi, une bonne femme obèse, vêtue d'un tailleur encore plus moche que le mien et chaussée de baskets en cuir blanc, a renversé de la sauce sur les volants de son chemisier brodé. Je me suis vue, dans dix ans, et j'ai failli tourner de l'œil.

— Évidemment qu'il ne s'est rien passé ! C'est bien là le problème ! ai-je dit – ou plutôt, hurlé.

Deux jeunes blondinets, qui semblaient tout frais émoulus de Princeton et mordaient dans leur club sandwich, se sont retournés et m'ont dévisagée telle une bête curieuse. J'ai bien songé à me composer une attitude vu que… eh bien, ils n'étaient vraiment pas mal – mais je me suis souvenue aussitôt que tous ces joueurs de lacrosse éhontément sexy, en plus d'être bien trop jeunes, étaient vraisemblablement déjà maqués avec des filles tout aussi éhontément sublimes, de huit ans mes cadettes.

— Franchement, Beth, je ne comprends pas ce que tu cherches. Comment dire ? C'est un boulot, non ? Et le boulot, c'est le boulot. Quoi que tu fasses, ça ne sera jamais comme passer ses journées à glander au country club. C'est sûr que c'est nul de passer chaque minute de notre vie à bosser. Et je n'ai pas d'adoration pour la finance, moi non plus – ça ne m'avait jamais fait fantasmer de bosser dans une banque – mais ce n'est pas si dramatique.

Les parents de Penelope avaient tenté de la pousser vers un poste chez *Vogue* ou chez Sotheby pour parachever ses études en attendant de décrocher le diplôme d'épouse, mais quand elle avait insisté pour rejoindre ses camarades dans les rangs des entreprises américaines, ils l'avaient laissée faire – ce devait être possible, après tout, de trouver un mari tout en travaillant dans la finance, si elle ne perdait pas de vue ses priorités, ne manifestait aucune ambition personnelle, et démissionnait aussitôt après la noce. Et pour tout dire, Penelope avait beau se plaindre du boulot, je crois qu'en fait elle l'aimait bien.

Lorsqu'elle a tendu son billet de dix dollars pour payer nos deux kebabs, mes yeux ont été attirés par sa main comme par un aimant. Même moi, je devais reconnaître que la bague était sublime. Je le lui ai dit, pour la dixième fois au moins, et son visage s'est éclairé. Comment être contrariée par ces fiançailles quand mon amie nageait à l'évidence dans le bonheur ? D'autant que depuis ce jour fatidique, Avery avait multiplié les efforts pour se couler dans le rôle d'un vrai fiancé attentionné. Les trois derniers soirs, il était venu la chercher à la sortie du bureau, ils étaient rentrés ensemble et il lui avait même apporté le petit déjeuner au lit. Plus important, depuis trois semaines entières, il avait mis un frein à son activité préférée : le noctambulisme. Penelope ne voyait aucun inconvénient à ce qu'il veuille passer autant de temps qu'il était humainement possible affalé sur une banquette de club – ou debout sur une table en train de danser – mais elle ne voulait pas y participer. Les nuits où Avery sortait avec les copains de sa boîte de consulting, Penelope et moi allions au Black Door, un rade génial, où nous retrouvions Michael (quand il était dispo) pour boire des bières, étonnés que les gens aient envie d'aller ailleurs. Mais quelqu'un devait avoir rencardé Avery sur le fait que s'il est acceptable d'abandonner sa copine six soirs par semaine à la maison, ça l'est moins de négliger sa fiancée. D'où ses efforts pour s'amender. Je savais que ça ne durerait pas.

On a rebroussé chemin, sans rien récolter d'autre qu'un regard mauvais du cireur de chaussures appointé par UBS qui, lui, respectait consciencieusement la consigne. (Il était d'ailleurs tenu de ne pas quitter son poste à l'heure du déjeuner, au cas où une paire de richelieus aurait urgemment besoin d'un coup de brosse à reluire entre treize et quatorze heures.) Penelope m'a suivie jusqu'à mon box. Elle s'est installée sur la chaise destinée à recevoir des clients – en principe, car à ce jour, elle n'en avait encore accueilli aucun – et tout en piochant dans l'assiette posée en équilibre sur ses genoux, et qui embaumait, elle a annoncé, en retenant son souffle :

— On a fixé une date.

— Ah ouais ? C'est pour quand ?

— Dans un an exactement à compter de la semaine prochaine. Le dix août, à Martha's Vineyard – le lieu semblait s'imposer vu que c'est là-bas que tout a commencé. On n'est fiancés que depuis quelques semaines et nos mères sont déjà hystériques. Franchement, je ne sais pas comment je vais pouvoir les supporter.

Depuis que Penelope et d'Avery étaient petits, leurs deux familles passaient leurs vacances ensemble. Tout un tas de photos les montraient en tongs ornées de nœuds en gros grain l'été à Martha's Vineyard, et pantoufles Stubbs & Wootton aux sports d'hiver dans les Adirondacks. Les enfants avaient fréquenté le nec plus ultra des écoles privées non-mixtes – Nithingale pour Penelope, Collegiate pour Avery – et ils avaient l'un et l'autre passé une bonne partie de leur enfance à se faire exhiber par leur mère respective de galas de charité en matches de polo. Avery avait repris le flambeau des mondanités familiales en s'investissant dans les comités juniors de toutes les fondations qui l'avaient sollicité, et grâce au crédit illimité alloué par ses parents, s'était mis à sortir six nuits par semaine. Il comptait au nombre de ces jeunes New-Yorkais pur jus qui connaissaient tout le monde, partout. À l'immense désolation de ses propres parents, Penelope ne manifestait aucune attirance pour ce style de vie et préférait fréquenter une bande d'artistes marginaux et boursiers – le genre de gamins qui donnait à sa mère des suées nocturnes. Penelope et Avery n'avaient jamais été très proches – ni jamais près d'être amoureux – jusqu'à ce qu'Avery, bac en poche un an avant elle, parte en fac à Emory. D'après Penelope, qui avait toujours eu un béguin caché pour ce garçon, Avery avait été l'un des gamins les plus populaires de son lycée, le type même du sportif charmeur, qui réussissait de justesse ses examens mais était assez sexy pour se permettre d'être vraiment, *vraiment* arrogant. Pour ce que j'en savais, Penelope s'était, quant à elle, toujours fondue dans le décor – comme toutes les filles dotées d'une beauté typée à un âge où les garçons n'ont d'yeux que pour les blondes à gros nichons. Elle avait consacré beaucoup d'énergie à décrocher des mentions, en évitant à tout prix de se faire remarquer. Et elle avait réussi son coup, jusqu'à ce qu'Avery, de retour dans la résidence mitoyenne de leurs parents à Martha's Vineyard, au terme de sa première année de fac, regarde sur l'autre rive du jacuzzi et s'aperçoive que tout en Penelope n'était que beauté et grâce élancée – ses membres de biche, ses cheveux raides et bruns, les longs cils qui encadraient ses immenses yeux bruns.

Et Penelope a fait ce que toute fille sage sait qu'il ne faut jamais faire – pour soigner sa réputation, son estime de soi et amener le garçon à rappeler le lendemain : elle a couché avec lui quelques minutes à peine après avoir échangé un premier baiser. (Par la suite, elle dirait, un million de fois au moins : « Je n'ai pas pu me retenir. Je n'arrivais pas à croire qu'Avery Wainwright s'intéresse à moi ! ») Mais contrairement à d'autres filles de ma connaissance qui avaient commis la même erreur stratégique et n'avaient plus jamais entendu parler du garçon, Penelope et Avery ont commencé à s'attacher l'un à l'autre. Leurs fiançailles n'étaient guère plus qu'une formalité que les parents approuvaient et applaudissaient.

— Tu veux dire qu'elles sont pires que d'habitude ?

Penelope a soupiré et levé les yeux au ciel.

— « Pires que d'habitude ». Intéressant, comme formule. J'aurais cru que c'était impossible, mais non, ma mère s'est débrouillée pour devenir encore plus insupportable, ces derniers temps. Notre dernier bras de fer concernait une question cruciale : une robe de mariée est-elle vraiment digne de ce nom si elle n'est pas signée Vera Wang, Carolina Herrera ou Monique Lhuillier ? Ma réponse est oui. Ma mère n'était manifestement pas d'accord. Et me l'a fait savoir – avec véhémence.

— Et qui a gagné ?

— J'ai cédé sur ce point parce que, franchement, du moment que ma robe me plaît, peu m'importe de chez qui elle vient. J'imagine que je vais devoir choisir mes batailles très, très soigneusement, et celle sur laquelle je ne ferai aucun compromis, c'est le faire-part.

— Précise le sens de « faire-part ».

— Ne te fiche pas de moi !

— Non, vas-y, dis-le.

— Beth, s'il te plaît, c'est assez pénible comme ça, n'en rajoute pas.

— Allons, Pen, avoue. Lance-toi, il n'y a que la première fois qui coûte.

J'ai poussé le pied de sa chaise et je me suis penchée vers elle, prête à savourer l'information. Elle a caché son front pâle et parfait derrière ses mains aux doigts effilés, en secouant la tête.

— Le faire-part dans le *New York Times*.

— J'en étais sûre ! Je te promets que Will et moi serons indulgents. Elle ne se payait pas ta tête ?

— Bien sûr que non ! a gémi Penelope. Et naturellement, la mère d'Avery n'attend que ça, elle aussi.

— Pen, c'est génial ! Vous formez un si joli couple ! Ce serait dommage de ne pas en faire profiter le monde entier ! ai-je gloussé.

— Si tu les entendais ! C'est monstrueux. Elles fantasment déjà sur toutes ces écoles privées superhuppées qu'elles vont pouvoir énumérer à elles deux. J'ai carrément entendu ma mère, l'autre jour, dire à la responsable du Carnet du *Times* qu'elle voulait également mentionner les écoles des frères et sœurs. La nana lui a répondu qu'il n'y avait pas le feu, qu'on ne verrait ça qu'à six semaines de la date du mariage, mais ça n'a découragé personne : la maman d'Avery a déjà pris rendez-vous pour les photos, et déborde d'idées quant à la pose qu'on devra adopter pour que nos sourcils soient au même niveau. Et le mariage n'est que dans un an !

— Oui, mais c'est le genre de détail qui demande beaucoup de préparation et de recherches en amont.

— C'est exactement ce qu'elles ont dit ! s'est récriée Penelope.

— L'enlèvement, tu y as pensé ?

Penelope n'a pas eu le temps de répondre car Aaron a frappé, avec force démonstration de discrétion, à la paroi de mon box, puis il a agité les bras pour signifier combien il déplorait d'interrompre notre « conciliabule » – ainsi qu'il désignait, de façon irritante, nos pauses-déjeuners.

— Je n'avais pas l'intention d'interrompre votre conciliabule, les filles, a-t-il déclaré tandis que Penelope et moi articulions silencieusement chacun de ses mots. Beth, puis-je te parler un instant ?

— Pas de souci, j'allais partir, a soufflé Penelope, visiblement soulagée de pouvoir s'échapper sans devoir lui adresser la parole. Beth, on en reparle plus tard.

Je n'ai pas eu le temps de répondre qu'elle avait filé.

— Bethhhhhh ?

— Oui, Aaron ?

Il me faisait tellement penser au personnage de Lumbergh, dans *Office Space*, que ç'aurait été drôle si je n'avais pas été dans la ligne de mire de ses « suggestions ».

— Booooon, je me demandais juste si tu avais eu l'occasion de lire la citation du jour ?

Il a toussé, d'une toux grasse, et m'a dévisagée fixement, les sourcils haussés.

— Naturellement, Aaron, je l'ai là, sur l'écran. « La bonne marche d'une équipe, d'une entreprise, de la société, de la civilisation, tient à l'implication de chacun dans l'effort du groupe. » Je dois dire que celle-là me parle vraiment.

— C'est vrai ?

Il a eu l'air content.

— Bien sûr. Elle tombait très à propos. J'ai beaucoup appris de toutes ces citations. Pourquoi cette question ? Quelque chose ne va pas ? ai-je demandé de mon ton le plus patelin, le plus concerné.

— Non, rien *per se*. C'est juste que tu étais introuvable pendant dix minutes, et ces dix minutes – même si ce n'est pas long en soi – ont certainement dû paraître une éternité à Mrs. Kaufman, qui attendait une mise à jour.

— Une éternité ?

— Je ne pense pas que lorsque tu t'éloignes aussi longtemps de ton bureau, tu sois en mesure de prodiguer à nos clients, comme Mrs. Kaufman, le genre d'attention que nous nous enorgueillissons de leur prodiguer ici, chez UBS. C'est juste un détail auquel je te demande de réfléchir pour la prochaine fois, d'accord ?

— Je suis vraiment désolée. J'étais juste descendue chercher à déjeuner.

— Je le sais, Beth. Ai-je besoin de te rappeler qu'il est spécifié dans la charte de l'entreprise que les employées n'ont pas à perdre de temps pour se procurer à déjeuner ? J'ai un plein tiroir de menus livrés à domicile, si tu daignais y jeter un œil.

Je n'ai rien répondu.

— Ah oui, un dernier point, a-t-il poursuivi. Je suis certain que le supérieur de Penelope a tout autant besoin d'elle que moi de toi, alors essayons de limiter ces conciliabules au minimum, d'accord ?

Il m'a décoché le sourire le plus condescendant qui se puisse imaginer, en découvrant au passage trente-sept ans de taches et de tartre sur sa dentition. J'ai cru que j'allais vomir.

— Bon, c'est pigé ? a-t-il ajouté en se balançant avec nervosité d'un pied sur l'autre.

Comment ce mec lourdaud et rongé d'anxiété avait-il réussi à se hisser au moins trois échelons au-dessus du mien dans la hiérarchie de la boîte ? J'avais déjà observé certains clients avoir des mouvements de recul quand il leur serrait la main, et pourtant, Aaron grimpait les barreaux de l'échelle comme s'ils étaient lubrifiés – avec cette même huile dont il lissait les trois poils qui lui restaient sur le caillou.

Je ne voulais qu'une chose – qu'il disparaisse de ma vue – mais j'ai fait un mauvais calcul fatal. Au lieu de me contenter d'acquiescer et de m'en retourner à mon kebab, je lui ai demandé :

— Tu es mécontent de mes résultats, Aaron ? Je fais vraiment beaucoup d'efforts, mais tu n'as jamais l'air satisfait.

— Je ne dirais pas que j'en suis *mécontent*, Beth. Je pense que tu… Bon, tu te débrouilles pas mal. Mais nous cherchons tous à nous améliorer, n'est-ce pas ? Comme a dit Winston Churchill…

— « Pas mal » ? C'est comme dire de quelqu'un qu'il est « intéressant », ou de dire d'un rencard que c'était « sympa ». Je bosse quatre-vingts heures par semaine, Aaron. Je consacre ma vie entière à UBS.

Il était parfaitement vain de souligner mon dévouement en termes d'heures passées au boulot, vu qu'Aaron me battait d'au moins quinze heures de plus par semaine, mais je disais vrai : je travaillais sacrément dur – quand je n'étais pas en train de faire du shopping en ligne, de bavarder avec Will au téléphone ou de m'éclipser pour aller acheter à déjeuner avec Penelope.

— Beth, ne sois pas si susceptible. Je pense qu'avec un peu plus de bonne volonté pour apprendre, et peut-être un poil de plus d'attention à l'égard à nos clients, tu as le potentiel pour une promotion. Contente-toi de réduire les conciliabules au minimum, jette-toi avec cœur dans ton travail, et tu verras que tes résultats seront incommensurables.

J'étais en train de regarder l'écume qui se formait sur ses lèvres minces et quelque chose en moi a disjoncté. Je n'avais pas un ange sur une épaule, un démon sur l'autre,

ni dans ma tête aucune liste de « pour » et de « contre »,
ni aucun aperçu des conséquences ou ramifications
éventuelles de ce que je m'apprêtais à faire, ni en aucun
cas, de plan de secours. J'ai juste été envahie par une
sensation de calme et de détermination, couplée avec
la certitude que je ne pouvais, en aucun cas, tolérer une
seconde de plus cette situation.

— Très bien, Aaron. Fini les conciliabules – pour
toujours. Je démissionne.

Il a semblé un instant ne pas savoir sur quel pied
danser, puis il a compris que je ne plaisantais pas.

— Tu quoi ?

— Je te prie de considérer qu'à partir de maintenant,
je fais mes deux semaines de préavis, ai-je indiqué avec
une assurance qui commençait à vaciller, légèrement.

Comme s'il réfléchissait à mes paroles, il a épongé
son front moite et a froncé les sourcils, plusieurs fois de
suite, puis il a déclaré, posément :

— Ce ne sera pas nécessaire.

C'était à mon tour d'être désarçonnée.

— Je te remercie, Aaron, mais ma décision est prise.

— Non, je voulais dire, les deux semaines de préavis
– ce n'est pas la peine. On ne devrait pas avoir de mal
à trouver quelqu'un, Beth. Au cas où tu l'ignorerais, les
rues grouillent de gens qualifiés qui ne demandent qu'à
travailler. Je te prie de régler les détails de ton départ
avec la DRH et je te demande de vider ton box avant la
fin de la journée. Et… bonne chance pour la suite.

Il s'est fendu d'un sourire crispé avant de tourner les
talons. Pour la toute première fois, en cinq ans que je
travaillais sous ses ordres, il m'a donné l'impression
d'être sûr de lui.

Une tempête s'est levée dans ma tête. Les pensées
fusaient trop vite et arrivaient de trop de directions
différentes pour que je puisse les traiter. *Ça alors !*

Aaron a des couilles – qui s'en serait douté! Je viens de démissionner. Démissionner. Sans avoir rien prévu, ni projeté. Le dire à Penelope. Je dois la prévenir. Penelope est fiancée. Comment vais-je faire pour rapatrier tout mon barda jusque chez moi? Est-ce que je peux encore charger un trajet sur le compte de la société? Vais-je avoir droit à l'allocation chômage? Reviendrai-je dans le quartier, juste pour manger un kebab? Vais-je allumer un bûcher au milieu du salon et brûler mes tailleurs? Millington va être aux anges de se balader en pleine journée! En pleine journée. Je vais pouvoir passer mon temps devant Le Juste Prix *si ça me chante. Pourquoi n'y avais-je jamais pensé avant?*

J'ai continué à fixer l'écran de l'ordi un moment encore, et lorsque j'ai enfin pris la pleine mesure de ce qui venait de se passer, j'ai filé aux toilettes afin de flipper dans une relative intimité. Dans la vie, il y a des trucs cool, et d'autres qui sont des conneries intégrales et ce qui venait de se passer a vite commencé à se ranger dans cette dernière catégorie. Je me suis forcée à respirer longuement plusieurs fois de suite, puis j'ai tenté d'articuler – sans paniquer et avec naturel – mon nouveau mantra mais, tandis que je me demandais quelle monstrueuse ânerie je venais de commettre, je n'ai réussi à extraire de ma gorge qu'un sanglot étranglé.

4

— Bon sang, Beth, ce n'est pas comme si tu avais estropié quelqu'un. Tu as démissionné ? Félicitations ! Bienvenue dans le monde merveilleux de l'irresponsabilité adulte. Tout ne se passe pas toujours comme prévu dans la vie, tu sais.

Simon, qui ne voyait apparemment pas que j'étais déjà on ne peut plus détendue, s'employait de son mieux à me réconforter en attendant le retour de Will. La dernière fois où je m'étais sentie aussi zen, je crois bien que c'était lors de cette retraite dans un ashram.

— C'est juste que ça file la trouille, de n'avoir aucune idée de ce qu'on va faire ensuite, ai-je observé, sans me départir de ce calme qui confinait à la catalepsie.

Tout en sachant que j'aurais dû paniquer davantage, je venais de passer un mois assez génial. J'avais eu l'intention de prévenir tout le monde de ma démission, mais invariablement, au moment de décrocher mon téléphone et de passer à l'acte, un mélange dévorant d'ennui, de paresse et d'inertie m'avait paralysée. Je ne redoutais pas d'annoncer à mes amis que j'avais démissionné mais en revanche, la perspective de devoir expliquer mes raisons (je n'en avais aucune) et discuter de ma stratégie d'avenir (inexistante) me semblaient requérir un effort insurmontable. Ainsi – très certainement en proie à un état de détresse psychologique/fuite/déni – j'avais passé un mois à dormir tous les jours jusqu'à une heure de l'après-midi, à mater la télé des après-midi entières, à balader Millington et à acheter des trucs dont je n'avais pas besoin, dans un effort évident pour combler les vides de ma vie ; j'avais même pris, délibérément, la décision de me remettre à fumer sérieusement, histoire d'avoir un truc à faire une fois que *24 heures* était terminé. Je comprends sans problème que l'on puisse trouver ce tableau déprimant, mais cela faisait pourtant bien longtemps que je n'avais pas passé un mois aussi agréable, et ça aurait pu continuer indéfiniment sur cette lancée, si Will, en appelant un jour mon poste chez UBS, n'était pas tombé sur mon remplaçant.

Détail intéressant : j'avais perdu cinq kilos sans le moindre effort. Je n'avais pas fait de sport (à l'exception des treks à visée alimentaire) mais je me sentais plus en forme que jamais – certainement plus, en tout cas, que lorsque je bossais seize heures par jour. Étudiante, j'avais toujours été mince, mais sitôt embarquée dans la vie active, j'avais commencé à engraisser, vu que je n'avais pas le temps de faire du sport et que je préférais me gaver jour après jour de kebabs, de beignets et friandises vendues au distributeur, et de café tellement sucré que j'avais en permanence l'impression d'avoir les dents entartrées. Mes parents, mes amis, s'étaient poliment abstenus de remarques sur mon gain de poids, mais je savais bien que le résultat était affreux. Chaque année le premier janvier, j'avais couché sur ma liste de bonnes résolutions mon intention d'être plus assidue à la salle de sport. Je m'y tenais en général quatre jours, et le cinquième, j'assommais mon réveil pour m'octroyer une heure de sommeil supplémentaire. Seul Will me serinait que je ne ressemblais à rien. « Enfin, ma chérie, tu ne te souviens pas que les scouts des agences t'arrêtaient dans la rue pour te demander si tu étais déjà mannequin ? Ça ne t'arrive plus, n'est-ce pas ? » Ou encore : « Beth, mon trésor, ça t'allait si bien, il y a quelques années, ce look naturel, sans maquillage – pourquoi ne consacrerais-tu pas un peu de temps à le remettre à l'honneur ? » J'entendais parfaitement ces remarques, et je savais qu'elles étaient fondées – quand le bouton de votre jean préféré disparaît si profondément dans les replis de l'estomac qu'il faut s'y reprendre à plusieurs fois pour le localiser, il devient difficile d'ignorer ses kilos en trop. Que cette période de chômage m'ait fait mincir était parlant. Ma peau était plus saine, mes yeux plus vifs, et pour la première fois en cinq ans, les kilos avaient fondu sur mes hanches et sur mes cuisses mais étaient restés bien en place sur mes seins – sûrement un signe de Dieu pour me faire comprendre que je n'étais pas faite pour le travail. Mais comme évidemment je n'étais pas supposée prendre goût au désœuvrement et à la paresse, je m'efforçais de montrer la combinaison qui s'imposait de chagrin, regret et détresse. Avec Simon, ça marchait à fond.

— Je crois que ce qu'il te faut, c'est un petit cocktail. Que puis-je te préparer, Beth ?

Simon était loin de se douter que je m'étais mise à boire seule. Cela n'avait rien d'une activité solitaire de désespoir – « J'ai besoin de boire pour supporter ce qui m'arrive et tant pis s'il n'y a personne pour boire avec moi » – mais résultait au contraire d'une attitude libérée – « Je suis adulte et si j'ai envie d'un verre de vin, d'une goutte dc champagne ou de quatre vodkas cul sec, où est le problème ? » J'ai fait mine de réfléchir à la proposition avant de répondre :

— Oui, pourquoi pas ? Un martini ?

Oncle Will est arrivé à ce moment-là et, comme d'habitude, l'air dans la pièce s'est aussitôt mis à vibrer d'énergie.

— *Ab fab!* s'est-il écrié, en volant l'expression à la série qu'il regardait en douce sur la BBC mais dénigrait sans relâche. Simon, prépare donc à notre ex-banquière un martini extra-dry avec trois olives. Ma chérie! Si tu savais comme je suis fier de toi!

— Ah bon?

Il n'avait pourtant pas semblé au septième ciel lorsque, un peu plus tôt dans la journée par message interposé, il m'avait convoquée chez eux à l'heure des cocktails. (« Beth chérie, ton petit jeu est terminé. Je viens de parler à la souris terrifiée qui affirme occuper désormais ton box, et je me demande du coup ce que tu peux bien fabriquer en ce moment? Un balayage chez le coiffeur, j'espère? À moins que tu n'aies pris un amant? Je t'attends ce soir, à six heures tapantes, afin d'entendre de ta bouche tous les détails sanglants. Et prévois de nous accompagner ensuite à un petit dîner chez Elaine. » *Clic.*)

— Ma chérie! Mais évidemment! Tu as enfin quitté cette horrible banque! Tu es une créature absolument enivrante! Fascinante! Fabuleuse! Et si je peux me permettre, ce boulot monotone avait éteint tout ça en toi. (Il a posé ses grandes mains manucurées sur mes hanches et sa voix a grimpé dans les aigus.) Mais que vois-je là? Une taille? Seigneur! Simon, la petite a retrouvé sa silhouette. Fichtre! À croire que tu as passé ces dernières semaines à te faire liposucer partout où il le fallait! Heureux de te retrouver, ma chérie!

Tout en se défaisant de ce manteau noir charbon que je lui avais toujours connu, il a levé un des martinis que Simon venait de préparer (étant lui-même désormais interdit de préparation de cocktails à cause de sa tendance à les charger un peu trop).

Simon l'a imité en souriant et a trinqué avec nous d'un geste délicat, en veillant à ne renverser aucune goutte du précieux breuvage. Moi, bien moins prudente évidemment, j'en ai renversé un peu sur mon jean. Aurais-je été seule, je l'aurais léché – sans autre forme de procès.

— Donc c'est officiel, a repris Will avec solennité. Quelle est la suite ? Tu vas écrire pour un magazine ? T'offrir un petit tour dans la mode, peut-être ? J'ai entendu dire que *Vogue* embauchait en ce moment.

— Oh, arrête, ai-je soupiré, contrariée de devoir penser à tout ça. *Vogue* ? Crois-tu vraiment que je sois équipée ou qualifiée pour travailler pour cette rédac' chef – comment s'appelle-t-elle déjà ?

— Anna Wintour, a glissé Simon. Et je suis d'accord avec Beth.

— Non ? Eh bien, tu pourrais essayer à *Bazaar*, alors ?

— Will…

J'ai considéré mes vilains mocassins éraflés. En matière de garde-robe, j'avais peut-être fait du chemin depuis mon époque Birkenstock et tresses à l'indienne, mais j'étais encore embourbée dans l'ornière des tailleurs Ann Taylor, comme bien des jeunes actives.

— Oh, arrête de te lamenter, ma chérie ! Tu trouveras bien quelque chose. Et n'oublie pas que si jamais tu décidais de venir travailler avec moi, ma porte t'est grande ouverte. Au cas où tu serais vraiment dans une situation désespérée, s'entend.

Will mentionnait cette éventualité avec autant de délicatesse que possible depuis l'époque où j'étais encore lycéenne, soulignant toujours avec désinvolture que ce serait amusant de travailler ensemble, ou encore que je possédais un talent inné pour les travaux de recherche et l'écriture. Mes parents, qui conservaient toutes mes dissertations, lui en envoyaient des copies, et lorsqu'au terme de ma seconde année de fac j'avais opté pour la littérature anglaise en majeure, Will m'avait envoyé une immense composition florale, accompagnée d'une carte qui proclamait : POUR LA NOUVELLE CHRONIQUEUSE DE LA FAMILLE. Il faisait souvent allusion au fait qu'il adorerait me montrer les ficelles du métier. Il était convaincu que ça pourrait me plaire. Je n'en doutais pas. Simplement, depuis quelque temps, ses articles ressemblaient de plus en plus à des libelles conservateurs, et de moins en moins à ces chroniques « loisirs et société » auxquelles ses lecteurs étaient accros depuis des années. Will excellait dans l'exercice très particulier de la chronique, traitant tout sujet avec une distance ironique, sans jamais se prendre au sérieux. Cela du moins jusqu'à une date récente, et ce papier intitulé « Pourquoi les Nations Unies sont-elles l'incarnation du Diable ? » (Qui, en résumé, donnait ceci : « À notre époque de technologies avancées, qu'est-ce qui justifie la présence physique de tous ces diplomates internationaux à New York ? Ils monopolisent les meilleures places de parking, les meilleures tables dans les restaurants et ne font qu'aggraver l'environnement non-anglophone de la ville. Pourquoi ne se contentent-ils pas d'envoyer leurs votes par mail depuis leur pays ? Pourquoi devons-nous endurer des embouteillages monstres et des déploiements cauchemardesques de mesures sécuritaires quand, de toute façon, personne ne tient compte de ce qu'ils disent ? Et s'ils refusent catégoriquement de travailler par voie électronique depuis leur pays d'origine, pourquoi ne délocalisons-nous pas tout le tremblement à Lincoln, dans le Nebraska ? On verra bien alors s'ils meurent toujours d'envie de venir siéger dans notre pays pour améliorer le monde ? ») Pour ce qui était de travailler avec Will, j'étais partagée : j'aurais adoré apprendre le métier avec lui, mais cela me semblait un peu trop facile – « Hé, mais quelle veine tu as ! Ton oncle est un chroniqueur célèbre, un grand journaliste d'agence, et tu bosses pour lui ! » Will employait une petite équipe de documentalistes et d'assistantes qui, je le savais, m'en voudraient à mort si je commençais à écrire sitôt débarquée parmi elles. Je m'inquiétais aussi à l'idée de mettre en péril nos bonnes relations. Will étant à la fois mon seul parent proche et un ami très cher (et qui constituerait sous peu mon seul réseau social dès lors que Penelope serait mariée), ça ne me semblait pas une très bonne idée de travailler avec lui toute la journée.

— D'après mon ex-boss, je n'ai pas encore atteint un seul des idéaux proposés dans une citation du jour. Je ne suis pas certaine que tu aurais envie de travailler avec quelqu'un comme moi.

— Beth, s'il te plaîîîîît ! Tu te débrouillerais mieux que ces gamines que j'emploie, et qui font semblant de vérifier les informations alors qu'en fait, elles mettent à jour leur profil sur nerve.com, à grand renfort de photos suggestives et d'annonces d'une platitude grotesque. (Il a reniflé avec mépris.) J'applaudis à une absence totale d'éthique professionnelle, tu sais. Comment sinon pourrais-je écrire chaque jour de telles conneries ? (Il a vidé son verre d'un trait, avec une mimique d'appréciation, et s'est levé.) C'est juste une des possibilités que tu peux considérer. Bon, allons-y. Nous sommes attendus.

— D'accord, ai-je soupiré, mais je ne pourrai pas rester jusqu'à la fin. J'ai club de lecture, ce soir.

— Vraiment ? Voilà qui confine à une activité mondaine ! Que lis-tu ?

J'ai réfléchi à toute berzingue et j'ai bafouillé le premier titre socialement acceptable qui me venait à l'esprit.

— *Moby Dick*.

Simon s'est retourné et m'a dévisagée.

— Tu lis *Moby Dick* ? Tu es *sérieuse* ?

Will, lui, s'est marré.

— Tu parles ! Elle lit sinon *Passion et souffrance en Pennsylvanie*, ou quelque chose du même tonneau. Tu as du mal à te défaire de cette habitude, pas vrai, ma chérie ?

— Tu ne comprends pas, Will. (Je me suis tournée vers Simon.) Je le lui ai expliqué je ne sais pas combien de fois, mais il refuse de comprendre.

— Comprendre quoi, au juste ? Comment mon adorable nièce, une fille très intelligente et diplômée de littérature, non seulement lit mais fait une *fixation* sur les romans de gare ? Tu as raison, ma chérie, ça me dépasse.

J'ai fixé mes pieds, en feignant une insondable honte.

— *Gentleman et Mauvais Garçon* vient tout juste de sortir… et était très attendu. Ce qui montre que je ne suis pas vraiment seule – c'est l'un des bouquins pour lequel il y a le plus de pré-commandes sur Amazon, et le délai de livraison est de trois semaines !

Will a coulé un regard vers Simon puis a secoué la tête, incrédule.

— Ma chérie, je ne comprends pas *pourquoi*. Pourquoi ?

Pourquoi ? Pourquoi ? Comment pourrais-je jamais répondre à cette question ? Je me la suis posée des millions de fois. Tout avait commencé de manière assez innocente lors d'un vol Poughkeepsie-Washington D.C., avec la découverte, dans la pochette de mon siège, d'un exemplaire de *L'Envoûtée*. J'avais treize ans, et assez de jugeote pour sentir qu'il valait mieux le lire en cachette de mes parents – ce que j'ai fait. Seulement voilà : ça m'a tellement plu qu'arrivée à l'hôtel, j'ai prétexté un mal de gorge pour sécher la manif en faveur du droit à l'avortement à laquelle nous devions tous assister, et pouvoir terminer le roman. J'ai vite appris à identifier un roman sentimental au premier coup d'œil, à les localiser en quelques secondes dans un drugstore, afin de les déloger du présentoir et les payer discrètement avec mon modeste argent de poche à la caisse de la pharmacie pendant que ma mère réglait ses achats aux caisses principales. J'en dévorais deux ou trois par semaine et comme j'étais vaguement consciente qu'ils s'apparentaient à un produit de contrebande, je les planquais dans un vide sanitaire, sous le plancher de mon placard. Je ne les lisais qu'après l'extinction des feux, et n'oubliais jamais de les ranger dans leur cachette avant de m'endormir.

Au début, j'étais embarrassée par les évidentes suggestions érotiques des couvertures – et, bien entendu, par les descriptions explicites dans les scènes de sexe. Comme toute adolescente, je ne voulais pas que mes parents découvrent que je savais des choses sur le sujet, et je veillais à ne pas me faire prendre en pleine lecture. Mais à dix-sept ans, alors que j'étais en dernière année au lycée, j'ai fait mon *coming-out*. Un jour où j'avais accompagné mon père à la librairie, au moment du passage en caisse, j'ai glissé un exemplaire d'*Un ténébreux garde du corps* sur le comptoir, en murmurant avec détachement :

— J'ai oublié mon porte-monnaie. Tu peux m'avancer l'argent ? Je te rembourse en rentrant à la maison.

Mon père a soulevé le bouquin, avec autant de réticences qu'il l'aurait fait d'une charogne écrasée sur la route, et avec une expression tout aussi dégoûtée. Puis il a éclaté de rire.

— Allons, Bettina, va remettre cette ânerie où tu l'as trouvée et choisis-toi un livre digne de ce nom. J'ai promis à ta mère d'être rentré dans vingt minutes – on n'a pas le temps de plaisanter.

Mais j'ai insisté et il a fini par céder, ne serait-ce que pour pouvoir filer plus vite. Ce soir-là, à table, quand il a évoqué l'incident, il semblait totalement perplexe.

— Tu ne lis pas ça pour de vrai, n'est-ce pas ? a-t-il demandé, en grimaçant comme s'il essayait de comprendre l'incompréhensible.

— Ben, si, ai-je répondu simplement, d'une voix qui ne trahissait rien de mon embarras.

Ma mère a lâché bruyamment sa fourchette dans l'assiette.

— Non, ce n'est pas vrai ! (On aurait dit qu'elle espérait que son désir deviendrait réalité si elle l'affirmait avec suffisamment de force.) Tu ne peux pas lire ça. C'est impossible.

— Oh que si ! ai-je chantonné – une tentative timide pour alléger l'ambiance. Tout comme cinquante millions de gens, maman. Ces romans sont relaxants *et* intéressants. Ça parle de souffrance, d'extase et le dénouement est toujours heureux – que demander de plus ?

Je connaissais les chiffres et ils étaient incontestablement impressionnants. Les deux mille romans sentimentaux publiés chaque année génèrent un chiffre d'affaires d'un milliard et demi de dollars. Deux cinquièmes des Américaines achètent au moins un roman sentimental par an, et le genre représente plus d'un tiers des ventes annuelles de la production de fiction. Une universitaire spécialiste de Shakespeare (professeur à Columbia de surcroît) venait de reconnaître être l'auteur de dizaines de romans sentimentaux. Pourquoi aurais-je dû avoir honte ?

Ce que je m'étais bien gardée de dire à mes parents à l'époque – et que je n'ai pas davantage expliqué à Will et Simon ce soir-là – c'est combien ces romans me passionnaient. Ils m'apportaient une part d'évasion, naturellement, mais ma vie n'était pas malheureuse au point de vouloir me réfugier dans un monde imaginaire. Non : c'était tout simplement stimulant de découvrir l'histoire d'un homme et d'une femme sublimes, qui triomphent de tous les obstacles à la force de leur amour. Les scènes érotiques constituaient un bonus, mais le plus important résidait dans ce dénouement toujours heureux qui délivrait une magistrale leçon d'optimisme, et m'incitait à me plonger dans un nouveau roman sitôt le précédent refermé. C'était plus fort que moi. Ils étaient fiables, relaxants et distrayants, mais surtout (et ça, je ne pouvais pas le nier, quelle que soit la quantité d'arguments que mes parents m'opposent en matière de féminisme ou de responsabilisation des femmes) ils dépeignaient le type d'histoire d'amour que je désirais vivre plus que tout au monde. J'étais conditionnée pour comparer chaque petit ami potentiel à l'Homme Idéal. Je voulais vivre un Conte de Fées et rencontrer le Prince Charmant. Termes qui – faut-il le préciser ? – auraient échoué à qualifier Cameron, ou la plupart des relations entre hommes et femmes à New York. Mais je n'avais pas perdu espoir – pas encore.

Allais-je expliquer cela à mon oncle et à Simon ? Sûrement pas. Voilà pourquoi chaque fois que quelqu'un me demandait pourquoi je lisais ce genre de livres, je m'en tirais par une pirouette, en riant et en m'autodénigrant d'une remarque telle que : « Les romans sérieux me tombent des mains. »

— Bah, peu importe ! ai-je répondu en évitant de croiser leur regard. C'est une habitude sans conséquence que j'ai contractée gamine et dont j'ai du mal à me défaire.

Will a jugé mon euphémisme particulièrement hystérique.

— « Une habitude sans conséquence » ? a-t-il mugi. Et tu fais partie d'un club de lecture dont l'unique mission consiste à disséquer tes fictions d'élection pour mieux les apprécier ?

À cela, il n'y avait pas grand-chose à opposer. Avant de rallier ce club, personne dans mon entourage n'avait jamais compris. Ni mes parents, ni mon oncle, ni mes camarades de lycée ou de fac. Penelope secouait simplement la tête chaque fois qu'elle tombait sur un de ces romans dans mon appart (ce qui n'était pas bien ardu puisqu'il y en avait plus de quatre cents entassés dans des placards, des boîtes de rangement sous le lit et aussi – pour ceux dont la couverture n'était que moyennement embarrassante – sur des étagères). Je savais bien qu'il existait des légions de lectrices de romans sentimentaux, mais ce n'était que deux ans auparavant que j'avais rencontré Courtney, dans un Barnes & Noble *midtown*, un soir en sortant du boulot. J'examinais les titres proposés sur le présentoir métallique quand j'ai entendu une voix féminine, dans mon dos, chuchoter :

— Vous n'êtes pas toute seule, vous savez.

J'ai fait volte-face et je me suis trouvée nez à nez avec une jolie nana, qui devait avoir mon âge. Elle avait un visage en forme de cœur et des lèvres naturellement roses. Avec ses anglaises blondes, elle me faisait penser à Nelly, dans *La Petite Maison dans la prairie*, et ses traits étaient si délicats qu'on aurait dit que son visage risquait de se fissurer à tout moment. J'ai précipitamment planqué mon exemplaire de *Frissons dans la nuit* sous un dictionnaire grec-anglais surdimensionné qui traînait à proximité.

— Excusez-moi ? C'est à moi que vous parlez ?

Elle a hoché la tête et s'est rapprochée.

— Je disais juste que vous n'avez plus à vous sentir gênée. Vous n'êtes pas seule.

— Qui a dit que j'étais gênée ? me suis-je défendue.

Elle a coulé un regard furtif en direction du bouquin qui dépassait de sous son bouclier, et a haussé un sourcil.

— Je m'appelle Courtney, et moi aussi je suis accro aux romans sentimentaux. J'ai une licence, un vrai travail, et je n'ai plus peur de reconnaître que j'adore lire ces satanés romans. Nous sommes tout un groupe de filles dans le même cas. Nous nous retrouvons deux fois par mois pour parler des titres qu'on a lus, boire quelques verres et nous convaincre que ce n'est pas un délit de lire ces romans. Disons que c'est entre le club de lecture et la thérapie de groupe. (Elle a extrait de sa besace un reçu bancaire tout froissé, a dévissé des dents le capuchon d'un Monblanc et a griffonné une adresse à SoHo, ainsi qu'une adresse mail.

— Notre prochaine réunion a lieu ce lundi soir. Venez. Je vous ai indiqué mon mail, au cas où vous auriez des questions, mais il n'y a pas grand-chose à savoir. En ce moment, on lit ça… (Discrètement, elle m'a montré un exemplaire de *Sur un coup de tête*.) … et on adorerait que vous veniez.

Peut-être est-ce le signe d'une véritable addiction que je me sois effectivement pointée une semaine plus tard chez une parfaite inconnue. J'ai vite compris que Courtney avait bien fait d'insister. Toutes les autres filles étaient intelligentes, sympas, intéressantes chacune à leur façon, et toutes adoraient les romans sentimentaux. Hormis deux jumelles, aucune de ces filles n'était amie ou collègue de travail ; toutes avaient eu vent du club par hasard, exactement comme moi. J'avais été surprise, et enchantée aussi, de découvrir que j'étais la seule à avoir fait mon *coming-out* : aucune de mes nouvelles camarades n'avait encore révélé au mari, aux copines ou aux parents l'objet véritable de ce club de lecture. Et depuis deux ans que j'en étais membre, une seule avait fini par avouer à son petit ami quelles étaient ses lectures de prédilection. Les moqueries qu'elle avait alors endurées avaient changé le cours de sa vie : partant du principe que jamais un homme réellement amoureux d'elle (sous-entendu : comme le serait le héros d'un roman sentimental) ne se moquerait aussi impitoyablement de quelque chose qui lui donnait du plaisir, elle avait rompu. Nos petites réunions de groupe avaient survécu aux bouleversements professionnels, conjugaux, et même une fois à un procès, néanmoins, si jamais nous nous croisions par hasard dans la rue, ou dans une soirée, nous n'échangions guère plus qu'un simple bonjour et un regard entendu. Après avoir loupé la précédente réunion, j'avais impatiemment attendu toute la semaine celle de ce soir-là, et il était hors de question que Will me gâche mon plaisir.

Sans perdre plus de temps, nous nous sommes tous les trois entassés dans un taxi, mais arrivés devant le restaurant, à l'angle de la Quatre-Vingt-Huitième Rue et de la Seconde Avenue, nous n'étions apparemment pas les premiers.

— Préparez-vous ! a sifflé Simon entre ses dents en voyant Elaine foncer à notre rencontre.

— Vous êtes en retard ! a-t-elle aboyé, en pointant du doigt l'arrière-salle, où s'étaient déjà rassemblés quelques convives. Allez vous occuper de vos copains, je vous apporte à boire.

J'ai emboîté le pas à Will et à Simon pour traverser ce restaurant qui ne payait pas de mine mais était légendaire. Le moindre centimètre carré de mur était couvert de livres, et là où il n'y avait pas de livres, il y avait des portraits dédicacés et encadrés – un vrai panthéon de tous les écrivains publiés dans le courant du XXe siècle. Au vu de l'ambiance décontractée qui régnait dans la salle lambrissée, on aurait pu se croire dans une banale cantine de quartier, mais cette impression était aussitôt démentie par le fait que les convives déjà installés autour de la table de vingt couverts étaient, tous sans exception, des célébrités de la sphère des médias ou de la politique. Une serveuse m'a tendu un généreux martini auquel je me suis attaquée sur-le-champ, et que j'ai terminé à l'instant où la tablée était finalement au complet.

Will portait un toast à Charlie Rose, de qui nous célébrions ce soir-là la sortie du dernier livre, quand la seule autre femme de moins de quarante ans de cette assemblée s'est penchée vers moi.

— Comment vous êtes-vous fait embringuer dans ce traquenard ?

— Je suis la nièce de Will. On ne m'a guère laissé le choix.

La femme a gloussé et a posé la main sur mes genoux – un geste qui m'a aussitôt rendue nerveuse, jusqu'à ce que je comprenne qu'elle essayait de me serrer la main, discrètement.

— Je m'appelle Kelly. C'est moi qui ai concocté ce petit dîner pour votre oncle, donc j'imagine que je suis, moi aussi, plus ou moins tenue d'être là.

— Enchantée, ai-je murmuré. Je m'appelle Beth. J'étais chez eux, un peu plus tôt dans la soirée, et je me retrouve ici – cela dit, le dîner a l'air charmant.

— Vous trouvez ? Ce n'est pas vraiment la scène que je préfère, mais ça sert les intérêts de votre oncle. Bonne brochette de convives, tous ceux qui ont RSVPé sont effectivement là – ce qui n'arrive jamais – et Elaine contrôle parfaitement la situation, comme d'habitude. L'un dans l'autre, je suis assez contente du résultat. Et si j'arrive à éviter qu'ils finissent tous ivres morts, je dirai même que c'était parfait.

La première tournée de cocktails a été avalée en un rien de temps, et chacun s'est intéressé aux salades qu'on venait de servir.

— Quand vous dites que c'est vous qui avez « concocté » ce dîner, qu'entendez-vous par là, au juste ? ai-je demandé à ma voisine, plus pour dire quelque chose que par intérêt pour la réponse – mais Kelly a semblé n'y voir que du feu.

— Je dirige une boîte de RP et d'événementiel,

m'a-t-elle appris en buvant une gorgée de vin blanc. Nous représentons toutes sortes de clients – des restaurants, des hôtels, des boutiques, des labels de disques, des studios de cinéma, des célébrités, aussi, à titre personnel – et nous faisons tout ce qui est en notre pouvoir pour servir leur image : apparitions dans les médias, soirées autour des lancements de produits, ce genre de choses…

— Et ce soir ? Qui représentez-vous, ici ? Will ? Je ne savais pas qu'il avait un chargé de relations publiques.

— Non, ce soir j'ai été embauché par l'éditeur de Charlie pour organiser un dîner avec les élites des médias – ces journalistes qui sont reconnus à titre personnel, indépendamment du support pour lequel ils travaillent. L'éditeur possède naturellement son propre service de com', mais n'a pas forcément les bonnes connexions pour mettre en place un événement aussi pointu. C'est là que j'entre en jeu.

— J'ai compris. Et comment connaissez-vous « les bonnes connexions », vous ?

Ma question lui a arraché un rire.

— Je dirige une agence pleine de gens dont le travail consiste à connaître toutes les personnes qu'il importe de connaître. Soit un fichier de trente-cinq mille noms de gens que nous pouvons contacter à tout moment. Et vous, que faites-vous ?

Par chance, avant que j'aie pu forger un pieux mensonge de circonstance, Elaine, depuis le seuil, a intercepté discrètement l'attention de Kelly, qui s'est aussitôt levée de table. Je me suis tournée vers Simon, qui était assis à ma gauche, et j'ai remarqué, accroupi dans un coin de la pièce, un photographe occupé à prendre une série de photos, sans flash.

Je me suis souvenue de la première fois où Will m'avait traînée dans un dîner de ce genre. J'avais quatorze ans, j'habitais à Poughkeepsie et j'étais en visite à

New York. Nous avions été chez Elaine, ce soir-là aussi, et également pour fêter la sortie d'un livre, et j'avais demandé à Simon :

— C'est bizarre qu'on nous photographie en train de dîner, non ?

Simon avait gloussé.

— Bien sûr que non, ma cocotte, c'est précisément ce pour quoi nous sommes là. Sans photos demain dans les journaux, ce dîner aurait-il vraiment eu lieu ? On ne peut pas *acheter* le genre de publicité dont cet auteur et son livre bénéficieront grâce à ce dîner. Ce photographe travaille pour le magazine *New York*, si je me souviens bien, et dès qu'il sera parti, un autre lui succédera. Enfin, c'est du moins ce que tout le monde espère.

Will m'avait appris dès mes jeunes années comment faire la conversation à des inconnus. La clé est de se souvenir que tout le monde se fiche pas mal de savoir ce que vous faites dans la vie, ou pensez. Donc, sitôt attablé, posez immédiatement des questions à la personne à votre droite. Demandez-lui n'importe quoi, feignez un peu d'intérêt, et faites suivre chaque silence embarrassé d'autres questions la concernant. Après des années d'instruction et de pratique, j'étais capable d'entretenir n'importe quelle conversation, mais ce soir-là, ça m'amusait bien moins que lorsque j'étais ado. J'ai donc pris congé sitôt les entrées débarrassées.

Le club se réunissait ce soir-là chez Alex, dans East Village. J'ai sauté dans un train de la ligne 6 et j'ai fait défiler les listes de mon iPod jusqu'à trouver « In My Dreams », de REO Speedwagon. À la sortie du métro à Astor Place, une toute petite bonne femme qui avait une tête de bibliothécaire scolaire m'a littéralement foncé dessus. Quand je me suis excusée, avec sincérité, pour mon rôle dans l'incident (qui se résumait à m'être trouvée là), la maladroite a fait volte-face et s'est mise à hurler, le visage défiguré par une grimace diabolique :

— « Excusez-moi » ? Ça ne serait peut-être pas arrivé si vous aviez marché du bon côté du trottoir !

Sur quoi elle s'est éloignée en marmottant des insanités. *En voilà une à qui ça ne ferait pas de mal de se plonger quelques heures dans* Gentleman et Mauvais Garçon, me suis-je dit.

J'ai sonné à l'interphone d'Alex et entrepris la pénible ascension jusqu'à son sixième étage sans ascenseur. Alex était l'artiste type d'East Village, vêtue de noir de la tête aux pieds, changeant de couleur de cheveux tous les quatre matins et arborant un piercing tantôt à la narine, tantôt au sourcil. Mais une artiste d'East Village qui vouait une passion au roman sentimental et qui, manifestement, avait beaucoup à perdre (en termes de crédibilité, en quelque sorte) si jamais ses pairs le découvraient. Nous étions donc convenues de dire à ses voisins, si jamais ils posaient des questions, que nous nous réunissions dans le cadre des Nymphomanes Anonymes.

— Tu préfères leur dire que tu es nympho plutôt que lectrice de romans à l'eau de rose ? m'étais-je étonnée en apprenant la consigne.

— C'est clair ! avait-elle répondu sans une seconde d'hésitation. Être accro, c'est toujours cool. Tous les artistes et les créateurs sont accro à quelque chose.

Nous nous étions donc inclinées devant sa décision.

Avec son pantalon en cuir de rockeuse et son vieux T-shirt défraîchi de CBGB[1], Alex avait l'air encore plus punk que d'habitude. Elle m'a tendu un rhum-Coca, et je me suis assise sur son lit pour la regarder appliquer six

---

1. Célèbre bar du Bowery sur la scène duquel se sont produits à leurs débuts Patti Smith, les Ramones, Blondie, Talking Heads… *(N.d.T.)*

couches sinon plus de mascara en attendant les autres filles. Janie et Jill, les jumelles, sont arrivées peu après. Elles avaient une petite trentaine ; Jill était encore étudiante (elle passait un diplôme très spécialisé d'architecture) et Janie bossait dans une agence de pub. Elles étaient tombées raides dingues des Harlequin dès l'enfance, quand elles piquaient en douce ceux de leur mère pour les dévorer le soir sous les couvertures. Ont suivi Courtney, grâce à qui j'avais rallié ce club (elle était rédactrice à *Teen People* et loin de se contenter de lire tous les romans sentimentaux jamais écrits, elle se plaisait à en écrire elle-même) et Vika, une importation mi-suédoise, mi-française à l'accent adorable qui, à titre de couverture professionnelle, enseignait dans une maternelle privée de l'Upper East Side. Au total, on formait une équipe sacrément bigarrée.

— Quelqu'un a du nouveau, avant qu'on commence ? a demandé Jill.

Jill prenait toujours la direction de nos rencontres et tentait de nous garder dans les rails, un geste complètement inutile vu que nos réunions ressemblaient plus à des séances de thérapie qu'à une exploration littéraire, de quelque nature que ce soit.

— J'ai démissionné, ai-je annoncé d'un ton joyeux en levant mon verre.

— Bravo ! ont-elles répondu en chœur en trinquant.

— Il était temps que tu te tires de ce cauchemar, a souligné Janie.

— Oh oui, a renchéri Vika. Ton boss ne va pas te manquer, j'en suis sûre.

— C'est clair.

Courtney s'est servi son second verre en dix minutes et a demandé :

— Mais comment va-t-on faire pour avoir notre citation du jour ? Est-ce que quelqu'un peut te les faire suivre ?

Lors de ma seconde réunion, j'avais commencé à

partager avec le groupe la sagesse inspirée des citations d'Aaron. Après une brève introduction préliminaire, j'avais lu une des préférées, et nous avions toutes beaucoup ri. Dès lors, les filles s'étaient mises à préparer des anticitations de leur cru – de petites épigrammes méchantes, sarcastiques ou vachardes que j'étais libre de partager avec Aaron, si l'envie m'en prenait.

— À ce propos, ai-je ajouté en sortant avec pompe une feuille de mon sac, j'ai reçu celle-là trois jours à peine avant de me tirer, et c'est l'une de mes favorites. Écoutez ça : « Le travail d'équipe : en deux mots, c'est moins de "moi" et plus de "nous". » Voilà une pensée pénétrante, mes amies.

— Waou ! a soupiré Jill. Merci de la partager avec nous. C'est décidé : je vais essayer d'avoir moins de « moi » et plus de « nous » dans ma vie.

— Moi aussi, a renchéri Alex. Elle fait la paire avec une autre citation sur laquelle je suis tombée récemment. C'est de notre ami Gore Vidal : « Chaque fois qu'un de mes amis réussit quelque chose, un petit quelque chose en moi meurt. »

Nous sommes toutes parties d'un grand éclat de rire, jusqu'à ce que Janie nous interrompe pour nous annoncer une nouvelle pour le moins choquante.

— À propos de patrons… je, euh… j'ai eu un incident avec le mien.

— Un incident ? a répété Jill. Tu ne m'avais rien dit !

— Ça s'est passé hier soir. Tu dormais quand je suis rentrée, et je ne t'ai pas vue depuis.

— J'aimerais bien que tu précises le terme « incident », est intervenue Vika, les sourcils haussés.

— Eh bien, on s'est comme qui dirait… rapprochés, a-t-elle répondu avec un sourire faussement timide.

— Quoi ? s'est récriée Jill d'une voix suraiguë, en

dévisageant sa sœur d'un air mi-épouvanté, mi-ravi.
Raconte !

— On venait de pitcher un nouveau client potentiel,
et en sortant du rendez-vous, il m'a proposé d'aller grignoter quelque chose. On a mangé des sushis, puis on a
bu un verre…

— Et ?

— Et puis deux… et ensuite, je me souviens juste que
j'étais à poil sur son canapé.

— Oh mon Dieu ! a lâché Jill en se balançant d'avant
en arrière.

— Pourquoi ça te contrarie autant ? a demandé Janie
en se tournant vers elle. C'est pas grand-chose.

— Parce qu'à mon avis, ça ne va pas servir au mieux
ta carrière.

— Manifestement, tu ignores tout de mes talents dans
certains domaines, a riposté Janie avec un sourire rusé.

— Tu as couché avec lui ? a demandé Alex. Je t'en
prie, dis oui. Ça me ferait ma soirée ! Beth la banquière
donne sa dem' sans filet, et toi tu te tapes ton boss ? J'ai
l'impression que je finis par avoir un peu d'influence !

— Bon… je ne sais pas si « coucher » est le terme
approprié, a rectifié Janie.

— Comment ça ? a demandé Alex. Soit tu as couché,
soit tu n'as pas couché.

— Franchement, s'il n'était pas mon patron, ça
n'aurait même pas compté. Quelques va-et-vient… Rien
de mémorable.

— C'est déjà plus que je n'ai fait moi en deux ans, ai-
je observé.

— *Intéressant*, a souligné Courtney. Je me demande
combien d'autres mecs entrent dans la catégorie du pas-
assez-mémorable pour mériter d'être comptabilisés.
Janie ? Tu peux nous éclairer ?

Alex est revenue de sa micro-cuisine avec un plateau de petits verres, tous remplis à ras bord.

— Pourquoi parler de notre *Mauvais Garçon* quand nous avons ici même une vilaine fille rien qu'à nous? a-t-elle lancé en distribuant les verres.

C'était parti – et à toute berzingue.

5

Trois autres semaines ont filé quasiment sur le même mode que mon premier mois de chômage, mais empoisonnées cette fois par les coups de fil quotidiens de Will et de mes parents, qui prétendaient « prendre de mes nouvelles ». Ce qui donnait en général :

Ma mère : Bonjour, mon trésor. De nouvelles pistes, aujourd'hui ?

Moi : Salut, maman. Je bats le pavé. Il y a pas mal d'annonces prometteuses, mais je n'ai pas encore trouvé le truc parfait. Vous allez bien, papa et toi ?

Ma mère : Très bien, ma chérie, on se fait juste un peu de souci pour toi. Tu te souviens de Mrs. Adelman ? Sa fille dirige la collecte de fonds pour Earth Watch et elle a dit que tu n'hésites pas à l'appeler, ils ont toujours besoin de gens dévoués et qualifiés.

Moi : Mm… Génial. Je vais y penser. [Je zappe sur CBS pour ne pas louper le début d'Oprah]. Bon, faut pas que je traîne, j'ai encore d'autres lettres de motivation à écrire.

Ma mère : Des lettres de motivation ? Oui, bien sûr.

Je ne veux pas te retarder. Bonne chance, mon trésor. Je sais que tu vas trouver quelque chose très vite.

Excepté ces pénibles sept minutes quotidiennes où je soutenais que j'allais bien, que ma recherche d'emploi se passait bien, et que j'étais certaine de retrouver rapidement un emploi, tout se passait effectivement pour le mieux. *Le Juste Prix*, Millington, un plein appartement de bouquins dépourvus d'enjeu littéraire et quatre sachets par jour de chips au piment me tenaient compagnie pendant que je surfais mollement sur des sites spécialisés dans la recherche d'emploi ; à l'occasion, j'imprimais une annonce, et de temps à autre – quoique plus rarement encore – j'y répondais. Je ne me sentais pas déprimée, mais il était difficile d'établir un diagnostic, vu que je sortais rarement de chez moi et que je ne pensais pas à grand-chose – sinon comment maintenir mon actuel style de vie sans jamais plus retravailler. On entend sans cesse des gens vous assener : « Je n'ai arrêté de bosser que pendant une semaine et j'ai cru devenir dingue ! Je suis de ces gens qui doivent être productifs, qui ont besoin d'apporter leur contribution, tu sais. » Ben… non, j'en savais rien. Mon compte courant était menacé de faillite, évidemment, mais je me disais qu'une opportunité finirait bien par se présenter, et qu'au pire, j'aurais toujours la solution de m'en remettre à la merci de Will et Simon. À quoi bon gâcher du temps à se ronger les sangs, quand je pouvais tirer des bénéfices vraiment utiles des leçons du Dr. Phil[1] ? Franchement, ç'aurait été idiot.

Descendre chercher le courrier tuait dix bonnes minutes dans ma journée. Tout en sachant qu'il était distribué à quatorze heures, je n'étais en général guère

1. Psychologue animateur d'une émission de télévision. (*N.d.T.*)

motivée pour remonter la brassée de factures et de prospectus jusqu'à mon treizième étage avant le soir. La poisse du chiffre treize... Quand j'avais hésité à visiter cet appartement, le type de l'agence immobilière avait ricané : « Quoi, vous croyez en l'astrologie, vous aussi ? Vous ne pouvez pas sérieusement prendre en compte un truc aussi ridicule... Pas pour un appartement avec air conditionné central à ce prix-là ! » Et comme il faut croire que c'est un lieu commun typiquement new-yorkais de se laisser abuser par les personnes qu'on rétribue en échange d'un service, j'ai immédiatement bafouillé une excuse et signé sur la ligne en pointillé.

Ce soir-là, par chance, ma boîte contenait le dernier numéro de *In Touch*, qui allait m'occuper au moins une autre heure. Une fois remontée, j'ai déverrouillé ma porte et inspecté le sol au cas où une blatte croiserait dans le secteur, tout en me préparant à subir l'accueil hystérique de Millington. Elle semblait en permanence convaincue que le jour où j'allais l'abandonner définitivement était arrivé, et chaque fois que je repassais le seuil de l'appartement, elle m'accueillait avec une fanfare de reniflements et d'éternuements, une débauche de bonds arrosée de pipis soumis et si frénétiques que je me demandais si elle ne risquait pas, un jour, d'en mourir.

Me souvenant des conseils de la demi-douzaine de manuels de dressage que l'éleveur m'avait donnés « juste au cas où », j'ai mis un point d'honneur à l'ignorer pendant que je me débarrassais de mon sac et de mon manteau. Sitôt que j'ai été assise sur le canapé, elle a bondi sur mes genoux, s'est dressée sur ses pattes arrière et s'est étirée vers mon visage pour une rituelle séance de léchage, du front au menton – avec même quelques tentatives infructueuses dirigées vers l'intérieur de ma bouche. Puis les éternuements ont recommencé. Le premier m'a vaporisé un jet d'embruns dans le cou ;

Millington s'est effondrée sur mes genoux avant que les éternuements trouvent vraiment leur rythme de croisière et décorent ma jupe d'une flaque.

— Vas-y, ma fille, c'est bien, ai-je marmonné pour la soutenir.

Je culpabilisais un peu de la tenir en l'air à bout de bras alors qu'elle tremblait comme une feuille, mais un épisode de *Newlyweds* était en train de commencer à la télé et la session d'éternuements pouvait fort bien durer dix minutes. Je venais depuis peu d'atteindre le stade où je pouvais regarder Millington sans penser à mon ex – Cameron –, ce qui était sans nul doute un progrès bienvenu.

Penelope m'avait présenté Cameron à un barbecue organisé par Avery, deux ans après notre diplôme. Étaient-ce ses cheveux auburn brillants, ou la façon dont son pantalon de toile Brook Brothers tombait sur son derrière ? Je ne saurais le dire. Toujours est-il que j'étais suffisamment sous le charme pour ne pas remarquer sa tendance prononcée au *name dropping*, ou cette détestable manie de se curer les dents après un repas. Pendant quelque temps au moins, j'ai été raide dingue amoureuse de lui. Il parlait avec affection des obligations et des marchés, de ses années de prépa, à l'époque où il jouait dans l'équipe de lacrosse, et de ses virées entre copains dans les Hamptons ou à Palm Beach. Je voyais en lui une expérience sociologique – un spécimen qui, sans avoir rien de rare, me semblait néanmoins venir d'une autre planète – et je ne me lassais pas de l'observer. Évidemment, notre histoire était mal barrée dès le départ : sa famille était une habituée des pages du Bottin mondain ; mes parents, eu égard à leurs activités militantes, étaient certainement abonnés à la liste noire du FBI, section « Dangereux Agitateurs ». Mais associée à mon boulot dans la finance, son agressivité de jeune loup BCBG avait contribué à faire comprendre à mes parents que je n'allais pas consacrer ma vie à défendre la cause de Greenpeace. Nous avons emménagé ensemble un an après notre rencontre. Au bout de six mois de vie commune, nous avons compris, l'un et l'autre, que nous n'avions rien en commun mis à part cet appartement, nos carrières dans la finance, et quelques amis tels que Penelope et Avery. Donc nous avons fait ce qu'aurait fait n'importe quel couple voué à l'échec : nous avons foncé acheter un truc susceptible de nous rapprocher – ou de nous fournir, du moins, un sujet de conversation autre que décider qui irait cette fois implorer le proprio de changer l'abattant des toilettes. Nous avons opté pour un yorkshire de deux kilos – vendu à huit cents dollars la livre, ainsi que Cameron, à maintes reprises, me l'avait fait remarquer. J'ai menacé de le tuer s'il répétait une fois de plus qu'il avait déjà commandé pour bien moins cher des entrées plus grosses que ce chien chez Peter Luger[1], et je lui rappelais sans cesse que *ce chien* avait été son idée. Pour ma part, il y avait dès le départ un petit souci : je suis allergique à tout ce qui porte poil, vivant ou empaillé, animaux ou manteaux. Mais là encore, Cameron avait pensé à tout.

— Cameron, tu m'as déjà vue avec des chiens. Pourquoi veux-tu me faire – ou *te* faire – endurer ça ?

Je faisais allusion à ce fameux week-end, un hiver dans les Adirondacks, où Cameron m'avait présentée à ses parents. C'était un parfait cliché d'une réunion de famille WASP : un vrai feu dans la cheminée – avec des bûches qu'ils avaient débitées eux-mêmes – aucune télécommande en vue, des pyjamas écossais en pilou, des statuettes de colverts en bois, un stock d'alcool digne d'un magasin de spiritueux, et deux chiots golden

1. Steakhouse haut de gamme. *(N.d.T.)*

retriever, démesurés et bondissants. À force de me voir éternuer, tousser et larmoyer, sa mère (qui avait en permanence un coup dans le nez – « Chérie, prenez donc un autre cognac, c'est souverain ! ») avait commencé à « plaisanter », sur un mode passif agressif, sur l'éventualité que je puisse être contagieuse, et son père (un alcoolique patenté) avait fini par lâcher son verre de gin assez longtemps pour me conduire chez l'otorhino.

— Beth, ne t'inquiète pas, m'avait assuré Cameron d'un air suffisant et autosatisfait. J'ai pensé à tout. Je nous ai trouvé le chien idéal.

Mentalement, je comptais les jours qui nous séparaient de la fin du bail. Cent soixante-dix. De temps à autre, j'essayais de me souvenir de ce qui nous avait attirés l'un vers l'autre, de ce qui existait entre nous avant ce *statu quo* glacial qui était devenu la marque de fabrique de notre relation, mais jamais aucun souvenir précis ne me venait à l'esprit. Cameron n'avait rien d'une lumière – handicap que les écoles privées qu'il avait fréquentées avaient été en mesure de masquer, mais non de corriger. Il était indéniablement mignon, avec son look bècebège, et savait comment jouer de son charme dès qu'il voulait obtenir quelque chose, mais je me souviens surtout que c'était de ma part un choix de facilité : nous avions les mêmes amis, la même propension à fumer une cigarette après l'autre, nous adorions l'un et l'autre nous plaindre, et nous possédions chacun un pantalon rose saumon. Notre relation aurait-elle pu inspirer un bon roman sentimental ? Non, je ne crois pas. Mais en ces années si bizarres qui suivent la fin des études, ce compagnonnage pépère et édulcoré me semblait parfaitement adéquat.

— Cameron, je ne doute pas que ce soit un chien très spécial, lui avais-je répondu aussi lentement que si je m'adressais à un gosse de cours moyen. Le problème, c'est que je suis allergique aux chiens. À tous les chiens.

Tu comprends cette phrase, n'est-ce pas ? avais-je ajouté avec un sourire suave.

Nullement ébranlé par mon ton suintant de vachardise et de condescendance, il m'avait souri de toutes ses dents. Tant de sérieux inébranlable, c'était tout de même impressionnant.

— J'ai passé des coups de fil, j'ai fait des recherches et je nous ai trouvé – roulement de tambour, s'il vous plaît ! – un chien hypoallergénique.

— *Un chien hypoallergénique* ? Comment ça ? Les éleveurs s'amusent à des manipulations génétiques ? Le dernier truc dont j'ai besoin, c'est d'un animal transgénique qui va très certainement m'expédier direct à l'hosto ! Tu plaisantes, j'espère ?

— Mais non, Beth, c'est génial ! L'éleveur m'a certifié que comme les yorkshire ont de vrais poils — et non pas un pelage — il est impossible d'y être allergique. J'ai pris rendez-vous pour samedi. Le type m'a promis de mettre de côté au moins un mâle et une femelle pour qu'on puisse choisir.

— Samedi, je dois bosser, avais-je répondu avec apathie.

J'étais déjà consciente qu'ajouter le poids d'une responsabilité à cette relation ne la saboterait que plus rapidement. Peut-être aurions-nous mieux fait d'y mettre directement un point final à ce moment-là. Mais décembre est un mauvais mois pour chercher des apparts, et celui-là avait une superficie vraiment correcte et – bon, un chien, c'est mignon, et distrayant...

Bref, j'ai capitulé.

— Va pour samedi. J'irai bosser dimanche, et on pourra aller choisir notre chien hypoallergénique.

Cameron m'a serrée contre lui, et m'a parlé de son projet de louer une voiture (l'éleveur se trouvait dans le Connecticut) et d'en profiter pour faire un tour chez quelques antiquaires du coin (ceci de la part d'un garçon qui avait bataillé ferme pour apporter son Sacco lorsque nous avions emménagé). Je m'étais dit, du coup, que ce mini-quadrupède transgénique était peut-être la solution à tous nos problèmes.

Erreur. Grossière erreur.

Encore que… Le chien n'a certainement rien arrangé entre nous (comme on s'en doute) mais Cameron avait dit vrai sur un point : Millington était bel et bien hypoallergénique. Je pouvais la tenir, la couvrir de mamours et frotter ses petites moustaches contre mon visage sans ressentir la moindre envie d'éternuer. Le problème se situait ailleurs : ce chien était, *lui*, allergique à tout. *Absolument tout*. Dans la cuisine de l'éleveur, ce minuscule chiot coincé au milieu de ses semblables qui éternuait, éternuait… j'avais trouvé ça adorable. Attachant. Ce pauvre petit toutou qui avait attrapé un rhume ! Mais heureusement nous étions là pour le soigner et lui faire retrouver une santé pétulante. Seulement voilà : le rhume refusait de guérir, la petite Millington passait son temps à éternuer et après trois semaines de soins intensifs vingt-quatre heures sur vingt-quatre – Cameron a fait son maximum, je dois lui reconnaître ça – notre joyeuse petite boule de poils n'était toujours pas remise. En dépit des mille deux cents dollars claqués en consultations vétérinaires, antibiotiques et nourriture spéciale, et de deux visites en pleine nuit aux urgences, les fois où les éternuements étaient devenus particulièrement alarmants et menaçaient de l'étouffer. Nous rations des journées de boulot, nous nous engueulions et nous perdions des tonnes de fric – mon salaire et le fonds spéculatif de Cameron suffisaient à peine à couvrir nos dépenses canines. Tout ça pour entendre au final le diagnostic suivant : « Animal sévèrement réactif à tous les allergènes de l'environnement domestique – dont, notamment, poussières, pollens, détergents ménagers, teintures, parfums et autres poils d'animaux... »

L'ironie de l'histoire ne m'a pas échappé. Moi, la personne la plus allergique du monde, je me retrouvais propriétaire d'un chien qui me battait à plates coutures. J'aurais probablement trouvé ça drôle si Cameron, Millington ou moi avions réussi à dormir plus de quatre heures d'affilée en trois semaines – ce qui n'était pas le cas. *Que feraient la plupart des gens dans cette situation?* me suis-je demandé au bout de trois semaines sans fermer l'œil. Un couple sensé et équilibré aurait tout simplement réexpédié le chien chez son éleveur, pris de longues vacances au soleil et ri d'une mésaventure destinée à devenir un souvenir mignon et une histoire distrayante à raconter dans les dîners. Qu'est-ce que j'ai fait? J'ai fait appel à une société de nettoyage industriel pour traquer le moindre cheveu égaré, la moindre particule de poussière ou tâche afin que ce chien puisse respirer normalement, et j'ai prié Cameron de débarrasser le plancher, une bonne fois pour toutes. C'est ce qu'il a fait, et six mois plus tard, Penelope m'a appris – avec, à mon goût, plus d'enthousiasme que nécessaire – qu'il venait de se fiancer avec sa nouvelle petite amie, en kilt sur un terrain de golf écossais, et que le couple partait s'installer en Floride, au large de laquelle la famille de la fille possédait une petite île. Voilà qui mettait un point final à l'histoire : tout se passait exactement comme ça devait se passer. Deux ans plus tard, le chien avait appris à tolérer l'odeur du whisky; Cameron, dans la lignée de la tradition familiale, célébrait sa paternité toute neuve avec un gin tonic bien tassé; et moi, j'avais à la maison quelqu'un qui pissait systématiquement de joie chaque soir à mon retour. Tout le monde était gagnant.

Le téléphone a sonné peu après onze heures du soir. J'ai regardé le numéro qui s'affichait sur l'écran : Oncle Will. Filtrer ou ne pas filtrer ? Les soirs où il avait un papier à rendre le lendemain, Will appelait toujours à des heures indues. Ce soir-là, j'étais trop épuisée par ma journée de désœuvrement pour pouvoir lui parler. J'ai contemplé le combiné sans bouger, trop flemmarde pour prendre une décision, et le répondeur s'est enclenché.

« Beth, décroche ce maudit téléphone. Je trouve ce système de présentation du numéro suprêmement vexant. Aie au moins le cran et le savoir-faire de te débarrasser de moi en plein milieu de la conversation ! N'importe qui est capable de regarder un écran informatique et de décider de ne pas répondre. Le vrai talent, c'est de s'extirper de vive voix d'une conversation. » Il a lâché un soupir. J'ai éclaté de rire.

— Désolée, désolée, j'étais sous la douche, ai-je menti.

— Bien sûr, ma chérie. Sous la douche à onze heures du soir, en train de te préparer pour une folle nuit de sortie. C'est bien ça ?

— Serait-ce si difficile à croire ? Je suis sortie l'autre soir, tu te souviens ? Les fiançailles de Penelope ? Au Bungalow 8 ? J'étais la seule citoyenne du monde occidental à n'avoir jamais entendu parler de cet endroit. Ça ne te rappelle rien ?

— Beth, c'était il y a si longtemps que j'ai du mal à m'en souvenir. Écoute, ma chérie, je ne t'appelle pas pour te faire passer un mauvais moment – encore que je peine à comprendre pourquoi une séduisante jeune fille de ton âge passe son jeudi soir seule sur son canapé à discuter avec un chien de cinq livres. Il ne s'agit pas de ça. Je viens d'avoir une idée lumineuse. Tu as une minute ? (Nous avons l'un et l'autre étouffé un rire. Je n'avais que ça, des minutes.) Je ne sais pas pourquoi je n'y ai pas songé plus tôt ! Je suis vraiment idiot… Dis-moi, que penses-tu de Kelly ?

— Kelly ? Qui est Kelly ?

— Ta voisine de table chez Elaine, l'autre soir. Alors, qu'en penses-tu ?

— J'en sais rien. Elle a l'air sympa. Pourquoi ?

— Pourquoi ? Tu es décidément décérébrée en ce moment. Que dirais-tu de travailler pour Kelly ?

— Hein ? Qui travaille pour Kelly ? Will, je ne comprends rien.

— O.K. Reprenons, lentement. Étant donné que tu n'as pas de travail en ce moment et que tu sembles y prendre un peu trop goût, je me disais que, peut-être, cela te plairait de travailler pour Kelly.

— Pour organiser des dîners ?

— Ma chérie, son travail est loin de se limiter à l'organisation de dîners. Par exemple, elle soutire des ragots à des propriétaires de night-clubs à propos de leurs clients, qu'elle communique ensuite à des chroniqueurs en échange de papiers élogieux sur ses clients à elle. Ou encore, elle soudoie des people à coups de cadeaux pour les convaincre d'assister aux événements qu'elle organise, afin d'attirer également des journalistes. Oui, plus j'y pense, plus je te vois dans les RP et l'événementiel. Qu'en dis-tu ?

— Euh… Je songeais à me tourner vers quelque chose de… de…

— Consistant ? a avancé Will du même ton qu'il aurait dit « criminel ».

— Ouais, c'est ça. J'ai rendez-vous demain au siège de Meals on Wheels[1]. Histoire de changer un peu de rythme.

1. Association délivrant des repas gratuits aux personnes dans le besoin. (N.d.T.)

Will s'est tu un instant et j'ai deviné qu'il était en train de peser soigneusement ses mots.

— Chérie, ça m'a l'air formidable, naturellement. C'est gentil de vouloir améliorer le monde. Cependant, ce serait de la négligence de ma part de ne pas souligner qu'en dirigeant ta vie professionnelle dans cette voie, tu risques fort de retomber dans l'Ornière du Patchouli. Tu te souviens comment c'était, n'est-ce pas, ma chérie ?

J'ai soupiré.

— Je sais, je sais. Mais je me disais que ce pourrait être intéressant.

— Je ne vais pas te soutenir qu'organiser des soirées présenterait autant d'intérêt que d'aider les nécessiteux, mais ce serait foutrement plus amusant. Et s'amuser, ma chérie, n'est pas un crime. La boîte de Kelly est toute nouvelle, mais c'est de loin une des meilleures et des plus courues, et ce serait le lieu formidable pour rencontrer toutes sortes de gens atrocement superficiels et nombrilistes, et sortir enfin de ce terrier dans lequel tu te séquestres volontairement depuis des mois. Qu'en dis-tu ?

— Je ne sais pas. Je peux y réfléchir ?

— Mais naturellement, ma chérie. Je t'accorde vingt-quatre heures pour peser le pour et le contre d'accepter un travail où tu seras payée pour faire la fête. J'attends que tu prennes la bonne décision.

Il a raccroché sans me laisser le temps de rien ajouter.

Ce soir-là, je me suis couchée tard et j'ai passé la journée du lendemain à atermoyer. J'ai joué avec les chiots de l'animalerie en bas de chez moi, j'ai fait un arrêt chez Dylan's Candy Bar pour faire le plein de confiseries, et j'ai classé par ordre alphabétique tous les livres de poche en exposition sur mes étagères. Je dois reconnaître que j'étais curieuse des changements que pourrait induire ce travail. Certains aspects étaient vraiment attirants – l'opportunité de rencontrer des gens nouveaux, et de ne pas passer des journées entières assise à un bureau. Mes années dans la finance m'avaient appris l'art de peaufiner les détails, et celles passées à pratiquer des mondanités auprès de Will m'avaient prouvé que j'étais capable de parler avec n'importe qui de n'importe quoi – et d'avoir l'air passionné quand bien même je bâillais d'ennui intérieurement. Même si je manquais toujours d'assurance, si j'avais souvent le sentiment de n'être pas à ma place, j'étais capable d'entretenir une conversation et de donner le change, ce qui laissait croire à beaucoup que j'avais quelques talents en matière de sociabilité. Et naturellement, la seule perspective d'imprimer d'autres CV, de soutirer d'autres entretiens me paraissait bien plus mortelle qu'organiser des soirées. Tous ces arguments, combinés au fait que mon compte menaçait d'entrer dans le rouge, donnaient l'impression que les RP étaient la solution rêvée.

J'ai rappelé Will.

— D'accord. Je vais écrire à Kelly pour lui demander de plus amples informations. Tu pourrais me donner son mail ?

Will a ricané.

— Son quoi ?

Will refusait catégoriquement d'acheter un répondeur téléphonique, alors pour ce qui était d'un ordinateur… Il dactylographiait ses textes sur une antique machine mécanique et laissait le soin à une assistante de les saisir sur Word.

— Tu sais, cette adresse, sur ton ordinateur, grâce à laquelle tu peux envoyer et recevoir des courriers électroniques.

— Tu es mignonne, Beth. Pourquoi diable veux-tu lui écrire ? Je vais lui demander de t'appeler pour t'indiquer quel jour tu commences.

— Tu ne crois pas qu'on va un peu vite, là ? Je

ferais mieux de lui envoyer d'abord mon CV, et s'il lui convient, on avisera. C'est ainsi que ça se passe en général, tu sais.

— Oui, il paraît, a-t-il répondu d'un ton de plus en plus désintéressé. Au mieux, c'est du temps perdu. Tu serais parfaite pour ce boulot parce que tu as peaufiné toutes ces compétences typiques des banquiers – l'art d'être tatillon, maniaque, respectueux des deadlines. Et je sais que Kelly est formidable parce qu'elle a été mon assistante. Je vais lui passer un petit coup de fil, et lui dire combien ce serait une chance pour elle de t'avoir. Ne t'inquiète de rien, ma chérie.

— Je ne savais pas qu'elle avait travaillé pour toi ! me suis-je écriée en essayant de calculer l'âge de Kelly.

— Eh oui. Elle sortait tout juste de la fac. Je l'ai embauchée pour rendre service à son père. La meilleure décision que j'aie jamais prise – une fille brillante, motivée. Elle m'a aidé à m'organiser en échange d'une formation sur le tas. Elle est partie travailler à *People*, et de là, elle a bifurqué vers les RP. Elle t'accueillera à bras ouverts. Fais-moi confiance.

— O.K., ai-je dit, non sans un soupçon d'hésitation. Si tu le penses.

— J'en suis convaincu, ma chérie. Considère que c'est fait. Je vais lui demander de t'appeler pour discuter des détails, mais je suis certain qu'il n'y aura aucun problème. Dans la mesure où tu revois ta garde-robe, et élimines tous tes tailleurs – et tout ce qui ressemble de près ou de loin à un tailleur – je suis certain que tout se passera bien.

6

Lorsque je me suis présentée pour mon premier jour de travail, à neuf heures précises comme convenu, Kelly en personne m'attendait en bas dans le hall et m'a serrée dans ses bras comme si j'étais une amie depuis longtemps perdue de vue.

— Beth, mon chou, nous sommes tellement contents de t'avoir avec nous !

Tout en parlant, elle a inspecté rapidement ma tenue. J'ai vu son regard s'écarquiller, très fugacement – sans trahir de la panique à proprement parler, plutôt une sorte de désarroi –, mais très vite, elle a plaqué un grand sourire sur ses lèvres et m'a entraînée vers les ascenseurs.

J'avais eu le bon sens de renoncer au tailleur intégral, mais ce n'est qu'en découvrant comment tous les autres étaient habillés que j'ai compris que j'étais encore loin du compte. Selon toute apparence, ma conception d'une tenue de travail décontractée (un pantalon gris charbon à revers, une chemise en oxford bleu ciel et des chaussures à petits talons discrets) différait sensiblement de celle du reste de l'équipe de Kelly & Co. L'agence, située *downtown*, se composait d'une immense pièce, avec baies vitrées du sol au plafond offrant une vue jusqu'à Wall

Street au sud, et jusqu'aux rives du New Jersey à l'ouest. C'était très dans l'esprit « loft ». Une demi-douzaine de personnes étaient installées autour d'une grande table ronde, toutes sans exception superlookées, et en noir de la tête aux pieds.

— Kelly ? a lancé celle des filles qui semblait la plus atteinte de malnutrition. Page Six pour un commentaire sur la vogue des contrats prénuptiaux, sur la deux.

Kelly m'a fait signe de m'asseoir avant de fixer à son oreille ce qui ressemblait à un minuscule écouteur. La seconde d'après, elle saluait son interlocuteur avec des gloussements et des compliments tout en marchant le long des baies vitrées. Je me suis assise à côté de la fille archi-maigre et au moment où je me suis tournée vers elle pour me présenter, je me suis retrouvée nez à nez avec sa main levée. Manifestement, on me demandait de patienter. C'est à ce moment-là que j'ai remarqué que tous les gens assis autour de la table bavardaient avec entrain, mais pas du tout entre eux. Un instant plus tard encore, j'ai vu qu'ils avaient tous un de ces petits écouteurs enfoncé dans l'oreille. J'ignorais que quelques semaines plus tard, je me sentirai nue – exposée ! – sans cet accessoire en permanence rivé à mon oreille. Sur le moment, j'ai juste trouvé ça curieux. La fille a hoché plusieurs fois la tête avec gravité tout en me jetant des coups d'œil et en murmurant des paroles incompréhensibles. J'ai poliment détourné le regard et attendu que quelqu'un remarque ma présence.

Le reste du groupe offrait, de façon assez surprenante, un modèle de parité filles-garçons, qui tous avaient pour premier trait commun d'être si séduisants que ça en devenait dérangeant. Je commençais à les dévisager quand on m'a tapé sur l'épaule.

— Bonjour ! Bonjour ? Tu as dit que tu t'appelais comment ? a lancé la fille maigrissime.

— Moi ? ai-je fait bêtement, convaincue qu'elle parlait toujours au téléphone.

Elle a éclaté de rire. Sans grande gentillesse.

— Tu crois qu'il y a d'autres personnes ici dont je ne connais pas le nom ? Moi, c'est Elisa.

Elle m'a tendu une main glacée, et très, très décharnée et j'ai mis quelques instants à réagir car mon attention s'était fixée sur la bague en diamant qui flottait et dansait autour de son majeur droit.

— Oh, salut. Beth. C'est mon premier jour.

— Ouais, je sais. Bon, bienvenue à bord. Apparemment, Kelly n'est pas près de raccrocher, alors je vais procéder aux présentations.

Elle a relevé ses boucles blond-roux en chignon et les a négligemment fixées sur le sommet de sa tête avec une pince de bureau. Quelques mèches ont dégringolé devant ses yeux. Elle les a glissées derrière les oreilles, a vérifié au toucher que l'ensemble avait cette touche cool et décontractée à laquelle j'avais toujours essayé d'arriver en vain, puis elle a glissé une paire de lunettes noires surdimensionnées en bandeau pour sécuriser l'ensemble. J'ai reconnu des Gucci au G argenté qui ornait leurs branches. Cette fille possédait un chic inné, et j'avais l'impression que j'aurais pu passer ma vie à la regarder.

Elisa est partie allumer et éteindre les lumières trois fois de suite, rapidement. Aussitôt, chacun des gens assis autour de la table a annoncé à son interlocuteur qu'il avait un appel d'un correspondant très important sur une autre ligne. Presque simultanément, six mains manucurées ont retiré six oreillettes. En quelques secondes, sans prononcer un mot, Elisa avait réussi à capter l'attention générale.

— Voici Beth Robinson. Elle va travailler principalement avec Leo et moi, alors essayez de ne pas trop lui en faire voir, O.K. ?

Tout le monde a hoché la tête.

— Salut, ai-je dit d'une voix étranglée.

— Voici Skye, a commencé Elisa en me désignant une fille superlookée.

Elle portait un jean indigo foncé, un T-shirt noir et moulant à manches longues, un large ceinturon en cuir avec une grosse boucle incrustée de pierres et la plus fabuleuse paire de santiags que j'avais jamais vues. Elle était assez mignonne pour se permettre une coupe de collégien ultra-courte qui mettait en valeur les courbes féminines de sa silhouette. Là encore, je n'avais qu'une envie – m'asseoir et la contempler – mais j'ai réussi à bafouiller un bonjour, auquel Skye a répondu par un sourire énigmatique.

— Skye travaille en ce moment sur le compte du sac Kooba, a repris Elisa. Et voici Leo, le seul autre senior de l'équipe avec moi. Et toi, maintenant, a-t-elle ajouté d'un ton que je n'ai pas réussi à caractériser.

— Salut, mon chou. Enchanté, a dit Leo en se levant pour m'embrasser sur la joue. C'est toujours un plaisir de voir arriver un autre joli minois. (Il s'est tourné vers Elisa.) Désolé, mes chéris, mais faut que je file, j'ai rendez-vous avec le mec de Diesel. Tu le diras à Kelly ?

Elisa a hoché la tête tandis que Leo glissait une besace en bandoulière et fonçait vers la porte.

— Davide, dis bonjour à Beth, a commandé Elisa au seul garçon qui restait.

Derrière une grosse boucle de cheveux bruns et des cils épais, j'ai aperçu deux yeux qui me dévisageaient d'un air boudeur. Puis le garçon a écarté sa mèche, a continué à me fixer et, après quelques instants de ce dérangeant examen, il a lâché un « Bonjour » avec un accent qui m'a immédiatement paru suspect.

— Salut, Davide. J'adore ton accent. Tu viens d'où ?

— D'Italie, bien sûr, a immédiatement répondu Elisa à sa place. Tu ne t'en serais pas doutée ?

J'ai décidé aussitôt qu'il y avait quelque chose entre Elisa et Davide – on sentait une sorte de vibration qui hurlait « on est ensemble ! ». J'étais fière de ma perspicacité, mais je n'avais même pas fini de m'en émerveiller qu'Elisa s'est laissée choir sur les genoux de Davide et s'est suspendue à son cou comme une fillette à celui de son père, avant de l'embrasser – d'une façon qui, pour le coup, n'évoquait plus rien de filial.

— Franchement, Elisa, épargne-nous ces marques publiques d'affection, veux-tu ? a pleurniché Skye, en levant les yeux (très haut) au ciel. C'est déjà assez pénible de devoir vous imaginer en train de baiser – évitez d'en faire une réalité pour nous, d'accord ?

Elisa s'est relevée en soupirant, tandis que Davide lui empoignait un sein au passage et le serrait dans sa paume. J'ai essayé d'imaginer deux collègues, chez UBS, se livrant au même numéro dans la salle de conférences, et j'ai bien failli éclater de rire.

— Ouais, bon, a repris Elisa comme si cette mini-séance de pelotage n'avait jamais eu lieu. Ces trois là-bas…, a-t-elle ajouté en désignant trois jolies filles (deux blondes et une brune) courbées sur leurs iBooks, s'occupent de La Liste. Leur responsabilité consiste à s'assurer que nous disposons de toutes les informations concernant toute personne que nous pourrions souhaiter inviter à un événement. Tu sais que quelqu'un a dit une fois qu'il n'y avait dans le monde qu'une poignée de gens qu'il importait de connaître ? Eh bien, ces gens, nous les connaissons tous.

— Mmm, je vois, ai-je répondu, même si je n'avais pas le commencement d'une idée de ce qu'elle me racontait.

Trois heures plus tard, j'avais l'impression de travailler là depuis trois mois. J'ai assisté à une réunion où tout le monde, éparpillé avec décontraction aux quatre coins du loft, buvait du Coca Light et des eaux minérales aromatisées en discutant de l'organisation de la soirée pour le lancement du nouveau roman de Candace Bushnell. Skye pointait les éléments d'une liste tandis que chacun lui indiquait les dernières infos concernant le lieu, les invitations ou le menu, ou encore les sponsors, le placement des photographes ou les badges d'accès pour la presse. Ce tour d'horizon terminé, Kelly a fait taire tout le monde et a demandé à l'une des filles de La Liste de lire la dernière mise à jour des RSVP, comme s'il s'agissait de la parole de Dieu. Chaque nom suscitait un hochement de tête, un soupir, un sourire, un marmonnement, un mouvement réprobateur ou un roulement d'yeux. Je ne reconnaissais que très peu de noms. Nicole Richie. Karenna Gore. Natalie Portman. Gisele Bundchen. Kate et Andy Spade. Bret Easton Ellis. Rande Gerber – le mari de Cindy Crawford. La distribution et l'équipe au grand complet de *Sex and the City*. Hochement de tête, soupir, sourire, marmonnement, mouvement réprobateur, roulement d'yeux. Ça a continué comme ça pendant près de trois heures, et le temps que nous ayons débattu des avantages et des risques liés à chaque invité – que pouvait-il apporter à la soirée (et donc à sa couverture médiatique) ou au contraire, lui retirer – j'étais plus épuisée qu'après une conversation avec Mrs. Kaufman. Vers quatorze heures, quand Elisa m'a demandé si je voulais descendre boire un café avec elle, je n'aurais pas pu accepter son invitation avec plus d'empressement.

En chemin, on a l'une et l'autre fumé une cigarette, et soudain, j'ai été submergée par l'envie de partager une assiette de falafel avec Penelope sur un banc devant l'immeuble d'UBS. Elisa était lancée dans un interminable exposé sur le fonctionnement de l'agence – qui menait vraiment la danse (elle), qui aurait bien aimé lui voler la vedette (tous les autres). J'ai mis à profit ma précieuse aptitude à pouvoir discuter de n'importe quoi avec n'importe qui pour poser des questions, sans rien écouter des réponses. Ce n'est qu'une fois installées à une table avec nos cafés – une noisette décaféinée au lait écrémé pour Elisa – que j'ai vraiment pris garde à ce qu'elle disait.

— Oh. Mon. Dieu. Regarde-moi *ça* !

J'ai suivi son regard, qui était rivé sur une femme, grande, efflanquée, vêtue d'un jean tout à fait quelconque et d'un blazer noir très basique. Elle avait des cheveux châtains et ternes, elle n'était pas spécialement bien roulée, et tout en elle semblait crier « ordinaire sur toute la ligne ». À voir donc Elisa s'exciter de la sorte, et même si le visage de cette femme n'avait pour moi rien de familier, je ne pouvais qu'en conclure qu'elle était connue.

— C'est qui ? ai-je demandé en me penchant vers elle d'un air de conspiratrice – en vérité, je me fichais de la réponse comme d'une guigne, mais je sentais bien que sur ce point, j'étais dans mon tort.

— Non, pas « qui » ! « Quoi » ! a-t-elle chuchoté en retour – un chuchotement qui avait tout d'un cri – sans quitter la femme des yeux.

— Quoi « quoi » ? ai-je répété, toujours aussi déroutée.

— Comment ça ? Tu *plaisantes* ? Tu ne le vois donc pas ? Tu as besoin de lunettes ? (J'ai cru qu'elle se moquait de moi, mais non – elle a sorti une paire de lunettes de vue de son énorme cabas.) Tiens, enfile ça, et *regarde*.

Comme je continuais à examiner la femme sans savoir quoi regarder précisément, Elisa s'est penchée et a ajouté :

— Regarde. Son. Sac. Et dis-moi si ce n'est pas le truc le plus sublime que tu aies vu de ta vie.

Mon regard a glissé vers le gros sac à main que la femme tenait serré au creux de son bras tout en commandant son café. Au moment de payer, elle l'a posé sur le comptoir, juste le temps d'attraper son porte-monnaie, puis elle s'est dépêchée de le raccrocher à son coude. Elisa a lâché un gémissement. Ce sac n'avait pourtant rien d'extraordinaire – sinon d'être, peut-être, un peu plus encombrant que la moyenne.

— Mon Dieu, c'est presque insoutenable. C'est tellement incroyable ! Tu te rends compte ? Le Birkin en croco. Le plus rare de tous !

— Le quoi ?

J'avais brièvement envisagé de faire semblant de comprendre de quoi elle parlait, mais à ce stade de la journée, cela m'aurait demandé un trop gros effort. Elisa m'a dévisagée comme si elle venait de se souvenir de ma présence.

— Tu te moques de moi, c'est ça ?

J'ai secoué la tête. Alors, elle a inspiré profondément, elle a bu une gorgée de café pour se donner de la force et elle a posé la main sur mon bras, comme pour me dire : « *Maintenant, écoute-moi attentivement, car je vais te révéler la seule information capitale dont tu auras besoin dans la vie.* »

— Tu as déjà entendu parler d'Hermès, pas vrai ?

Cette fois, j'ai hoché la tête et j'ai vu le soulagement détendre ses traits.

— Bien sûr, mon oncle achète toutes ses cravates chez eux.

— Oui, leurs cravates, c'est bien, mais le plus important, ce sont leurs sacs. Le premier avec lequel ils ont fait un énorme carton, c'était le Kelly – qu'ils ont baptisé ainsi quand Grace Kelly a commencé à le porter. Mais celui qu'il *faut* avoir, c'est le Birkin.

Elle m'a regardée, l'air d'attendre une réaction.

— Mm, il a l'air pas mal. Très joli.

— Il peut l'être, a soupiré Elisa. Celui-là doit coûter dans les vingt mille dollars. Mais il les vaut tellement !

J'ai inspiré si précipitamment que j'ai avalé ma gorgée de café de travers et me suis étouffée.

— Combien ? Tu déconnes ! C'est impossible. C'est un *sac* !

— Non, Beth, ce n'est pas un *sac*, c'est une philosophie de vie. Si je pouvais mettre la main sur son jumeau, j'allongerais ces vingt mille dollars sans sourciller.

— J'imagine que les gens ne font pas la queue pour gaspiller autant de fric sur un sac à main, ai-je observé.

Pour ma défense, sur le moment, ma remarque me paraissait dictée par le bon sens. Je ne pouvais pas savoir qu'elle me faisait passer pour la dernière des idiotes, mais fort heureusement, Elisa était là, prête à faire mon éducation.

— Bon sang, Beth, tu ne connais vraiment rien à rien. Je n'imaginais même pas qu'il existait une seule femme sur terre qui n'était pas *tout au moins* sur la liste d'attente d'un Birkin. Inscris-y-toi immédiatement, et peut-être – peut-être – en auras-tu un à temps pour le léguer à ta fille.

— À ma fille ? Vingt mille dollars ? Pour un sac à main ? Tu es tombée sur la tête !

De frustration, Elisa a écrasé son front sur la table.

— Non ! Non ! Non ! a-t-elle gémi, comme si elle souffrait le martyre. Tu ne piges pas. Ce n'est pas juste un *sac*. C'est un mode de vie. C'est proclamer à la face du monde qui tu es. C'est te résumer en tant qu'individu. C'est *une raison de vivre*.

Son mélodrame m'a fait éclater de rire. Elle s'est redressée d'un coup, bien droite sur sa chaise.

— Écoute ça : une de mes amies a sombré dans une grave dépression à la mort de sa grand-mère préférée, d'autant que le mec avec qui elle sortait depuis trois ans venait de la larguer. Elle ne pouvait plus rien avaler, elle ne dormait plus, elle était incapable de se tirer du lit.

Elle s'est fait virer de son boulot parce qu'elle était tout le temps absente. Elle avait des valises monstrueuses sous les yeux. Elle refusait de voir qui que ce soit. Ne répondait jamais au téléphone. Et quand j'ai fini par me pointer chez elle, après quelques mois de ce cirque, elle m'a avoué qu'elle pensait au suicide.

— C'est affreux, ai-je murmuré, en ramant toujours pour démêler le pourquoi de ce coq-à-l'âne.

— Ouais, affreux. Mais tu sais ce qui l'a sortie de ce mauvais pas ? Avant de me rendre chez elle, je m'étais arrêtée chez Hermès, et j'avais demandé la dernière mise à jour… comme ça, au cas où. Et tu sais quoi ? Quand je suis arrivée chez elle, j'ai pu lui annoncer qu'elle n'avait plus que dix-huit mois d'attente pour son Birkin. Tu te rends compte ? Dix-huit mois !

— Et elle a dit quoi ?

— Ben… À ton avis ? Elle était au septième ciel ! La dernière fois qu'elle avait demandé une mise à jour, il lui restait cinq ans d'attente, mais entre-temps, ils avaient formé une nouvelle équipe d'artisans. Du coup, immédiatement, elle a filé sous la douche, et elle a accepté de sortir déjeuner avec moi. C'était il y a six mois. Depuis, elle a retrouvé son boulot et un nouveau fiancé. Tu vois bien : ce Birkin lui a rendu une raison de vivre ! Tu ne peux tout de même pas te suicider quand tu es si près du but ! Ce serait trop con.

C'était mon tour de scruter Elisa pour voir si elle se payait ma tête. Mais non, pas du tout : elle était radieuse d'avoir raconté sa petite fable, comme si celle-ci lui avait appris à vivre chaque instant de sa propre vie pleinement. Je l'ai donc remerciée de m'avoir enseigné les voies du Birkin – tout en me demandant dans quoi, exactement, je venais de mettre les pieds. Tout cela était bien loin de la finance, et à l'évidence, j'avais pas mal de connaissances à rattraper.

7

Quand j'ai poussé ma porte, à dix-neuf heures trente, Millington a failli s'évanouir de joie. Depuis que j'avais recommencé à travailler, mes retours au bercail soulevaient des paroxysmes d'excitation inédits. Pauvre Millington. *Pas de promenade pour toi, ce soir*, ai-je songé en la gratifiant d'une grattouille sur la tête avant de m'effondrer sur le canapé. Comprenant que ce jour-là encore elle ne sortirait pas, elle a aussitôt détalé en direction de sa couche sanitaire.

Je m'apprêtais à ouvrir le classeur où je rangeais les menus des restaurants livrant à domicile quand mon portable s'est mis à vibrer sur la table basse. Allais-je répondre ? Ou pas ? Ce portable était celui de la boîte, et à l'instar de mes nouveaux collègues, il semblait ne jamais se reposer. Depuis quatre jours que je travaillais chez Kelly & Co. au titre de chargée de relations publiques et organisatrice d'événements, je n'avais pas passé une seule soirée chez moi : il m'avait fallu assister à des événements organisés par l'agence, dans l'ombre de Kelly qui rassurait les clients anxieux, virait les barmans trop lanternes, accueillait les VIP ou prenait en main la distribution des passes des journalistes. Les journées de travail étaient encore plus éreintantes qu'à la banque – toute une journée de bureau suivie d'une nuit entière de sorties – mais ce bureau-là bourdonnait de gens jeunes et jolis et quant à bosser quinze heures par jour, me disais-je, je préférais à tout prendre les DJs et le champagne aux portefeuilles d'investissements diversifiés.

Une alerte s'est affichée sur mon écran couleur : « NOUVEAU SMS ! ». Un SMS ? Jamais, à ce jour, je n'en avais reçu, ni envoyé. Après une hésitation, je l'ai ouvert.

Dîner C soir @ 9 cip ? dwntn w.broad a+

À quoi rimait ce charabia ? Il s'agissait, apparemment, d'une invitation à dîner en langage crypté. Mais où ? Et avec qui ? J'avais pour seule piste l'origine du message : un numéro que je ne reconnaissais pas. Je l'ai composé. Une fille essoufflée a répondu aussitôt.

— Beth, salut ! Quoi de neuf ? Tu viens, ce soir ? ai-je entendu, ce qui a anéanti tout espoir que ma correspondante inconnue ait composé un faux numéro.

— Euh, salut… euh… c'est qui ?

— Beth ! C'est moi, Elisa ! On bosse ensemble jour et nuit depuis le début de la semaine ! On sort fêter d'être enfin débarrassés de la soirée de Candance. Les mêmes que d'habitude. Tu nous rejoins là-bas à neuf heures ?

J'avais prévu ce soir-là de retrouver Penelope, que je n'avais guère vue pendant mon hibernation de chômage, mais je me voyais mal décliner cette première invitation de la part de mes nouveaux collègues.

— Ouais, bien sûr, génial. Redis-moi le nom du restau ?

— Cipriani *downtown* ? a-t-elle lancé avec une pointe d'incrédulité, sans doute sidérée que je n'aie pas été capable de le déduire moi-même de son message codé. Tu connais, n'est-ce pas ?

— Évidemment. J'adore cet endroit. Ça pose un problème si je viens accompagnée ? J'avais déjà des projets et…

— Fabuleux ! Viens avec qui tu veux. À tout de suite ! m'a-t-elle coupée d'une voix stridente.

J'ai refermé mon téléphone et fait ce que fait instinctivement n'importe quel New-Yorkais en entendant un nom de restaurant : j'ai ouvert le *Zagat*. Cuisine : 21. Cadre : 20. Service : 18 – ça restait honorable. Quant au nom, Cipriani *downtown*, il n'avait rien de commun avec ces Koi, Butter ou Lotus, qui pouvaient sembler inoffensifs de prime abord mais garantissaient presque à coup sûr un dîner atroce. Jusque-là, ça se présentait plutôt bien.

« Voir ou être vu n'est pas vraiment la question dans cet Italien de SoHo, où l'on vient plus pour le spectacle des *Eurobabes* chipotant dans leur assiette de salade que pour déguster une cuisine "créative" qui, contre toute attente, est bonne. Les autochtones se sentiront peut-être étrangers dans leur propre ville, mais les bonnes notes parlent d'elles-mêmes. »

Ainsi donc, c'était reparti pour une soirée *Eurobabe*. Quel que soit le sens de ce mot. Et, pour en venir à l'essentiel : comment étais-je supposée m'habiller ? Elisa & Co. semblaient abonnés aux pantalons noirs, jupes noires ou robes noires, donc la sagesse imposait de coller à la même formule. J'ai appelé Penelope, qui était encore au boulot.

— Salut, c'est moi. Ça va ?

— Argh. Tu as une chance inouïe d'avoir quitté cette misérable usine d'esclaves. Kelly ne cherche personne à embaucher, par hasard ?

— Ouais, j'aimerais bien. Écoute – que dirais-tu de rencontrer tout le monde ce soir ?

— Tout le monde ?

— Non, pas tout le monde, juste mes collègues. Je sais qu'on avait prévu autre chose, mais comme on va toujours au Black Door, j'ai pensé que ça pourrait être marrant de dîner avec eux. Ça te dit ?

— Bien sûr, a-t-elle répondu d'une voix minée d'épuisement. Avery sort ce soir avec une bande de copains du lycée, et ça ne me disait vraiment rien. Ton dîner, ça peut être marrant. C'est où ?

— Cipriani *downtown*. Tu connais ?

— Je n'y ai jamais été, mais ma mère n'a que ce nom-là à la bouche. Elle meurt d'envie que ça devienne ma cantine.

— Devrais-je me vexer de ce que ta mère et mon oncle semblent connaître tous les endroits cool de cette ville, quand je n'en ai jamais entendu parler ?

— Bienvenue dans ma vie, a-t-elle soupiré. Avery est exactement pareil – il connaît tout, et tout le monde. Je ne peux pas me mettre martel en tête pour ça. L'effort que ça me demanderait pour me tenir au courant me fatigue d'avance. Mais ce soir, ce sera amusant. Ça me plaît bien de rencontrer des gens qui gagnent leur vie en organisant des soirées. Et il paraît que la cuisine est excellente.

— Oui, mais avec cette clique, je doute que ce soit un argument de vente. J'ai passé quarante heures avec Elisa cette semaine, et je ne l'ai encore jamais vue manger. À croire qu'elle se nourrit exclusivement de Coca Light et de clopes.

— Hum, le régime des filles sexy et dans le vent, c'est ça ? Tant mieux pour elle. On ne peut qu'admirer un tel degré d'implication, a soupiré Penelope. Je vais bientôt rentrer. Tu veux qu'on partage un taxi pour descendre *downtown* ?

— Impec. Je te pêche à l'angle de la Quatorzième et

de la Cinquième un peu avant neuf heures. Je t'appelle quand je suis dans le taxi.

Sitôt après avoir raccroché, j'ai ouvert mon placard, et après quelques éliminations et plusieurs essayages, je me suis décidée pour un pantalon noir et un débardeur noir uni. J'ai trouvé une paire de chaussures avec des talons décemment hauts achetée lors d'une virée shopping à SoHo et j'ai pris le temps de dompter à la brosse et au séchoir l'épaisse tignasse que j'ai héritée de ma mère – le genre de chevelure qui fait envie à toutes les filles jusqu'à ce qu'elles réalisent que c'est la croix et la bannière pour les faire tenir en queue-de-cheval, et qu'il faut systématiquement compter trente minutes de plus pour toute séance de préparatifs. J'ai même tenté de me maquiller légèrement, mais j'utilisais si rarement mes produits que la brosse du mascara était un ramassis de grumeaux, et certains tubes de rouge à lèvres refusaient carrément de s'ouvrir. *On s'en fiche!* ai-je chantonné tout en appliquant le maquillage. Ça m'amusait presque. D'autant que le résultat, au final, méritait ce petit effort supplémentaire : mes poignées d'amour ne débordaient plus de la ceinture du pantalon, mes seins avaient conservé leurs rondeurs de fille potelée quand tout mon corps avait fondu et le mascara que je venais d'appliquer au petit bonheur la chance avait accidentellement bavé à la perfection, me faisant un regard charbonneux, sexy, aguicheur.

À neuf heures moins dix, Penelope était au rendez-vous en bas de chez elle, et le taxi nous a déposées à destination à l'heure dite. Il y avait des kyrielles de restaurants sur West Broadway, et une foule de gens pomponnés s'agglutinait avec ravissement aux tables en terrasse, sous des lampes chauffantes. Trouver le bon restau nous a donné un peu de fil à retordre car la direction avait négligé d'accrocher une enseigne – un oubli peut-être dicté par le sens pratique : vu qu'à New York, la durée de vie d'un restaurant à la mode n'excède pas six mois, ça leur ferait un truc de moins à enlever quand ils plieraient boutique. Heureusement, j'avais pensé à relever le numéro exact dans le *Zagat*, et nous avons réussi à localiser l'endroit. Des grappes de femmes court vêtues, mais à prix d'or, s'y pressaient autour du bar, tandis que des hommes plus âgés veillaient à maintenir un niveau constant dans leurs verres. Mais je ne voyais nulle part ni Elisa, ni personne de l'agence.

— Beth ! Par ici ! a appelé Elisa, un verre de champagne dans une main, une cigarette dans l'autre. (Elle était plantée au milieu de la terrasse, et s'appuyait au dossier d'une chaise dans une pose étudiée ; ses membres, aussi fins que des rameaux, donnaient l'impression qu'ils allaient se rompre d'un instant à l'autre.) Tous les autres sont à l'intérieur. Je suis tellement contente que tu aies pu venir !

— Bon Dieu, qu'est-ce qu'elle est maigre ! s'est exclamée Penelope à mi-voix tandis que nous nous dirigions vers elle.

— Salut.

Je me suis penchée vers Elisa pour l'embrasser sur la joue et me retournais déjà vers Penelope pour procéder aux présentations quand j'ai remarqué que le visage d'Elisa restait tendu vers moi, comme en suspens. Les yeux clos, elle attendait – le traditionnel baiser sur chaque joue, à la mode européenne. Je ne m'étais acquittée que de la moitié du rituel. Peu auparavant, j'avais lu dans *Cosmo* un papier qui décriait de façon assez convaincante cette mode stupide et affectée et j'avais décidé d'entrer en résistance : les doubles embrassades, c'en était fini pour moi.

— Merci de l'invitation, me suis-je contentée de dire. J'adore cet endroit !

— Ohmondieu, moi aussi, a piaillé Elisa en retrouvant son quant-à-soi. Ils font les meilleures salades de la ville. Salut. Elisa, a-t-elle ajouté en tendant la main à Penelope.

— Oh, excusez-moi, je manque à tous mes devoirs ! Penelope, voici Elisa. C'est elle qui m'a pilotée toute la semaine. Elisa, Penelope, ma meilleure amie.

— Waou, ta bague ! Fabuleuse ! s'est exclamée Elisa en ignorant la main que lui tendait Penelope pour s'emparer de sa main gauche. Tous ces carats, c'est… aveuglant !

Penelope arborait sa bague portable (le modeste diamant de trois carats), et je me suis demandé ce qu'Elisa aurait pensé de l'autre bague, la vraie.

— Merci, a répondu Penelope, visiblement ravie. Je me suis fiancée il y a…

Mais avant qu'elle ait pu achever sa phrase, Davide est apparu. Il a enlacé Elisa par-derrière, bras passés autour de sa minuscule taille, mais sans serrer, pour ne pas la briser. Il lui a chuchoté quelques mots à l'oreille et Elisa a éclaté de rire en renversant la tête.

— Davide, mon chou, tiens-toi bien ! Je te présente Penelope, l'amie de Beth.

Chacune à notre tour, nous l'avons embrassé (sur chaque joue – ma résolution de boycott n'avait pas duré plus de vingt secondes…), tandis que Davide était infichu de détacher ses yeux d'Elisa un seul instant.

— Notre table est prête, a-t-il annoncé d'un ton bourru avec son anglais accentué à l'italienne, tout en flattant le derrière osseux de sa dulcinée. Rejoignez-nous quand vous avez *finito*.

Quelque chose dans cet accent qui semblait hésiter entre le français et l'italien dans un perpétuel va-et-vient continuait de me chiffonner.

— J'ai fini ! a claironné joyeusement Elisa en écrasant sa cigarette sous une table. On rentre, les filles ?

Notre table de six se trouvait dans un angle, au fond de la salle. Elisa m'a immédiatement précisé que les gens plus ou moins cool faisaient une fixation sur les tables situées près de l'entrée, mais que les gens *vraiment* cool exigeaient celles du fond. L'équipe qui avait bossé sur la soirée de lancement du dernier roman de Candance Bushnell, la veille au soir, était constituée de Skye, Davide et Leo, et j'étais soulagée qu'Elisa et Davide soient le seul couple présent. Ils étaient tous en train de siroter leurs verres, tout en se chamaillant à quelque sujet avec cette décontraction que seuls les gens vraiment sûrs d'eux peuvent se permettre. Et naturellement, personne n'était en noir. Skye et Elisa portaient des robes courtes presque identiques, l'une rose corail très vif accompagnée de superbes escarpins aux talons argentés, et l'autre bleu-vert, avec des sandales assorties lacées jusqu'à mi-mollet. On était mi-octobre et les nuits étaient fraîches, mais peu importait. Même les deux garçons semblaient avoir été rhabillés par Armani. Davide n'avait pas quitté son costume gris charbon – un modèle que bien des hommes américains auraient jugé par trop ajusté, mais qui était très seyant sur sa silhouette longue et découplée. Quant à Leo, avec son jean Paper Denim patiné à souhait, son T-shirt vintage étriqué qui proclamait, VIETNAM : JE SUIS PARTI QUAND ON COMMENÇAIT À GAGNER et sa paire de nouvelles Pumas orange, il incarnait le mariage idéal de branchitude et de décontraction. Quand je me suis approchée de la chaise libre à côté de lui, il s'est aussitôt levé d'un mouvement tout en souplesse, et sans interrompre sa phrase en cours, il m'a embrassée sur chaque joue tout en tirant ma chaise. Puis il a fait de même avec Penelope. Celle-ci, manifestement, s'efforçait tout autant que moi de se comporter comme nous étions rompues à ce genre de civilités. Leo nous a tendu ensuite des menus et il a indiqué au serveur de venir prendre commande de nos boissons – tout cela sans avoir marqué la moindre pause dans la conversation.

Je me suis trituré la cervelle pour essayer de trouver une idée de boisson plus ou moins dans le coup, mais après des années à ne boire d'alcool qu'avec mon oncle, c'était mission impossible. L'Absolut était à la mode en ce moment, non ?

— Hm... une Absolut pamplemousse, s'il vous plaît, ai-je marmonné.

— Ah bon ? a fait Elisa en écarquillant les yeux. Je ne sais même pas s'ils servent de la vodka, ici. Pourquoi ne pas commander quelques bouteilles de vin ?

— Oui, très bien. Parfait...

Ça commençait bien.

— T'en fais pas, m'a chuchoté Penelope en se penchant vers moi, j'étais à deux doigts de commander une bière.

J'ai éclaté de rire comme si c'était la vanne la plus drôle que j'avais jamais entendue.

Davide s'est adressé au serveur dans un italien de classe de sixième, en enrichissant ses phrases de gesticulations ; à un moment donné, il a même embrassé le bout de ses doigts comme si la seule pensée de la commande qu'il venait de passer le transportait de bonheur. Elisa et Skye le couvaient d'un regard dégoulinant d'adoration. Puis, à notre intention – pauvres handicapés monolingues –, il s'est à nouveau exprimé en anglais avec son accent d'opérette.

— J'ai commandé trois bouteilles de ce chianti pour commencer, si ça vous convient. Et l'eau ? Plate ou pétillante ?

— Davide est sicilien, m'a chuchoté Elisa en se tournant vers moi.

— C'est vrai ? Comme c'est intéressant. Ses parents sont toujours là-bas ?

— Non, non, il est arrivé ici à quatre ans, mais il reste très attaché à son pays natal.

Davide a compté les votes en matière de préférences d'eau minérale – j'ai sagement résisté à l'envie de dire qu'une bonne carafe d'eau du robinet ferait parfaitement l'affaire pour moi – et a commandé trois bouteilles de chaque. D'après mes calculs, nous avions déjà dépensé pas loin de trois cents dollars – et nous n'avions même pas commandé un amuse-gueule.

— Très bien vu pour le vin, Davide, a déclaré Skye tout en pianotant de ses doigts manucurés sur le clavier de son téléphone – sans doute pour envoyer un SMS. J'en réponds personnellement. On passe tous nos étés en Toscane depuis des années et c'est le seul que j'accepte de boire.

Elle a reporté toute son attention sur son téléphone, qui était en train de sonner, mais après avoir jeté un œil au numéro qui s'affichait, elle l'a rangé dans son sac avec une moue dédaigneuse.

Je me suis plongée dans la consultation du menu, tout en me demandant si les employés de Kelly & Co. étaient tous titulaires de fonds de placements aux rentes colossales. Je n'étais pas trop en mesure de contribuer à la discussion sur les subtilités du chianti. Pour ce qui était de passer l'été, mes parents se contentaient d'émigrer de Poughkeepsie (nord-est de l'État de New York) au lac Cayuga, près d'Ithaca (nord-ouest du même État), où ils conviaient rituellement les autochtones à un barbecue végétarien arrosé d'infusion de réglisse. Rien de tel que de claquer sa première semaine de salaire sur un seul dîner auquel vous n'aviez pas spécialement envie d'assister.

— Alors, quelle a été l'étendue du bide, hier soir ? a demandé Davide. C'était couru d'avance qu'il n'y aurait pas une seule tête d'affiche, non ?

— Il y avait quelques acteurs de *Sex and the City*, a souligné Leo d'un air pensif.

— Mouais, excuse-moi, mais Chris Noth et John Corbett… Comme tête d'affiche, on fait mieux ! a protesté Skye. Tu as vu Sarah Jessica Parker ? Non ! Ceci dit, la série est trop *out*. Cette soirée était un cauchemar.

L'équipe avait été chargée par l'éditeur de Candance Bushnell d'organiser une fête pour la sortie de son quatrième roman, et apparemment, ç'avait été le bordel. N'ayant pas travaillé à l'organisation de cet événement dès le départ, la veille, j'avais assisté pour ma part à un dîner en l'honneur d'un nouveau client.

— Oui, je sais, a soupiré Leo. Tu as raison, évidemment. C'était… total ringard !

— Oui, n'est-ce pas ? a renchéri Skye. Elles sortaient d'où, ces hordes de pétasses qui faisaient carrément un *raid* sur le champagne – à croire qu'elles n'en avaient jamais bu de leur vie ! Et ces deux bourrins, avec l'accent de Staten Island, qui se sont battus ? Atroce !

— Tu n'as rien loupé, tu sais, Penelope, a ajouté Elisa, comme pour la rassurer. (Ça crevait pourtant les yeux que Penelope n'avait pas la moindre idée du sujet qui les agitait.) C'est là tout le problème des lancements de livres, ceci dit. Les éditeurs sont en général tellement à côté de la plaque, ils sont infichus de savoir si leur soirée attirera les bonnes personnes, ou les mauvaises.

Davide a goûté délicatement une gorgée de vin et hoché la tête en direction du serveur.

— Au moins, nous n'aurons pas à nous coltiner un énième speech de Kelly sur le thème « Bonne Liste = Soirée Réussie ». Franchement, ce serait au-dessus de mes forces.

J'entendais parler de La Liste depuis mon premier jour, mais Kelly n'avait pas encore pris le temps de me montrer la « base de données la plus exhaustive et la plus détaillée de tous les noms qu'il faut connaître ». Elle avait prévu le lendemain, un vendredi, de me faire la démonstration de la toute-puissance de La Liste. Je réservais encore mon opinion sur ma nouvelle patronne, tant j'avais du mal à croire que Kelly soit réellement ce rouleau compresseur d'optimisme à toute épreuve qu'elle donnait l'impression d'être ; jusque-là, cependant, rien n'était venu démentir mon impression. Et même si je doutais que Will lui ait vraiment laissé le choix, elle semblait sincèrement contente de m'avoir embauchée. J'avais consacré quatre jours entiers à l'étudier attentivement, en cherchant désespérément la petite bête – un vilain défaut, ou un motif d'agacement – mais je n'avais encore découvert aucun aspect négatif dans sa personnalité. Son délit le plus sérieux jusque-là était sa tendance à abuser de smileys dans ses mails. Mais pas une seule fois elle n'avait utilisé le terme « conciliabule », ni envahi mon espace de travail d'une patte moite de transpiration ; du coup, j'étais plus que ravie de ne pas chercher midi à quatorze heures.

Alors que la conversation générale dérivait sur un autre sujet (Kelly s'était-elle, ou pas, fait tirer les paupières à l'âge vénérable de trente-quatre ans ?), mon téléphone a sonné. J'ai fouillé dans mon sac pour le faire taire, mais je me suis aperçue que non seulement je ne froisserais personne en répondant, mais qu'en plus, ils attendaient tous ça.

— Hé, Beth, salut, ça va ?

C'était Michael, qui semblait un peu à côté de ses pompes.

— Michael, trésor, salut. Tu vas bien ?

« Trésor » ? Le mot m'avait échappé à mon insu. Tout

le monde autour de la table m'a scrutée avec curiosité, mais la plus étonnée, c'était Penelope, qui a articulé silencieusement « Trésor ? » d'un air interrogateur.

— *Trésor ?* a répété Michael dans un grand éclat de rire. Hé, t'es beurrée ? J'ai réussi à m'échapper de bonne heure ! Où êtes-vous ? Je vous rejoins.

J'ai lâché un roucoulement onctueux. Imaginer Michael, qui était le sosie de Jon Cryer, se livrer à ses calembours gentiment bêbêtes pendant que Davide en faisait des tartines sur la villa qu'ils venait de louer en Sardaigne pour le mois d'août – c'était au-dessus de mes forces.

— Je dîne avec quelques collègues, mais on aura terminé d'ici une heure environ. Je peux te rappeler quand je rentre ?

— Oui, bien sûr, a-t-il répondu, de plus en plus confondu. Appelle-moi sur le fixe, le portable n'a plus de batterie.

— D'accord, à tout à l'heure.

— C'était *notre* Michael ? a voulu savoir Penelope une fois que j'ai eu raccroché.

— Qui était-ce ? a questionné Elisa, en se penchant vers moi, l'air avide. Un amoureux potentiel ? Un joli et sexy banquier ? Dont les sentiments muselés peuvent enfin s'exprimer maintenant que vous ne travaillez plus ensemble ? Allez, raconte !

Et bien que l'idée de coucher avec Michael soit à peine moins effroyable que celle de coucher avec mon oncle, bien qu'il soit fou amoureux de son adorable petite amie, et que Penelope sache très bien qu'il n'y avait absolument rien entre Michael et moi, je n'ai pas démenti.

— Hum, oui, quelque chose comme ça, ai-je répondu en gardant le regard baissé tandis que l'attention générale convergeait vers moi pour la première fois de la soirée. On ne s'en rend compte que maintenant.

— Ooh! a glapi Elisa. Je le savais! Pense à demander à Kelly d'ajouter son nom à La Liste pour qu'il puisse amener tous ses sublimes amis banquiers à nos soirées! C'est super. Portons un toast! À Beth et son nouveau petit ami!

— Enfin, ce n'est pas exactement mon…

— À Beth! ont-ils tous repris en chœur en levant leurs verres.

Penelope a également levé son verre, mais en gardant le regard rivé droit devant elle. Pendant que les autres buvaient à petites gorgées, j'ai avalé mon verre cul sec et j'ai discrètement donné un coup de coude à mon amie. Par chance, on en était au dessert, et tout commençait à baigner dans le flou.

— J'ai eu Amy au téléphone et elle m'a dit qu'on était sur la liste du Bungalow ce soir, a annoncé Leo en repoussant de devant ses yeux une mèche au balayage impeccable.

Jusque-là, je les avais entendus tous sans exception discuter instituts de beauté (où se faire faire le meilleur nettoyage de peau de la ville?), mules pour hommes vraiment stylées (les nouvelles John Varvatos), et cours de Pilates. Et seul Leo était gay.

— Bungalow? Vous parlez du Bungalow 8? j'ai demandé aussitôt – le vin qui coulait à flots avait comme encrassé le filtre mental que je maintenais habituellement en place.

La conversation a marqué brutalement un temps d'arrêt et quatre visages parfaitement pomponnés ont pivoté vers moi. C'est finalement Skye qui a réuni assez d'énergie pour se coltiner le fardeau de répondre à ma question.

— Oui, a-t-elle répondu paisiblement, en refusant tout contact oculaire, manifestement humiliée pour moi. Amy Sacco est la propriétaire du Bungalow 8 et

116

du Lot 61 et c'est une *très* grande amie de Kelly. On est tous sur la liste ce soir – et c'est la meilleure soirée de la semaine.

Tout le monde a opiné.

— Je suis partant pour ce que vous voudrez, a déclaré Davide en jouant avec les cheveux d'Elisa. Du moment qu'on est sûr d'avoir une table. Sinon, je ne pourrais pas – pas ce soir.

— Ça coule de source, a renchéri Elisa.

Quand l'addition est arrivée, il était déjà minuit largement passé, et même si Penelope bavardait aimablement avec Leo, je voyais bien qu'elle mourait d'envie de rentrer chez elle. Mais la perspective du Bungalow semblait alléchante, donc je lui ai décoché quelques regards appuyés et j'ai filé aux toilettes, où j'ai attendu qu'elle me rejoigne.

— C'était une bonne soirée, a-t-elle dit d'une voix neutre.

— Oui, ils sont cool, n'est-ce pas ? Ça change un peu.

— Tout à fait. Bon, j'espère que ça ne t'embête pas si je rentre tôt, a-t-elle repris, d'un ton assez distant.

— Tout va bien ? Qu'est-ce qui ne va pas ?

— Rien, rien. C'est tard, et je ne suis pas certaine d'être en forme pour sortir en club. Avery et moi avons décidé de nous retrouver à la maison ce soir, alors je ferais mieux de rentrer. Mais le dîner était vraiment sympa. Je suis juste un peu crevée. Vas-y, toi, et amuse-toi.

— Tu es sûre ? Je peux tout aussi bien rentrer avec toi et te déposer en chemin. Je ne sais pas si j'ai vraiment envie de les accompagner…

— Ne sois pas ridicule. Vas-y et amuse-toi pour nous deux.

Quand nous avons regagné la table, une bouteille de vin – la dernière, ai-je espéré – arrivait vers nous. Et

117

lorsque le serveur a apporté l'addition avec un grand sourire qui ne visait personne en particulier, j'ai inspiré un grand coup. Un rapide calcul mental m'indiquait que je devais dans les deux cent cinquante dollars. Mais c'est à croire qu'il n'était pas question de partager, car Davide a nonchalamment tendu le bras vers le petit classeur en cuir en annonçant :

— Celle-là est pour moi.

Personne n'a cillé, ni protesté. Il a glissé une carte de crédit noir d'encre dans le classeur, qu'il a tendue au serveur. C'était donc elle, la mythique American Express Caviar, que seuls pouvaient obtenir – et sur invitation encore – les gens qui gagnaient un minimum de cent cinquante mille dollars par an (et dont, pour ma part, je venais tout juste d'apprendre l'existence). Mais ce genre de détail ne semblait intéresser personne d'autre à la table.

— On est prêts ? a demandé Elisa en lissant sa robe par-dessus ses ravissantes hanches. Il nous faut deux taxis. Leo et Skye, vous n'avez qu'à prendre le premier. Davide et moi, on monte avec Beth et Penelope et on vous retrouve là-bas. Si vous arrivez les premiers, je préfère la table la plus près du bar sur la gauche, O.K. ?

— Écoutez, je crois que je vais rentrer, a dit Penelope. Le dîner était super, mais je dois être très tôt au boulot demain. C'était vraiment sympa de vous rencontrer.

— Penelope ! La nuit ne fait que commencer ! Allons, viens, ça va être une supersoirée ! a piaillé Elisa.

— Ce serait avec plaisir, vraiment, mais ce soir, c'est impossible. (Elle a attrapé son manteau, m'a serrée rapidement dans ses bras et a agité la main à l'intention des autres.) Davide, merci pour le dîner.

Je n'ai même pas eu le temps de lui dire que je l'appelais plus tard qu'elle avait filé.

Chacun a grimpé dans le taxi qui lui avait été assigné. Sur le trajet, j'ai réussi à hocher la tête et à lâcher quelques « hum hum » aux moments opportuns, mais ce n'est qu'une fois sur le trottoir, devant le cordon en velours du Bungalow 8, que j'ai compris que j'étais un peu ivre. Et que, compte tenu de mon inexpérience crasse en matière d'endroits branchés, je me trouvais dans la position idéale pour dire – ou faire – un truc vraiment, vraiment humiliant.

— Elisa, je crois que je ferais mieux de rentrer, ai-je dit, sans grande conviction. Je ne me sens pas en grande forme, et demain, je dois me lever de bonne heure pour…

Elle a lâché un cri haut perché et son visage tout en creux s'est animé.

— Beth ! Tu plaisantes ! Tu es pratiquement une *vierge* du Bungalow 8, et on est déjà là. N'oublie pas que sortir fait partie de ton boulot !

Je devinais vaguement que la trentaine de personnes alignées dans la queue – des mecs, en majorité – nous dévisageait, mais Elisa semblait s'en ficher comme d'une guigne. Davide saluait déjà un des videurs en lui tapant dans la main d'abord, puis en entrechoquant son poing contre le sien, et j'ai senti que je n'étais pas capable de grand-chose, sinon d'une moindre résistance.

— C'est sûr, ai-je marmonné. Ça va être super.

— Sammy, on est sur la liste d'Amy, a annoncé Elisa au videur de Davide avec autorité.

Le videur – le genre armoire à glace d'un mètre quatre-vingt-dix qui devait peser dans les cent dix kilos – n'était autre, en fait, que celui que j'avais vu le soir de la fête de Penelope. Il n'avait pas l'air spécialement ravi du remue-ménage que notre petit groupe lui mettait devant la porte, mais sitôt qu'Elisa, après l'avoir embrassé, s'est reculée, il a dit :

— Pas de problème, Elisa. Vous êtes combien ?

Allez-y. Je demande au manager de vous trouver une bonne table.

— Génial, mon chou, merci mille fois.

Elle lui a planté un baiser sur la joue, m'a empoigné le coude et s'est penchée vers mon oreille.

— Ces videurs, ils se croient les rois du monde, mais s'ils ne travaillaient pas ici, personne ne leur adresserait la parole.

J'ai hoché la tête, en espérant que l'intéressé n'avait pas entendu – même s'il l'aurait mérité. J'ai coulé un coup d'œil dans sa direction, et j'ai vu que lui aussi me regardait.

— Salut, a dit Sammy, en me reconnaissant.

— Salut, ai-je brillamment répondu. (J'ai dû me retenir de lui faire remarquer qu'il faisait moins d'histoires pour me laisser entrer, ce soir-là.) Merci pour le parapluie.

Mais il ne m'a pas entendue ; il s'était déjà détourné pour raccrocher le cordon et annoncer aux hordes en souffrance sur le trottoir que leur heure n'était pas encore arrivée. Sitôt poussée la porte et dépassé le vestiaire, un nuage de fumée nous a enveloppés, et Davide s'est mis à saluer tout ce qui bougeait dans un rayon de cinq mètres.

— Comment tu le connais ? m'a demandé Elisa.

— Qui ça ?

— Le débile de la porte.

— Le quoi ?

— Le crétin qui tient la porte ! a-t-elle répondu en exhalant plus de fumée que ne pouvait, à mon sens, en contenir une paire de poumons.

— Tu as l'air de l'apprécier, lui ai-je rétorqué en me souvenant qu'elle l'avait étreint chaleureusement.

— Comment faire autrement ? Ça fait partie du jeu.

Il a une belle gueule, ceci dit. Quel gâchis... Tu le connais ?

— Non. Il s'est montré assez désagréable le soir des fiançailles de Penelope. Il m'a fait poireauter pendant des heures. Je sais que je l'ai déjà vu quelque part, ailleurs qu'ici, mais impossible de le remettre.

— Hum, a fait Elisa, dont l'attention se diluait un peu plus à chaque seconde qui passait. Allons prendre un verre.

Le Bungalow 8 avait beau être l'un des clubs les plus courus du pays, je ne lui trouvais toujours rien d'extraordinaire. Une unique salle, rectangulaire ; un bar au fond, et quelque huit tables assorties de banquettes disposées de part et d'autre. Des gens qui dansaient au milieu, d'autres qui s'agglutinaient devant le bar. Seuls le haut plafond en verrière et les rangées de palmiers en pot donnaient à l'ensemble une touche d'exotisme.

— Hé, les filles, par ici ! a appelé Leo.

Il avait investi un canapé au fond de la salle, près du bar à gauche, conformément aux souhaits d'Elisa. Un DJ invisible jouait 50 Cent ; Skye, déjà perchée sur les genoux d'un mec, se trémoussait au rythme du rap hardcore ; et notre table, transformée en minibar, était encombrée de bouteilles de Veuve Clicquot, de vodka et de gin, en plus d'un assortiment de carafes de jus de fruits et de quelques bouteilles de tonic et d'eau pétillante. Penelope ayant mentionné le coût prohibitif de sa fête, je savais que nous payions chaque bouteille plusieurs centaines de dollars.

— Que puis-je te servir ? s'est enquis Leo en se matérialisant derrière moi.

Pour couper court au risque de commander encore un alcool ringard, j'ai opté pour le champagne.

— Tout de suite. Viens, dansons. Skye, tu viens ?

Leo s'est levé, mais au cours des six minutes écoulées,

Skye avait fait du chemin, et installée à califourchon sur les genoux du type, elle se livrait à présent à un pelotage dans les règles. Il était inutile d'attendre une réponse.

La foule était presque uniformément composée de gens beaux. À dix ans près, tout le monde était dans la même fourchette d'âge – vingt-cinq/trente ans – et tout indiquait qu'ils étaient des habitués du lieu. Les filles étaient grandes et minces, parfaitement à l'aise avec leurs cuisses et leur décolleté largement dénudés, mais d'une façon qui n'avait rien de vulgaire. Les hommes dansaient à leur côté, en promenant leurs mains sur leurs hanches, leur dos et leurs épaules, sans jamais transpirer, sans jamais laisser le verre de la fille descendre à marée basse. Tout cela était aux antipodes de la seule soirée rebelle de mon adolescence, au Limelight, où j'étais restée terrée dans un coin, mal à l'aise, terrifiée par les masses humaines qui se tortillaient.

Le temps de terminer mon tour d'horizon, Leo avait déjà jeté son dévolu sur un beau brun. Les deux dansaient avec un couple hétéro aussi sexy que des mannequins, et ces quatre corps bougeaient les uns contre les autres parfaitement en rythme. De temps en temps, le carré se repositionnait pour que les « filles » soient face à face et puissent se frotter l'une contre l'autre.

Je suis partie aux toilettes, et sans que j'aie eu le temps de voir à qui elle appartenait, une paire de bras m'a étreinte. J'ai entr'aperçu une cascade de cheveux longs ondulés, d'un châtain clair et terne, et j'ai humé, à parts égales, une odeur de clope et de bain de bouche.

— Beth ! C'est incroyable ! Ça fait une éternité ! a hurlé la fille en écrasant son visage contre ma poitrine – ce qui était embarrassant, vu que j'ignorais toujours l'identité de la personne en question.

Après quelques secondes, elle a relâché son étreinte, s'est reculée.

Abby Abrams.

Je n'en croyais pas mes yeux.

— Abby ? C'est toi ? Ça alors ! Ça fait un bail, ai-je dit avec circonspection en m'efforçant de cacher combien cette rencontre me contrariait.

Abby était une camarade de fac dont je n'avais gardé que de très mauvais souvenirs. Une fois installée à New York, je m'étais débrouillée pour oublier jusqu'à son existence. Et jusque-là, en cinq ans, la ville avait été vaste pour ne jamais tomber sur elle. Mais à l'évidence, ma chance avait expiré. Dans l'intervalle, ses traits s'étaient durcis et elle paraissait plus vieille que son âge. Elle s'était fait refaire le nez et n'avait pas lésiné sur la dose de collagène dans la région des lèvres, mais ce qu'on remarquait le plus, c'étaient ses seins – énormes, surdimensionnés sur son corps d'un mètre cinquante.

— On m'appelle Abigail maintenant, a-t-elle immédiatement corrigé. C'est dingue, non ? Mais j'ai entendu dire que tu bossais chez Kelly, alors je me doutais que je te croiserais tôt ou tard.

— Hein ? Comment ça ? Depuis combien de temps habites-tu à New York ?

Elle m'a dévisagée, avec une moue légèrement effarée et m'a tirée par le poignet jusque sur un canapé. J'ai tenté de me dégager, mais elle n'a pas lâché prise.

— Tu plaisantes ? s'est-elle exclamée, penchée vers moi – beaucoup trop à mon goût. Tu n'es pas au courant ? Je suis au *vortex* du monde des médias !

Il m'a fallu faire semblant de tousser pour qu'elle ne me voie pas partir d'un rire incontrôlable. Déjà, quand nous étions à Emory, Abby adorait déclarer qu'elle était « au vortex » d'une chose ou d'une autre – la campagne de recrutement pour la sororité, l'équipe de basket masculine ou le journal du campus. Personne ne savait précisément ce qu'elle entendait par là – elle employait en fait

123

le mot à mauvais escient – mais pour une raison obscure, elle s'était emparée de ce terme et s'y était cramponnée. En première année, nous étions voisines d'étage. J'avais immédiatement remarqué son don étrange pour détecter les insécurités chez les autres. Elle m'asticotait sans cesse pour découvrir quel garçon me plaisait bien, et ensuite, comme par « coïncidence », dans les douze heures qui suivaient, on la voyait se jeter sur le garçon en question. Une fois, aux sanitaires, je l'avais entendue cuisiner une camarade asiatique pour qu'elle lui explique comment se faire ce « regard bridé si sexy » avec un crayon. Une autre fois, elle avait « emprunté » le devoir d'histoire d'une camarade, l'avait fait passer pour le sien, et n'avait admis la « confusion » que lorsque le prof avait menacé de les recaler toutes les deux. Penelope et moi avions rencontré Abby à peu près à la même époque, lors d'un séminaire d'écriture, en première année, et nous étions immédiatement tombées d'accord : cette fille était à éviter comme la peste. Rompue à l'art de lâcher des commentaires subtils mais vaches à propos de vos cheveux, votre petit copain, votre tenue, pour feindre ensuite d'être navrée en voyant que vous étiez vexée, elle était de ces nanas qui donnent la chair de poule. Penelope et moi avions beau la fuir systématiquement, elle ne semblait pas piger. Pire : elle s'ingéniait à nous coller aux basques, dans le seul but de nous dénigrer. Elle n'avait pas d'amies (rien d'étonnant à ça), mais en revanche, elle s'était frayée un chemin dans presque toutes les fraternités et les équipes d'athlétisme d'Emory.

— Vortex du monde des médias, ah ouais ? Non, je n'étais pas au courant. Et tu bosses où, en ce moment ? ai-je demandé, de mon ton le plus las, en me jurant de ne pas la laisser me taper sur les nerfs.

— Voyons… j'ai commencé à *Elle*, puis je suis passée à *Slate* – vachement plus classe, tu sais. J'ai fait un petit tour à *Vanity Fair*, mais leur politique interne… C'est de la démence. Maintenant, je bosse en free-lance – on voit ma signature partout !

J'ai réfléchi deux secondes et franchement, je ne me souvenais pas d'avoir vu sa signature… où que ce soit.

— Et toi, miss, comment se passe ton nouveau boulot ? a-t-elle repris de sa voix stridente.

— J'ai commencé il y a à peine une semaine. Jusque-là, c'est assez cool. Je ne suis pas certaine d'être au *vortex* du monde des relations publiques, mais ça me plaît bien.

Elle n'a absolument pas capté le sarcasme – ou alors, elle l'a ignoré.

— C'est LA boîte de RP du moment. Ils ont tous les meilleurs clients. Ohmondieu, j'a-do-re ta chemise – c'est indiscutablement le meilleur choix si tu cherches à cacher un petit ventre, tu sais ? Je porte la mienne tout le temps !

Involontairement, j'ai rentré l'estomac.

Avant d'avoir pu y aller d'une vacherie de mon cru – comment par exemple, compte tenu de sa taille de naine, deux kilos de trop en paraissaient dix, elle a poursuivi :

— Hé, tu as des nouvelles récentes de Cameron ? C'est bien comme ça qu'il s'appelait, ton petit copain, non ? J'ai entendu dire qu'il t'avait plaquée pour un mannequin, mais bien évidemment, je n'en ai pas cru un mot.

Au temps pour moi pour avoir hésité à m'abaisser à son niveau.

— Cameron ? Je ne pensais pas que tu le connaissais. Ceci dit, c'est quelqu'un qui respire et vit à New York donc…

— Oh, Beth, c'est tellement génial de te revoir ! m'a-t-elle coupée. Laisse-moi t'inviter à déjeuner un de ces jours, d'accord ? On a tant de choses à se raconter ! J'avais l'intention de t'appeler depuis des siècles, mais à croire que depuis la fac, tu t'étais évanouie dans la nature ! Qui revois-tu ? Cette fille vachement effacée, qui était si gentille ? Comment s'appelait-elle déjà ?

— Penelope ? Elle est magnifique, elle vient de se fiancer et oui, je la vois toujours. Je ne manquerai pas de lui passer le bonjour de ta part.

— Oui, n'oublie pas. Écoute, je t'appelle au bureau la semaine prochaine, et on ira déjeuner dans un endroit classe, d'ac' ? Et félicitations d'avoir enfin quitté cette abominable banque et d'avoir rejoint le vrai monde… Il me tarde de te présenter à tout le monde ! À tous ces gens que tu dois absolument rencontrer !

Je concoctais une repartie qui n'allait encore pas briller par sa spiritualité quand Elisa s'est matérialisée à côté de nous. Jamais je n'aurais pensé être aussi heureuse de la voir.

— Elisa, je te présente Abby.

— Non, Abigail.

— Oui… Hum. Abby, ai-je repris en la regardant droit dans les yeux, voici Elisa, avec qui je travaille.

— Salut, on s'est déjà croisées, non ? a marmonné Elisa, les lèvres serrées sur une cigarette tout en cherchant du feu dans son sac.

Abby a pris les allumettes posées sur la table et galamment allumé sa cigarette.

— Absolument. T'en aurais une pour moi ?

Après cet échange de bons procédés, elles se sont mises à discuter d'une publication spécialisée dans les potins mondains – le New York Scoop. J'en avais entendu parler au bureau. Elle n'était apparemment pas nouvelle, mais personne ne s'y était intéressé jusqu'à l'apparition d'une chronique impertinente, signée d'un pseudo débile – Ellie d'Initiée. New York Scoop paraissait deux fois par semaine, en ligne et en kiosque, et à la différence des chroniques de Cindy Adams ou Liz Smith en Page Six, celle-ci ne comportait pas la photo de leur auteur. Abby soutenait que cette chronique était le truc le plus excitant apparu dans les médias ces dernières années, mais Elisa lui rétorquait que d'après ses sources, seules quelques tribus de la mode et de la nuit la lisaient de manière obsessionnelle – tout en reconnaissant cependant que la fièvre ne tarderait pas à se propager à d'autres groupes. Je me suis intéressée à leur conversation pendant une bonne minute et demie, avant de réaliser, par bonheur, que je pouvais tout simplement m'éclipser.

C'est à ce moment-là que j'ai pris conscience que j'étais paumée au milieu d'un essaim de gens splendides qui possédaient tous un sens du rythme incroyable quand moi, j'étais complètement empotée. Danser, ça n'a jamais été mon truc. Aux boums du lycée, j'avais tant bien que mal réussi à me dandiner sur quelques slows (en essayant toujours d'échapper aux interminables huit minutes de « Stairway to Heaven ») et dans nos bars d'étudiants, je m'étais trémoussée, un peu ivre, au son des juke-box. Mais là, j'étais intimidée, paralysée, assaillie des mêmes angoisses qu'une gamine de sixième. L'espace d'une fraction de seconde, j'ai eu l'impression que tout le monde regardait mon embonpoint de petite fille et mes bagues dentaires. Il me fallait partir de là, ou tout au moins regagner notre table pour éviter à tout prix de danser, mais pile au moment où je décidais de ce repli, une main s'est posée au creux de mes reins.

— Salut, vous ! a dit un grand type à l'accent britannique, et dont le hâle était trop parfait pour devoir quelque chose au grand air. Vous dansez ?

J'ai dû faire un effort pour ne pas me retourner, afin de vérifier qu'il s'adressait bien à moi. Je n'ai pas eu le temps de m'inquiéter de mon haleine parfumée à la cigarette, ou de ma chemise humide de transpiration qu'il m'a attirée contre lui et a commencé à se mouvoir. *Danser ?* Mais oui, on était en train de danser ! Je n'avais plus connu pareille promiscuité depuis la dernière fois qu'un pervers s'était collé à moi dans une rame de métro à l'heure de pointe. *Re-lax, amuse-toi, re-lax, amuse-toi*, me suis-je mise à psalmodier dans ma tête, en espérant rester détendue et cool. Mais ça n'a pas été trop dur de m'autopersuader car, tandis que je me blottissais étroitement contre ce demi-dieu à la peau dorée qui me tendait une coupe de champagne, mon cerveau s'est mis en veilleuse. J'ai siroté cette coupe-là, puis j'ai vidé la suivante quasi cul sec, et ensuite par un mystérieux enchaînement, je me suis retrouvée perchée sur les genoux de mon cavalier, en train de rire avec toute la tablée de je ne sais quel scandale mondain, pendant que ce sublime étranger jouait avec mes cheveux et allumait mes cigarettes.

J'avais tout oublié – que j'étais la seule personne toute fagotée de noir de la boîte, que je venais de me faire insulter par la garce qui se régalait de me tourmenter à la fac, que je ne possédais rien qui puisse s'apparenter, ni de près ni de loin, à un sens du rythme. Je me souviens qu'à un moment donné, un type a demandé à son ami l'Anglais qui était la nouvelle et charmante créature sur ses genoux, mais avec mes facultés quelque peu émoussées, je n'ai compris qu'ils parlaient de moi que lorsque l'Anglais m'a enlacée en disant :

— Je viens de la découvrir – fabuleuse, non ?

Et la charmante créature, la fabuleuse découverte, de glousser avec délectation avant d'embrasser son admirateur à pleine bouche.

Dieu merci, c'est la dernière chose dont je me souvienne.

8

C'est le son d'une voix masculine gonflée de colère qui m'a réveillée en sursaut. Je me suis brièvement demandé s'il n'y avait pas quelqu'un, debout au-dessus du lit, qui donnait de grands coups de pelle dans ma tête. La régularité des pulsations me rassurait presque, mais brusquement, j'ai pris conscience qu'en fait, je ne me trouvais pas dans mon lit. Que ma panoplie noire archidécalée de la veille n'était nulle part en vue. Et qu'à la place, je portais un boxer gris désagréablement moulant et un immense T-shirt blanc barré de l'inscription SPORTS CLUB L.A. *Pas de panique*, me suis-je intimé en essayant de discerner ce que disait cette voix d'homme au loin. *Réfléchis. Où étais-tu et que faisais-tu hier soir ?* (N'étant pas coutumière des pertes de mémoire et des réveils dans des lits étrangers, je me suis félicitée de ce bon départ.) *Voyons voir... Elisa a appelé. Dîner chez Cipriani. Taxi jusqu'au Bungalow 8, tout le monde autour de la table, j'ai dansé avec... un Anglais bronzé. Merde. La dernière chose dont je me souviens, c'est d'avoir dansé dans un club avec un mec dont j'ignore le nom et maintenant je suis dans un lit certes immense,*

confortable, et avec des draps d'une infinie douceur,
mais que je n'ai jamais vus.

— Combien de fois me faudra-t-il vous le répéter ? On
ne lave pas des draps Pratesi à l'eau chaude ! a gueulé la
voix au loin.

Je me suis levée d'un bond et j'ai inspecté les issues de
secours. Un rapide coup d'œil par la fenêtre m'a appris
que je me trouvais au moins vingt étages au-dessus du
niveau de la rue.

— Oui, *sir*, je suis désolée, *sir*, a pleurniché une
femme à l'accent hispanique.

— J'ai envie de vous croire, Manuela, vraiment. Je ne
suis pas un mauvais bougre, mais ça ne peut pas continuer. J'ai bien peur de devoir vous renvoyer.

— Mais, *sir*, si je peux…

— Je suis navré, Manuela, mais ma décision est irré-
vocable. Je vous payerai vos gages jusqu'à la fin de la
semaine, mais nous allons en rester là.

J'ai entendu des bruissements, un sanglot étouffé, puis
le silence, et une porte qu'on claque.

Mon estomac m'a fait savoir qu'il n'allait pas tolérer
beaucoup plus longtemps ma gueule de bois, et j'ai frénétiquement tenté de localiser la salle de bains. J'étais
en train de chercher mes vêtements, à grand renfort de
gestes désordonnés et, tout en me demandant s'il valait
mieux pour l'Anglais qu'il me voie à poil, ou en train de
vomir tripes et boyaux (puisque apparemment, je manquais de temps pour régler les deux problèmes à la fois)
quand il est entré dans la chambre.

— Bonjour, a-t-il lancé en m'accordant à peine un
regard. Tu te sens comment ? Tu étais dans un sacré état,
hier soir.

Son apparition m'a tellement sidérée que j'en ai carrément oublié que j'allais être malade. Avec son T-shirt
blanc ultramoulant, son pantalon blanc et ses dents (les

plus droites et les plus blanches jamais vues dans la bouche d'un sujet de Sa Majesté), il m'a paru encore plus bronzé que dans mon souvenir. Il ressemblait à Enrique, le héros de *La Vierge et le Nabab*, et tout dans son apparence ne demandait qu'à figurer sur une couverture de roman sentimental.

— Euh... c'est bien possible. C'est la première fois que ça m'arrive. J'ai bien peur de n'avoir pas retenu ton nom.

Il a semblé se souvenir que j'étais un être humain, et non pas un simple accessoire décoratif de literie, et il est venu s'asseoir à côté de moi sur l'oreiller.

— Philip. Philip Weston. Et ne t'inquiète pas – je ne t'ai ramenée ici que parce que je n'arrivais pas à trouver deux taxis, et que j'avais la flemme de faire un détour. Il ne s'est rien passé. Je ne suis pas un violeur. Je suis avocat, en fait, a-t-il précisé, non sans fierté, et avec un accent d'aristo britannique très prononcé.

— Bon, merci beaucoup. Je ne pensais pas avoir bu autant, mais je ne me souviens plus de rien après avoir dansé avec toi.

— Bah, ça arrive. Jusque-là, la matinée est plutôt stressante, tu ne trouves pas ? Je déteste que des conneries viennent anéantir les bénéfices de ma séance de yoga.

— Ouais...

Ce n'était pourtant pas *lui* qui s'était réveillé dans un lit inconnu – mais je ne me sentais pas trop en position d'argumenter.

— Mon employée de maison était en train de laver mes draps Pratesi à l'eau bouillante. Franchement ! À quoi bon, s'il me faut repasser systématiquement derrière elle ? Tu imagines le désastre, si je ne l'avais pas arrêtée à temps ?

Gay. Il était gay, c'était sans appel. Il n'était pas

Enrique, mais Emilio, son ami minaudier. Et c'était un immense soulagement.

— Que se serait-il passé, au juste ?

En ce qui me concernait, je lavais mes draps à l'eau chaude et je les séchais à la température maximum parce que ça semblait le meilleur moyen de gagner du temps. Ceci dit, j'achetais mes draps chez Macy, et il faut reconnaître qu'ils n'occupaient pas beaucoup de place dans mes pensées.

— Que se serait-il passé ? Tu es *sérieuse* ? (Il a traversé la chambre pour vaporiser de l'eau de toilette Helmut Lang dans son cou.) Mais elle les aurait détruits, voilà ce qui se serait passé ! Ces draps coûtent deux cent quatre-vingts livres et elle les aurait détruits !

Tandis qu'il étalait sur sa peau dorée ce qui, espérais-je, était de l'after-shave, mais qui était plus vraisemblablement de la crème hydratante, j'ai procédé à une petite conversion mentale : quatre mille dollars.

— Oh. Je comprends mieux. Je ne savais pas que des draps pouvaient coûter aussi cher. Mais je ne doute pas que si je les avais payés ce prix-là, je râlerais moi aussi.

— Je suis navré de t'avoir infligé cette scène.

Il a retiré son T-shirt et révélé un torse imberbe et parfaitement sculpté. C'était presque dommage qu'il soit gay, tant il était canon. Il s'est enfermé dans la salle de bains, a ouvert la douche, et quelques minutes plus tard, il a réapparu, une simple serviette drapée autour de la taille. Après avoir sorti une chemise et un costume d'un dressing lambrissé de chêne, il m'a tendu mes vêtements, soigneusement pliés, et s'est discrètement retiré pendant que je me déshabillais.

— Tu n'auras pas de problème pour rentrer chez toi ? l'ai-je entendu me demander à tue-tête – il semblait se trouver à des milliers de kilomètres de là. Je dois filer. Une réunion de bonne heure.

Travailler. Nom de Dieu ! J'avais complètement oublié que moi aussi, j'avais de nouveau un boulot. Mais un coup d'œil au réveil m'a rassurée : il était à peine sept heures. Philip était déjà allé à son cours de yoga et en était revenu, or il était impossible que nous soyons rentrés avant trois heures du matin. J'ai eu un flash-back, bref mais intense, de ma seule et unique expérience d'un cours de yoga. Je bataillais depuis trente minutes avec les différentes postures quand la prof a annoncé qu'on devrait tenir la posture suivante – celle de la demi-lune – trente secondes, et que le bénéfice équivaudrait à huit heures de sommeil. En m'entendant étouffer un ricanement, elle m'avait demandé s'il y avait un problème. Heureusement, j'avais réussi à retenir la question qui me brûlait la langue : pourquoi jamais personne auparavant ne nous avait éclairés sur les immenses bénéfices de la demi-lune ? Pourquoi, tous ces siècles durant, les hommes avaient gâché un tiers de leur vie à dormir, quand il leur aurait suffi de plier la taille pendant une demi-minute ?

Le couloir était à lui seul plus long que tout mon appartement. Ses murs étaient décorés de toiles abstraites aux couleurs vives, le plancher (du vrai plancher, pas un de ces ersatz new-yorkais) était d'un bois très sombre qui mettait en valeur des meubles aux austères structures métalliques. On aurait dit qu'un show-room de Ligne Roset avait été démonté et intégralement remonté dans l'appartement de ce type. Tout en me guidant au son de sa voix pour le retrouver, j'ai inspecté trois salles de bains (avec douche *et* baignoire), deux chambres, un living-room, et un bureau (aux murs tapissés de bibliothèques, équipé de deux Mac G4 et d'un casier à vin) et j'ai fini par retrouver Philip devant le comptoir en granit de la cuisine, où il pressait des oranges sanguines dans une centrifugeuse high-tech. Je ne possédais même pas un ouvre-boîtes.

— Tu fais du yoga ? Je ne connais aucun mec qui en fait.

Aucun hétéro, ai-je pensé à part à moi.

— Bien sûr, ça muscle et ça clarifie aussi l'esprit. Très américain, j'imagine, mais néanmoins très efficace. Tu devrais venir essayer avec moi.

Et là, brusquement, il m'a soulevée pour me percher sur le comptoir, a écarté mes jambes pour se coller contre moi et il a commencé à m'embrasser dans le cou. Instinctivement, j'ai sauté à terre. Aurais-je voulu me précipiter dans ses bras que je n'aurais pas pu mieux faire.

— Mm… Je croyais que tu…

Deux yeux vert clair m'ont dévisagée d'un air interrogateur.

— Oui, tu comprends, entre cette nuit, les draps Pratesi, le cours de yoga…

Non, apparemment, il ne comprenait pas. Il n'y mettait pas du sien pour me faciliter la tâche.

— Tu n'es pas gay ?

J'ai retenu mon souffle. *Pourvu qu'il ne soit pas encore dans le placard – ou, pire, dans la haine de soi.*

— Gay ?

— Oui, tu sais bien… un homme qui aime les hommes.

— Tu es *sérieuse* ?

— Ben… il me semblait que…

— Gay ? Tu me prends pour un *homosexuel* ?

J'ai eu l'impression d'être transportée sur le plateau d'une émission de téléréalité, où tous les participants seraient dans la confidence, sauf moi. Des indices, plein d'indices, mais aucune information tangible. Dans ma tête, j'essayais d'assembler les pièces du puzzle du plus vite que je pouvais – mais ça ne donnait pas grand-chose.

— Bon, c'est sûr, on ne se connaît pas. Simplement, comme tu t'habilles bien, que tu sembles prendre grand soin de ton appart, et que tu mets de l'eau de toilette Helmut Lang… Mon ami Michael, par exemple, n'a jamais entendu parler d'Helmut Lang…

Il m'a décoché un de ses sourires aveuglant de blancheur et m'a ébouriffé les cheveux, comme à une môme.

— Peut-être perds-tu ton temps avec les mauvais mecs ? Je peux te garantir que je suis tout ce qu'il y a de plus hétéro. On m'a juste appris à aimer les belles choses. Viens, a-t-il ajouté en enfilant un pull en cachemire et en attrapant ses clés. Si on se dépêche, j'ai le temps de te déposer chez toi.

Dans l'ascenseur, nous n'avons pas échangé un mot, mais ce cher Philip a trouvé moyen de me plaquer contre la paroi pour me grignoter les lèvres, ce que je trouvais tout à la fois dégoûtant et totalement troublant.

— Mmm… tu es délicieuse. Viens, redonne-moi ces lèvres encore une fois.

Mais avant qu'il puisse remettre ça, les portes de la cabine se sont ouvertes, et deux portiers en livrée se sont retournés pour assister à notre arrivée, un grand sourire aux lèvres. Philip est sorti le premier, une main levée.

— Fichez-moi la paix, a-t-il déclaré en traversant le hall. Ce n'est pas le moment.

Les deux hommes ont lâché un petit hennissement. Manifestement, ils étaient accoutumés au manège de Philip escortant de jeunes inconnues de chez lui et ils ont ouvert la porte sans un mot. Ce n'est qu'une fois sur le trottoir que j'ai identifié l'endroit où nous nous trouvions : dans le Village, tout à l'ouest, à l'angle de Christopher Street et de Greenwich Street, à un bloc à peine de l'Hudson. Au pied du fameux bâtiment des Archives. Philip s'est dirigé vers un Vespa garé sous une marquise ornée d'un monogramme, à quelques pas de l'entrée.

— Où habites-tu ? a-t-il demandé en soulevant la selle pour déloger un casque gris métallisé.

— Murray Hill. C'est O.K. ?

Il a lâché un rire qui n'avait rien de gentil.

— C'est toi qui connais la réponse, pas moi. Pour rien au monde je n'irais habiter à Murray Hill, mais si toi, ça t'excite, c'est le principal.

Il commençait à me courir sur les nerfs, avec ses sautes d'humeur de taré.

— Je te demandais juste si c'est O.K. pour me déposer. Sinon, je peux très bien prendre un taxi.

— Comme tu préfères, poupée. Pas de souci. C'est sur le chemin de mon cabinet. (Il a farfouillé dans sa poche de pantalon pour trouver les clés, puis il a attaché sa sacoche Hermès à l'arrière du scooter.) Mais on y va. Il y a des gens qui m'attendent. (Il a enfourché sa selle et a daigné se tourner vers moi.) Alors ?

Et comme je restais sans voix, il a fini par claquer des doigts.

— Allez, mon cœur, faut se décider, là. Tu montes ? Oui ? Non ? Ce n'est pourtant pas bien compliqué. Tu étais moins indécise, hier soir...

Comme beaucoup de filles, j'avais toujours rêvé d'avoir une vraie bonne raison de gifler un connard, et voilà que l'opportunité se présentait en Technicolor. Mais j'étais tellement méduséé par ce geste, et par la suggestion qu'il s'était bel et bien passé quelque chose au cours de la nuit, que je me suis contentée de tourner les talons et de m'éloigner.

Il m'a appelée, une ombre d'inquiétude dans la voix.

— Allons, mon cœur, ne sois pas aussi susceptible. Je plaisantais. Il ne s'est absolument rien passé hier soir. Ni toi, ni moi...

Je l'ai entendu lâcher un gloussement, mais j'ai continué à marcher.

— Très bien. Prends-le comme ça. Là, tout de suite, j'ai pas de temps pour un psychodrame, mais je te retrouverai. Franchement, ce n'est pas tous les jours qu'une femme résiste à mes charmes, alors dis-toi bien que ça m'intrigue au plus haut point. Laisse ton numéro de téléphone aux portiers, et je t'appellerai.

Il a démarré et filé, et même si je venais de me faire insulter, même si je restais sur le carreau, j'avais tout de même l'impression d'avoir gagné… – à condition, évidemment, qu'il ait dit vrai et que je n'aie pas couché avec lui à la faveur de mon état d'ébriété avancée.

Ce sentiment de victoire a perduré quarante minutes – le temps qu'il m'a fallu pour sauter dans un taxi, grimper chez moi, procéder à une toilette de chat, me tartiner libéralement les aisselles de déodorant, saupoudrer du talc sur mon cuir chevelu et m'asperger d'eau parfumée partout ailleurs. Tout en cherchant des vêtements propres, je me suis demandé comment je réussirais un jour à être une bonne mère quand je n'étais pas capable de m'occuper correctement de mon chien. Pour me punir de l'avoir abandonnée la nuit passée, Millington boudait sous la table basse. Elle avait également pissé sur mon oreiller pour faire bonne mesure, mais je n'avais pas le temps de me lancer dans le nettoyage. J'ai réussi à me caler dans le métro entre les hordes de gens qui partaient bosser, et je suis arrivée au bureau à neuf heures *une* exactement. Je fantasmais sur le seul vrai remède que je connaisse à la gueule de bois – un grand café et un feuilleté œuf-bacon-fromage – quand Elisa m'a fait signe de la rejoindre. Elle m'avait gardé une place près de la baie vitrée la plus ensoleillée, et semblait assez pressée de me parler.

L'agence consistait en un gigantesque parallélépipède, entouré de toutes parts par des canapés en cuir. Techniquement parlant, il n'y avait pas de « bureaux » individuels, juste deux immenses tables en demi-lune, disposées en vis-à-vis mais séparées l'une de l'autre par un espace réservé aux fax et aux imprimantes communes. Nous avions chacun notre ordinateur portable, que nous pouvions, le soir venu, soit enfermer dans notre placard, soit emporter avec nous, et l'espace de travail était redistribué chaque matin sur le principe du « premier arrivé, premier servi ». Nous nous battions tous pour nous asseoir à l'une des deux ou trois places d'où notre écran serait à l'abri du regard de Kelly, et Elisa, ce matin-là, nous avait sécurisé un morceau de ces emplacements de premier choix. J'ai lâché mon ordinateur sur la table et, avec précaution, j'ai extrait mon café du sac en papier, en veillant à ne pas renverser une seule goutte de mon précieux remède. Elisa haletait quasiment d'impatience.

— Beth, par pitié, assieds-toi et raconte. C'est insoutenable.

— Te raconter quoi ? Je me suis bien amusée hier soir. Merci de m'avoir invitée.

— La ferme ! a-t-elle piaillé. (Cela semblait être son unique mode de communication.) C'était comment avec… (Pause. Longue inspiration.) … Philippe ?

— Philippe ? Philip, tu veux dire ? Je n'ai pas eu l'impression qu'il était français.

— Bon Dieu, on s'en fiche ! Il est absolument fabuleux, tu ne trouves pas ?

— À dire vrai, je pensais plutôt que c'est un connard.

C'était en partie vrai – et cela le rendait terriblement attirant, il va sans dire, mais ça ne m'a pas semblé indispensable de le souligner.

— Pourquoi tu dis ça ? s'est-elle étonnée. Tu avais l'air de bien t'amuser hier soir, quand tu te vautrais sur lui, sur la piste. Il se débrouille plutôt bien, hein ? Quand on dit que tout tient à la pratique…

Peut-être parlait-elle encore de ses aptitudes de danseur, mais son expression un rien lointaine et rêveuse semblait indiquer qu'il n'en était rien.

— Elisa, que veux-tu dire ?

— Oh, Beth, s'il te plaît ! On parle de Philip Weston !

— Et alors, ça devrait me dire quelque chose ?

— Ohmondieu, Beth. C'est tellement humiliant pour toi. Tu es sérieuse ? Tu ne sais vraiment pas qui c'est ? (Elle a commencé à compter sur les doigts de sa main.) Ancien élève d'Eton. Diplômé d'Oxford. Fac de droit de Yale. Le plus jeune avocat jamais nommé associé chez Simon Thatcher. Son grand-père est duc. Son père possède la majorité des terres entre Londres et Manchester, plus quelques parcelles substantielles du côté d'Edinburgh. Doté d'un fonds de pension dont les revenus pourraient éponger la dette intérieure du pays. Ex de Gwyneth, et en ce moment gigolo attitré de toute une flopée de mannequins de Victoria's Secret. Sacré « Adonis de la Nuit » par *Vanity Fair*, rien de moins. Tout ça ne te dit rien ?

Tandis qu'Elisa haletait, j'ai essayé de synthétiser cette somme d'informations.

— Pas vraiment. Un duc ? *Gwyneth ?*

— Quelle ironie ! a-t-elle marmonné entre ses dents. Toutes les filles de la planète rêvent de coucher avec Philip Weston, et toi tu fonces sans même savoir qui il est. C'est presque trop.

— Quoi ? Coucher avec qui ?

Si par « coucher » tu veux dire « dormir dans le lit d'un mec qui vire sa bonne pour faute grave à cause d'une paire de draps à quatre mille dollars, alors oui, on a passé une nuit étourdissante, ai-je pensé.

— Beth ! Arrête ton numéro de sainte-nitouche. On t'a tous vue, hier soir !

À ce stade-là, je n'avais compris qu'une seule chose de cet imbroglio : un homme qui couchait avec Gwyneth Paltrow m'avait non seulement vue à poil, mais également troussée dans une culotte périodique, avec des jambes non rasées et une ligne de bikini outrageusement luxuriante.

— Il ne s'est rien passé, ai-je marmotté tout en me demandant en combien de temps je pouvais boucler mes malles, changer de nom et déménager au Bhoutan.

— C'est çaaaa…

— Non vraiment, je te promets. Je me suis réveillée ce matin chez lui, je portais ses vêtements, mais il ne s'est absolument rien passé.

Elisa a eu l'air à la fois médusé et déçu.

— Mais comment est-ce possible ? Il est sublimissime ! On ne peut pas lui résister !

— Et *toi*, tu as couché avec lui ? l'ai-je asticotée.

On aurait dit que je l'avais giflée.

— Non !

— Excuse-moi. Je ne voulais pas suggérer que… C'était une vanne, je ne pensais pas que tu aies pu…

— Vas-y, enfonce le clou. Ça fait une éternité que je fantasme sur lui, mais c'est à peine s'il me regarde. On n'arrête pas de se croiser, évidemment, et lui, il sait pertinemment qui je suis, alors ce n'est peut-être qu'une question de temps, a-t-elle ajouté d'une voix redevenue rêveuse.

J'ai toussoté pour la ramener sur Terre. J'étais tout de même un peu flattée que ce Philip ait choisi de me ramener chez lui quand il aurait très bien pu embarquer Elisa, mais je n'ai pas eu l'occasion de le lui dire, car elle a ajouté :

— Tu vois, ce mec couche avec n'importe quelle fille potable sur laquelle il peut mettre la main, alors je ne comprends vraiment pas ce qui cloche chez moi !

— N'importe laquelle ?

Je cherchais encore à m'accrocher coûte que coûte à l'illusion que je pourrais être la seule et l'unique.

— Quasiment – du moment qu'elle est sexy. C'est

pour ça que je ne pige pas pourquoi il ne me regarde pas. Peut-être qu'il n'aime pas les filles minces…

Ouch. Non intentionnel, mais douloureux. Elisa a continué son inventaire.

— Skye est sortie avec lui, mais c'était il y a des années, bien avant qu'il devienne qui il est aujourd'hui. Une des filles de La Liste aussi – la jolie. Et puis aussi le mannequin qui faisait la couv' de *Marie Claire* le mois dernier. Plus une flopée des filles les plus sexy de Condé Nast…

Elle a continué à énumérer des noms de filles superbes et socialement lancées. J'en reconnaissais certains pour les avoir croisés pendant toutes ces années où j'avais survolé les pages people et les comptes rendus de soirées, mais je ne l'écoutais plus vraiment. Fort heureusement, Kelly a émergé de son bureau et m'a priée de la rejoindre dans l'enfer animalier de son bureau – toute la pièce, en effet, n'était qu'un mélange hallucinogène de tissus aux imprimés zèbre, léopard et tigre, avec en sus des coussins géants en fourrure et en guise de tapis, une immense peau à pois.

— Bonjour, Beth. Alors, comment ça se passe ? a-t-elle demandé d'une voix enjouée.

Elle a refermé la porte et m'a invitée à m'asseoir sur une chaise tendue de ce qui ressemblait, pour le coup, à un scalp humain.

— Superbien. Jusque-là, la semaine s'est très bien passée.

— J'en suis ravie ! C'est également mon avis !

Son sourire s'est encore élargi.

— Je suis vraiment heureuse d'être ici, et je te promets de tout assimiler le plus vite possible, pour pouvoir vraiment contribuer et non pas seulement regarder.

Il m'a semblé que ma phrase était raisonnablement sobre et cohérente.

— Hum hum, parfait. Alors, raconte ! (Elle a claqué

dans ses mains et s'est penchée vers moi.) Comment était-ce, hier soir ?

— Hier soir… Eh bien, j'ai dîné avec Elisa, Skye, Leo et Davide. C'était une soirée très agréable. Tu as une équipe vraiment formidable ! Bon, je ne les laisserai pas m'entraîner toujours aussi tard…

J'ai lâché un rire en essayant de jouer la carte de la décontraction – c'était, tout de même, encore nouveau pour moi de discuter de mes folles nuits avec ma patronne. Mais à la différence d'Aaron, qui n'avait rien d'un confident de lendemain de fête, Kelly semblait avide d'en apprendre davantage.

— Jusqu'au lendemain matin, tu veux dire sans doute…

Elle a laissé sa phrase en suspens et m'a souri.

Ha… Hum… J'ai senti qu'on s'apprêtait à franchir la ligne de démarcation entre vie privée et vie professionnelle, et j'étais résolue à ne pas me laisser entraîner sur ce terrain-là.

— C'était vraiment un excellent dîner. J'adore mes nouveaux collègues.

Ce n'était pas la plus subtile des fins de non-recevoir, mais c'était la seule réponse qui m'était passée par la tête.

Kelly a balayé sa frange d'un côté du front et a posé ses coudes sur son bureau en bois brut.

— Beth, tu ne peux pas t'attendre à… passer *la soirée* avec Philip Weston sans que le monde entier le sache. Tiens, regarde.

Elle m'a tendu une feuille qui sortait de l'imprimante. Je l'ai prise d'une main tremblante.

J'ai immédiatement reconnu l'édition en ligne de cette chronique du New York Scoop dont avaient parlé Abby et Elisa la veille. Le gros titre annonçait : UNE FILLE MYSTÉRIEUSE PASSE LA NUIT AU WESTON HOTEL. Y était ensuite raconté en détail comment, la veille au soir, au Bungalow 8, Philip avait été « accosté » par « une jeune et jolie petite chose », en qui quelques sources avaient « identifié » « la nouvelle recrue de Kelly & Co. Une affaire à suivre… ». La chronique était signée Ellie d'Initiée. *Vraiment trop nul, ce pseudo*, me suis-je dit à nouveau.

En dépit de la « jeune et jolie petite chose » qui avait des allures de semi-compliment mais servait probablement surtout à tirer à la ligne, mon estomac a fait un looping. J'ai regardé Kelly, épouvantée.

— Je travaille assidûment au corps la moitié de Manhattan pour découvrir qui se cache derrière ce pseudo, a-t-elle repris. C'est génial ! Tu imagines à quelle vitesse ils font circuler l'info ? C'est l'avantage de la publication en ligne, certes, mais je ne peux pas m'empêcher de penser que ces… *blogs* ne sont rien qu'un genre de journal intime pour les gens qui n'arrivent pas à se faire publier.

— Kelly, les apparences jouent contre moi. Je vais tout t'expliquer. Après dîner, nous…

— Beth, je sais bien ce qui s'est passé ! Et j'en suis ravie !

— Ah bon ? ai-je fait, persuadée qu'elle prenait des chemins détournés pour me virer.

— Évidemment ! Regarde bien, c'est le scénario idéal : on cite Philip Weston, le Bungalow 8 et l'agence. La seule faveur que je te demande, c'est de t'arranger la prochaine fois pour que les gens de la Page Six te voient eux aussi. Tout ceci est assez substantiel, mais cette chronique est encore nouvelle et elle ne peut pas rivaliser avec la notoriété de la Page Six.

J'ai ouvert la bouche, mais aucun mot n'en est sorti – détail que Kelly n'a pas semblé remarquer, car elle a enchaîné :

— C'est incroyable, non ? Entre nous, j'ai toujours eu un faible pour lui.

— Qui, lui ? Philip ? Ah bon ?

— Bah, comme toutes les femmes ! Il est splendide. Et en plus d'avoir son nom en gras dans toute la presse, torse nu, il est absolument renversant.

Son visage a pris cette même expression rêveuse qu'avait eue Elisa.

— Tu es sortie avec lui ? ai-je demandé, en priant avec toute l'énergie dont j'étais capable que la réponse soit non.

— J'aimerais bien ! Le plus près que j'aie été de coucher avec lui, ça a été de le regarder retirer sa chemise lors d'une soirée caritative où les organisatrices mettaient aux enchères un dîner avec lui. Trois cents bonnes femmes, moi incluse, sont devenues zinzins quand il a passé sa chemise par-dessus sa tête. Tu vois le tableau ? Magnifique et pathétique à la fois.

J'ai baissé ma garde et oublié – l'espace d'une seconde – que je parlais à ma patronne.

— Je l'ai vu torse nu quand il est sorti de la douche ce matin, et c'est vrai qu'il est supercanon, ai-je renchéri avant même de réaliser ce que ma remarque impliquait.

Kelly a tressailli et m'a dévisagée avec un étrange mélange d'envie et de supplique.

— Je suppose que quand il te rappellera, tu sortiras avec lui, pas vrai ?

J'ai eu la nette impression que ce n'était pas vraiment une question.

— Je ne suis pas sûre qu'il rappellera, ai-je marmonné, en comprenant enfin que jamais personne ne croirait que nous n'avions pas couché ensemble.

Elle m'a fixée d'un regard appuyé, puis m'a décoché un grand sourire.

— Beth, ma grande, tu es sans doute la dernière à

le réaliser, mais à ta façon, unique, tu es très belle. Et personne n'apprécie autant les jolies filles que Philip Weston, c'est bien connu. Évidemment qu'il rappellera ! Et tu diras oui, n'est-ce pas ? Bien entendu, invite-le à nos événements, et quand tu es avec lui, sors aussi tard que besoin est.

J'ai senti une étrange allégresse – comme celle que provoque un béguin de lycéenne – enfler dans ma poitrine. Tout d'un coup, j'avais envie de serrer Kelly dans mes bras.

— Pas de problème, d'accord, je m'en souviendrai.

— Formidable. Je suis tellement contente pour toi ! N'oublie surtout pas de me tenir au courant. Bon, on commence ?

— Oui, ai-je lâché, soulagée de mettre un terme à cette très étrange conversation. Tu vas me parler de La Liste, c'est ça ?

— Parfaitement. La Liste. Notre outil le plus précieux pour assurer le succès de l'agence. Sans ces gens que nous pouvons fournir à nos clients, nous ne sommes rien. Alors j'ai passé des années à assembler l'une des plus importante bases de données de la profession. Viens, approche ta chaise, a-t-elle dit en double-cliquant sur une icône de son bureau. Le voilà, a-t-elle ronronné. Mon bébé. La liste la plus exhaustive à ce jour de tous les prescripteurs, partout dans le monde.

La page qui s'est affichée à l'écran ressemblait à celles des sites de rencontres, ou de recherche d'appartement. Il suffisait de cocher les critères sélectionnés dans une liste et de cliquer sur « Trouver ». Quatre principaux secteurs géographiques étaient proposés – New York, Los Angeles, Miami et les Hamptons – ainsi qu'une douzaine de villes aux États-Unis, et une vingtaine à l'étranger. Les critères de recherche, dont la liste était proposée dans un menu à part et sans ordre apparent dans un coin de l'écran, semblaient infinis : Arts, Littérature, Production cinématographique, Presse quotidienne, Mode, Labels de disques, Personnalités, Jeunes Personnalités, Élites des Médias, Finance, Presse magazine, Architecture, Boutiques, Divers…

— Il suffit d'entrer le type de personnalité recherché et le programme fournit toutes les informations, a expliqué Kelly. Tiens, regarde. (Elle a coché les cases « Lettres » et « Jeunes Personnalités » et une liste de milliers de noms s'est aussitôt affichée.) Nous savons tout, sur tout le monde : nom complet, adresse du domicile, adresse professionnelle, tous les numéros de téléphone et de fax, y compris ceux des résidences secondaires à la campagne, à la mer et à l'étranger, les mails, date de naissance, informations sur le conjoint, sur les enfants, la nounou. Il y a également un sous-ensemble d'infos – si jamais on a besoin d'affiner la sélection – qui indique si telle ou telle personne est gay, hétéro, célibataire, monogame ou infidèle, fêtarde, casanière ou au contraire jet-setteuse, et si elle est souvent mentionnée dans les pages people. Rien de plus simple que de savoir qui inviter quand on sait tout de leur vie.

Je me suis contentée d'un hochement de tête, qui me semblait la réponse la plus appropriée.

— Tiens, prenons ton oncle, par exemple.

Elle a tapé son nom dans le champ de recherche et aussitôt, toutes les informations sont apparues à l'écran : adresse et cordonnées complètes, son titre exact au journal, l'intitulé de sa chronique, le nombre d'années de journalisme à son actif, le profil de son lectorat, sa date de naissance, et une brève mention de ses séjours réguliers à Key West et en Europe. Sous la rubrique « Renvois » figuraient les mentions « Gay », « Lettres », « Presse quotidienne » et « Élite des médias ». J'ai remarqué qu'il n'y avait aucun renvoi vers la très réac-

tionnaire « Coalition chrétienne », mais je me suis abstenue de commentaires.

— Je n'ai jamais rien vu de tel ! me suis-je exclamée,
hypnotisée par l'écran.

— Incroyable, n'est-ce pas ? Et ce n'est pas tout. Tu
remarqueras que cette base-là ne recense pas le gros
des journalistes, ni les people. Pour eux, nous avons des
listes séparées, vu que ce sont les deux groupes les plus
cruciaux dans notre domaine.

— Des listes séparées ?

— Oui, regarde. (Elle a fermé le premier programme
et cliqué sur l'icône baptisée « Presse ».) Les élites des
médias, comme ton oncle, Frank Rich, Dan Rather,
Barbara Walters, Rupert Murdoch, Mort Zucherman,
etc. etc, on souhaite naturellement les voir à nos événements parce que ce sont des vedettes, mais on ne peut
pas attendre d'eux un retour par voie de presse. Ce sont
des célébrités à part entière. Donc, il nous faut une base
de données indépendante pour tous les journalistes de
la presse écrite, magazine, télé et radio, qui pourvoiront,
eux, la couverture médiatique que nous promettons à
nos clients. Naturellement, il y a toujours des chevau-
chements – par exemple, une personnalité mondaine qui
écrit pour des magazines, ou encore un cadre dirigeant
de la production cinématographique qui écrit des critiques de films. Voilà pourquoi chaque nom est assorti de
renvois.

J'ai pris la souris et j'ai fait défiler le curseur sur les
différentes options des menus. J'ai remarqué que la base
« médias » était divisée en sous-catégories afin de s'adresser directement à un spécialiste de musique, de design, de
mode, etc.

— C'est incroyable ! Combien y a-t-il de noms, au
total ?

— L'un dans l'autre, pas loin de trente-cinq mille.

Et tu n'as pas encore vu notre fichier « People » – qui est le plus important. (En quelques autres clics, la liste des gens les plus riches, les plus célèbres, les plus glamour du monde est apparue à l'écran.) Ça, c'est la liste « Cinéma ». Pour chaque star sont indiqués son chargé de RP, son agent, son manager, ses assistants, plus des informations sur sa famille, ses projets en cours et à venir, et ses préférences – ça englobe tout, des compagnies aériennes aux fleurs, eaux minérales, cafés, alcools, hôtels, couturiers et musique. Les mises à jour se font quasiment d'une heure sur l'autre.

Elle a ouvert la fiche de Charlize Theron et j'ai découvert que l'actrice possédait des maisons en Afrique du Sud, à Malibu et Hollywood Hills ; qu'elle sortait avec Stuart Townsend, ne voyageait qu'avec American Airlines en première, ou en jet privé ; qu'elle tournait actuellement un film à Rome et avait signé pour un autre tournage cinq mois plus tard ; qu'elle avait en permanence une équipe de quatre personnes à son service, en plus de son agent qui temporairement s'occupait aussi de ses relations publiques.

— Comment procède-t-on pour les mises à jour ? ai-je demandé. Comment fait-on pour réunir toutes ces infos ?

Kelly a rejeté la tête en arrière, manifestement ravie de mon ébahissement.

— Elisa t'a présentée aux filles de La Liste, n'est-ce pas ? (J'ai hoché la tête.) Ce n'est pas le travail le plus prestigieux de la Terre, mais toutes ces filles possèdent les bonnes connexions, et elles ont accès à toutes les publications recensées à ce jour – imprimées ou en ligne – où elles piochent tout ce qui peut remplir les blancs. Elles sont trois en tout, elles bénéficient d'un réseau solide par leur famille, et elles sortent énormément, partout, pour rencontrer des gens. Par exemple, ce matin,

New York a sorti un numéro spécial « Baby Powder »
qui recense les cinquante New-Yorkais de moins de
trente ans les plus accomplis dans leur domaine et qui
sont prêts à prendre la relève. Si un de ces noms ne figu-
rait pas encore dans la base, maintenant, il y sera.

— Incroyable ! C'est vraiment impressionnant,
Kelly.

— Pour sûr. Pourquoi ne dresserais-tu pas une liste
d'invités, à titre d'exercice ? Disons qu'on organise une
soirée pour l'inauguration de la seconde boutique d'As-
prey aux États-Unis, qui aura lieu dans leur boutique
de la Cinquième Avenue. Le principal objectif de notre
client est d'accroître sa notoriété de marque sur notre
territoire, car les Américains sont moins familiers que
les Anglais avec ce joaillier. Prépare une liste de cinq
cents invités : quatre cents invités normaux, et une centaine avec moitié de stars, moitié de journalistes ciblés.
Normalement, pour un événement de ce type, on se
cantonnerait à une centaine d'invités – cent cinquante,
maxi – mais c'est juste un entraînement.

Je venais brusquement de me souvenir que je n'avais
pas encore soigné ma gueule de bois, qui était en train de
se rappeler à mon bon souvenir et réclamait une attention
sans délai. Je me suis levée avec circonspection, pour ne
pas agacer davantage mon estomac barbouillé.

— Je te fais ça pour lundi, d'accord ? ai-je dit avec
autant d'enjouement que possible.

— Parfait. Pense aussi à quelques babioles à offrir
aux invités. Ah et… Beth ?

— Oui ?

— Tu as prévu de voir Philip, ce week-end ?

— Philip ? Qui est Philip ?

Je pensais qu'elle parlait encore de La Liste mais
apparemment, nous étions revenues sans transition au
chapitre de ma vie privée.

— Beth ! a-t-elle gloussé. Tu sais bien, ce sublime étalon dans le lit duquel tu as dormi hier soir. Tu vas le revoir, n'est-ce pas ?

— Ah, Philip… Ce n'est pas exactement ce que tu crois, Kelly. C'est plutôt…

— Arrête, Beth. Tu ne me dois aucune explication. C'est ta vie, tu sais, a-t-elle souligné. (Sans ironie, m'a-t-il semblé.) J'espère juste que tu envisages de sortir avec lui ce week-end. Un petit dîner chez Matsuri, et un verre au Cain, ou au Marquee.

— Eh bien, je ne suis pas sûre qu'il m'appellera, mais s'il le fait… Bon, je suppose que…

— Il t'appellera, ne t'inquiète pas. Je suis contente d'apprendre que tu es partante – parce que franchement, tu serais folle de ne pas l'être ! Je file tôt, aujourd'hui. Bon week-end.

— Merci, à toi aussi, Kelly. À lundi.

Kelly a aussitôt soulevé son téléphone en souriant, pouce dressé, et en marchant vers la porte, j'avais encore du mal à croire que je venais de promettre à ma patronne de continuer à coucher avec un mec avec lequel je n'avais pas encore couché.

Tandis que je regagnais mon poste près d'Elisa, plusieurs collègues m'ont m'arrêtée pour me dire « Beau boulot ! » ou « Bien joué avec Philip ! ». Un petit mot collé sur mon écran m'indiquait qu'Elisa était sortie déjeuner (Entendez par là : avaler un litre d'eau minérale, une portion de carottes naines et la fumée d'une demi-douzaine de cigarettes.) J'en ai profité pour appeler Penelope.

— Salut, Beth, ça va ?

— Bien, et toi ?

Ma réponse avait tout d'une détonation – ma voix était à la fois si calme et si tendue que j'avais l'impression d'une explosion imminente.

— Formidable. Merci de m'avoir invitée, hier soir. C'était euh… très intéressant.

— Tu as détesté, pas vrai ?

— Non ! Je n'ai pas dit ça ! Ça changeait de nos soirées habituelles, c'est tout. J'espère que tu ne m'en veux pas d'avoir filé de bonne heure. Comment s'est finie la soirée ?

— Tu me demandes ça par politesse, ou parce que tu n'as pas vu les nouvelles du jour ? ai-je demandé en espérant de toute mon âme qu'elle ne soit au courant de rien.

— Ouais, par pure gentillesse. Avery m'a transféré la chronique avant toute chose ce matin. J'ai pris sur moi pour ne pas t'appeler aussitôt. Je veux un compte rendu archi-complet ! Commence par « Quand je l'ai rencontré au Bungalow 8, il portait une chemise noire en tissu nervuré, et un pantalon noir taille 42 et il m'a offert une vodka vanille-Sprite ». Je veux ce niveau de détails.

J'ai relevé la tête et remarqué que la moitié de l'agence, tout en feignant d'être concentrée devant les écrans, était tout ouïe.

— Pen, ce n'est pas vraiment le moment, ni le lieu, ai-je répondu d'un ton tendu.

— Tu te fiches de moi ? Tu crois pouvoir coucher avec l'un des mecs les plus sexys d'Occident et ne pas tout me raconter ? Avery n'arrête pas de répéter que ce Philip a toutes les femmes de Manhattan à ses pieds !

— Je n'ai pas couché avec lui !

J'avais carrément *crié*. J'ai vu Skye et Leo – en plus de quelques assistantes – pivoter immédiatement la tête vers moi, tout sourires.

— Quelle importance ? a chuchoté quelqu'un.

Leo s'est contenté de lever les yeux au ciel, comme pour dire, « Seigneur, ne nous prends pas pour des demeurés ! ». Sur le moment, je me suis sentie flattée.

Quelle importance, effectivement, que ce soit une conduite un poil dévergondé de coucher avec un mec le soir même où on le rencontre ? Mieux valait sans doute que tout le monde croie que Philip Weston avait daigné coucher avec moi, plutôt que de supposer qu'il m'avait ramenée chez lui par charité et sens du devoir chrétien, et d'apprendre qu'il s'était débrouillé pour passer le moins de temps possible dans le lit que j'occupais.

— Oh oh ! On est susceptible ! a raillé Penelope. D'accord : tu n'as pas couché avec lui. Je te crois. Reste une question : *pourquoi* tu n'as pas couché avec lui ? Faut-il que je te rappelle que tu es célibataire ? Non, sans doute pas. Tu te réserves pour quoi ? C'est supposé être un coup d'enfer !

J'ai fini par éclater de rire – et je me suis aperçue que c'était la première fois de la matinée que je riais. C'est vrai, à quoi bon faire tant d'histoires ? Dans la mesure où je n'allais pas me faire virer pour conduite indécente en public – ce qui n'avait pas l'air à l'ordre du jour –, pourquoi ne pas profiter de la situation ?

— Je ne me souviens pas de grand-chose, ai-je chuchoté en plaçant ma main en coupe sur le combiné. Mais je te raconterai tout ce que je pourrai exhumer de ma mémoire ce soir quand je rentre.

— Impossible. On doit dîner chez les parents d'Avery et je n'arrive pas à le persuader d'annuler. Demain soir, plutôt ? On pourrait se retrouver au Black Door pour boire un verre ?

— J'adorerais, mais demain je dîne avec les filles de mon club de lecture.

— En ce cas, a-t-elle soupiré, autant prendre date d'ores et déjà pour le week-end en quinze, car je pars deux semaines à St. Louis pour le boulot. Tu seras libre ?

C'était étrange d'avoir des projets avec d'autres personnes que mes copines du club de lecture, Will ou Penelope, mais le travail avait déjà commencé à empiéter également sur mes week-ends. J'ai consulté mon agenda.

— Oui, sauf que j'ai déjà promis à Kelly d'accompagner l'équipe dans un nouvel endroit, pour notre repérage en vue de la fête de *Playboy*. Elle aura lieu dans quatre mois, mais tout le monde est déjà sur le pied de guerre. Tu voudras venir avec nous ?

Penelope a hésité. Je devinais que l'idée ne lui chantait guère, mais comme elle venait de me dire qu'elle était libre ce week-end-là, elle ne pouvait pas vraiment refuser.

— Ouais, pourquoi pas ? On se rappelle pour confirmer. Et naturellement, si jamais quelque chose te revenait de la nuit dernière, je suis preneuse.

— Garce ! Prends ton pied ce soir, chez tes futurs beaux-parents, tu m'entends ? Écoute bien quand ils te diront combien ils veulent de petits-enfants – combien de filles, combien de garçons. Après tout, tu as certaines obligations, maintenant…

Elle a éclaté de rire, et c'était bon de l'entendre rire de nouveau.

— Bettina Robinson, je ne suis pas certaine que tu sois en position d'offrir un avis valide sur de tels sujets, compte tenu de tes exploits des dernières vingt-quatre heures… À plus.

Après avoir raccroché, j'ai décidé que la nuit passée et la matinée qui venait de suivre méritaient une seconde ration de feuilleté œuf-bacon-fromage. Je devais m'atteler à établir cette liste de cinq cents invités, et me creuser la cervelle pour penser aux cadeaux qu'on pourrait leur offrir, mais j'ai décidé qu'il n'y avait pas le feu.

Ma gueule de bois, elle, ne pouvait plus attendre.

9

Trois semaines plus tard – trois semaines consacrées à dresser des listes, me constituer une garde-robe, faire la fête et, plus généralement, m'immerger dans la culture d'entreprise de Kelly & Co. – j'attendais Penelope devant l'entrée du Sanctuary. La file d'attente semblait au-delà du supportable. Des hordes de filles montées sur talons vertigineux lissaient d'une main manucurée de frais des cheveux impeccablement raidis à la façon des Japonaises, pendant que les garçons leur agrippaient le bras pour les empêcher de basculer de côté. On était début novembre, l'air était glacial mais, apparemment, personne n'avait remarqué que l'été était fini. Partout, on ne voyait que des peaux nues gommées, polies, hydratées, bronzées et rayonnantes, d'amples décolletés hâlés, d'étroites bandes d'estomac dénudées ou des morceaux de cuisses qu'on ne dévoile généralement qu'à la plage, ou dans un cabinet de gynéco. Quelques personnes oscillaient au rythme de la musique qui filtrait à travers les imposantes portes d'acier, tout en gloussant sottement à l'idée de toutes les belles promesses de la nuit : le rush d'énergie quand le premier martini passe dans le sang, le martèlement de la musique qui pénètre jusque dans le ventre, l'odeur des cigarettes qui brûle délicieusement les parois des narines, l'opportunité de coller son épiderme parfait contre un autre épiderme tout aussi parfait. Rien n'est aussi enivrant qu'un samedi soir à New York, quand on attend à l'entrée du dernier-né et du plus exclusif des clubs de la ville, entouré de tout un assortiment de jolies filles et de jolis garçons, pris dans un tourbillon de vibes, avec tous ces fantasmes qui sont, là, à portée de main… si tant est qu'on arrive à franchir la porte.

À ma grande surprise, Will avait été moins que ravi par la couverture médiatique dont avait bénéficié trois semaines plus tôt ma fausse aventure d'une nuit. Je l'avais appelé en sortant du boulot pour lui dire bonjour, bien certaine qu'il ne lisait jamais New York Scoop et ne serait au courant de rien. Je me trompais. De A à Z. À croire que tout le monde s'était mis à lire cette publication – et pire, que les gens ne la lisaient que pour la chronique d'Ellie d'Initiée.

— Ah, Beth ! Ton oncle rongeait son frein et attendait ton coup de fil. Ne quitte pas, m'avait répondu Simon d'un ton très formel, sans même me demander comment j'allais, ou quand est-ce que je venais dîner chez eux.

— Beth ? C'est bien toi ? La star du jour daigne appeler son vieil oncle ?

— La star ? Mais de quoi tu parles ?

— Eh bien… De ces quelques lignes sur ma mystérieuse nièce, peut-être ? Apparemment, ton nouveau petit ami est un homme très lancé, et ses… conquêtes passent souvent à la postérité dans les pages de ce fleuron de la presse – ce Scoop. Tu ne l'as pas vu ?

— Mon petit ami ? J'imagine que tu fais allusion à l'illustre Philip Weston ?

— Tout à fait, ma chérie, tout à fait. Ce n'était pas exactement ce que j'avais en tête lorsque je t'encourageais à sortir et rencontrer quelqu'un, mais qu'est-ce que j'y connais ? Je ne suis qu'un vieux monsieur, qui vit par procuration à travers sa jeune et splendide nièce. Si ce sont des fils à papa noctambules qui t'attirent, eh bien, loin de moi l'idée de vouloir t'en détourner…

— Will ! J'aurais cru que toi, au moins, tu aurais compris qu'on ne doit pas forcément croire tout ce qui est écrit dans les journaux. Ça ne s'est pas exactement passé comme ça.

— Eh bien, ma chérie, comme tu m'as l'air un peu longue à la détente sur ce coup-là, sache que ces derniers temps, tout le monde lit la chronique de cette Ellie d'Initiée. Elle n'est sans doute rien qu'une petite intrigante, mais toujours est-il qu'elle semble toujours détenir le bon scoop. Serais-tu en train de me dire que tu n'es pas rentrée avec ce monsieur ? Ou bien qu'il est question dans ce papier d'une autre nouvelle recrue de Kelly ? Si c'est ça, je te conseillerais de demander au plus vite un rectificatif. Je doute que ce soit là la réputation que tu souhaites te créer.

La seule et unique repartie qui m'est venue à l'esprit n'était guère brillante.

— C'est compliqué.

— Je vois, a repris posément Will. Écoute, je reconnais volontiers que ça ne me regarde pas. Tant que tu t'amuses, c'est le principal. On se voit dimanche pour le brunch ? C'est l'ouverture de la saison sur le front des préparatifs de mariage, alors j'imagine que le Carnet nous réservera quelques perles. N'oublie pas d'amener tes talents de râleuse, chérie.

J'ai acquiescé, mais je me sentais déstabilisée. Quelque chose semblait avoir changé – mais quoi ? Impossible de mettre le doigt dessus.

— Beth ! Salut ! Me voilà ! a lancé Penelope – un peu trop fort – depuis le taxi qui se rangeait le long du trottoir.

J'ai agité la main.

— Salut ! Pile à l'heure. Elisa et les autres sont déjà à l'intérieur, mais je ne voulais pas te laisser entrer seule.

— Dis donc, tu es splendide ! s'est-elle extasiée en posant une main sur ma hanche pour m'examiner de la tête aux pieds. Où as-tu déniché des fringues pareilles ?

J'ai ri, ravie qu'elle ait remarqué le changement. Je ne travaillais chez Kelly & Co. que depuis un mois, mais j'en avais vite eu ma claque d'avoir toujours l'air d'être attendue à un enterrement. J'avais relégué mes frusques mornes au fond du placard, déchiré quelques pages de *Lucky* et de *Glamour*, et filé chez Barney. Une fois à la caisse, j'avais calculé combien d'années il me faudrait pour rembourser tout ça avant de tendre courageusement ma carte de crédit. Quand la caissière me l'a rendue, je vous jure qu'elle était tiède. En un après-midi, je m'étais débrouillée pour embrasser à la fois la carrière de *fashion victim* et celle d'aliénée de l'endettement.

Même si ce n'était pas exactement des fringues griffées « couture », j'étais ravie de mon nouveau look : un jean Paige, qui coûtait plus que toutes mes factures mensuelles additionnées ; un petit top soyeux vert pomme avec une guipure en dentelle ; un spencer en tweed qui n'était assorti à rien mais que le vendeur, Jean-Luc, avait décrété « ravissant » ; et le sac Chanel matelassé que Will m'avait offert pour mes vingt et un ans en décrétant : « C'est un crime d'entrer dans l'âge de femme sans qu'un seul grand créateur marque le passage. Bienvenue dans ce qui, j'espère, sera une vie de consumérisme frivole et de dévotion aux marques ! »

Au cours de mes cinq ans d'esclavage chez UBS, à raison de quatre-vingts heures de boulot par semaine, je n'avais jamais eu l'occasion de dépenser mon argent, et par conséquent, je m'étais constitué un petit nid d'économies sans trop me forcer. En huit semaines de chômage et un après-midi chez Barney, le nid avait pris un sérieux coup de vent, mais jamais mon cul n'avait été aussi beau sous du denim. Et là, devant le Sanctuary, parmi ces *beautiful people* à la silhouette irréprochable, j'avais le sentiment d'être à ma place. L'un dans l'autre, le jeu en valait la chandelle. J'ai serré Penelope dans mes bras.

— C'est vrai, tu aimes ? C'est mon look « Je n'ai jamais été cool de ma vie, mais je me soigne ». Tu me trouves comment ?

— Vachement sexy. (Penelope, l'éternelle bonne copine.) Quelqu'un espérerait-il croiser un certain dieu anglais ce soir ?

— Pas vraiment. Je doute que Philip Weston prenne la peine de rappeler les filles qui ne tombent pas immédiatement dans son lit jambes écartées. Ceci dit, je ne pense pas qu'il rappelle davantage celles qui le font. Bref. Il est très beau, mais d'une arrogance et d'une suffisance hallucinantes.

— Et personne n'aime ça, c'est bien connu, s'est moquée Penelope d'un ton pince-sans-rire.

— Évidemment ! Viens, entrons, on gèle.

— Tu as vu cette queue ? Que se passe-t-il, ce soir ? Ils offrent des strip-teases gratos ?

— Je ne sais pas grand-chose – à part que l'endroit a ouvert hier soir et que c'est soi-disant le dernier-né des clubs les plus exclusifs – un genre de carré VIP sous stéroïdes. Kelly voulait qu'on vienne y faire un tour, au cas où le buzz serait justifié. Si ça devient le nouvel endroit hype, il nous faudra le réserver tout de suite pour la fête de *Playboy*.

Playboy, dans le cadre de ses interminables festivités pour célébrer le cinquantième anniversaire du magazine, avait confié depuis un an déjà à Kelly & Co. le soin d'organiser la fête qui aurait lieu à Manhattan. La tournée des réjouissances devait débuter en janvier à Chicago pour se terminer en apothéose, au mois de mars, dans une immense villa de Los Angeles, après des étapes à Miami, Vegas et New York. L'entreprise s'annonçait colossale – c'était indiscutablement notre plus gros projet en cours, celui qui monopolisait tout notre temps presque chaque jour. L'avant-veille, jour J–164, Kelly nous avait réunis pour faire le point. Les filles de La Liste s'activaient déjà à éplucher des inventaires entiers de people de premier ou second plan afin de constituer le groupe gagnant d'invités, pendant que le reste de l'équipe gaspillait la moitié de ses journées à évincer au téléphone tout un tas de raseurs qui cherchaient à nous soutirer des invitations – pour eux, leurs clients, ou les deux. Avec une telle pression, combinée à la paranoïa carabinée de Hef qui insistait pour que tous les détails – lieu, date, heure et invités – soient tenus secrets, nous avions la recette du chaos intégral.

— J'ai regardé sur Citysearch.com aujourd'hui. Ils citaient le manager, qui déclarait vouloir toucher une clientèle « haut de gamme et créative ». J'aurais pensé que c'était le genre de formule qui s'appliquait davantage à la cuisine d'un restau, mais pour ce que j'y connais…, a soupiré Penelope.

Je commençais depuis peu à comprendre que le concept d'exclusivité était le principe fondateur selon lequel tout s'organisait à Manhattan. Cela découlait certainement en partie, et tout bêtement, du taux de concentration humaine sur une île aussi minuscule. Les New-Yorkais, instinctivement, exercent leur esprit de compétition dans tous les domaines – ils se battent pour les taxis aux heures de pointe, les places assises dans le métro, les sacs Birkin chez Hermès ou les billets pour les matches de baseball. Ils sont prêts à intriguer des années durant pour s'introduire dans des copropriétés mieux gardées que des places fortes. Dans les restaurants les plus courus de la ville, des hôtesses d'accueil glaciales vous invitent avec arrogance à réserver votre table six mois à l'avance. Alors forcément, les gens finissent par se dire : « Si on peut entrer dans cet endroit comme dans un moulin, il ne vaut probablement pas le détour. » Donc, depuis l'époque du Studio 54, et bien avant lui sans doute, c'est devenu un sport de haute compétition pour les noctambules d'entrer dans les clubs les plus hype. Et dans les plus hype des plus hype, comme c'était le cas du Sanctuary, il existe plusieurs niveaux d'accès. Réussir à franchir la porte n'est qu'un début – n'importe quelle étudiante en deuxième année à NYU peut y arriver pour peu qu'elle porte un débardeur à fines bretelles. À propos du Sanctuary, j'avais déjà entendu quelqu'un dire : « Le bar principal ? Pff, autant aller dans n'importe quelle boîte du New Jersey un samedi soir ! » Elisa nous avait donné des instructions explicites pour gagner directement le salon VIP, apparemment le seul endroit où il était susceptible « de se passer quelque chose ». Jagger et Bowie avaient fait la fête dans les légendaires salons privés du Studio 54. Aujourd'hui, Leo, Colin et Lindsay tenaient leur cour dans leur équivalent contemporain, sans craindre les regards indiscrets du *vulgum pecus*. Qui n'avait qu'une seule envie : y pénétrer.

J'étais habituée depuis toujours à me trouver du côté des non-VIP – et franchir un jour cette barrière ne s'était jamais présenté comme une possibilité. Il avait fallu qu'un salon VIP ouvre hors de l'arène confinée des night-clubs pour vraiment titiller mon indignation. Dans ce qui ne pouvait être que le signe avant-coureur de l'apocalypse, mon dentiste avait ouvert dans son cabinet une salle d'attente « VIP ». « Pour que nos patients importants se sentent plus à l'aise », m'avait expliqué la secrétaire avant de m'orienter vers la salle d'attente réservée aux patients lambda. Et tandis que je poireautais en feuilletant un magazine vieux de deux ans à côté d'un type qui mastiquait bruyamment son chewing-gum, mon regard avait glissé avec envie vers cette porte marquée « VIP » qui abritait sans nul doute un paradis dentaire rupin. À l'époque, j'étais résignée à rester, jusqu'à mon dernier jour, exclue de ces cercles enchantés. Mais voilà qu'à peine quelques mois plus tard, j'étais devant le Sanctuary dans ma nouvelle panoplie de fille « cool », prête à retrouver à l'intérieur toute une bande de fabuleux copains. Ma chance, semblait-il, avait tourné.

Du coin de l'œil, j'ai cru voir une fille qui ressemblait comme deux gouttes d'eau à Abby embrasser le portier et entrer aussitôt.

— Pen ! Tu ne devineras jamais sur qui je suis tombée l'autre soir, au Bungalow 8. Je me demande comment j'ai pu oublier de t'en parler ! Abby !

Penelope a pivoté vers moi. Elle nourrissait envers Abby une haine encore plus féroce que la mienne – si cela était possible – depuis la fois où cette peste l'avait coincée dans une salle déserte, en deuxième année, pour lui déclarer que même si son père couchait avec sa secrétaire, Penelope ne devait pas voir là une offense personnelle car ça n'affectait certainement en rien l'affection qu'il avait pour elle. Pour Penelope, le choc avait été tel qu'elle avait juste demandé : « Mais comment le sais-tu ? » Et Abby lui avait répondu, avec un rictus : « Tu plaisantes ? Qui ne le sait pas ? »

— Quoi ? Tu as croisé ce troll et tu ne m'as rien dit ! Qu'avait-elle à raconter pour sa défense ?

— Pff, toujours les mêmes salades. Tu seras heureuse d'apprendre qu'elle est à présent au *vortex* du monde des médias. Et elle se fait appeler Abigail, alors évidemment, je l'ai appelée Abby aussi souvent que j'ai pu. Elle s'est fait refaire les nichons et retoucher la moitié de la tronche, mais à part ça, elle n'a pas changé d'un poil.

— Cette fille serait capable de piétiner sa mère en talons aiguilles si ça pouvait l'aider à avancer, a marmonné Penelope.

— Elle n'hésiterait pas une seconde. Et tu risques d'avoir le plaisir de la croiser ce soir, car je crois bien que je viens de la voir entrer.

— Génial. On a une chance folle.

J'ai pris son bras et l'ai entraînée effrontément en début de queue, en dégageant, espérais-je, assez de confiance en moi. Une caricature de métrosexuel, un Black affublé d'une énorme perruque afro, d'un T-shirt résille à manches longues et d'un caleçon en lycra rose fuchsia, nous a dévisagées à travers ses cils incrustés de strass.

— Vous êtes sur la liste ? a-t-il demandé d'une voix étonnamment bourrue pour quelqu'un d'aussi expert dans l'art du travestissement.

— Ouais, ai-je répondu avec décontraction, et comme le cerbère ne disait plus rien, j'ai ajouté : On est ici avec Kelly & Co.

Toujours pas de réponse. Il ne consultait pas non plus la liste accrochée à son classeur à pince. J'en ai conclu qu'il ne m'avait pas entendue.

— J'ai parlé au manager un peu plus tôt dans la journée. En fait, nous venons pour voir si…

— Votre nom ? a-t-il aboyé, pas le moins du monde intéressé par mes explications.

Je m'apprêtais à épeler mon nom de famille quand quatre mecs affublés de survêt' des années soixante-dix et accompagnés d'une fille déguisée en garçonne des années trente se sont faufilés devant moi. La fille a posé délicatement sa main sur la joue du portier.

— Romero, chéri, soulève ce maudit cordon, qu'on puisse entrer. Il fait un froid de gueux.

162

— Tout de suite, Sofia, a-t-il roucoulé avec déférence. Allez-y, passez.

J'ai réalisé d'un coup que la garçonne n'était autre que Sofia Coppola. Son harem lui a emboîté le pas en saluant d'un signe de tête le portier qui rayonnait de fierté et de bonheur. Il lui a fallu trois bonnes minutes pour se recomposer une attitude, et deux de plus pour se souvenir que nous étions toujours là.

— Robinson, ai-je répété, d'un ton franchement exaspéré. R-O-B…

— Je suis capable de l'épeler seul, m'a-t-il rétorqué. Oui, heureusement pour vous, vous êtes sur la liste. Sinon, absolument personne ne peut entrer.

— Hum…

Voilà tout ce que j'ai pu répondre à cette fascinante information.

Il a tendu la main vers le cordon, mais au lieu de le soulever, il s'est penché vers Penelope, et a dit, avec un soupçon d'agacement dans la voix :

— Pour votre info, les filles, vous êtes habillées un peu trop décontracté pour cet endroit. (Penelope, loin de piger que notre nouveau copain travelo ne plaisantait pas, a gloussé.) Hé, je le dis pour vous ! a-t-il poursuivi en haussant la voix. (Derrière nous, dans la queue, le silence s'était fait et j'ai senti cinquante paires d'yeux qui nous fixaient.) Nous attendons de notre clientèle un petit effort de style.

J'ai enclenché le turbo pour inventer une repartie cinglante, que bien évidemment je n'ai pas trouvée. Et tout d'un coup, une immense gigue maigrissime, avec des seins si énormes qu'ils ne pouvaient faire d'effet qu'à Los Angeles, s'est avancée pour offrir spontanément un éclairage bref mais efficace sur le dilemme de mode qui nous occupait.

— Ces derniers temps, nous apprécions tout particulièrement les looks années trente-quarante.

— Hein ? a fait Penelope – ce qui verbalisait à la perfection ma pensée.

— Bon, ce n'est qu'une option parmi d'autres, bien sûr, mais qui fait son petit effet. Du blanc et noir avec un rouge à lèvres très rouge, vous voyez ? Avec éventuellement des escarpins Prada vintage, ou même une pièce plus consistante. Tout ce qui compte, c'est de vous démarquer.

J'ai entendu en arrière-plan quelques rires approbateurs.

C'est à ce moment-là que j'ai remarqué que la fille en question semblait droit sortie d'un épisode de *I want a famous face*[1] qui aurait affreusement mal tourné.

Qu'ai-je répondu à ça ? Qu'ai-je fait ? Rien. Absolument rien. Au lieu de nous accrocher à un iota de respect de soi, nous avons présenté notre main gauche pour y recevoir le tampon obligatoire et sitôt que le cordon en velours s'est enfin soulevé, nous nous sommes avancées, penaudes. L'ultime affront est arrivé au moment où la porte allait se refermer derrière nous, quand j'ai entendu la girafe retouchée à grands coups de bistouri déclarer au monstre de foire :

— Ce ne serait déjà pas si mal si elles choisissaient les bonnes marques.

— Dis-moi que j'ai rêvé, a lâché Penelope, aussi médusée que moi.

— Non, malheureusement. Quel degré de pathétique a-t-on atteint là ? J'ai presque peur de poser la question.

J'allais suggérer de nous remonter le moral en buvant

1. Émission (MTV) au cours de laquelle les participants ont recours à la chirurgie plastique pour se transformer en sosie de leur star préférée. *(N.d.T.)*

autant de vodka qu'on pourrait en trouver, mais c'est Elisa qui nous a trouvées en premier.

— Cet endroit est dément ! m'a-t-elle soufflé dans l'oreille tout saluant Penelope d'un petit geste. Regarde ! Dans le coin, au fond à droite, Kristin Davis. Juste en face d'elle, Suzanne Somers. Au fond à gauche, pas tout à fait dans l'angle, Sting et Trudie Styler, en train de se peloter. Sur le canapé rond au milieu, Heidi Klum et Seal, et Davide les a entendus dire que Zac Posen est en route.

— Waou ! a lâché Penelope dans un admirable effort pour paraître impressionnée. Il y a un monde fou ici, ce soir. Beth ? Tu ne parlais pas d'aller chercher à boire ?

— Je n'ai pas fini, a sifflé Elisa. (Elle m'a attirée par le bras et a continué à balayer la salle des yeux.) En train de draguer la serveuse, près de la porte de secours, Ethan Hawke. Ce qui pimente significativement la chose, c'est la présence d'Andre Balazs, le nouveau mec d'Uma, sur la première banquette de droite, avec ses associés. Oh ! Et regarde ! Juste derrière lui, un assistant de chez Rush & Molloy. Comme ça tourne constamment, personne n'a jamais le temps de les connaître, mais on a une source qui nous faxe des photos et les bios des nouveaux sitôt qu'ils arrivent… Mmm, on dirait que Philip n'est pas là ce soir. Dommage. Je parie que tu as envie de le voir, non ?

— Philip ? Non… pas vraiment en fait, ai-je marmonné, avec assez de sincérité.

— Ah bon ? Ça veut dire qu'il n'a pas encore appelé ? C'est trop triste ! Je sais ce que c'est, Beth. Ne le prends pas mal – à l'évidence, il a des goûts très curieux.

J'avais passé trois semaines à esquiver les questions d'Elisa, et à essayer de prendre à la légère le sujet Philip Weston. Je m'apprêtais à répéter que je me fichais comme d'une guigne de son silence radio, que je ne lui avais d'ailleurs même pas laissé mon numéro de téléphone comme il me l'avait demandé, mais à quoi bon ? C'était à l'évidence un sujet sensible, et mieux valait l'éviter. D'autant que je n'étais pas exactement ravie de ne plus avoir entendu parler de lui – numéro de téléphone ou pas.

Penelope et moi avons suivi Elisa jusqu'à un petit cercle de canapés en daim blanc – une idée d'une stupidité phénoménale dans un endroit où les gens ne font que manger, boire et se peloter – pour saluer Leo, Skye et Davide, qui étaient en compagnie d'un homme qu'Elisa nous a présenté comme « le cerveau de cette réussite ». J'ai tendu la main à ce mec, dont la coupe *mullet* jurait quelque peu avec ses traits très typés.

— Bonsoir, Beth. Et voici Penelope.

— *Yo*. Danny.

— Sans Danny, nous ne serions pas là ce soir, a soupiré Elisa, tandis qu'autour de la table, tout le monde opinait d'un air entendu. C'est lui qui a imaginé le concept du Sanctuary, et qui a porté tout le projet… Pas vrai, Danny ?

— Carrément.

Pourquoi diable ce type très certainement originaire d'un patelin de Long Island s'obstinait-il à s'exprimer comme s'il avait grandi dans les quartiers défavorisés de Chicago ?

— Oh, c'est donc toi qui as engagé ce charmant videur ? ai-je demandé.

Elisa m'a décoché un regard lourd d'avertissements, mais Danny n'a pas semblé prendre ombrage de ma remarque.

— C'est une putain de travelote, mais j'en ai rien à carrer. Tant qu'il fait son boulot de merde et qu'il laisse les bourrins à la porte – c'est tout ce qui compte.

Hum hum… Penelope a opiné avec sérieux tout en

m'enfonçant son coude dans les côtes, et je me suis mordu l'intérieur de la joue pour retenir un éclat de rire.

— Et d'où t'est venue l'idée du Sanctuary, Danny ? a demandé Penelope en le regardant avec de grands yeux fascinés.

Danny a bu une gorgée de sa Stella Artois et a dévisagé mon amie comme s'il tentait de déterminer dans quelle langue elle s'exprimait. Troublé, il a plissé les paupières, son front s'est chiffonné, et il s'est passé la main sur le visage, tout en secouant la tête.

— Tu vois, partout ailleurs, c'est grave la putain d'angoisse. La queue au Bungalow, c'est trop un putain de cauchemar. Et tous ces clowns des médias, à Soho House, je peux pas les blairer. Je me suis dit qu'on avait tous besoin d'un endroit qui soit comme... tu vois ce que j' veux dire, c'est quoi le mot déjà ? Un endroit pour décompresser, quoi.

— Un sanctuaire ? ai-je proposé, obligeamment.

Danny a hoché la tête, soulagé.

— Tout juste.

Malheureusement, avant que cette passionnante conversation puisse arriver à son terme naturel – où Danny se serait enfin souvenu du nom de son propre club –, j'ai entr'aperçu un bronzage excessivement familier.

— Oups, c'est lui ! ai-je chuchoté avec autant de discrétion qu'une comédienne sur scène, en me penchant aussitôt pour me planquer. (Chacun a tourné la tête.) Philip. Philip Weston vient d'entrer avec ce... ce... *mannequin*, ai-je craché, sans me rendre compte à quel point ma voix trahissait une jalousie maladive.

Elisa s'est penchée vers mon oreille.

— Beth, serait-ce de la jalousie que j'entends ici ? Et moi qui te croyais immunisée contre les charmes de Sir Weston ! C'est bon de voir que finalement tu es une authentique petite Américaine au sang chaud.

Évidemment, le simple fait que tu t'intéresses à lui ne signifie pas…

— Philip ! Par ici, mon pote ! a braillé Danny – et l'instant d'après, Philip était en train de m'embrasser sur la bouche.

— Bonsoir, mon cœur, j'espérais bien te trouver ici. Tu peux filer, mais pas te cacher…

— Par… don ?

À ce stade-là, je n'étais pas capable d'une meilleure réplique, étant bien certaine que le baiser *et* le commentaire étaient destinés à quelqu'un d'autre, par exemple à la fille canonissime qui attendait patiemment à un mètre de lui, sans paraître le moins du monde stressée par la situation.

— Tu n'as pas laissé ton numéro à mon portier. À quoi joues-tu ? À la fille insaisissable ? Pas de problème, je suis d'un naturel joueur, donc j'ai décidé d'entrer dans ton jeu, et de te retrouver par moi-même.

J'ai vu Elisa tomber à la renverse dans le canapé, bouche bée, et défigurée par le choc.

— Entrer dans mon jeu ? ai-je répété.

— D'habitude, les filles ne me fuient pas, mon cœur, si tu vois ce que je veux dire. Hé, mec, je peux avoir une vodka tonic ? a-t-il ajouté à l'intention de Danny, comme s'il était notre serveur.

— Tout de suite, mon pote, a dit Danny en s'éclipsant avec une célérité qu'on n'attendrait que de quelqu'un à qui on a promis de la drogue, ou des filles.

— Et un verre aussi pour Sonya ! a-t-il crié. (Il s'est tourné vers la fille aux jambes interminables.) Sonya, ma poupée, que voudrais-tu boire ? Du ginger ale ? Un jus de légumes ? Dis-moi, ma puce ?

La Sonya en question l'a dévisagé, l'air perdu, et j'étais presque – presque – amusée à l'idée que Philip avait amené une fille en escorte pendant qu'il en pourchassait une autre. Car il me pourchassait, n'est-ce pas ?

Elisa, qui semblait remise de son arrivée inattendue, s'était rassise sur les genoux de Davide. Je l'ai vue sortir très discrètement de son sac Balenciaga un petit sachet de poudre blanche qu'elle a glissé dans la main de Skye, qui a filé aussitôt en direction des toilettes. Puis, toujours pleine de ressources, elle a extrait d'une des poches extérieures du sac quelques pilules qu'elle a distribuées au reste de la bande. Avec une merveilleuse synchronisation, chacun a aussitôt porté la main à sa bouche et avalé la mystérieuse pilule avec du champagne, de la vodka ou une gorgée du « seul cosmopolitan digne de ce nom de la ville » – à en croire Skye, notre experte personnelle en boisson.

— Philippe, je crois qu'un jus de tomate ce serait bien, non ? a dit Sonya en se mordillant la lèvre avec une moue enjôleuse.

— Servez-vous ! On a tout ce qu'il faut sur la table ! a piaillé Elisa à tue-tête pour couvrir la musique – une compilation de l'Hôtel Costes qui aurait pu passer pour de la musique *lounge* s'il n'y avait pas eu autant de décibels que pour étouffer le vrombissement d'un 747.

Pendant que Penelope tentait hardiment de faire un brin de conversation à une Elisa de plus en plus perchée, je suis restée muette, plantée comme un piquet, bien consciente d'avoir l'air empoté, mais sans pour autant être en possession de mes facultés de bouger. Quel était le protocole à suivre quand le mec dont vous aviez récemment partagé la couche faisait l'effort de vous traquer en compagnie de sa petite amie ? Je n'en savais strictement rien.

— Philip, pourquoi ne me présentes-tu pas ton euh… ton amie ? ai-je réussi à articuler.

— Bien sûr. Sonya, voici l'étourdissante créature dont

je t'ai parlé – celle qui m'a envoyé paître il y a quelques semaines, si tu peux croire un truc pareil. Elle était complètement bourrée, il va sans dire. C'est la seule explication plausible.

Sonya a hoché la tête, mais cela ne signifiait pas nécessairement qu'elle avait compris un traître mot de tout ça. D'ailleurs, Philip s'est mis à lui parler en français, et j'ai réussi à intercepter le mot « prénom » ; immédiatement, j'ai supposé qu'il lui disait ne pas connaître le mien.

— Beth, ai-je annoncé en tendant la main à la jeune fille.

— Soniiiiiia, a-t-elle gloussé en découvrant des dents vierges de taches de nicotine.

— Ses parents me l'ont confiée pour une semaine, le temps qu'elle fasse le tour des agences, a expliqué Philip avec son irritant, mais néanmoins ravissant, accent britannique. Nos familles sont voisines, à Saint-Tropez, et j'ai toujours considéré Sonya comme ma petite sœur. Elle n'a que quinze ans. C'est incroyable, non ?

En toute justice, le regard qu'il posait sur elle n'avait rien de concupiscent ni de lubrique, mais on avait l'impression qu'il aurait dû l'être.

Une fois encore, j'étais dans la position assez inconfortable de la fille infichue d'articuler deux mots ou de trouver une réponse un tant soit peu consistante, aussi ai-je été ravie quand Penelope s'est avancée pour m'annoncer qu'elle s'apprêtait à partir.

— Je sais qu'on arrive à peine, m'a-t-elle dit à l'oreille, mais franchement, ce genre d'endroit n'est pas ma tasse de thé. Ça ne t'embête pas, si je te laisse ? Tous tes collègues sont là. Ça devrait aller, pas vrai ?

— Pen, ne sois pas bête ! Je pars avec toi ! me suis-je récriée, contente d'avoir une excuse pour m'éclipser, mais titillée tout même par le désir de rester et de parler avec Philip.

Danny est revenu en compagnie d'une serveuse qui apportait les verres de Philip et Sonya et m'a aimablement tendu une minibouteille de champagne avec une paille à rayures. Penelope, elle, n'a eu droit à rien.

— Tiens, ai-je dit en lui tendant ma bouteille.

— Beth, c'est bon, j'y vais, d'accord ? Tu devrais rester et…

— AVERY ! a piaillé brusquement Elisa en se levant d'un bond pour propulser son corps émacié entre les bras d'un grand blond vêtu d'une chemise d'un rose agressif. (Penelope et moi nous sommes retournées comme un seul homme, pour découvrir son fiancé enlacer ma collègue comme s'ils se connaissaient depuis des années.) Viens par là. Je vous présente mon noctambule préféré, Avery Wainwright. Avery, voici…

Apparemment, notre air sidéré, tant à Penelope qu'à moi, a suffi à interrompre Elisa au milieu de sa phrase – un exploit que je n'aurais jamais cru possible. Avery s'est aussitôt dégagé de la main d'Elisa agrippée à son bras pour étreindre maladroitement Penelope.

— Mon trésor, je ne savais pas que tu venais ici ce soir…

— Je ne pensais pas t'y trouver non plus, lui a rétorqué mon amie en évitant son regard. Tu avais dit que tu dînais avec tes copains.

J'aurais aimé enlever Penelope et filer avec elle au Black Door où nous aurions pu noyer cette sensation ignoble – même si techniquement parlant, Avery n'avait rien fait de mal, je savais que mon amie était bouleversée par son apparition – mais ma seule option était de détourner l'attention générale de la scène de ménage qui se profilait.

— Mais j'ai dîné avec les copains, s'est défendu

Avery. On est tous allés au Sparks. La plupart sont rentrés, mais avec Rick et Thomas, on a décidé de venir voir à quoi ressemblait cet endroit. Regarde, ils sont là-bas.

Avery avait le débit précipité et paniqué de celui qui vient de se faire prendre la main dans le sac. Rick et Thomas se trouvaient bien là où indiqué ; en trente secondes chrono, ils avaient convaincu un groupe de très jeunes filles de les rejoindre à leur table et tout ce petit monde commençait à se trémousser corps à corps, debout sur les canapés. Penelope semblait sur le point de vomir. Elle réalisait par vagues successives que si elle n'avait pas été là, Avery aurait été, lui aussi, en train de faire du frotti-frotta avec l'une de ces nanas.

— Hum… je vois, a-t-elle murmuré en observant Rick et Thomas prendre une fille en sandwich entre eux deux et esquisser quelques mouvements suggestifs.

— Pen, trésor, ce n'est pas ce que tu crois ! Ce sont des collègues. Ils s'amusent, c'est juste amical.

— Des collègues ? a répété Penelope d'une voix dure.

Son regard est devenu glacial. Tout le monde s'attendait à ce qu'éclate une dispute colossale, alors j'ai entrepris de bavarder simultanément avec Elisa, Philip, Danny et Sonya, tout en éloignant Penelope d'un coup de coude pour qu'elle nous épargne la scène.

— Alors, Sonya, quelles sortes d'agences contactes-tu ? ai-je demandé – peut-être Philip avait-il voulu parler d'écoles ? Cette fille était tout de même très, très jeune.

— Oh, les habituelles. Élite, Ford, Wilhelmina. Philippe dit que je ferai un beau mannequin.

— Bien sûr, poupée. Déjà, quand elle n'était pas plus haute que trois pommes et qu'elle se baladait en couches dans la villa, je savais qu'elle serait une bombe.

Une bombe mineure et intouchable, mais une bombe néanmoins.

Pour le coup, il devenait ouvertement concupiscent.

— Qu'est-ce que tu as dis ? s'est enquise Sonya en plissant joliment les paupières.

— Rien, poupée, rien. Tiens, pourquoi ne pas t'asseoir sagement là, et montrer à tout le monde quelle bombe tu fais pendant que je bavarde un instant avec Betty ?

— C'est mignon, Betty, mais je préfère Beth, ai-je observé, aussi aimablement que je le pouvais.

— Tu as un sacré caractère, toi, n'est-ce pas ?

Il a posé ses mains sur mes hanches et m'a attirée contre lui, mais sans esquisser le moindre mouvement pour m'embrasser. J'avais un peu de mal à me concentrer sur son visage parfaitement sculpté quand j'entendais, en fond sonore, Avery qui plaidait sa cause.

— Mon trésor, je ne sais pas pourquoi elle m'a traité de « noctambule ». Tu sais bien que j'aime sortir. Merde ! Je suis le premier à regretter que tu ne m'accompagnes pas plus souvent. Elisa n'est qu'une pauvre allumée accro à la coke qui connaît toujours les bons plans de soirées, c'est tout.

Le fumier ! Il avait le culot de traiter Elisa d'« allumée accro à la coke » alors que ses propres mâchoires étaient tellement crispées et branlantes qu'on les aurait crues reliées à des électrodes ! Penelope savait bien des choses que nous tous ignorions – comment trousser un élégant paquet cadeau, quand écrire un mot de remerciement, comment dresser une belle table – mais elle était douloureusement naïve en ce qui concernait Avery, la drogue, ou Avery et la drogue. Skye a fini par émerger des toilettes, avec des mâchoires qui dansaient elles aussi le fox-trot. Le DJ est passé à la vitesse supérieure en envoyant un morceau d'OutKast. Elisa, apparemment inspirée, a empoigné Davide et Skye, s'est juchée sur le canapé, a commencé à danser, sans jamais quitter des yeux Philip qui, indifférent, avait émigré de l'autre côté de la salle. Ses talons aiguilles transperçaient le canapé, et chaque fois que je voyais apparaître un nouveau trou bien net dans le daim blanc, je me sentais un peu mieux.

Mais ça n'a pas duré.

— Beth ! C'est marrant de te croiser ici !

Impossible de ne pas reconnaître immédiatement cette voix. Mon estomac s'est retourné d'un coup. Abby m'a tirée par le bras, et du champagne a giclé sur le canapé. Avant même de croiser son regard, j'ai cherché des yeux une issue pour m'échapper.

— Salut, Abby, ai-je dit, d'une voix blanche.

— Dis donc, ça a l'air sacrément chaud entre Philip et toi, ce soir.

Elle m'a fait un clin d'œil et j'ai dû réprimer une envie démoniaque de déchiqueter son grand sourire d'un coup de griffe.

— Hum… quel bon vent t'amène ?

Elle a rigolé et rajusté un talon de douze centimètres, qui échouait à dissimuler sa taille de naine.

— Faut-il avoir une raison pour venir s'amuser un peu ? Ohmondieu, n'est-ce pas Avery Wainwright ? On n'a pas eu l'occasion de beaucoup se croiser, récemment. Ce garçon est devenu *très* bel homme, tu ne trouves pas ?

— Il est fiancé ! ai-je aboyé. Avec Penelope. Tu te souviens de Penelope, n'est-ce pas ?

Elle a fait semblant de ne pas comprendre de qui je parlais.

— Hum… ouais, bon, tu sais ce qu'on dit…

— Non. Quoi donc ?

— Rien n'est jamais définitif tant qu'on n'est pas passé devant l'autel.

Elle s'est frotté les mains comme si elle anticipait quelque chose de particulièrement délectable ou excitant mais, en voyant ma réaction, elle s'est récriée, en feignant d'être désolée :

— Oh, Beth, du calme, je plaisantais ! Tu devrais vraiment bosser sur ton sens de l'humour, tu sais. À ce propos...

— Abby, c'était super de tomber sur toi, mais je dois retourner avec mes amis. C'est plus ou moins une soirée de boulot.

— Bien sûr. Mais si on déjeunait, un de ces jours ? a-t-elle insisté tandis que je commençais à prendre la tangente. J'aimerais tant que tu me racontes tout sur Philip et sur ton nouveau boulot. Tu sais que tout le monde parle encore de cette info dans New York Scoop.

Je voulais m'assurer que Penelope tenait le coup, mais Avery l'avait coincée dans un recoin et les deux tiraient une sale tête, alors j'ai regagné notre table, où Davide m'a tendu un verre. Penelope m'a aussitôt rejointe.

— Beth, je crois qu'on va y aller, a-t-elle annoncé d'un ton las qui donnait l'impression qu'elle aurait préféré se suicider plutôt que décider de partir ou de rester.

— Tu es sûre que ça va ? Pourquoi Avery ne resterait-il pas ici, et toi et moi on va manger un morceau ? Franchement, je partirais volontiers avant de commettre un truc vraiment regrettable – comme rentrer avec Philip et faire passionnément l'amour avec lui, en dépit du fait que c'est le mec le plus détestable que j'aie jamais rencontré.

— Non merci, a soupiré Penelope. Je crois vraiment qu'on ferait mieux de rentrer. Je t'appelle demain.

Arriveraient-ils seulement à fermer l'œil ? Avery était

si allumé que seul un tranquillisant pour cheval aurait pu l'amener à dormir. Sans compter que si jamais il avait des remontées de tout l'acide qu'il avait pris pendant ses années de fac, il pourrait très bien essayer de manger une perruche, ou de voler en se jetant de la fenêtre. Pauvre Penelope.

— Beth, mon cœur, es-tu prête ? On y va ? a demandé Philip en enroulant ses bras autour de mes épaules – un geste qu'on aurait plus attendu d'un petit ami de longue date que d'un type avec lequel je ne voulais pas coucher. Allons chez moi. Peut-être que ce soir tu seras moins cassée pour…

— Ouais, c'est ça. On pourrait faire une boum, toi, moi et Sonya. Ce serait drôle, non ?! ai-je lancé, d'un ton un peu plus crâne que je n'en avais l'intention.

J'ai senti sa main remonter le long de mon dos.

— Qu'est-ce que tu me joues, là ? Sans rire, mon cœur, il faut te détendre. Écoute, je vais mettre Sonya dans une suite, en haut, et toi et moi on pourra passer un petit moment tranquille en tête à tête, O.K. ?

Sans me laisser le temps de répondre, il a chuchoté quelques mots en français à Sonya, qui s'est contentée de hausser ses sourcils parfaitement dessinés, d'opiner avec enthousiasme, puis de glousser.

— Oui, oui, pas de problème, a-t-elle dit, comme si elle nous donnait sa bénédiction pour nous livrer à des ébats pas très sobres et assez hasardeux.

— Tu sais quoi, Philip ? suis-je intervenue, tout en ne sachant pas trop comment expliquer que je n'avais pas envie de le suivre quand tout ça n'était pas clair dans mon esprit. Ce n'est pas sympa de l'abandonner à l'hôtel quand elle n'est là avec toi que pour une semaine. Et elle n'a que quinze ans. Tu ne crois pas que tu devrais la garder à l'œil ? Elle ne peut pas faire trois pas sans que les mecs lui sautent dessus.

Il a pris l'air pensif, comme s'il gobait ma sollicitude à l'égard de Sonya, et il a hoché la tête.

— Bien vu, mon cœur. Je vais la ramener à la maison, la border, et nous, on ira à l'hôtel. *Bye* ! a-t-il lancé au reste du groupe.

Tous ont répondu d'un hochement de tête et Elisa est sortie de son état de stupeur assez longtemps pour me montrer, sans discrétion, son pouce dressé.

Je me suis dit qu'il serait plus simple de déposer Philip et Sonya aux Archives et demander ensuite au taxi de poursuivre jusqu'à Murray Hill que de parlementer. Je les ai donc suivis jusqu'à la sortie, en ayant l'impression d'être la gamine potelée et empotée de deux athlètes olympiques. Une fois sur le trottoir, Philip a claqué des doigts en direction du videur.

— Hé, mec, trouve-nous un tacot, veux-tu ?

C'était d'une indéniable arrogance, mais vu que le type s'était montré un sacré connard avec nous, je n'y ai rien trouvé à redire. Jusqu'à ce que je regarde à deux fois et m'aperçoive que l'emperruqué sous-alimenté avait été remplacé par le beau (et néanmoins grossier) videur du Bungalow 8. Sammy. Qui a décoché un regard venimeux à Philip, avant de me remarquer, en dépit de mes efforts pour rester planquée en retrait. Il m'a fusillée du regard puis a reporté son attention sur la chaussée et hélé un des taxis qui passaient par là.

Sonya s'est engouffrée la première, Philip a plongé à son tour, et je me suis retrouvée à un mètre à peine de Sammy qui nous tenait la portière. Pourquoi suis-je montée avec eux ? Je n'en sais rien. Mais je l'ai fait. Comme si mon corps obéissait à quelque script invisible. Et tandis que je réussissais à articuler « merci » avec assez de détachement, Philip a lancé :

— Hé, mec, j'embarque deux superbes nanas chez

moi, si tu vois ce que je veux dire. Alors si tu pouvais t'activer…

Sonya a gloussé et appuyé sa délicate tête sur l'épaule de son mentor. Sammy m'a décoché un dernier regard, vide d'expression, puis a claqué la portière. Au moment où le taxi démarrait, j'ai regardé la file de gens qui s'impatientaient sur le trottoir, ou se bousculaient pour entrer, comme s'ils souffraient d'une forme d'addiction, et les paparazzi, dans les starting-blocks, qui guettaient la sortie de quelques people.

Et sans pouvoir mettre précisément le doigt sur une raison valable, il m'a semblé que j'avais envie de pleurer.

10

— Comment fais-tu pour rester aussi mince en mangeant autant ? ai-je demandé à Penelope, pour la millième fois depuis que je la connaissais.

Nous venions de nous installer dans l'un des box d'EJ, après une heure d'attente. J'étais assez affamée pour commander tous les plats de la carte, mais trop heureuse de ma silhouette élancée pour la mettre en péril. J'avais réussi à mettre le holà à mes razzias chez le confiseur, à refréner mes envies de feuilletés jambon-œuf-fromage et à ne m'accorder qu'occasionnellement une friandise basses calories. Je commençais à trouver normal de réguler ma consommation de nourriture. Du coup, ce n'était que plus bizarre d'entendre Penelope commander, comme à son habitude, une double omelette au fromage, des galettes de pommes de terre, et quelques pancakes aux pépites de chocolat accompagnés d'une portion de beurre de la taille d'un poing de bébé. En m'entendant commander, moi, une omelette nature avec une salade épinards-tomates et deux tranches de pain complet, elle a haussé les sourcils, mais s'est gentiment abstenue de commentaire – enfin… elle a tout de même murmuré, en ébauchant un sourire :

— L'influence d'Elisa ?

J'ai ignoré la pique et changé de sujet.

— Ça va, avec Avery ? lui ai-je demandé, avec autant de sympathie que j'étais capable – car si je voulais la sortir de là, je ne tenais pas à me montrer critique pour autant.

La veille, je l'avais regardée quitter le Sanctuary, impuissante mais en sachant à quel point elle était bouleversée. Quand elle m'avait appelée de bonne heure, ce matin-là, je m'étais immédiatement déliée de ma promesse d'aller bruncher chez Will et Simon, et j'avais sauté dans un taxi.

Elle a évité mon regard et s'est concentrée sur ses pancakes, qu'elle découpait en petites bouchées. Elle découpait un morceau, l'enfourchait, le portait à sa bouche. J'ai observé le cycle se répéter trois fois avant qu'elle se décide à parler.

— Oui, tout va bien, a-t-elle répondu, d'une voix sans timbre. Une fois qu'il s'est expliqué, j'ai bien compris que ce n'était qu'un gros malentendu.

— J'en suis certaine. Mais tu as dû être drôlement surprise de le voir là – tu ne t'y attendais pas, ai-je insisté, en espérant l'entendre reconnaître au moins ça.

Elle a ri, d'un rire forcé.

— Tu connais Avery. Toujours à surgir là où l'on ne l'attend pas, à n'importe quelle heure de la nuit. C'est une chance que l'un de nous aime sortir et voir du monde, je suppose… À rester tout le temps tous les deux cloîtrés à la maison, on deviendrait fous.

Ne sachant pas trop quoi répondre à ça, je me suis contentée de hocher la tête.

— Et toi ? Tu avais l'air de bien t'amuser avec Elisa et Philip, quand je suis partie. Tu as passé une bonne soirée ?

Je l'ai dévisagée en me souvenant à quel point je

m'étais sentie mal à l'aise avec eux, à quel point j'avais eu le sentiment d'être une intruse dans un club réservé à ses seuls membres – sentiment qui m'était devenu assez familier depuis que j'avais rejoint l'univers de Kelly & Co. Je me suis souvenue de ce qui s'était passé une fois dans le taxi – quand j'avais insisté pour être déposée, seule, chez moi, et que cela n'avait soulevé (à mon étonnement, je dois dire) aucune protestation de la part de Philip. Je me suis souvenue du sentiment qui m'avait étreinte une fois chez moi – cette tristesse de rentrer dans un appartement vide, que même Millington, en venant se rouler en boule contre moi, n'avait pas réussi à dissiper. J'ai dévisagé Penelope et je me suis demandé quand, exactement, nous nous étions éloignées à ce point l'une de l'autre.

— Je pense que oui. J'espérais passer plus de temps avec toi…

Je me suis interrompue en prenant conscience du reproche dans ma voix.

Penelope a relevé la tête et m'a décoché un regard acéré.

— Je suis désolée, mais j'étais loin de m'attendre à voir débarquer Avery. Moi aussi, j'aurais adoré qu'on sorte toutes les deux, comme avant, mais c'est toi qui as eu l'idée de rejoindre tes collègues dans ce nouveau club. On dirait que tu ne peux plus faire un pas sans eux.

— Pen, je suis vraiment désolée. Je ne voulais pas dire ça… J'aurais mille fois préféré sortir seule avec toi. Après ton départ, tout est allé de mal en pis. Philip servait de baby-sitter à une gamine, et j'ai partagé leur taxi pour rentrer parce que je ne voulais pas faire de scène dans le club, mais tout le monde m'a vue monter dans ce taxi, et je me suis vraiment sentie merdeuse. Ah oui… et je suis tombée sur Abby, par-dessus le marché. C'était vraiment naze sur tous les tableaux. Je regrettais de ne pas être partie en même temps que toi.

— Tu es rentrée avec lui, alors ? Et la fille ? Elle a dormi où ?

— Non, je suis juste montée dans leur taxi parce que ça semblait plus simple que de discutailler avec Philip. Je les ai obligés à me déposer en premier, mais les gens qui nous ont vus partir ensemble ne le croiront jamais.

— Mais pourquoi n'es-tu pas rentrée avec lui ? Et c'est qui, « les gens » ?

Je voyais bien qu'elle avait du mal à me suivre mais le hic était qu'elle n'avait pas rencontré tous les acteurs.

— Je ne suis pas certaine d'être prête à m'impliquer dans l'univers de Philip, ai-je menti. Et qu'il soit à ce point lié avec tous les gens avec qui je bosse ne fait que rendre la situation plus bizarre.

— Je peux pas juger. Tu ne me l'as pas présenté, a observé Penelope avec détachement.

J'ai deviné le reproche et je le savais justifié, mais je n'avais pas envie que la discussion s'éternise sur ce terrain.

— Ah bon ? C'était un peu mouvementé, hier soir. Fais-moi confiance, tu ne rates pas grand-chose. Il est super-canon, ça tu as pu t'en rendre compte par toi-même, mais à part ça, c'est rien qu'un fils à papa à l'accent craquant qui passe son temps à faire la bringue. Quel dommage qu'il soit si joli, ai-je soupiré.

— Parfait, ton petit discours, très chère, mais tu aurais dû voir ta tête quand il s'est pointé avec ce mannequin. J'ai cru que t'allais en crever. Il te plaît, non ? Avoue.

Comment lui expliquer que si, naturellement, certains aspects chez lui m'attiraient, d'autres, dans le même temps, me répugnaient ? Je me refusais à reconnaître à voix haute que j'étais flattée qu'un homme comme Philip puisse vouloir une fille comme moi – même s'il n'avait apparemment rien de bien recommandable. Je répugnais aussi à expliquer comment cette situation s'intriquait à ma vie professionnelle – comment je suspectais Elisa d'être jalouse de l'intérêt que me manifestait Philip, comment Kelly avait semblé plus que disposée à me prostituer au bénéfice de son business. Alors, je me suis contentée de hausser les épaules, de saler mon omelette et de coller les lèvres contre ma tasse de café, pour ne pas avoir à parler.

Penelope a compris que je ne dirais rien de plus. Pour la toute première fois en presque neuf ans d'amitié, nous faisions l'une et l'autre de la rétention d'informations. Elle s'était refusée à me confier ses vrais sentiments envers Avery et l'incident de la veille ; j'avais passé mon tour à propos des miens à l'égard de Philip. Quelques minutes ont coulé dans ce silence qui n'était pas à proprement parler inconfortable mais qui nous donnait le sentiment d'être des étrangères l'une pour l'autre, puis Penelope a repris :

— Je sais bien qu'il me manque des éléments, et je sais aussi que tu es tout à fait capable de te débrouiller seule, mais s'il plaît, sois prudente, d'accord ? Je suis certaine que Philip est un mec charmant, mais j'en ai vu assez avec les amis d'Avery, et maintenant avec tes nouveaux amis de l'agence, pour savoir que ce genre de gens me fait flipper. C'est juste une impression, mais je m'inquiète pour toi, tu vois ?

Elle a posé sa main sur la mienne et j'ai su que nous étions redevenues nous-mêmes, comme avant. Mais qu'en même temps, il nous faudrait nous habituer à penser l'une à l'autre avec une certaine distance.

11

— O.K., les enfants, on se calme, a annoncé Kelly, en nous rejoignant dans la salle de réunion, comme toujours perchée sur une paire de talons aiguilles. Quelqu'un a eu le temps de lire les Cancans du Jour ?

— Pour sûr, a lancé Leo. On dirait que notre nouvelle coéquipière préférée a encore récolté un bon point.

J'ai senti mon estomac attaquer une petite série de loopings – une sensation dont j'étais d'ores et déjà familière. Étant arrivée dix minutes en retard ce matin-là, je n'avais pas encore eu le temps de jeter un œil aux Cancans du Jour – ce qui était, selon toute évidence, un faux pas majeur de ma part. Chaque matin, une des assistantes arrivait à l'agence à six heures, spécialement pour concocter les Cancans du Jour – une compilation des chroniques, articles ou reportages qui pouvaient, d'une manière ou d'une autre, être liés à nos clients ou à notre secteur d'activité. À neuf heures, une copie de ce document nous attendait sur nos bureaux. Ceci dit, en général, sitôt réveillé, chacun de nous consultait, sur le web, un assortiment de sites de médias et de blogs susceptibles d'offrir quelque information pertinente – si une catastrophe s'était produite pendant la nuit, et si votre téléphone devait sonner sans relâche toute la journée, mieux valait en être informé de bonne heure. Les Cancans du Jour relevaient donc davantage d'une formalité. Bien plus utile était la page « People du Jour », quotidienne elle aussi, qui nous signalait qui était de passage à New York et pourquoi, nous indiquait où l'interessé(e) était descendu(e) et sous quel nom, et quel était le meilleur moyen pour le ou la contacter, le meilleur angle d'attaque pour le ou la convaincre d'assister à l'une de nos soirées. Quatre semaines durant, chaque jour ouvrable sans faute, j'avais passé au peigne fin tous les sites possibles et imaginables dans les cinq secondes qui avaient suivi mon réveil. L'unique matin où j'avais failli à mon devoir d'information était, bien évidemment, le seul qui comptait.

— Je n'ai pas encore eu le temps de les regarder, ai-je reconnu. Mais je ne vois pas de quoi il peut s'agir : ce week-end, j'étais avec vous tous au Sanctuary et ensuite, je suis rentrée directement me coucher. Seule, me suis-je empressée d'ajouter, comme si j'étais redevable de cette précision à mes collègues.

— Eh bien, c'est ce que nous allons voir ! a dit Kelly, attrapant une sortie papier de la chronique du New York Scoop. « La nouvelle recrue de Kelly & Co. déterminée à se mettre au diapason de ses collègues. Selon nos sources, la petite nouvelle de cette équipe d'infatigables fêtards, prétendument en "repérages" au Sanctuary (qui serait l'un des lieux pressentis pour accueillir la soirée d'anniversaire de *Playboy* – mais chut ! tout cela est ultra-secret !), a conjugué devoir professionnel et plaisir personnel en quittant le club samedi soir en compagnie de Philip Weston, et d'un mannequin non identifié. Leur destination ? Nous avons notre petite idée… »

Kelly s'est tournée vers moi, le visage fendu d'un immense sourire.

— Quel est le sous-entendu, exactement ? ai-je demandé, cramoisie. Jusque-là, il n'y a pas un mot de vrai. Et qui a écrit ces âneries ?

— Ellie d'Initiée, évidemment ! Et il y a une photo de toi, montant dans un taxi avec Philip et cette superbe fille. Difficile de ne pas comprendre où elle veut en venir…, a précisé Kelly, sans se départir de son sourire.

Pour tout dire, elle paraissait transportée de bonheur. N'était-ce pas abracadabrant de discuter de *ça* pendant notre réunion hebdomadaire, dont l'ordre du jour consistait à faire le point sur l'organisation des événements à venir ?

— Kelly, je suis sincèrement désolée de l'impact que cette histoire peut avoir sur toi, ou sur l'agence. Franchement, je ne vois pas en quoi ça présente un quelconque intérêt, et en plus, ça ne s'est pas passé comme…

Kelly a repris sa lecture.

— « Cette nouvelle fille dont tout le monde parle, membre de l'équipe de Kelly & Co… » Beth, tu réalises à quel point c'est énorme ? J'espère que la prochaine fois, elle citera ton nom ! Sans doute n'en ont-ils pas eu confirmation à temps, vu que tu ne figures pas encore dans l'annuaire de la profession.

J'ai remarqué qu'Elisa avait un peu de mal à sourire.

— Non seulement ça, mais on parle de nous comme d'« infatigables fêtards », a souligné Leo avec fierté.

— Et ils nous font de la pub pour la soirée *Playboy* ! a renchéri Skye.

— À se demander où ils ont été pêcher l'info, ai-je marmonné. Ce n'est même pas vrai.

— Beth, mon chou, je me fiche que ce soit vrai ou pas ! a protesté Kelly. Tout ce qui m'importe, c'est qu'ils en parlent ! Sans compter que Danny va être ravi de la pub pour son club. Excellent boulot ! Continue sur cette lancée.

Sur ces encouragements, nous sommes passés à la séance de brainstorming – une spécialité de Kelly.

— On commence. Tout le monde parle. Il s'agit de la première de *Shrek 3*, prévue le mois prochain. Les invitations doivent être parties d'ici quinze jours. Skye est responsable du projet. Où réside l'attrait ?

— Je ne comprends toujours pas pourquoi on a accepté d'organiser la première d'un film pour mômes ! a pleurniché Skye. (J'avais déjà remarqué qu'elle pleurnichait souvent en réunion.) Le studio ne peut pas se débrouiller seul, pour ce genre de film ?

— C'est une question rhétorique, j'imagine ? a riposté Kelly. Nous organisons des premières parce que c'est du boulot facile, et bien payé. Tu sais bien que DreamWork possède un service de com' en interne, mais qu'ils sont débordés par les innombrables festivals et les promos de films plus importants. Sans compter que quasiment toute la presse qui compte est basée ici, à New York. Et nous avons, nous, avec ces journalistes-là, des relations qu'eux n'ont pas.

— Je sais, je sais, a soupiré Skye en faisant montre d'un piètre esprit d'équipe. (Elisa lui a décoché un regard, et elle s'est redressée un peu sur sa chaise.) C'est juste que les films pour mômes, c'est tellement chiant !

— Skye, si ça t'ennuie de chapeauter ce projet, je suis certaine qu'Elisa, Leo ou même Beth seront ravis de te remplacer. Ai-je besoin de te remémorer le nombre de stars qui ont aujourd'hui des enfants… Liv, Courtney, Gwyneth, Sarah Jessica, pour n'en citer que quelques-unes. J'espère que tu n'es pas en train de dire que leurs enfants sont chiants ?

— Bien sûr que non. Tu peux compter sur moi. Je

m'en occupe. On a déjà fait ça une douzaine de fois. Bon. Qui a sous la main le compte rendu de la première d'*Harry Potter* qu'on a organisée en août dernier ?

— Le voilà, a aussitôt dit Leo en sortant d'une chemise une liasse agrafée. Dimanche après-midi. Résidence de Christie Brinkley, à Bridgehampton. Coup d'envoi des festivités à onze heures et projection de midi à treize heures trente pour permettre à tout le monde de rentrer en ville de bonne heure. Distractions pour les enfants : promenade à poney, minizoo d'animaux domestiques, barbes à papa, glaces à l'italienne, quelques clowns. Pour les parents : escadrons de très jolies serveuses archiprévenantes, et cocktails adaptés à la mijournée – mimosas, bloody mary, screwdrivers, champagne, margarita, sangria et éventuellement sur demande, daiquiri ou piña colada granitées. On a eu Matt Lauer, Susan Sarandon, Katie Couric, Aerin Lauder, Kate Hudson, Russel Simmons et Courtney Cox avec leur progéniture, plus des centaines d'autres personnes moins identifiables mais tout aussi photogéniques. Comptes rendus de l'événement parus dans *People*, *US Weekly*, *Star*, dans le supplément Style du *New York Times*, *Gotham*, *W*, ainsi que dans une douzaine de carnets mondains en ligne. La Warner était ravie.

— Bien, les enfants, on a le modèle, et la bonne recette. Cette fois, ce ne sera pas dans les Hamptons, mais à part ça, on colle au même format. J'aime bien le Clearview, à Chelsea, parce qu'ils s'en fichent d'avoir du remue-ménage dans leur hall, a annoncé Kelly tout en cochant avec efficacité les éléments de sa liste. Quoi d'autre ?

— Pour le buffet, on s'en tient aux trucs préférés des gosses, comme d'hab', a dit Elisa. Minis hot dogs, quarts de hamburger, chasse aux friandises.

— Plus des sundaes à faire soi-même, a complété Leo dans la foulée.

— Ballons, magiciens, canons à bulles, a enchaîné Skye sans une once d'enthousiasme.

— Un type en habit de Shrek.

— Peinture verte pour grimer les gosses.

— Non, pas de peinture sur le visage, les parents détestent ça. On peut trouver des tas d'autres idées. Des minitrempolines, peut-être ?

— Tu es tombé sur la tête ? On est responsables ! Autant mettre un panneau « Collez-nous un procès au train » en lettres clignotantes. Tiens, d'ailleurs, pourquoi ne pas écrire SHREK sur un énorme mur d'ampoules vertes ?

Hochement de têtes général. J'avais brillé jusque-là par mon absence de contribution, mais n'ayant jamais assisté à une première, j'ignorais tout du sujet – hormis le fait que les stars marchaient sur un tapis rouge.

— Et si on remplaçait le tapis rouge par un vert ? ai-je proposé avant même de m'apercevoir que l'idée était d'une nullité sans nom.

— Fabuleux, Beth ! Un tapis vert, et au bout, une estrade verte géante pour les photos. Oui, un tapis vert, ça devrait nous valoir encore plus de photos. Bon, on dirait que tout roule, jusque-là, alors passons à la vraie pièce de résistance. Où en est-on pour la soirée *Playboy* ?

Elisa, dont le visage avait repris quelques couleurs, s'est levée calmement, puis a pris une pose qui mettait en valeur sa robe portefeuille Diane von Furstenberg et a pointé le tableau du planning du manche de sa brosse à cheveux Mason & Pearson.

— Comme vous le voyez tous, nous n'avons plus que quelques mois devant nous. Après quantité de repérages et de pourparlers, nous avons décidé qu'elle aurait lieu au Sanctuary. Leo, peux-tu nous donner la dernière mise à jour logistique ?

Leo l'a regardée, l'air de dire « Depuis quand tu me donnes des ordres, toi ? » mais s'est éclairci la voix et nous a informés qu'il épluchait les devis de plusieurs sociétés de prod' et que nous aurions sa sélection de finalistes d'ici la fin de la semaine.

— Mais je suis sûr qu'on finira par choisir Bureau Betak, comme d'habitude.

La réunion s'est poursuivie pendant encore une heure et demie, le temps d'évoquer le libellé de l'invitation, les cadeaux promotionnels à l'intention des invités et les sponsors potentiels, puis Kelly nous a relâchés en nous recommandant d'aller déjeuner quelque part où l'on pourrait « voir ou être vus ». J'ai décliné l'offre d'accompagner le reste du groupe au Pastis, pour filer de mon côté chez un petit marchand de pizzas, à quelques blocs de là, où j'étais certaine de ne croiser personne de l'agence. Sitôt que j'ai été calée dans un minuscule box, j'ai appelé Will au journal. À ma grande surprise, il était à son bureau.

— Que fais-tu là ? Ce n'est pas le jour où tu rends ton papier.

Will ne passait à la rédaction qu'une ou deux fois par semaine, et moins s'il le pouvait.

— Bonjour, ma chérie. Ma chronique me donne un peu de fil à retordre, cette semaine. (Il a marqué une pause.) Ces derniers mois, c'est à croire qu'elles me donnent *toutes* du fil à retordre.

J'ai entendu un mélange de frustration et de résignation dans sa voix, deux sentiments dont il n'était pas coutumier.

— Will, tu vas bien ? Que se passe-t-il ? ai-je demandé en me forçant à mettre un instant de côté mes propres soucis.

Il a lâché un gros soupir.

— Rien d'intéressant, ma chérie. Ça, c'est sûr. Mon

lectorat est en perte de vitesse cette année. Les retours du distributeur ne sont pas bons. Mon rédacteur en chef a trente et un ans et aucun sens de l'humour – il ne cesse de me rabâcher que le « nouveau lectorat est plus sensible aux problèmes sociaux », et que par conséquent, je devrais m'efforcer d'être plus « politiquement correct ». Naturellement, je lui ai répondu d'aller se faire voir, mais il va revenir à la charge. Ceci dit, pourquoi les gens s'emmerderaient-ils à lire ma chronique, quand ils peuvent se repaître des fricotages de jeunes et jolies chargées de relations publiques avec des play-boys riches et célèbres ?

J'ai eu l'impression de recevoir un coup de poing.

— Tu l'as vu.

— Évidemment. Dois-je supposer qu'il n'y a pas un mot de vrai dans ce vilain petit compte rendu ?

— Bien sûr ! (J'avais vagi assez fort pour attirer l'attention du caissier et récolter un regard agacé.) Écoute, j'ai dû aller au Sanctuary ce week-end pour le boulot, j'y ai croisé Philip, et on a partagé un taxi pour rentrer parce que c'était plus simple. L'autre nana est la fille d'amis de ses parents. Une amie d'enfance. Il n'aurait pas pu y avoir moins matière à scandale.

— Mais il semblerait que cette Ellie d'Initiée fait remarquablement bien son boulot. Console-toi en te disant qu'ils n'ont pas mentionné ton nom, ma chérie. Mais dis-toi bien que ça ne saurait tarder.

— Will, tu la connais, cette fille ? Tu l'as déjà certainement rencontrée quelque part, tu ne crois pas ?

En l'entendant glousser, j'ai imaginé le pire.

— Certes, j'ai entendu avancer des tas de noms, mais aucune piste solide là-dedans. Certains sont persuadés qu'il s'agit d'une femme de la haute qui balance tous ses amis. D'autres inclinent vers l'hypothèse d'une illustre inconnue bénéficiant d'un réseau de sources bien placées.

Ceci dit, ce pourrait être aussi cette ex-rédactrice de mode – comment s'appelle-t-elle, déjà? Celle qui s'occupe comme elle peut en écrivant des critiques de livres au vitriol? Je la verrai bien pondre ce genre de conneries.

— Ça donne la chair de poule. Qui qu'elle soit, il me tarde qu'elle focalise sur quelqu'un d'autre. Quelqu'un d'un peu plus intéressant, et dont la vie serait pour le coup vraiment scandaleuse. Je ne corresponds pas au profil.

— Certes, ma chérie, mais Philip, lui, y correspond, ne l'oublie pas! Bon... sans vouloir me débarrasser de toi... on dirait que ma chronique refuse de s'écrire toute seule. On se reparle bientôt? Viendras-tu dîner jeudi soir?

— Bien sûr, ai-je répondu par automatisme avant de me souvenir que ce soir-là, je devais assister au lancement du nouveau parfum Gucci. Je ne manquerai ça pour rien au monde, ai-je ajouté – alors que je savais pertinemment qu'il me faudrait rappeler Will pour me décommander.

J'ai terminé ma petite portion de paradis et j'en ai commandé une seconde, que j'ai avalée en un temps record. Je feuilletais mollement un *New York Post* tout corné qui traînait sur la table quand mon téléphone a sonné. « PARENTS », indiquait l'écran.

— Allô?

— Allô? Beth? Tu m'entends? a demandé ma mère en criant comme toujours à tue-tête – elle était convaincue que les téléphones portables exigeaient une puissance vocale supérieure à la normale de la part de chaque interlocuteur.

— Je t'entends très bien, maman. Ça va?

— Je n'ai pas trop le temps de bavarder, car je vais entrer en réunion, mais écoute : une des filles du centre m'a dit qu'elle avait vu ta photo sur je ne sais quel site

Internet. Une photo en compagnie d'un garçon connu et d'une autre fille ? Ou quelque chose dans ce goût-là.

Non ! Impossible ! Ma mère – qui n'avait une adresse mail que depuis peu – était maintenant au fait d'une chronique de potins mondains en ligne ? J'ai aussitôt nié.

— Rien d'intéressant, maman. Juste une petite photo prise lors d'une soirée de boulot.

— Beth, c'est magnifique ! Félicitations ! J'ai hâte de la voir. J'ai demandé à papa d'aller voir ça et de l'imprimer, mais apparemment, il n'a pas réussi à ouvrir la page. Tu nous en gardes une copie ?

— Bien sûr, ai-je acquiescé docilement. Mais franchement, ça n'a aucun intérêt. Je dois retourner au bureau. Je peux te rappeler plus tard ?

— Bien sûr. Et félicitations, encore une fois ! Tu es nouvelle dans ce boulot et tu fais déjà les gros titres !

Si seulement elle savait…, ai-je songé en raccrochant. Heureusement, les chances que mon père trouve la marche à suivre pour s'inscrire gratuitement sur le site de New York Scoop étaient quasi nulles. Et tant que personne n'imprimait cette maudite page pour eux, j'étais tirée d'affaire. Momentanément, du moins.

12

— J'aimerais commencer notre réunion de ce soir en portant un toast à Beth, a déclaré Courtney en hissant son mojito à bout de bras.

Je venais de recevoir un SMS de Kelly me demandant poliment (en clair : m'ordonnant) de « faire une apparition » à la première de *Mr. et Mrs. Smith* qu'orchestraient Skye et Leo. La projection se terminait à vingt-trois heures ; je pouvais donc faire un saut à la soirée qui avait lieu ensuite au Duvet et être tout de même chez moi à minuit et demi, au lit à une heure… Je terminais mes petits calculs quand j'ai entendu mon nom et reporté mon attention sur mes camarades.

— Moi ? Mais qu'ai-je fait pour mériter un toast ? ai-je demandé distraitement.

Elles m'ont toutes dévisagée, comme si j'étais la dernière des idiotes.

— Excuse-moi, mais crois-tu que nous vivons dans un vide spatio-temporel ? a demandé Janie. Que nous cessons d'exister en dehors de ce club de lecture ?

Jill a écrasé d'autres quartiers de citron vert avec du sucre dans un bol, puis ajouté quelques cuillerées supplémentaires de cette mixture dans mon verre.

— Beth, tu sais, nous lisons toutes New York Scoop
– tout le monde le lit. Et il se trouve qu'on y parle tous
les jours de toi. Quand diable allais-tu te décider à
nous annoncer que ton petit ami n'est autre que *Philip
Weston* ?

Elle avait prononcé son nom avec une lenteur délibé-
rée et tout le monde a éclaté de rire.

— Hou là, les filles, calmez-vous ! Ce n'est pas mon
petit ami.

— Ce n'est pas ce qu'a l'air de dire cette Ellie d'Initiée, a souligné Alex.

Ses cheveux avaient ce jour-là une nuance verdâtre
fort peu appétissante. Même les punks d'East Village
lisaient donc cette maudite chronique ?

— Ouais, c'est vrai, a renchéri Vika, le regard pensif.
On dirait que tu le vois souvent. Mais quel mal y a-t-il
à ça ? Il est férocement, indéniablement, fabuleusement
canon !

J'ai réfléchi un instant. Certes, il était canon, et il faisait fantasmer toutes les femmes, de quinze à cinquante
ans. Quel mal y avait-il, effectivement, à laisser croire à
tout le monde que nous sortions ensemble ? Si je tenais
ma langue, qui saurait que je n'avais pas remis un pied
chez lui depuis la fois où je m'étais accidentellement
réveillée dans son lit ? À dire vrai, si j'expliquais que
nous ne nous voyions (et étions, par conséquent, vus
ensemble) que parce que j'étais tenue d'assister à tous
les événements organisés par Kelly & Co., mes copines
ne me croiraient sans doute pas. J'étais tombée « par
hasard » sur Philip presque tous les autres soirs de la
semaine. Mais après tout, mon travail consistait à organiser les meilleures soirées de la ville, et la mission que
s'était attribuée Philip était d'assister à chacune d'entre
elles, sans exception.

À quoi bon préciser que lors de ces soirées, même si

nous n'échangions que quelques mots, il semblait toujours avoir un bras autour de mes épaules (ou sa main sur mes fesses, ou son verre contre mes seins, ou sa bouche dans mon cou) chaque fois qu'un photographe passait à proximité ? À quoi bon révéler que si aux yeux de tout un chacun nous passions pour inséparables, ces « démonstrations énamourées » n'avaient pourtant pas plus de caractère sexuel que mes câlins du soir avec Millington ? Oui, à quoi bon ? me suis-je demandé. Pourquoi quelqu'un aurait-il envie d'entendre tous ces détails ?

Je connaissais la réponse : parce que Philip était le garçon dont tout le monde parlait en ce moment, et qu'il me serrait de près. Et il avait beau être l'un des hommes les plus arrogants que j'avais jamais rencontrés, il était ridicule de nier qu'il m'attirait – quand bien même cela était absurde.

— Il est mignon, n'est-ce pas ? ai-je dit.

— Hum, *ouais*. Je dirais même qu'on ne peut pas imaginer plus parfaite incarnation dans la vraie vie d'un héros d'Harlequin, a soupiré Courtney. Je crois que je vais m'inspirer de lui pour le héros de mon prochain roman.

— De Philip ? me suis-je étonnée.

J'avais du mal à me représenter un héros de roman sentimental se mettre en pétard pour cause de mauvais traitement infligé à ses draps, mais peut-être le genre avait-il besoin d'être remis au goût du jour pour le nouveau millénaire ? Courtney a agité un exemplaire de *Passion sauvage*, où trônait en couverture un bel homme baraqué ceint d'un pagne.

— Beth ! s'est-elle récriée. Il est grand, il est beau, il est riche, et en plus, il est étranger. Il est bien plus séduisant que Dominick, ce qui est un tour de force quand tu songes que Dominick a été *dessiné* pour être le modèle absolu en matière de séduction masculine.

Indéniablement, elle marquait un point : Philip incarnait l'idéal du héros romantique bien plus que n'importe quel homme que j'avais rencontré jusque-là – à condition de fermer les yeux sur les menus détails agaçants de sa personnalité.

J'ai été distraite tout le reste de la réunion. Allais-je croiser Philip, plus tard ? me demandais-je. Et si oui, qu'allait-il se passer ? Je me suis éclipsée de bonne heure et suis passée chez moi me changer avant de gagner le Duvet. Où, comme de bien entendu, la première personne que j'ai vue en entrant n'était autre que Philip Weston lui-même, qui m'a planté un baiser fugace mais prétendument enchanteur sur les lèvres.

— Beth, mon cœur, viens que je te présente quelques potes d'Angleterre.

Ça a été plus fort que moi : j'ai regardé par-dessus mon épaule. Je m'étais promis de redoubler de vigilance à l'égard des photographes. Mais je n'ai rien remarqué d'inhabituel, il n'y avait là que des masses de gens superbes en train de gigoter – comme d'hab'. Et j'ai observé à part moi que a) Philip était encore plus fictif que Dominick quand je l'avais en chair et en os sous les yeux et que b) Courtney avait raison – il était plus séduisant que lui.

— Salut. Je te retrouve dans une minute, d'accord ? Je dois voir Kelly et m'assurer que tout se passe bien.

— Bien sûr, mon cœur. Et si tu pouvais me rapporter un cocktail en même temps, ce serait génial !

Il a détalé rejoindre ses petits camarades, aussi content qu'un môme sur un terrain de jeu.

J'ai réussi à localiser Kelly afin de faire acte de présence, à demander à Leo et à Skye s'ils avaient besoin d'un coup de main, à saluer de loin Elisa qui se pelotait

197

avec Davide, à me présenter à deux clients potentiels et à rapporter un gin tonic à Philip – le tout en moins d'une heure. Sentant la douleur sourde qui me martelait les tempes depuis le matin s'aviver brusquement, j'ai compris que je ne pourrais pas faire de vieux os ce soir-là. Et comme Philip était occupé à distraire ses « potes », tant pis pour ce qui aurait pu éventuellement se passer avec lui, ai-je décidé. Je me suis discrètement éclipsée, et je suis arrivée chez moi à minuit et quart – avec quinze bonnes minutes d'avance sur mon timing. À minuit et demi, après avoir décidé que des rituels idiots tels que le brossage de dents et le démaquillage n'étaient pas indispensables, j'étais inconsciente. Lorsque le réveil a sonné, six heures et demie plus tard, je n'étais pas belle à voir.

J'ai attrapé les Cancans du Jour que venait de pondre mon fax avant de décamper, et je les ai lus dans le métro, tout en buvant un grand café et en dévorant un bagel cannelle-raisins. Sans réelle surprise, le premier extrait du jour provenait du New York Scoop et, une fois de plus, il y avait une énorme photo – un gros plan, en fait – de Philip en train de m'embrasser. On ne voyait que sa nuque mais l'objectif, en zoomant, avait surpris sur mon visage une sorte d'expression lointaine et rêveuse. On aurait dit que je le couvais d'un regard éperdu d'adoration. Ou noyé d'ivresse – tout reposait sur l'interprétation donnée à mes paupières mi-closes. J'aurais probablement dû m'y attendre, mais comme je n'avais pas remarqué la présence d'appareils photo, ce cliché pleine page m'a arraché un mouvement de recul. Quant au texte du jour, il était mémorable entre tous. Comme prédit, j'avais pris assez de galon pour n'être plus « l'amie de Philip », la « nouvelle recrue » ou « l' apprentie en RP » mais pour justifier de posséder une identité : là, sous la photo, juste au cas où il y aurait encore quelqu'un dans l'État de New York qui ignorait tout de mes faits et gestes, il y avait mon nom étalé en toutes lettres, et accompagné d'une légende : APPAREMMENT, ELLE EST LÀ POUR RESTER… BETTINA ROBINSON SAIT COMMENT S'Y PRENDRE POUR FAIRE LA FÊTE. J'ai aussitôt éprouvé un sentiment curieusement mêlé : j'étais à la fois embarrassée (d'avoir été vue dans un tel état), indignée (qu'on ose à ce point déformer la vérité), et triste, aussi, en réalisant que je n'avais plus du tout de vie privée.

Le trajet de la sortie du métro jusqu'au bureau m'a semblé durer des kilomètres, et surprendre la conversation de deux inconnues – « Comment elle s'appelle, déjà, la nouvelle nana de Philip ? » – n'a fait que le rendre plus pénible.

Sitôt que j'ai eu posé mon sac sur la grande table, toute l'équipe a fait cercle autour de moi.

— Je suppose que tout le monde est au courant, ai-je dit, sans m'adresser à personne en particulier, et en me laissant choir sur un fauteuil.

— Ce n'est rien que nous ne sachions déjà, a souligné Kelly, une pointe de déception dans la voix. Cela dit juste qu'un certain M. Weston est vu si souvent en compagnie d'une certaine Mlle Bettina Robinson que ce ne serait que justice que de les considérer comme un couple.

— Un couple ? ai-je répété, abasourdie.

La photo et la légende m'avaient tellement assommée que j'avais tout simplement oublié de lire les quelques lignes de texte qui les accompagnaient.

— Absolument. Et il écrit que, selon une source qui ne tient pas à dévoiler son identité, vous terminez presque toutes les nuits ensemble après avoir fait la fête dans des lieux branchés comme le Bungalow 8 ou le Marquee.

— Mais on ne sort pas ensemble !

— Beth, les photos sont là pour démontrer le contraire – Dieu merci ! s'est exclamée Kelly.

Non seulement ma vie professionnelle et ma vie privée étaient désormais inextricablement mêlées, mais elles étaient devenues, en plus, complètement dépendantes l'une de l'autre. N'importe quel imbécile aurait compris que c'étaient mes liens avec Philip qui m'avaient fait accepter au sein de l'équipe de Kelly avec une rapidité qui me donnait le tournis.

— *Sortir ensemble*… l'expression est un peu forte, ai-je souligné maladroitement.

Pourquoi personne ne comprenait-il donc ?

— Écoute, Beth, appelle ça comme tu veux, mais continue. Sais-tu que nous avons été engagés par Black-Berry uniquement parce que tu sors avec Philip Weston ?

Uniquement ? ai-je songé.

— Eh oui, surprise ! Nous avons eu un coup de fil de leur service de com' ce matin. Ils veulent que ce soit nous qui organisions la présentation de leur dernier modèle aux jeunes branchés new-yorkais, et c'est évident qu'ils nous ont choisis parce que tu as accès à ces gens-là. BlackBerry jouit naturellement déjà d'une immense notoriété dans les cercles de Wall Street, et à Hollywood, tous les gens qui comptent – autant que tous ceux qui comptent pour rien, ceci dit – en ont déjà un. Mais pour l'instant, la marque n'a pas fait de vrai carton auprès des plus jeunes. Nous allons nous employer de notre mieux à y remédier, cela va de soi. Et j'ai le plaisir de te nommer responsable de toute la logistique du projet. Tu ne reviendras vers moi que pour approbation finale.

— R… res… ponsable ?

— Leur chargée de com' nous a dit combien elle aimerait que tu prennes en main l'organisation de la soirée, avec Philip dans le rôle d'hôte d'honneur, donc tout semble s'emboîter à la perfection ! a conclu Kelly, jubilante.

Un détail crevait les yeux : elle était loin de se douter que Philip ne connaissait vraisemblablement *même pas* mon nom de famille.

— Skye te donnera un coup de main au besoin. (Il m'a suffi de couler un bref regard vers l'intéressée pour piger qu'elle n'était nullement enchantée par la nouvelle.) Et nous serons tous là pour te soutenir. La date est arrêtée au 22 novembre, soit le mardi avant Thanksgiving – ce qui signifie que tu dois t'y atteler immédiatement.

J'ai fait un petit calcul mental et découvert que je disposais de moins de trois semaines. Je l'ai fait remarquer.

— Oh, Beth, arrête de stresser ! a lancé Elisa en levant les yeux au ciel d'exaspération. Ce n'est pas la mer à boire. Tu trouves un lieu, des sponsors, tu commandes des invitations, tu consultes La Liste et tu lances le mailing. Une soirée avec Philip en hôte d'honneur sera automatiquement couverte par la presse. On ne peut pas dire que tu vas devoir te tuer à la tâche.

La réunion terminée, j'ai embarqué mon ordinateur et j'ai filé chez Starbucks, en proie à la panique. Je me suis même surprise à espérer que Philip provoque une sorte de quiproquo en n'acceptant de présider la soirée que si je couchais enfin avec lui... et immédiatement, je me suis trouvée pathétique.

Tout le monde tenait pour acquis que notre relation était déjà consommée, mais en réalité nous semblions, l'un comme l'autre, éviter soigneusement que cela se produise. Philip ne jouait les jolis cœurs qu'en présence d'objectifs, et s'il excellait dans les remarques suggestives, il ne leur donnait cependant jamais suite, et il semblait presque soulagé lorsque je le repoussais et le laissais systématiquement en plan à la fin de la soirée. Sans avoir eu le temps d'y réfléchir vraiment, je m'imaginais qu'il avait une relation top secrète avec une petite amie qu'il séquestrait à l'abri des regards, et que ça l'arrangeait de laisser croire à tout le monde que nous sortions ensemble. C'était vaguement insultant – je voulais qu'il *veuille* coucher avec moi – mais nous semblions liés comme par un accord tacite pour maintenir le présent arrangement.

J'étais en train de laisser un message à Amy Sacco, lui demandant si nous pouvions réserver le Bungalow pour la soirée Blackberry, quand j'ai eu un double appel – Penelope.

— Salut. Quoi de neuf ? Que me vaut un coup de fil en pleine journée ? Comment va Aaron ? Tu l'as croisé, dernièrement ?

— Sais-tu à quel point ma qualité de vie professionnelle s'est améliorée depuis ton départ ? Ne te vexe pas, mais ne plus entendre le mot « conciliabule », ça me console presque de ne plus t'avoir à côté. Comment va ton chéri ?

— Oh, mon petit ami, tu veux dire ? Il est tellement merveilleux.

— Raconte, a dit Penelope, avec un enthousiasme de pure composition.

Je savais que Philip lui sortait par les yeux, mais elle avait été assez charitable pour s'abstenir de commentaires – jusque-là.

— Voyons voir... Tout est tellement... féerique ! On sort dans des soirées fantastiques où il consacre au moins quelques minutes à bavarder avec moi, avant de flirter avec toutes les autres filles qui se trouvent là. Souvent, je suis autorisée à lui apporter son cocktail préféré – gin tonic, pour mémoire. Je le laisse m'embrasser pour le bénéfice des photographes présents, et puis nous rentrons chacun de notre côté. Pas de sexe, au fait. On n'a même pas repassé une nuit ensemble depuis la fois où j'ai fait un coma dans son lit, le soir de notre rencontre.

— Peut-être qu'il est fourbu d'épuisement sexuel, à force de coucher avec chaque mannequin, actrice ou mondaine qu'il rencontre à Londres, Los Angeles et New York ? C'est possible, tu sais.

— T'ai-je jamais dit combien tu étais pour moi une amie précieuse, Pen ? Non, vraiment – tu sais toujours trouver les mots justes.

Elle a éclaté de rire.

— Ouais, inutile de mettre les points sur les i et te dire qu'à mon avis, tu ne te rends pas justice. Mais ça suffit, parlons de moi, une seconde. J'ai quelque chose à te dire.

— Tu es enceinte et tu te sens coupable à l'idée de t'en débarrasser parce que tu es fiancée et assez grande pour assumer la responsabilité de tes actes ? ai-je aussitôt suggéré.

En l'entendant soupirer, j'ai deviné qu'elle levait les yeux au ciel.

— Tu es enceinte, et le bébé n'est pas d'Avery.

— Beth, a-t-elle dit d'une voix tendue qui m'a bien fait sentir que tout cela l'amusait moins que moi.

— Excuse-moi. Alors, que se passe-t-il ?

— Je m'en vais.

— Tu quoi ?

— Je m'en vais. Je me tire. Je me casse.

— Oh mon Dieu, c'est pas vrai !

— Si.

— C'est définitif ?

— Oui.

— Tu es sérieuse. Tu te casses ? Comme ça ? Et... ça va ?

Je faisais l'impossible pour contenir ma joie à l'idée

qu'elle n'allait finalement pas épouser ce crétin, d'autant que je me doutais qu'elle avait dû surprendre Avery en flagrant délit avec une autre fille – scénario dont j'avais depuis longtemps décidé qu'il était le seul susceptible de lui ouvrir les yeux. Ceci dit, à sa voix, elle ne paraissait pas effondrée. Peut-être savait-elle que c'était ce qui pouvait lui arriver de mieux ?

— Franchement, Beth, c'est totalement inattendu, mais je suis folle de joie. Cela faisait longtemps que j'en rêvais, et je suis superexcitée à l'idée de ce qui m'attend.

J'ai bu lentement une gorgée de café pour prendre le temps de réfléchir à cette nouvelle information.

— Tu ne serais pas aussi excitée si tu n'avais pas rencontré quelqu'un d'autre. C'est qui ? Je ne savais pas que ça chauffait entre Avery et toi – comment as-tu pu ne pas m'en parler ? ai-je ajouté d'une voix étranglée. Et les bagues ? Que vas-tu en faire ? L'étiquette veut que si c'est toi qui romps, tu les rendes. Oh mon Dieu ! Il ne t'a pas trompée, au moins ? ai-je ajouté, en feignant d'être horrifiée à cette seule idée. Si ce salaud...

— Beth ! Arrête ! Je ne quitte pas Avery ! Je quitte ce boulot ! a-t-elle sifflé entre ses dents, à mi-voix pour éviter d'être entendue par ses voisins de box.

Autant dire que j'étais sérieusement dans la mouise – et affreusement déçue.

— Tu quittes UBS ? C'est vrai ? Que s'est-il passé ?

— Je n'ai pour ainsi dire pas le choix. Avery a été accepté en fac de droit à UCLA, et on part s'installer là-bas. Il ne commence qu'en janvier, mais on préfère partir dès maintenant pour nous installer et prendre nos marques.

— UCLA ?

— Mm mm.

— Donc, ce n'est pas Avery que tu quittes, mais moi ? ai-je gémi.

Le scoop juteux (ma meilleure amie trompait son fiancé !) s'était transformé en trahison (ma meilleure amie partait s'installer à des milliers de kilomètres de New York).

— Je ne te quitte pas, a-t-elle soupiré. Je quitte ce boulot, cette ville, et je pars vivre en Californie. Pour trois ans sans doute, pas plus. Et on reviendra de temps en temps, évidemment. Et tu adoreras venir nous voir, en février, quand tu n'auras pas mis le nez dehors depuis quinze jours parce qu'il fait moins dix.

— Mais… on n'a pas de fac de droit, sur la côte Est ? Avery doit-il se montrer égoïste au point de t'exiler à l'autre bout du pays ?

— Beth, ferme-la et réjouis-toi pour moi. UCLA est une excellente fac, et par ailleurs, un petit changement d'air sera tout bénef pour moi. J'ai passé vingt-trois ans de ma vie ici, dans cette ville. J'y reviendrai, c'est indiscutable. Mais pour l'instant, je trouve le changement appréciable.

J'ai tout de même fini par comprendre qu'à titre d'amie, il était de mon devoir de lui exprimer mon soutien, même formulé avec des mots minables.

— Pen, excuse-moi. Mais je tombe des nues – tu ne m'avais même pas dit qu'il avait postulé à UCLA. Si tu es heureuse, je le suis aussi ! Et je te promets de faire tout ce qui est humainement possible pour ne plus penser aux mille et une façons dont ton départ va m'affecter. O.K. ?

— Il a déposé un dossier de candidature à la dernière minute, et jamais je n'aurais imaginé qu'il avait envie d'y aller. Et franchement, je ne m'inquiète pas trop pour toi. Tu as plein de nouveaux amis, et j'ai le sentiment que tu seras bien même sans moi…

Elle a laissé sa phrase en suspens, en s'efforçant de paraître détachée, et il était évident qu'elle ne pousserait pas plus loin le reproche sous-entendu dans ces mots. Au lieu de saisir la perche qu'elle me tendait et protester, j'ai dit, avec un enthousiasme forcé :

— Bon, il nous faut faire un grand dîner de départ.

— Comme tu t'en doutes, nos mères sont déjà en train de tout organiser. Comme on part bientôt, elles ont décidé que ce serait samedi, au Four Seasons. Tu seras là, n'est-ce pas ? Ce sera mortel, mais tu n'as pas le choix – tu es obligée de venir. (Elle s'est éclairci la voix.) Et naturellement, Philip est également le bienvenu.

— Pen ! Mais évidemment que je serai là ! Et compte sur moi pour vous épargner à tous la présence de Philip.

J'ai entendu le signal du double appel et j'ai vu s'afficher sur l'écran un numéro que je ne reconnaissais pas. J'ai décidé de répondre, au cas où ce serait un coup de fil lié à la soirée BlackBerry.

— Pen, je suis désolée, je dois prendre le double appel. Je peux te rappeler plus tard ?

— Pas de problème.

— À très vite. Et félicitations ! Si tu es heureuse, je le suis aussi. À contrecœur, évidemment. Mais heureuse tout de même.

J'ai intercepté le double appel avant qu'il ne bascule sur la messagerie.

— Puis-je parler à Beth ? s'est enquis une voix rêche.

— C'est moi.

— Bonjour, Beth, c'est Sammy, du bureau d'Amy Sacco. Je rappelle… à propos d'une date de réservation, c'est bien ça ?

Sammy ? N'était-ce pas le prénom du videur du Bungalow 8 ? Pouvait-il y avoir plusieurs Sammy qui travaillaient là ? Je ne savais pas que les videurs faisaient également office de secrétaires.

— Oui, bonjour, c'est bien ça, ai-je répondu de ma voix

la plus professionnelle – ceci dit, comme il ne connaissait très certainement pas mon prénom, il ne pouvait pas faire le lien avec la fille grincheuse et sans parapluie.

— Super. On a eu le message et Amy m'a chargé d'y donner suite parce qu'elle est en rendez-vous tout l'après-midi…

Le reste de sa phrase a été noyé sous un concert strident de sirènes.

— Excusez-moi, je n'ai pas entendu la fin de la phrase, ai-je hurlé. Il y a au moins huit camions de pompiers qui passent, avec les sirènes les plus bruyantes que j'aie jamais entendues.

— Je les entends aussi, et pas seulement à travers le téléphone. Où êtes-vous ?

— Au Starbucks, près de la Huitième et de Broadway. Pourquoi ?

— C'est marrant. Je suis juste en face. Je sortais de cours quand j'ai eu le message d'Amy. J'arrive tout de suite.

Il a raccroché. J'ai regardé fixement mon téléphone puis j'ai cherché d'une main fébrile mon tube de gloss et j'ai filé aux toilettes, qui naturellement étaient occupées. Et puis j'ai vu Sammy arriver, alors j'ai regagné ma table dare-dare et me suis rassise avant qu'il me repère.

Je ne disposais plus d'aucun moyen discret de me refaire une beauté car il me fallait mobiliser toute mon énergie pour faire semblant d'être à la fois superoccupée et totalement indifférente – autant dire mission impossible. Je sentais que je risquais de m'étrangler si je tentais de boire une gorgée de café, ou de lâcher mon téléphone si je faisais semblant d'être en pleine conversation. Alors je me suis contentée de fixer mon Filofax, avec tant d'intensité que j'ai bien cru qu'il allait prendre feu. Dans ma tête, j'ai procédé à une rapide revue d'ensemble de mes symptômes physiques : mains tremblantes, cœur emballé, bouche sèche. On ne pouvait pas rêver plus belle liste des meilleurs clichés. Pour qui se serait donné la peine d'établir le parallèle, j'étais exactement dans le même état que Lucinda avant son premier tête-à-tête avec Marcello, le héros de *La Tendre Caresse du Magnat*. Pour la toute première fois de mon existence, je ressentais des fourmillements de nervosité et d'impatience – exactement comme les héroïnes de mes romans. Une seule explication s'imposait : ce Sammy me plaisait bien – j'en étais peut-être même déjà raide dingue.

J'ai senti sa présence – une sorte de silhouette aux contours flous et tout de noir vêtue – avant même de relever la tête. Et qu'est-ce qu'il sentait bon ! Il embaumait le pain chaud, ou les biscuits sablés... Il a dû rester trente secondes planté comme ça devant moi, à m'observer dévorer des yeux mon Filofax, avant que je trouve le courage de relever la tête, juste au moment où il s'éclaircissait la voix.

— Salut.

— Salut, a-t-il répondu en frottant distraitement ce qui ressemblait à une tache de farine sur son pantalon noir.

Aussitôt qu'il a vu que je remarquais son geste, il a arrêté.

— Euh... Tu, euh... tu veux t'asseoir ? ai-je ânonné, en me demandant pourquoi j'étais totalement incapable d'articuler une phrase intelligible ou cohérente.

— Merci. Je... je me suis dit que c'était aussi bien qu'on discute de vive voix. Puisque j'étais, euh... à côté.

Bon. C'était rassurant de voir qu'il ne se débrouillait guère mieux que moi.

— Oui, tout à fait, ça tombe sous le sens. Tu as dit que tu sortais de cours. Un cours de quoi ? Pour apprendre à devenir barman ? J'ai toujours eu envie de faire ça !

(Voilà que maintenant je parlais pour ne rien dire, mais c'était plus fort que moi.) C'est vachement utile, que tu bosses ou pas dans un bar. Ce serait génial de savoir préparer un bon cocktail. Tu vois ?

Il a souri pour la première fois, un immense sourire à dix mille watts. J'ai bien cru que j'allais cesser de vivre si jamais il l'éteignait.

— Non, ce sont des cours de pâtisserie.

Un videur qui donne dans la pâtisserie à ses heures perdues – ça manquait un peu de cohérence, mais j'ai trouvé ça chouette qu'il s'intéresse à des trucs en dehors de son boulot. Après tout, excepté cette petite bouffée stimulante pour l'ego chaque soir lorsqu'il éconduisait les gens en se basant sur leur seule apparence, j'imaginais que sa vie devait être plutôt... terne.

— Ah oui ? C'est intéressant. Tu cuisines, pendant ton temps libre ? (Ma question était dictée par la seule politesse, et malheureusement, ça s'est entendu à ma voix, alors j'ai enchaîné :) Je veux dire, c'est ta passion, la cuisine ?

— Passion ? a-t-il répété avec un nouveau sourire. Je ne sais pas si j'emploierais ce mot-là, mais ouais, j'aime cuisiner. Et j'y suis obligé, pour le boulot.

Ohmondieu. Je n'en croyais pas mes oreilles : il m'appelait sur le terrain pour avoir prononcé un mot aussi ridicule que « passion » ?

— *Obligé* ? ai-je relevé, en ripostant avec un dédain qui n'était pas réellement prémédité. Excuse-moi, c'est pas ce que je voulais dire... Où cuisines-tu ?

— En fait, j'étudie pour devenir chef-cuisinier, a-t-il expliqué en évitant mon regard.

Fichtre. C'était là un nouveau développement qui ne manquait pas d'intérêt.

— Chef-cuisinier ? Ah bon ? Où ça ?

— Nulle part pour l'instant. J'ai déjà un diplôme de

l'École hôtelière, mais je suis quelques cours du soir. De pâtisserie, par exemple, a-t-il ajouté en riant.

— Mais comment as-tu atterri là-dedans ?

— Un peu par hasard. Mis à part des omelettes, je ne cuisinais pas beaucoup. Quand j'étais encore au lycée, j'ai passé un été à Ithaca avec un copain et j'ai bossé comme serveur au Statler Hotel, sur le campus de Cornell. Un jour, le directeur m'a surpris en train de resservir du café à un client en tenant la cafetière à plus d'un mètre au-dessus de la table. Il a halluciné – il avait adoré. Il m'a convaincu de poser ma candidature dans leur centre de formation, il m'a obtenu quelques bourses et j'ai bossé tout le temps de mes études – garçon de salle, serveur, responsable de nuit, barman, j'ai tout fait. Une fois que j'ai eu mon diplôme, il m'a décroché un stage d'apprentissage d'un an en France, dans un restau étoilé. Il s'est occupé de tout.

J'avais vaguement conscience d'avoir la bouche béante d'une façon peu séduisante. Heureusement, Sammy a eu la gentillesse de m'aider à me reprendre.

— Tu te demandes sans doute pourquoi je bosse comme portier au Bungalow, pas vrai ?

— Non, non, pas du tout. Tant que ça te convient. C'est… comment dire ? Une autre facette de l'industrie de l'hospitalité.

— Je travaille dur pour l'instant. J'ai bossé dans tous les restaus possibles et imaginables de la ville. (Il a éclaté de rire.) Mais le jeu en vaudra la chandelle quand j'ouvrirai enfin un endroit bien à moi. Et avec un peu de chance, ce sera plus tôt que tard.

Sans doute devais-je encore une fois avoir l'air hébétée parce qu'il a éclaté de rire.

— Bon, c'est évident que la première et principale raison, c'est le fric. En fait, tu peux gagner pas mal ta vie, en faisant un peu de boulot de sécurité, et le barman de temps à autre. J'ai plein de plans comme ça.

Ça m'empêche de sortir le soir et de dépenser ce que je gagne, alors je m'y tiens. Tout le monde dit que c'est un sacré truc d'ouvrir un restau dans cette ville. Et on m'a prévenu que c'est primordial de bien connaître l'arène sociale – ça va de savoir qui couche avec qui, à qui compte vraiment ou qui se la raconte. Non pas que ça m'intéresse, mais comme je ne fréquente pas ce monde-là, c'est le meilleur moyen pour observer ces spécimens dans leur environnement naturel. Oups ! (Il a plaqué la main sur sa bouche et m'a dévisagée.) Écoute, je n'aurais pas dû dire tout ça. Je ne voulais pas t'offenser, ni dénigrer tes amis, c'est juste que…

C'était de l'amour. Un amour dévorant. Bouleversant. Je n'avais qu'une envie : attraper son visage entre mes mains et l'embrasser à pleine bouche… il avait l'air tellement horrifié par sa gaffe.

— Inutile d'ajouter quoi que ce soit. (J'ai avancé ma main vers la sienne pour le rassurer, mais comme je me suis dégonflée au dernier moment, mes doigts sont restés bizarrement en suspension au-dessus de la table. Lucinda, elle, aurait eu le cran de mener son geste à bon port – mais il fallait croire que moi, je ne l'avais pas.) C'est super, ce que tu fais. Tu dois voir des scènes qui dépassent l'imagination, tous les soirs, non ? Des trucs ridicules, pas vrai ?

C'était pile ce qu'il avait besoin d'entendre.

— Si tu savais… C'est invraisemblable. Tous ces gens blindés de thunes et de temps libre, et qui sont là, à me supplier de les laisser entrer. À croire que c'est le truc qui compte pour eux.

Nos regards se sont croisés.

— Tu dois te marrer, tout de même, non ? Tous ces gens qui en font des tartines pour se montrer gentils avec toi, ai-je observé, trop distraite par son regard pour garder les idées claires.

— Arrête, Beth, nous savons toi et moi que c'est pas vraiment comme ça. Ils me cirent les pompes parce qu'ils ont besoin de moi, pas parce qu'ils savent qui je suis, ou comment je suis. Je n'ai droit qu'à un créneau très étroit de respect et de courtoisie – en clair, le laps de temps entre le moment où ils arrivent dans la queue et celui où ils franchissent la porte. Et ils ne se souviendraient même pas de mon nom s'ils me voyaient ailleurs que derrière un cordon de velours.

Son visage s'est de nouveau assombri. Il a froncé les sourcils et son front s'est chiffonné, ce qui ne faisait que le rendre plus mignon. Quand il a soupiré, ça m'a donné curieusement envie de le serrer dans mes bras pour le réconforter.

— Je parle trop, a-t-il repris. Oublie tout ce que je viens de dire. Je ne prends pas ce job au sérieux, alors à quoi bon en faire tout un plat, comme si ça comptait vraiment ? C'est rien qu'un moyen d'arriver à mes fins, et je suis capable de le supporter.

Je n'avais qu'un désir : qu'il continue à parler, à raconter n'importe quoi sur n'importe qui pour me laisser contempler son visage parfait, observer les mouvements de ses lèvres, de ses mains. Mais non, il avait terminé. Je m'apprêtais à lui dire que je comprenais parfaitement ses sentiments, que je n'avais jamais réfléchi à tout ça sous cet angle-là, quand il m'a coupée dans mon élan, avec un sourire si doux que j'ai dû faire un effort pour me souvenir de respirer :

— C'est sans doute parce que c'est facile de parler avec toi. Je te serais reconnaissant de garder tout ça pour toi, de ne pas le répéter à tes collègues. Pour moi, c'est plus simple que personne ne soit au courant… Tu vois ce que je veux dire ?

Je ne voyais que trop bien. La vie était bien plus simple, quand personne ne savait qui vous étiez, d'où vous veniez, où vous alliez. Quand personne ne s'acharnait à vouloir déterminer dans quelle catégorie il fallait vous ranger – celle des gens « utiles à connaître » ? ou celle des gens qu'il est « prudent de ne pas connaître » ? Oui, tout était tellement plus simple, quand personne n'essayait de placer ses propres billes, ou de manipuler la situation à son profit ou encore, lentement mais sûrement, de saper votre assurance, parce que ça les rassurait sur leur propre compte. À la différence de Will qui plaisantait lorsqu'il disait « Ce qu'on ne peut obtenir, il faut le discréditer », la majorité de cette clique prenait l'axiome au pied de la lettre. Alors oui, je comprenais très, très bien.

— Bien sûr. Je comprends parfaitement. Je... Je trouve que c'est super, tout ce que tu fais.

Encore un sourire aveuglant. Ah ! J'ai essayé de trouver autre chose à lui dire, n'importe quoi qui me vaudrait un autre de ces sourires, mais l'un de nous s'est finalement souvenu que nous étions là pour discuter boulot.

— Je vais chercher un café et on va parler des détails. Tu veux autre chose ?

S'il avait eu un instant de vulnérabilité, il s'était maintenant entièrement repris.

J'ai désigné ma tasse et secoué la tête. J'ai observé la nana, derrière le comptoir, lui offrir un sourire qui signifiait sans ambages « Quand tu veux ! ». De tout le temps qu'il est resté au comptoir, je n'ai pas battu une seule fois des paupières, et je crois bien que j'ai lâché un soupir audible quand il s'est enfin rassis à côté de moi.

— Bon, assez de confidences pour aujourd'hui. On s'occupe de cette soirée ?

Il s'est passé la main dans les cheveux – un geste que j'aurais juré l'avoir vu faire des milliers de fois. J'ai bu une gorgée de café et je me suis concentrée pour affecter un air décontracté mais pro.

— Tout à fait. On commence par quoi ?

— Tu as dit qu'il y aurait combien d'invités ?

— Je ne sais pas encore exactement, je n'ai pas finalisé la liste… (En vérité, je ne l'avais même pas commencée, mais ça, il n'avait pas besoin de le savoir.) … mais à mon avis, ça tournera autour de deux cents personnes.

— Est-ce que Kelly & Co. fournit le personnel d'intendance, ou aurez-vous besoin du nôtre ?

Encore un point auquel je n'avais pas réfléchi. J'ai essayé de me remémorer les soirées auxquelles j'avais assisté pour concocter une réponse semi-correcte.

— J'aurais forcément quelques sponsors, donc je pense qu'on s'occupe des alcools, mais qu'on aura besoin de vos barmans. Je suppose qu'on se reposera aussi sur vos euh… votre…

— Service de sécurité ? a-t-il proposé gentiment, sans doute parce qu'il sentait ma réticence à prononcer le mot *videur*.

— Oui, c'est ça. Mais ça reste à vérifier, cependant.

— Pas de problème. Pour l'instant, nous n'avons que le Lot 61 de disponible ce soir-là, mais Amy voudra peut-être modifier le planning. Qui sera l'hôte d'honneur ?

— Oh… un type qui s'appelle Philip Weston. C'est… c'est…

— Je le connais. C'est ton petit ami, c'est ça ? Je vous ai souvent vus ensemble ces derniers temps. Ouais, je suis sûr qu'Amy sera emballée par le projet, alors à ta place, je serais sans inquiétude, le Bungalow sera libre ce…

— Non, non ! Ce n'est pas mon petit ami. Tu te trompes complètement. En fait, c'est juste un mec bizarre que je connais comme ça…

— C'est pas mes oignons. Ce mec m'a toujours fait l'effet d'un sacré connard, mais pour ce que j'en dis…

Était-ce de l'amertume que je décelais – ou voulais déceler – dans sa voix ?

— Tu as raison, ce ne sont pas tes oignons, ai-je renchéri d'un ton si pudique qu'il a eu un mouvement de recul.

On s'est dévisagés un instant puis il a détourné les yeux, a bu une autre gorgée de café et a commencé à rassembler ses affaires.

— Bon, c'était sympa, tout ça. Je vois avec Amy et je te tiens au courant. Mais à mon avis, il n'y aura pas de problème. Comme je disais, qui ne sauterait pas sur la chance de laisser Mr. l'Aristo Anglais présider une soirée dans sa boîte ? Il va falloir qu'il commence les UV dès à présent s'il veut être assez noir en temps voulu.

— Merci de t'en soucier, je n'oublierai pas de passer le message. Et entre-temps, amuse-toi bien avec la pâte feuilletée. Je verrai les détails de l'organisation par moi-même ou directement avec Amy – j'adore tes agressions verbales, mais je n'ai pas vraiment de temps à y consacrer pour l'instant.

Je me suis levée, avec le maximum de stabilité dont j'étais capable, et je me suis dirigée vers la sortie. Comment, *comment* la situation avait-elle pu dégénérer à ce point en si peu de temps ? Je m'apprêtais à ouvrir la porte quand j'ai entendu :

— Beth !

Il est désolé, ai-je aussitôt pensé. *Il a eu une longue journée, il est sous pression ces derniers temps, il n'a pas assez dormi, il n'avait pas l'intention d'être désagréable. Ou alors, il est si férocement, si follement jaloux de Philip qu'il ne peut pas se retenir de faire des réflexions désagréables. À moins que ce ne soit une combinaison de tout...* Dans un cas comme dans l'autre, je lui pardonnerais évidemment lorsqu'il irait se précipiter vers moi, se répandre en excuses, implorer mon pardon, me supplier de le comprendre.

Je me suis retournée. Sammy agitait quelque chose à

bout de bras. Mon téléphone. Qui bien, naturellement, s'est mis à sonner avant que j'aie eu le temps de rebrousser chemin. Sammy a regardé l'écran. J'ai vu ses traits se crisper.

— Quelle coïncidence, a-t-il dit avec un sourire forcé. Quand on parle du loup… Veux-tu que je prenne le message ? Ne t'inquiète pas, je lui dirai qu'on est dans un jet, qu'on rentre de Cannes – pas qu'on boit au café au Starbucks. Promis.

— Donne-moi ça ! ai-je lancé d'une voix cassante.

Je me serais giflée d'avoir enregistré le numéro de Philip dans mon répertoire. Je lui ai arraché le téléphone des mains – en remarquant au passage combien sa peau avait un toucher agréable –, j'ai fait taire la sonnerie et j'ai fourré le téléphone dans mon sac.

— Ne te prive pas de répondre à cause de moi.

— Je me garderai bien de faire quoi que ce soit à cause de toi, ai-je riposté.

Avant de pousser la porte avec une énergie furieuse, je me suis tout de même retournée, et j'ai vu Sammy qui m'observait en secouant la tête. *Ce n'est pas exactement ainsi que la scène se serait passée dans* La Tendre Caresse du Magnat, ai-je songé avec un léger remords. Pour me remonter un peu le moral, j'ai rationalisé : toute nouvelle relation – même dans un roman – devait, à ses débuts, surmonter des obstacles. Il n'y avait donc pas lieu de perdre espoir en ce qui concernait celle-ci. Pas encore.

13

Après cette rencontre, le reste de la journée a filé comme dans une brume. J'étais obsédée tantôt par mon étrange altercation avec Sammy, tantôt par l'annonce du déménagement de Penelope. Combiné au fait que la responsabilité d'une soirée programmée à deux semaines et demie de là reposait sur mes seules épaules, tout ça me donnait envie de me pelotonner avec Millington et de regarder *Quand Harry rencontre Sally* en boucle. Quand je suis arrivée devant chez moi, j'étais lessivée, et guère d'humeur à bavarder. Bien évidemment, tandis que j'attendais l'ascenseur, Seamus, le gardien aimable mais volubile de l'immeuble, s'est brusquement matérialisé à côté de moi.

— Bonne journée ? s'est-il enquis avec un sourire tout en dents.

— M… ouais, ça peut aller. Et vous ?

— « Ça peut aller » ? C'est tout ? Ce n'est pas comme ça qu'on parle d'une bonne journée !

Dégageais-je des ondes qui incitaient les gens à venir me parler ? me suis-je inquiétée.

— Sans doute, mais dire que j'ai passé une bonne journée serait exagéré. Elle était correcte, sans plus, ai-je développé, en me demandant s'il ne serait pas préférable de grimper mes treize étages à pied plutôt que d'attendre l'ascenseur et endurer les bavardages de Seamus.

— Eh bien, j'ai dans l'idée que tout va s'arranger, m'a t-il répondu avec un clin d'œil.

— Mm, vraiment ? ai-je fait, l'œil rivé à ces maudites portes qui tardaient à s'ouvrir. Ce serait bien…

— Oui, je prédis avec certitude que votre journée va significativement s'améliorer dans les prochaines minutes.

Il avait l'air si sûr de lui que j'ai fini par le regarder.

— Y a-t-il quelque chose que je devrais savoir ? Quelqu'un m'attend ? ai-je demandé, mi-épouvantée, mi-curieuse.

Qui pouvait bien faire le pied de grue devant ma porte en attendant mon retour ?

— Ah, j'en ai déjà trop dit ! a chantonné Seamus en touchant du doigt sa casquette. Faut que je regagne mon poste.

J'ai compris de quoi il retournait sitôt que je suis sortie de l'ascenseur. Posé contre ma porte estampillée du numéro de chance 1313, se trouvait le plus somptueux bouquet que j'aie jamais vu. J'ai immédiatement pensé que c'était une erreur, qu'il était destiné à quelqu'un d'autre, mais en approchant, j'ai vu mon nom écrit sur l'enveloppe glissée sous le papier cellophane. Ayant accepté l'idée que ce n'était pas un pépin de livraison, une seconde pensée s'est présentée aussitôt : les fleurs émanaient de Sammy. Il avait réfléchi et désirait s'excuser de son comportement. Je le savais ! Il n'avait rien d'un sale type, et un bouquet était une façon gentille, élégante, de garder le contact, de me signifier combien il était désolé. *Moi aussi, je suis désolée*, ai-je dit *in petto* aux fleurs. *J'ignore pourquoi j'ai été aussi désagréable et caustique, d'autant que depuis, je n'ai pas cessé une seule minute de penser à toi. Oui ! J'adorerais dîner avec toi, et passer l'éponge sur toute cette conversation stupide. Et si tu veux tout savoir, je commence déjà à voir en toi le père de mes futurs enfants. Donc, on ferait mieux de faire plus ample connaissance. Nos gamins ne se lasseront pas d'entendre comment notre histoire d'amour de toute une vie a débuté par une dispute et un bouquet de réconciliation ! C'est d'un romantisme presque insoutenable ! Oui, mon chéri, oui ! Je te pardonne et je m'excuse, des centaines de fois, et je sais que ce petit différent ne nous rendra que plus forts !*

J'ai soulevé le bouquet et déverrouillé la porte dans un tel état de ravissement que j'ai à peine prêté attention à Millington, qui venait s'enrouler autour de mes chevilles. Les fleurs étaient un accessoire clé des romans sentimentaux, et le fait que celui-ci soit de premier ordre ajoutait au merveilleux de la surprise. Le bouquet se composait de trois douzaines de roses pourpres, rose vif et blanches, serrées dans un petit vase rond rempli de minuscules galets en verre scintillant, et il était entièrement dépourvu d'accessoires décoratifs – rubans, nœuds ou affreuses verdures de remplissage. Tout en lui criait la simplicité élégante, et très, très chère. La carte elle non plus – un épais vélin crème – n'avait rien d'ordinaire. J'ai déchiré l'enveloppe avec empressement, j'ai lu la signature, et là, j'ai bien failli m'évanouir.

Poupée, je suis à fond partant pour présider la soirée BlackBerry ! On va en faire la soirée la plus classe de l'année. Tu es géniale ! Gros baiser ! Philip.

Quoi !? J'avais tellement de mal à en croire mes yeux que j'ai relu ces quelques mots une douzaine de fois pour m'assurer que mon cerveau traitait correctement les informations. Comment Philip connaissait-il mon adresse ? Plus important : où était Sammy, avec sa déclaration d'amour éternel ? J'ai lancé la carte à l'autre bout de la pièce, j'ai abandonné les fleurs sur le comptoir de la cuisine et je me suis laissée choir sur le canapé dans un grand mouvement théâtral. Quelques secondes plus tard, mon portable et mon fixe se sont mis à sonner en même temps. Je me suis précipitée pour voir qui appelait, et ma déception n'a fait que s'accroître : c'était Elisa sur le portable, et Will sur le fixe. Pas de Sammy.

J'ai décroché le portable. Sans lui laisser le temps de dire un mot, j'ai prié Elisa de ne pas raccrocher, puis j'ai décroché le fixe.

— Bonsoir, Will.

— Tout va bien, ma chérie ? Tu es en retard, et Simon et moi étions inquiets à l'idée que tu puisses ruminer seule dans ton coin cette contrariante petite humiliation publique. Nous t'avons trouvée superbe, sur cette photo du New York Scoop ! Bourrons-nous la gueule tous ensemble ! Tu arrives bientôt ?

Meeeeeerde ! Le dîner. J'avais complètement zappé. Depuis mon installation à New York, je dînais tous les jeudis soir chez mon oncle mais ces dernières semaines, j'avais systématiquement décommandé pour assister à des événements organisés par Kelly.

— Will ! Désolée. Je sors à peine du bureau et j'ai fait un saut chez moi pour nourrir Millington. Je repars immédiatement.

— Bien sûr, ma chérie, bien sûr. Si tu n'as rien de mieux à proposer, je me contenterai de cette excuse, mais ce soir, je ne vais pas te lâcher. On te voit bientôt, n'est-ce pas ?

— Oui, oui, j'arrive.

J'ai raccroché sans même lui dire au revoir et j'ai repris mon portable.

— Elisa, désolée, mon oncle appelait en même temps et…

— Beth! Tu ne devineras jamais! J'ai une nouvelle sensationnelle. Tu es assise? Ohmondieu, c'est super-excitant!

S'il me fallait encaisser une autre annonce de fiançailles, ce serait au-dessus de mes forces. Je me suis enfoncée dans les coussins et j'ai attendu patiemment la suite – je savais qu'Elisa ne me laisserait pas mariner longtemps.

— Tu n'imagineras jamais à qui je viens de parler! (Elle a marqué une pause – qui indiquait clairement qu'elle attendait une réponse, mais je n'ai pas réussi à rassembler assez d'énergie pour l'obliger.) À ton célibataire préféré et dont le cœur n'est plus à prendre – le sublime Philip Weston! Ni plus ni moins! Il a appelé pour inviter toute l'équipe à une fête, et il se trouve que c'est moi qui ai décroché – oh, Beth, ne m'en veux pas! Tu vois, je n'ai pas pu résister – je lui ai demandé s'il acceptait de présider notre soirée Blackberry. Et il m'a répondu qu'il adorerait! a-t-elle ajouté, d'une voix qui, à ce stade, me transperçait les tympans.

— Ah bon? ai-je lâché, en feignant la surprise. C'est super. Non, je ne t'en veux pas, évidemment; ça m'épargne d'avoir à le lui demander moi-même. Et… tu as eu l'impression que ça l'excitait? Ou qu'il a juste accepté comme ça?

Je me fichais un peu de la réponse, mais je n'avais rien trouvé de mieux à dire.

— Bon… Techniquement parlant, je ne lui ai pas parlé en personne, mais oui, je suis certaine que ça l'excite.

— Comment ça, « techniquement parlant »? Tu viens de me dire qu'il avait appelé et…

— J'ai dit ça? Oups! (Elle a gloussé.) Je me suis mal exprimée. En fait, c'est son *assistante* qui a appelé. J'ai tout vu avec elle, et elle a dit que Philip, naturellement, serait ravi. C'est pareil, Beth ! Ne t'inquiète pas. C'est génial, non ?

— Tu as sans doute raison parce qu'il vient de m'envoyer un bouquet avec une carte disant qu'il est OK, donc on dirait que tout roule.

— Ooooooooohmondieu ! Philip Weston t'envoie des fleurs ? Beth ! Mais il doit être amoureux. Ce garçon est vraiment incroyable.

J'ai entendu un long soupir.

— Ouais, bon, faut que je file, Elisa. Mais merci d'avoir tout arrangé. J'apprécie vraiment.

— Où files-tu ? Vous avez rencard tous les deux ?

— Non, je vais juste dîner chez mon oncle et ensuite dodo. Je ne me suis pas couchée une seule fois avant deux heures du matin depuis que j'ai commencé ce boulot, et je suis prête à…

— Je sais ! C'est tout de même énorme, non ? T'en connais beaucoup, des boulots où il faut sortir et faire la fête toute la nuit ? On a une chance folle.

Un autre soupir, suivi d'un silence qui nous a laissé, à l'une et l'autre, le temps de méditer cette vérité.

— Oui, tout à fait. Merci encore, Elisa. Amuse-toi bien, ce soir.

— Comme toujours, a-t-elle répondu d'une voix enjouée. Et… Beth ? Tu sais, tu as peut-être obtenu ce boulot par piston grâce à ton oncle, mais jusque-là, je trouve que tu te débrouilles superbien.

Ouch. Ça, c'était du Elisa tout craché : un compliment équivoque déguisé en une appréciation positive dictée par un élan du cœur. Mais j'étais vraiment trop à plat pour prendre la mouche.

— C'est vrai ? Merci, Elisa. Ça veut dire beaucoup pour moi.

— C'est la vérité, a-t-elle insisté. Tu sors avec Philip

Weston et tu es responsable de A à Z d'une soirée. Moi, ça m'a pris presque un an pour en arriver à ce stade.

— Quel stade ? Le premier ou le second ?

— Les deux.

On a éclaté de rire et je me suis empressée de raccrocher avant qu'elle n'insiste pour m'entraîner dans une quelconque fête. L'espace de ce très bref moment, j'avais eu le sentiment de parler à une amie.

J'ai gratifié Millington d'une rapide grattouille, j'ai enfilé en quatrième vitesse un jean et un blazer, j'ai décoché un dernier coup d'œil amer au bouquet et j'ai foncé me mettre en quête d'un taxi. À mon arrivée, Simon et Will étaient en train de se chamailler dans le bureau. En attendant que l'orage passe, j'ai patienté dans l'entrée sur le banc en granit, au-dessous d'un Warhol bariolé que nous avions étudié en cours d'histoire de l'art sans que cela me laisse le moindre souvenir.

— Ça me dépasse que tu puisses l'inviter chez nous ! était en train de s'indigner Simon.

— Ce qui m'échappe, personnellement, c'est ce qui te dépasse là-dedans. C'est mon ami, il est de passage en ville, et ce serait grossier de ne pas le recevoir, lui a répliqué Will, qui ne semblait pas le moins du monde ébranlé.

— Will, il déteste les gays ! Il les hait ! C'est même son fonds de commerce, de les haïr. Il est *payé* pour ça. Et nous sommes gays. Est-ce si difficile à comprendre ?

— Bah, ce n'est qu'un détail, mon chéri. Un simple détail. Nous proférons tous en public des choses que nous ne pensons pas vraiment pour générer un peu de polémique – c'est bon pour la carrière. Ça ne signifie pas que nous le pensons vraiment. Diable ! Pas plus tard que la semaine dernière, dans ma chronique, j'ai écrit dans un instant de faiblesse – ou d'hallucination, peut-être – un commentaire flatteur au sujet du rap. Que le rap était une forme d'art *sui generis* – ou quelque ânerie du même acabit. Franchement, Simon, tu crois que quelqu'un va croire que je le pense? C'est exactement la même chose pour Rush! Sa haine affichée des Juifs, des gays et des Noirs n'est là que pour faire monter les indices d'écoute; cela ne reflète en rien ses opinions personnelles.

— Ta naïveté me sidère, Will. J'en ai assez supporté.

J'ai entendu une porte claquer, un long soupir à fendre l'âme, et un tintement de glaçons. C'était le moment.

— Beth! Ma chérie! Je ne t'ai même pas entendue entrer. As-tu eu la chance d'assister à notre dernière prise de bec?

J'ai embrassé sa joue rasée de frais et je me suis perchée comme d'habitude sur le fauteuil vert pomme.

— Tout à fait. Will, tu as vraiment invité Rush Limbaugh ici? ai-je demandé, un peu incrédule, mais pas surprise outre mesure.

— Oui. J'ai été reçu chez lui une demi-douzaine de fois au fil des années et c'est un type parfaitement fréquentable. Naturellement, je n'avais pas conscience qu'il était gavé d'antidépresseurs au cours de ces soirées, mais quelque part, ça ne le rend que plus attachant. Bien, a-t-il ajouté après avoir pris une longue inspiration. Quoi de neuf dans ta vie fabuleuse? Raconte-moi tout.

Cela m'épatait sans cesse de voir comment Will prenait toujours tout avec décontraction. Je me souviens de ma mère m'expliquant, quand j'étais enfant, qu'Oncle Will était gay et que Simon était son petit ami, et que tant que deux personnes étaient heureuses ensemble, des considérations telles que le genre, la race ou la religion n'entraient pas en ligne de compte. (Cela ne s'appliquait pas, il allait sans dire, au fait que je puisse envisager d'épouser un goy. Mes parents étaient la tolérance incarnée à l'égard de tout le monde, sauf de leur fille.) Quelques semaines plus tard, Will et Simon étaient venus nous rendre visite à Poughkeepsie, et alors que nous étions à table en train de nous étouffer avec de pleines poignées de graines germées et d'inépuisables rations de dahl de lentilles, j'avais demandé de ma gentille voix de môme de dix ans :

— Oncle Will, c'est comment d'être gay ?

L'interpellé avait haussé les sourcils à l'intention de mes parents, coulé un regard vers Simon, puis il m'avait regardée droit dans les yeux.

— Eh bien, ma puce, c'est plutôt agréable, je dois dire. J'ai connu des femmes, évidemment, mais j'ai vite réalisé… que je n'étais pas fait pour ça – si tu vois ce que je veux dire.

Je ne voyais absolument pas, mais je me régalais, en revanche, du spectacle qu'offraient les visages contrariés de mes parents.

— Simon et toi vous dormez dans le même lit comme papa et maman ? avais-je insisté, la bouche en cœur.

— Tout à fait, ma chérie. Nous sommes exactement comme tes parents. Tout en étant différents. (Il avait bu une gorgée de whisky que mes parents gardaient sous la main pour ses visites et avait souri à Simon.) Nous sommes exactement comme n'importe quel couple marié. On se dispute, on se réconcilie, et je n'ai pas peur de lui dire que même lui ne peut pas se balader en pantalon de lin blanc avant la fin mai. Rien n'est différent.

— Bien, c'était une conversation éclairante, n'est-ce pas ? (Mon père s'était éclairci la voix.) Ce qu'il importe de te rappeler, Beth, c'est de toujours traiter tout le monde sur un pied d'égalité, quelque différents de toi que puissent être les gens.

La baaaaarbe ! Pour couper court à tout risque d'exposé théorique, j'avais posé une dernière question :

— Quand as-tu découvert que tu étais gay, Oncle Will ?

Il avait rebu une gorgée de whisky avant de répondre.

— Quand j'étais à l'armée, je crois. Un matin, au réveil, j'ai pris conscience que je couchais depuis quelque temps déjà avec mon supérieur, avait-il répondu d'un air dégagé. Oui, en y pensant bien, c'est ça qui m'a mis la puce à l'oreille.

Le sens des termes « coucher avec » et « supérieur » n'était encore pas bien clair dans mon esprit, mais il m'avait suffi de remarquer comment mon père avait retenu son souffle, et comment ma mère avait écorché Will du regard. Quand j'avais redemandé à mon oncle, des années plus tard, si c'était réellement à ce moment-là qu'il avait découvert qu'il préférait les hommes, il avait éclaté de rire.

— Oh, je ne suis pas certain de l'avoir découvert cette fois-là, ma chérie. Mais il aurait été inconvenant de mentionner les fois précédentes à table.

Will s'est mis à siroter paisiblement son martini en attendant le compte rendu exhaustif des nouveautés et améliorations survenues dans ma vie. Mais avant que je puisse concocter quelque chose à lui mettre sous la dent, il a repris :

— Je suppose que tu as reçu l'invitation de tes parents pour la Fête des Moissons.

— Oh oui, ai-je soupiré.

Chaque année, pour célébrer Thanksgiving entre amis, mes parents organisaient la Fête des Moissons dans leur arrière-cour. Elle tombait invariablement un jeudi, et ils ne servaient jamais de dinde. Ma mère avait appelé quelques jours plus tôt, et après s'être poliment enquise des détails relatifs à mon nouvel emploi – qui, à ses yeux, n'était guère plus reluisant que celui qui consistait à rembourrer les coffres d'une banque

– elle m'avait rappelé que la date de la fête approchait et qu'elle comptait sur moi. Will et Simon répondaient systématiquement présents lors de l'invitation, pour se décommander invariablement à la dernière minute.

— Je suppose qu'on partira tous les trois ensemble mercredi quand tu sors du bureau, a dit Will – ce qui m'a fait lever les yeux au ciel. Comment ça se passe, à ce propos ? À en croire ce que je lis, on dirait que tu t'es... jetée à corps perdu dans ta mission.

Il n'a pas souri, mais des étincelles ont crépité dans ses yeux. Je lui ai assené un petit coup dans l'épaule.

— Mmm... tu veux sans doute parler de cette nouvelle petite mention dans New York Scoop ? Pourquoi en ont-ils après moi ? ai-je soupiré.

— Ils en ont après tout le monde, ma chérie. Quand tu es chroniqueur et que ton seul mandat est de faire savoir à la Terre entière ce qu'on mange à la cafétéria de Condé Nast, rien ne devrait vraiment te surprendre. Tu as lu la dernière ?

— Tu veux dire qu'il y en a eu une autre ? ai-je demandé, en sentant s'installer aussitôt cette angoisse devenue familière.

— J'en ai bien peur, ma chérie. Mon assistante me l'a faxée il y a une heure.

— C'est épouvantable ? ai-je demandé, tout en ne voulant pas connaître la réponse.

— Disons que ce n'est pas vraiment flatteur. Ni pour toi, ni pour moi.

Mon estomac a fait une pirouette.

— Bon sang ! Je peux comprendre qu'ils s'intéressent à Philip, mais je ne comprends pas pourquoi je suis dans leur ligne de mire, et je ne peux rien faire pour les dissuader. Et maintenant, ils s'en prennent aussi à toi ?

— Je suis assez grand pour m'en débrouiller, ma chérie. Tout ça ne m'enchante pas, mais ça ira. En ce qui te concerne, tu as raison. Tu ne peux pas faire grand-chose, mais si je peux me permettre un conseil, évite les comportements inconsidérés en public – du moins lorsque tu es en compagnie de ce monsieur. Mais je ne te dis rien que tu ne saches déjà.

J'ai hoché la tête.

— Mais ma vie n'est pas assez intéressante pour mériter qu'on la chronique ! C'est ça qui me dépasse ! Je ne suis personne. Je bosse, je sors parce qu'il le faut, et tout d'un coup, mes faits et gestes sont jetés en pâture au public !

— Pas les tiens – les *siens*, a rectifié Will en tripotant distraitement à son doigt l'anneau de platine que Simon appelait une « alliance » et que lui surnommait « l'assurance retraite de Simon ».

— Tu as raison. Mais c'est à croire qu'il me suit à la trace. Il est omniprésent. Et c'est une situation tellement bizarre.

— Comment ça ?

— Eh bien… Sans vraiment apprécier Philip en tant que personne…, ai-je commencé.

— Ma chérie ! Que cela ne t'empêche jamais de sortir avec quelqu'un ! S'il nous fallait « apprécier la personne » pour coucher avec quelqu'un, on serait tous dans une sacrée panade.

— Oui, mais justement, l'autre point, c'est que je ne couche pas avec lui. Ou plutôt, qu'il ne couche pas avec moi.

Will a haussé un sourcil.

— Je ne te suis plus très bien…

— Au début, c'est moi qui ne voulais pas. Ou du moins, je croyais que je ne voulais pas. Il me faisait l'effet d'un sale con. Mais maintenant, même si j'ai la preuve qu'il est effectivement un sale con, il y a chez lui quelque chose qui m'attire. Non pas qu'il possède des qualités susceptibles de le racheter, mais il ne ressemble à personne. Et il n'est pas intéressé.

Will a semblé sur le point de dire quelque chose, mais il s'est ravisé.

— Je vois, a-t-il dit après un instant de réflexion. Je dois ajouter que cela ne me surprend pas.

— Will ! Je suis si moche que ça ?

— Ma chérie, je n'ai ni le temps, ni l'envie de te servir la soupe. Ce n'est pas ce que je voulais dire, tu le sais pertinemment. Je veux juste souligner que ce sont souvent les hommes qui parlent le plus de sexe, qui le hissent au rang d'élément fondateur de leur identité, qui, en général, en font le moins. Les gens qui ont une vie sexuelle épanouie n'en parlent jamais. Tout ça pour t'expliquer que selon moi, tu es, en ce moment, dans la meilleure situation qui soit.

— Ah oui ? Et comment ça ?

— D'après ce que tu me racontes, il est important pour Kelly et pour tes collègues que ce Rosbif reste dans le tableau, c'est bien ça ?

— Tout à fait. Ta nièce n'est rien qu'une vulgaire prostituée – et tout cela est de ta faute.

— Eh bien, il semblerait en ce cas que tu tires fort bien ton épingle du jeu, a-t-il poursuivi en ignorant mon dernier commentaire. Tu peux continuer à le voir tant que toi – ou ta boîte – y trouvez votre compte, sans avoir pour autant à t'impliquer plus avant dans des choses… déplaisantes. Considère que tu récoltes du crédit pour un minimum de travail, ma chérie.

C'était un angle qui ne manquait pas d'intérêt. J'avais envie de lui parler de Sammy, voire de recueillir son avis, mais je sentais bien qu'il était ridicule de parler d'un béguin non partagé. Et avant que j'aie pu aborder le sujet d'une manière ou d'une autre, mon téléphone a sonné.

— C'est Philip, ai-je annoncé en me demandant, comme d'habitude, si je répondais ou non. À croire qu'il appelle toujours au moment le plus inopportun.

— Réponds, ma chérie. Je vais aller retrouver Simon pour l'apaiser. Il a les nerfs en pelote et j'ai bien peur d'en être en grande partie responsable, a-t-il annoncé en quittant la pièce.

J'ai pris l'appel, en feignant – comme tout le monde – d'ignorer qui appelait.

— Allô ?

— Ne quittez pas, je vous passe Philip Weston, m'a répondu une voix caverneuse…. Beth ! s'est exclamé Philip un instant plus tard. Où es-tu ? Mon chauffeur me dit que tu n'es pas chez toi. Je vois pas où tu pourrais être d'autre !

Il y avait là quelques petits détails qui exigeaient d'être tirés au clair – et notamment le fait qu'il venait de m'accuser, ouvertement, de n'avoir aucune vie en dehors de lui.

— Excusez-moi, qui est à l'appareil ?

— Oh, Beth, ne joue pas à ça avec moi. C'est Philip. J'ai envoyé ma voiture te chercher, mais tu n'es pas chez toi. Ça va être de la folie ce soir, au Bungalow, et je veux te voir. Amène-toi !

— J'apprécie ton invitation, Philip, mais j'ai d'autres projets pour la soirée. Je ne pourrai pas venir.

J'ai entendu quelques mesures d'Eminem en arrière-fond, puis une autre voix d'homme, étouffée.

— Hé, il y a un mec qui me dit de te saluer de sa part. Le *videur*… Non, sans blague ! Putain, Beth, tu dois traîner ici plus souvent que je ne l'aurais cru. Hé, mec, c'est quoi ton nom ?

Si on m'avait laissé le choix, à cet instant, j'aurais préféré mourir plutôt que de parler à Sammy *via* Philip. Mais avant que j'aie pu dévier la conversation, ou demander à Philip de se déplacer pour lui permettre de mieux capter, j'ai entendu une phrase qui m'a hérissée :

— Hé ! Tu écoutes ma conversation, toi ? Dégage, mec !

— Philip, merci infiniment pour ces magnifiques fleurs, ai-je bafouillé, en cherchant désespérément à détourner son attention. Jamais je n'en ai vu d'aussi belles ! Et je suis très heureuse que tu acceptes de présider la soirée BlackBerry.

— Quoi ? (Je l'ai entendu marmonner quelques mots.) Hé, Beth ? Le videur s'appelle Sammy et il dit qu'il travaille avec toi sur notre soirée. De quoi parle-t-il ?

— De la soirée BlackBerry, justement, ai-je hurlé pour tenter de couvrir le bruit de fond de plus en plus présent. Celle que tu as acceptée de présider... Les fleurs... Le petit mot... Ça ne te dit rien ?

— Les fleurs ?

Il semblait sincèrement tomber des nues.

— Oui ! Celles que tu m'as envoyées dans la journée ? Tu te souviens ?

— Oooooh... d'accord, ma belle. C'est sans doute Marta qui s'en est occupée. Elle a l'art du détail. Elle envoie toujours des conneries au moment voulu. Elle est formidable.

C'était à mon tour de n'y plus rien comprendre.

— Marta ?

— Mon assistante. C'est elle qui gouverne ma vie, qui veille à ma bonne image. Ça marche bien, pas vrai ?

Je l'entendais presque sourire à travers le téléphone.

— En ce cas, t'a-t-elle dit aussi qu'elle avait accepté en ton nom que tu présides cette soirée ? ai-je repris en gardant une voix aussi posée qu'il était humainement possible.

— Absolument pas, mon cœur, mais tout va bien. Si ça l'emballe, ça m'emballe aussi. Il lui suffira de m'indiquer où et quand… Quoi ? a-t-il ajouté, comme si quelque chose l'avait distrait.

— Quoi ? ai-je dit à mon tour.

— Attends, ne quitte pas, le videur veut te dire un mot. Il dit que ça concerne le boulot.

C'était inacceptable. J'avais presque – presque – oublié que, pendant tout ce temps, Sammy se trouvait à côté de Philip et écoutait cet échange.

— Philip ! Attends, non…

— Allô, Beth ? (C'était Sammy. Immédiatement, je me suis sentie frappée d'aphasie.) Tu es toujours là ? a-t-il demandé, puisque j'avais avalé ma langue.

— Oui, ai-je soufflé docilement.

J'ai immédiatement éprouvé la sensation d'avoir – comme on dit dans mes chers romans – des papillons qui s'envolaient dans l'estomac.

— Écoute, Beth, je voulais juste…

Sans réfléchir, je l'ai coupé :

— Je suis désolée qu'il vienne de se montrer un tel connard, ai-je balbutié. Mais c'est plus fort que lui, car c'est exactement ce qu'il est.

Il y a eu un silence, puis Sammy a lâché un éclat de rire qui semblait monter droit du cœur.

— Bon, c'est toi qui l'as dit ! Mais je ne vais pas te contredire.

De nouveau, j'ai entendu un échange à mi-voix puis Sammy qui lançait : « Je te le garde, mec. »

— Que se passe-t-il ?

— Ton me… euh, ton… ami vient d'apercevoir une autre euh… connaissance. Il est entré la saluer et m'a laissé son téléphone. Espérons qu'il ne sera pas trop contrarié si par malchance un taxi lui roule dessus… Écoute, je tenais à m'excuser pour cet après-midi. Je ne sais pas ce qui m'a pris. Je n'avais pas le droit de te

232

dire tous ces trucs. On ne se connaît même pas ! J'étais complètement à côté de la plaque.

Enfin ! Je les avais mes excuses ! Et aurait-il débarqué sous mes fenêtres pour me donner la sérénade dans un de ces adorables caleçons Calvin Klein que je savais qu'il portait, qu'elles ne m'auraient pas semblé plus sincères. J'avais envie de ramper le long de la ligne téléphonique pour aller me nicher sur ses genoux, mais j'ai réussi à conserver un semblant de désinvolture.

— Ne t'inquiète pas. Moi aussi j'étais navrée de t'avoir envoyé paître aussi sèchement. C'était tout autant de ma faute.

— Super. Donc, ça ne fera pas d'ombre à notre relation professionnelle, n'est-ce pas ? Comme Amy m'a annoncé aujourd'hui que je serai ton interlocuteur direct pour ta soirée, je ne voulais pas que ça affecte notre entente dans le boulot.

Le boulot. Évidemment.

— Mm, oui, non, aucun problème, ai-je bredouillé en m'efforçant de cacher ma déception.

Sans grand succès, faut-il croire, car il a aussitôt corrigé :

— Ouais, enfin, le boulot et bien sûr aussi, nos... notre amitié.

J'ai deviné qu'il rougissait et j'ai été prise d'une envie dévorante de lui caresser le visage, de m'enrouler tout autour de lui.

— Oui. Notre amitié...

Mon sens de la repartie empirait à chaque seconde qui passait. C'était certes divin d'entendre le son de sa voix, mais poursuivre cette conversation ne pouvait déboucher sur rien de bon. Au moment où j'étais décidée à raccrocher, Sammy s'est souvenu de quelque chose.

— Ah, Beth, au fait... Amy m'a dit qu'elle était OK pour te réserver le Bungalow à la date que tu souhaites.

C'est noté. Elle voudrait juste te demander de rajouter quelques invités en son nom, mais à part ça, vous aurez entièrement le contrôle de la liste. Et c'est très rare qu'elle donne carte blanche sur ce chapitre. Génial non ?

— Waou ! me suis-je exclamée avec un enthousiasme forcé. C'est vraiment une supernouvelle. Merci beaucoup.

J'ai entendu en arrière-plan des filles qui gloussaient ; l'une d'elles a prononcé plusieurs fois son nom, sans doute pour attirer son attention.

— Bon, le devoir m'appelle, a dit Sammy. Je dois raccrocher. C'était sympa de te parler, Beth. Et merci de te montrer aussi compréhensive pour cet après-midi. Je peux t'appeler demain ? Pour, euh… discuter des autres détails.

— Oui, oui, bien sûr, très bien, ai-je bafouillé avec précipitation en voyant Will réapparaître. À demain. Salut.

— C'était ton petit ami ? s'est enquis Will.

Il s'est rassis et a placé une feuille de papier menaçante sur ses genoux.

— Non, ai-je soupiré en reprenant mon martini. Hélas non.

— Bon, ma chérie, loin de moi le désir de vouloir assombrir ce petit dîner, mais il faudra bien que tu lises ça à un moment donné. (Il s'est éclairci la voix et a levé la feuille devant ses yeux.) C'est signé Ellie d'Initiée. Elle raconte d'abord qu'elle est allée à Los Angeles la semaine dernière et elle dresse la liste de toutes les stars avec lesquelles elle a fait la fête. Suit un petit couplet sur sa cote incroyable auprès des créateurs de mode qui se battent tous pour l'habiller en vue des futurs événements. Et ensuite, c'est à nous. C'est court, mais pas gentil. « Tout ami de Philip Weston est aussi notre ami, mais nous nous sommes aperçus que nous ne savions pas grand-chose de sa nouvelle petite amie, Beth Robinson. Nous savions de source sûre qu'elle est diplômée d'Emory University, qu'elle a travaillé un temps chez UBS Warburg et qu'elle travaille depuis peu chez Kelly & Co. Mais saviez-vous qu'elle est également la nièce du chroniqueur Will Davis ? Ce Will Davis qui fut un temps l'arbitre des élégances préféré des habitants de Manhattan et qui est, paraît-il, aujourd'hui quelque peu sur la touche. Que peut-il bien penser des frasques pour le moins publiques de sa nièce ? À notre avis, il est loin d'en être ravi… » Voilà, c'est tout, a conclu paisiblement Will en mettant la feuille de côté.

J'étais aussi mal à l'aise que si je venais de me réveiller d'un rêve où je me retrouvais à poil à la cafétéria du lycée.

— Will, c'est ignoble, je suis désolée. La dernière chose que je voulais était t'impliquer là-dedans. Et ce qu'elle dit à propos de ta chronique est de toute évidence faux, ai-je menti.

— Ttt ttt, ma chérie, nous savons l'un comme l'autre qu'elle dit vrai. Et comme il est impossible de contrôler ce que ces charognards écrivent, n'y pensons plus. Viens, passons à table.

Il avait su trouver les mots justes, mais la tension qui se lisait sur son visage démentait la sérénité de ses paroles, et j'ai pensé, avec tristesse et nostalgie, à mon ancienne vie. Si améliorations il y avait eu, elles avaient un goût amer.

14

— Redis-moi pourquoi ta mère organise un grand dîner alors qu'elle est supercontrariée par ton départ ? ai-je demandé à Penelope.

J'avais passé la journée à faire du pointage de listes et à appeler les sponsors de la soirée BlackBerry – on n'était plus qu'à J–4 – et tout semblait se mettre en place plutôt bien. En sortant de l'agence, je m'étais réfugiée chez Penelope dans l'espoir de discuter de quelque chose, n'importe quoi, qui n'aurait aucun rapport avec la pub. J'étais affalée par terre, dans la chambre que Penelope et Avery partageaient désormais. Avery n'avait guère fait de compromis pour combiner leurs affaires : un waterbed de deux mètres de large trônait sur une imposante estrade noire, un canapé en cuir très dans l'esprit des foyers d'étudiants dévorait le peu de place qui restait et le seul objet susceptible de passer pour un élément décoratif était cette lampe à bulles d'huile, gigantesque et légèrement décolorée par le temps. La *pièce de résistance*[1], toutefois, consistait en un écran plasma de cent cinquante-deux centimètres fixé à un mur du salon.

1. En français dans le texte. *(N.d.T.)*

D'après Penelope, Avery ignorait tout de l'art de laver une assiette ou une paire de chaussettes, mais chaque week-end il dépoussiérait son écran plat avec un produit spécial non-abrasif. Lors de ma dernière visite chez eux, j'avais entendu Avery prier Penelope de dire à la femme de ménage de tenir ses produits dépoussiérants loin de son écran. « Ces merdes le bousillent. Si jamais je la revois approcher de l'écran avec une bombe de dépoussiérant, elle pourra se chercher un nouveau boulot. » Penelope avait souri avec indulgence, comme pour dire : « Ah les garçons ! Ils ne changeront jamais… » Pour l'heure, elle empaquetait les vêtements d'Avery dans les bagages Vuitton que les parents de celui-ci leur avaient offerts pour leur voyage de fiançailles à Paris, tout en dégommant le dîner qui serait donné le soir même en leur honneur. Je me suis abstenue de demander pourquoi Avery ne pouvait pas faire ses malles lui-même.

— Tu me le demandes ? Elle m'a sorti un argument idiot, « sauver les apparences », ou quelque chose de cet ordre-là. À mon avis, elle n'avait surtout rien de prévu ce soir, et l'idée de rester à la maison lui était insupportable.

— C'est une façon vraiment positive d'envisager les choses.

— Ça va être chiant, et tu le sais. Tout ce que j'espère, c'est que ça reste dans les limites du supportable. C'est quoi ce truc ? a-t-elle grommelé en brandissant un T-shirt bleu pétard barré d'une inscription jaune qui proclamait JE JOUE DANS MES PROPRES FILMS PORNO. Yeurk ! Tu crois qu'il l'a déjà mis ?

— Probablement pas. Bazarde-le.

— Tu ne m'en veux pas de t'obliger à venir à ce dîner, tu es sûre ? a demandé Penelope en lançant le T-shirt à la poubelle.

— Pen, je t'en veux de partir, pas de m'inviter à ton

dîner de départ. Je ne vais pas me plaindre de ce que tes parents payeront l'addition du Grill Room. À quelle heure dois-je y être ?

— Quand tu veux. Ça commence à vingt heures trente, environ. Arrive un peu plus tôt, on pourra s'en jeter quelques-uns dans les toilettes. (Elle a souri malicieusement.) Non, sérieux – j'envisage d'apporter une flasque. C'est nul ? Argh ! Moins nul que ce truc…

Cette fois, elle a brandi un caleçon délavé et usé, orné d'une flèche fluo pointée sans grande subtilité vers l'entrejambe.

— Oui, la flasque s'impose. Pen, que vais-je devenir sans toi ? ai-je gémi misérablement – je ne m'étais pas encore accoutumée à l'idée que Penelope, ma meilleure (et seule) amie depuis presque dix ans, partait vivre à l'autre bout du pays.

— Ça va aller, m'a-t-elle dit, avec bien plus de certitude dans la voix que je ne l'aurais souhaité. Tu as Michael et Megu, et toute ta nouvelle équipe du boulot, et tu as un petit ami, maintenant.

J'ai trouvé bizarre qu'elle mentionne Michael, compte tenu que nous ne le voyions presque plus du tout.

— Arrête ! Michael a Megu. Quant à « l'équipe » du boulot, c'est précisément ça : une bande de gens qui ont mystérieusement accès à des montagnes de fric, et qui ont une tendance prononcée à le dépenser sur des litres et des litres d'alcool. Pour ce qui est de ta remarque sur le « petit ami » – elle ne mérite même pas de réponse.

On a entendu la porte d'entrée claquer et Avery claironner :

— Où est ma jolie fille préférée ? J'ai piaffé toute la journée en pensant au moment où j'allais enfin culbuter ton joli petit cul sur le lit !

— Avery, la ferme ! a lancé Penelope sans se démonter outre mesure. Beth est là !

Trop tard. Avery s'encadrait déjà sur le pas de la porte, torse nu et braguette ouverte sur un caleçon en seersucker vert acide.

— Oh, salut, Beth, a-t-il fait en hochant la tête dans ma direction, nullement mortifié que j'aie assisté à sa parade pré-coïtale.

J'ai détourné les yeux et fixé mes baskets en me demandant pour la énième fois ce que Penelope lui trouvait – en dehors de son ventre ultraplat, il fallait lui reconnaître ça.

— Salut, Avery. J'allais partir. Faut que je rentre me pomponner pour le grand raout. À propos, comment s'habille-t-on pour dîner au Four Seasons ?

— Comme tu t'habillerais pour dîner avec tes parents, m'a répondu Penelope, tandis que Avery, en proie à une crise aiguë qui conjuguait les symptômes d'un déficit de l'attention et d'une hyperactivité, se mettait à shooter dans une paire de chaussettes roulée en boule.

— Tu pourrais avoir envie de reconsidérer ta réponse. À moins, évidemment, que tu ne veuilles que je me pointe en pantalon « palazzo » avec un T-shirt DONNEZ UNE CHANCE À LA PAIX. Bon, à tout à l'heure !

J'ai embrassé Penelope et j'ai filé en m'interdisant de visualiser la scène qui aurait inévitablement lieu sitôt que j'aurais débarrassé le plancher. J'ai sauté dans un taxi. En me dépêchant, j'aurais peut-être le temps de sortir Millington et de prendre un bain avant de ressortir dîner.

J'ai dû traquer Millington dans tout l'appartement. Elle mettait un point d'honneur à se planquer car d'instinct, elle savait quand je projetais de la sortir, et à la différence de tous ses congénères, elle détestait ça. Entre la poussière, les pollens et l'herbe à poux – elle serait ensuite handicapée pendant des heures. Mais j'estimais important pour elle de se balader de temps en temps.

Nous venions juste d'atteindre Madison Square et

nous avions réussi à éviter le cinglé qui adorait la pourchasser avec son Caddie de supermarché quand j'ai entendu quelqu'un m'appeler.

— Beth ! Hé, Beth, par ici !

Je me suis retournée et j'ai vu Sammy, assis sur un banc, qui buvait un café. En compagnie de ce qui m'est apparu comme un canon absolu. Mince alors. Il n'y avait pas d'échappatoire. Sammy avait vu que je l'avais vu, il m'était impossible de feindre n'avoir rien remarqué. De plus, Millington a décidé, pour la toute première fois de sa vie, de se montrer sociable et elle a trotté en direction de Sammy, en tirant au maximum sur sa laisse extensible, pour bondir sur ses genoux.

— Bonjour, toi, comment vas-tu ? Beth, qui est cette jolie petite bête ?

— Adorable, a renchéri la fille brune en posant un regard froid sur Millington. Je préfère les King Charles, mais les Yorkshire, ça peut être charmant.

— Salut. Beth, ai-je réussi à dire en lui tendant la main.

J'ai essayé de sourire à Sammy mais je crois bien que ça ressemblait davantage à une grimace.

— Oh, que de formalités ! s'est exclamée la fille avec un petit rire. (Au bout de trois secondes, le temps nécessaire pour me mettre mal à l'aise, elle a fini par prendre la main que je lui tendais.) Isabelle.

De près, Isabelle n'était pas moins séduisante, mais elle était plus âgée que je ne l'avais d'abord cru. Elle était grande et mince comme seules les vraies affamées peuvent l'être, mais l'ensemble manquait de fraîcheur. Elle n'avait plus cet éclat de la jeunesse, ce contentement peint sur le visage qui laissait entendre : « La jungle sentimentale de Manhattan ne m'a pas encore trop amochée – j'ai bon espoir de tomber un jour sur un mec bien. » Pour Isabelle, tout cela était de l'histoire ancienne, mais on imaginait sans peine que son pantalon Joseph taille trente-six, son sublime sac Chloé en cuir chocolat et sa poitrine pigeonnante à la limite de l'obscène lui apportaient une certaine consolation.

— Qu'est-ce qui t'amène dans le coin ? a demandé Sammy après s'être éclairci la voix.

À voir comme il était dans ses petits souliers, il était évident que ces deux-là n'étaient ni de simples amis, ni des collègues de travail, ni frère et sœur. D'ailleurs, il n'a offert aucune explication.

— Je promène le chien. Je prends l'air, rien de spécial.

J'ai senti que ma voix était plus sur la défensive que la situation ne le justifiait. Et pour une raison inconnue, mes talents pour la conversation de politesse s'étaient évaporés.

— Ouais, nous aussi, a-t-il répondu, l'air penaud et légèrement embarrassé.

Une fois clairement établi que ni l'un ni l'autre nous ne pouvions trouver autre chose à dire, j'ai récupéré Millington – qui paraissait à la fête sur ses genoux, et comme je la comprenais ! –, j'ai marmonné un vague bonsoir et j'ai décampé avec un empressement qui frisait l'humiliation. J'ai entendu Isabelle rire et demander à Sammy qui était cette petite copine, et ce n'est qu'au prix d'un immense effort que je me suis retenue de faire volte-face pour lui suggérer de demander à son toubib d'y aller mollo sur le Botox, la prochaine fois, pour lui éviter d'être trahie par cette expression de biche surprise par des phares.

Donc, c'est officiel, ai-je songé tout en m'ébouillantant sous le jet de la douche : Sammy avait une petite amie. Enfin, « petite »... Elle avait au bas mot quarante ans. Donc, ce n'était pas par jalousie qu'il avait raillé Philip. Mon sentiment d'avoir été ridicule ne cessait de croître.

J'ai enfilé en quatrième vitesse un vieux tailleur pantalon bleu marine que j'avais répudié au fond du placard depuis ma démission de la banque, et je n'ai pas consacré une minute de plus que nécessaire à me sécher les cheveux et appliquer une infime quantité d'anticernes.

Lorsque je suis arrivée au Four Seasons, j'avais presque réussi à me convaincre que je n'en avais rien à fiche. Après tout, si Sammy voulait sortir avec quelqu'un de mieux habillé, de plus riche, et avec une poitrine trois fois de la taille de la mienne, c'était entièrement son droit. Qui avait besoin à ses côtés d'un mec aussi superficiel, de toute façon ? Je m'apprêtais à dresser la liste de ses innombrables défauts (dont aucun ne me sautait spontanément aux yeux, mais il en avait forcément) quand mon téléphone a sonné. Elisa. Sans doute appelait-elle pour me bombarder comme d'habitude de questions à propos de Philip – où, quand, pourquoi et avec qui l'avais-je vu la dernière fois. C'était obsessionnel de sa part. J'ai filtré l'appel et me suis avancée vers le maître d'hôtel. Mais le téléphone a re-sonné aussitôt. Un SMS, cette fois : RAPL-MOI ASAP.

Michael est venu à ma rencontre, avec la mine hagarde et misérable du type qui n'a pas dormi depuis quatre jours et quatre nuits. Penelope m'avait dit qu'il bossait une fois de plus sur une fusion-acquisition. Cela m'a fait songer que je n'avais pas vu mon ami depuis une éternité – si longtemps en fait que j'avais perdu le fil de ce qui se passait dans sa vie.

— Beth, salut, tu les as trouvés ?

— Non, ai-je répondu en l'embrassant. On est les premiers ? Où est Megu ?

— À l'hôpital. Il me semble que Pen a parlé d'une table réservée dans une salle du fond. Allons voir.

J'ai pris le bras qu'il m'offrait et j'ai eu le sentiment curieux de retrouver le chemin de la maison.

— Bonne idée. Dis, ça fait une éternité qu'on n'est pas sortis tous les trois ensemble. Que fais-tu après ? On pourrait proposer à Pen d'aller s'en jeter quelques-uns au Black Door.

Il a souri, même si cela semblait saper ses dernières réserves d'énergie, et il a hoché la tête.

— Tout à fait. On est déjà tous les trois au même endroit, ce qui est rare. Faisons ça.

La table qui nous attendait semblait dressée pour une vingtaine de convives ; pile au moment où je m'apprêtais à saluer le père de Penelope, mon téléphone a encore vibré. Je me suis excusée et je me suis écartée pour l'éteindre. Elisa, encore. Bon sang ! Qu'y avait-il de si important pour justifier un tel harcèlement ? J'ai attendu que l'appareil cesse de vibrer, puis j'ai ouvert le rabat pour l'éteindre, et là, sans doute Elisa avait-elle rappelé aussi sec car j'ai entendu sa voix au creux de ma paume.

— Beth ? Beth, tu m'entends ? C'est crucial !

— Salut. Écoute, tu tombes un peu mal, là. Je suis chez mes amis et…

— Il faut que tu viennes tout de suite ! Kelly flippe parce que…

— Elisa, tu ne m'as même pas laissée achever ma phrase. On est samedi soir, il est huit heures et demie, et je vais passer à table, au Four Seasons, avec mon amie et toute sa famille, et c'est très important, alors je suis certaine que tu peux gérer seule ce qui fait flipper Kelly, quoi que ce soit.

Je me suis félicitée d'avoir posé les limites avec fermeté – chose que ma mère essayait de m'inculquer depuis l'âge de six ans.

J'ai entendu Elisa respirer bruyamment, et en arrière-plan, un tintement discret de verres qui s'entrechoquent.

— Désolé, Beth, mais Kelly ne marchera pas. Elle

dîne avec les gens de BlackBerry, ils sont au Vento et il faut qu'on les retrouve à Soho House à neuf heures et demie au plus tard.

— Impossible. Tu sais que j'irais si je le pouvais. Je suis obligée de rester ici au moins pour les deux heures à venir, ai-je expliqué en surprenant un flottement dans ma voix. Sans compter que neuf heures et demie, c'est ridiculement tôt ! Si elle voulait qu'on les rencontre, pourquoi faut-il que ça tombe un samedi soir ? Et pourquoi ne l'a-t-elle pas mentionné plus tôt ? Je ne comprends pas.

— Je suis bien d'accord avec toi, mais on n'a pas le choix. Tu es responsable de cette soirée, Beth ! Ils ont débarqué plus tôt que prévu et Kelly a cru les calmer en les emmenant dîner, mais apparemment, ils veulent te rencontrer… Et rencontrer Philip. Ce soir. La soirée approche, ils sont nerveux.

— Philip ? Tu plaisantes ?

— Beth, tu *sors avec* lui. Et il a accepté de présider cette soirée, m'a-t-elle rappelé, telle une grande sœur directive.

Du coin de l'œil, j'ai vu Penelope approcher. Je savais que je me montrais effroyablement impolie.

— Elisa, vraiment, je…

— Écoute, Beth, je ne veux pas faire jouer la hiérarchie, mais je te rappelle qu'il s'agit de ton boulot. Je ferai de mon mieux pour t'aider, mais il faut que tu sois là. Je t'envoie une voiture au Four Seasons dans une demi-heure. Prends-la.

Elle a raccroché et Penelope s'est jetée à mon cou.

— J'adore ton plan ! s'est-elle écriée en m'entraînant vers la table.

J'ai entendu la voix de stentor du père d'Avery, qui parlait d'un procès qu'il supervisait à une dame morose et digne et je me suis demandé si Penelope n'avait pas envie de sauver sa pauvre grand-mère des griffes de son futur beau-père.

— Quel plan ?

— Michael m'a dit qu'on irait tous les trois au Black Door. C'est une superidée !!! Ça fait des siècles que je n'ai pas fait ça et… (Elle a promené son regard alentour.) … après ça, je vais avoir besoin d'un sacré remontant. Tu ne devineras jamais la dernière de la mère d'Avery ! Elle nous a pris à part, ma mère et moi, pour nous montrer, assez fière d'elle, un exemplaire de *Que la fête commence !* : *le guide complet des réceptions réussies*, dans lequel elle avait souligné toutes ses suggestions pour les thèmes du dîner de mariage. Elle a même dressé une liste de tous les plats préférés d'Avery pour que je puisse donner des instructions à nos domestiques. Elle a mis un point d'honneur à me faire savoir qu'en règle générale, il n'aime rien qui se mange avec, je cite, « des morceaux de bois ».

— Des morceaux de bois ?

— Des baguettes ! Elle a dit que ça le « perturbait ».

— Génial. Ça m'a tout l'air d'un cadeau de sa part.

— Comme tu dis. Et ma mère qui restait plantée là, à opiner du chef. Et qui n'a rien trouvé de mieux pour rassurer la mère d'Avery que de souligner qu'avec toutes ces hordes de Mexicains qui émigrent en Californie, nous n'aurions aucun mal à trouver du personnel. Je crois même qu'elle a parlé de « terre promise de la main-d'œuvre bon marché ».

— N'oublions jamais d'éviter que tes parents et les miens soient réunis dans la même pièce. Les miens feraient leurs choux gras d'une réflexion dans ce genre. Tu te souviens du désastre, la dernière fois ?

— Tu crois que j'aurais pu l'oublier ? Tu plaisantes !

Tout au long de nos quatre années de fac, nous avions intelligemment manœuvré pour éviter que nos parents respectifs se rencontrent, mais le jour de la remise des diplômes, il n'y avait pas eu d'échappatoire. Nos mères étaient curieuses l'une de l'autre, et après pas mal d'insistance de part et d'autre, Penelope et moi avions, à reculons, programmé un dîner le samedi soir. Le stress avait commencé avec le choix du restaurant : mes parents insistaient pour essayer un restaurant bio, célèbre pour ses nombreux livres de recettes, qui ne servait que des aliments crus ; ceux de Penelope voulaient absolument aller, comme chaque fois qu'ils venaient rendre visite à leur fille, au Ruth's Chris Steak House. Nous avions coupé la poire en deux en choisissant un restaurant d'inspiration asiatique haut de gamme qui ne plaisait à personne et à partir de là, tout était allé de mal en pis. La carte ne proposait pas le genre d'infusion que buvait ma mère, ni le cabernet préféré du père de Penelope. Et pour ce qui était des sujets de conversation, tout ce qui avait trait à la politique, aux carrières et aux plans d'avenir des jeunes diplômées était disqualifié d'emblée, faute de terrain d'entente ou d'opinions partagées. Mon père a fini par discuter avec Avery pendant presque tout le dîner, pour se moquer de lui ensuite ; j'ai bavardé avec ma mère ; Penelope n'a parlé qu'avec la sienne ; son père et son frère ont échangé quelques mots en descendant trois bouteilles de vin rouge à eux deux. Le dîner s'est terminé aussi bizarrement qu'il avait commencé : les deux couples de parents se regardaient en chiens de faïence, en demandant ce que leur fille pouvait bien trouver à celle de l'autre. Une fois les parents déposés à leur hôtel respectif, Penelope et moi nous étions précipitées faire la tournée des bars et, à la faveur d'un état d'ébriété avancée, nous nous étions lancées dans des imitations de nos géniteurs, en nous jurant de ne jamais plus rééditer l'expérience.

— Fais-moi une faveur, s'il te plaît, a dit Penelope.

Parle avec mon père, veux-tu ? Voilà quelques lustres qu'il n'a pas socialisé en dehors de son bureau et c'est à croire qu'il a oublié comment faire.

Elle me semblait d'humeur plutôt enjouée. Comment allais-je m'y prendre pour lui annoncer que je devais me sauver sitôt les cocktails avalés parce que je devais retrouver le superbe play-boy avec lequel j'étais supposée sortir ?

— Pen, je suis désolée de te faire ça, je sais que c'est dégueulasse, affreusement égoïste, mais je viens d'avoir un coup de fil du boulot et je suis pieds et poings liés parce que je suis responsable de ce projet en particulier, et les clients viennent de débarquer, ils sont avec ma patronne en ce moment et elle insiste pour que je les rencontre, et j'ai eu beau lui dire que j'avais un truc superimportant ce soir, en gros elle m'a menacée de me virer – par l'intermédiaire d'une tierce personne, évidemment – si je ne suis pas *downtown* dans moins d'une heure, je t'assure que j'ai essayé de discuter, mais elle a été inflexible, donc je me dis que je vais y aller, et essayer de revenir le plus tôt possible et évidemment, je suis toujours partante pour le Black Door, si ça ne vous embête pas de m'attendre. (Stop. Reprendre mon souffle. Et ignorer le regard assassin de Penelope.) Je suis désolée ! me suis-je lamentée – assez fort pour m'attirer le regard de quelques serveurs.

J'ai réussi à passer outre la sensation qu'une houle se levait dans mon estomac, outre le regard surpris que m'a décoché Michael et outre celui, lourd de reproches, dont m'a fusillée la mère de Penelope qui n'appréciait pas que je sème la perturbation dans son dîner.

— À quelle heure dois-tu partir ? s'est enquise calmement Penelope, avec une expression impénétrable.

— Dans une demi-heure. On m'envoie une voiture.

Machinalement elle a tripoté sa bague de fiançailles puis m'a regardée.

— Fais ce que tu as à faire, Beth. Je comprends.

— C'est vrai ?

J'avais du mal à la croire sincère, mais je ne décelais aucune colère dans sa voix.

— Bien sûr. Je sais que tu as envie d'être ici, et je suis déçue, il va sans dire, mais je sais que tu ne partirais pas si ce n'était pas important.

— Je suis désolée, Pen. Je te promets de me racheter.

— T'inquiète pas pour ça. Viens, assieds-toi là, à côté de l'ami d'Avery, un charmant célibataire, et profite au moins du temps que tu es ici.

Elle disait tout ce qu'il fallait dire, mais à voir la crispation de ses lèvres, je devinais combien ces paroles lui coûtaient.

L'ami d'Avery – qui n'avait décidément rien de charmant – s'est immédiatement lancé dans l'évocation de ses folles années à la fraternité d'une université du Michigan pendant que je descendais en vitesse deux ou trois verres. Une amie de Penelope – une de ses collègues de la banque que je n'avais jamais vue lorsque j'y travaillais, mais qui semblait être tout le temps fourrée avec elle, maintenant – a improvisé un petit discours adorable, drôle, charmant. J'ai essayé de supprimer toute amertume quand Pen s'est jetée au cou de la fille, et j'ai tout fait pour me persuader que c'était ma paranoïa qui parlait, et que personne ne me dévisageait en pensant que j'étais une amie en dessous de tout. La demi-heure a filé en un éclair. Jugeant que m'éclipser discrètement serait préférable à un départ en fanfare qui m'obligerait à me justifier auprès de tous les convives, j'ai essayé de capter l'attention de Penelope, mais finalement, quand j'ai compris qu'elle évitait délibérément mon regard, je suis partie, tout simplement.

Une fois sur le trottoir, j'ai offert un dollar à un homme élégant en échange d'une cigarette ; il a refusé mon argent, et m'a offert la cigarette, avec en prime un hochement de tête apitoyé. Aucune voiture n'était en vue, et je songeais à re-entrer un instant quand j'ai aperçu un Vespa vert acide assez familier qui freinait le long du trottoir.

— Salut, mon cœur ! On est partis ! a annoncé Philip en relevant la visière de son casque.

Il m'a pris la cigarette des mains pour tirer une taffe, m'a embrassée avec brusquerie sur la bouche – qui, soit dit en passant, était béante de surprise – et il a mis pied à terre pour extraire le second casque de sous la selle.

— Que fais-tu ici ? ai-je demandé en tirant à fond sur la cigarette qu'il venait de me rendre.

— À ton avis ? Apparemment, on ne peut pas se défiler. Alors dépêchons-nous d'en finir, d'accord ? (Il m'a toisée.) Joli tailleur, a-t-il raillé.

Son téléphone a sonné sur l'air de « Like a Virgin » – ç'a été mon tour de rigoler – et je l'ai entendu annoncer à quelqu'un que nous serions là dans dix minutes.

— En fait, j'attends une voiture que m'envoie Elisa, ai-je dit.

— J'ai bien peur que non, mon cœur. C'est Elisa qui m'envoie. On va faire un petit tour chez mon bon ami Caleb, et Elisa nous amène ses hommes d'affaires là-bas.

Tout cela n'avait aucun sens, mais Philip semblait vraiment agir conformément aux directives d'Elisa.

— Pourquoi va-t-on chez ton ami ?

— Il réunit quelques personnes chez lui pour son anniversaire. Une fête costumée. Allons-y.

Ce n'est qu'à ce moment-là que j'ai remarqué sa panoplie disco années soixante-dix – pantalon pattes d'eph' en polyester marron, chemise blanche étriquée avec col pelle à tarte et un genre de bandana noué autour de la tête.

— Philip ! Mais tu viens de dire qu'on allait rejoindre Kelly et les gens de BlackBerry. On ne peut pas aller à une fête costumée. Je n'y comprends plus rien !

— Monte, mon cœur, et arrête de stresser. J'ai la situation en main.

Il a emballé le moteur du Vespa – si un tel truc est possible – et a tapoté la selle derrière lui. Je me suis installée avec autant de grâce que me le permettait mon tailleur-pantalon et j'ai passé les bras autour de sa taille. Aussitôt, j'ai senti ses abdos d'acier se rétracter.

Je ne sais toujours pas pourquoi je me suis retournée. Tout me paraissait normal – hormis le fait que je me faisais kidnapper par un métrosexuel déchaîné sur un Vespa – mais quoi qu'il en soit, avant que nous démarrions, j'ai regardé par-dessus mon épaule, et j'ai vu Penelope. Debout sur le trottoir, bras tendu, mon écharpe dans la main, elle nous contemplait, bouche bée. Nos regards se sont croisés juste une seconde avant que Philip accélère, sans me laisser le temps de lui expliquer ce qui se passait.

15

— Pourrais-tu te détendre un peu, mon cœur ? Je te dis que j'ai la situation en main.

Philip a garé le scooter sur le trottoir, à côté du tapis rouge devant l'entrée d'un bel immeuble du West Village, puis a glissé un billet dans la main du portier, qui l'a remercié d'un hochement de tête discret. Je venais brusquement de prendre conscience que c'était la toute première fois que Philip et moi étions seul à seul depuis le matin où je m'étais réveillée chez lui.

— Me détendre ? Tu me demandes d'être détendue ? ai-je hurlé d'une voix stridente. S'il vous plaît, monsieur, pourriez-vous m'arrêter un taxi ? ai-je ajouté à l'intention du portier, qui a immédiatement interrogé Philip du regard.

— Putain, Beth, détends-toi, je te dis ! Tu n'as pas besoin de taxi. La fête a lieu ici. On monte et tu vas boire une gou-goutte, O.K. ?

Une « gou-goutte » ? Ai-je bien entendu ? Ce mec s'est tapé toutes les plus jolies femmes de Manhattan entre seize et quarante-cinq ans et il dit « gou-goutte » ? Cependant, je n'avais guère le loisir de m'appesantir sur cette nouvelle facette dérangeante du personnage vu que j'étais attendue à Soho House moins de dix minutes plus tard.

— Quand Elisa m'a appelé, a-t-il poursuivi, je lui ai dit qu'il m'était impossible de les rejoindre car je devais passer à la fête de Caleb. Elle m'a demandé alors si elle pouvait y amener les gens de BlackBerry – elle a dit qu'ils trouveraient ça cool, de voir une fête typique du New York *downtown*, ou je ne sais quelle connerie du même genre. Bref, ils arrivent. On doit les retrouver *ici*, O.K. ?

Je l'ai dévisagé d'un air dubitatif, en me demandant comment toute cette affaire s'était goupillée dans mon dos. Elisa m'avait-elle délibérément raconté des craques ? J'ai soupesé cette possibilité. Non, il lui était impossible de saboter la soirée BlackBerry sans que Kelly le sache, et par ailleurs, pourquoi aurait-elle voulu la saboter ? Certes, peut-être à un moment donné avait-elle eu des vues sur Philip, peut-être aussi se montrait-elle moins amicale ces derniers temps, mais sans doute était-ce lié au fait que nous croulions tous sous le boulot, et qu'en plus de notre travail commun autour de la fête *Playboy*, nous travaillions chacun séparément sur d'autres événements. Je n'avais qu'une envie : appeler Penelope, lui expliquer que je n'avais pas menti afin de m'échapper de son dîner pour partir en goguette avec un mec. Mais Philip, déjà dans le hall, attendait impatiemment que je me décide à le rejoindre. Et sitôt que nous avons été dans l'ascenseur, il m'a attaquée.

— Beth, si tu savais comme il me tarde qu'on rentre. On va s'envoyer en l'air toute la nuit, a-t-il roucoulé dans mes cheveux tout en glissant sa main sous mon chemisier. Même dans cette tenue invraisemblable, tu es sexy.

J'ai repoussé ses mains voraces et soupiré :

— Essayons juste de survivre à ça, d'accord ?

— Pourquoi tu t'énerves, mon cœur ? Oh, je comprends… Tu veux que je sois plus bestial ? Je suis à fond pour…

Sur ce, il a collé son bassin contre le mien avec un savoir-faire qui relevait du degré zéro, tout en me flagellant les lèvres de coups de langue. Gwyneth avait-elle vraiment supporté de tels traitements ? Est-ce possible qu'il ait couché avec autant de filles sans qu'aucune n'ait pris la peine de lui dire qu'il faisait absolument n'importe quoi ? C'était révoltant – tout aussi révoltant que de réaliser que Philip ne m'assaillait de passion que lorsque nous étions en position de ne rien pouvoir faire. Comme en cet instant, par exemple : il n'y avait aucun risque qu'il m'arrache mes vêtements et me supplie de lui offrir mon corps quand les portes de l'ascenseur allaient s'ouvrir d'un instant à l'autre. Ce qu'elles ont fait justement, et directement dans le penthouse de Caleb. Après avoir essuyé ce qui restait de salive dans mon cou et sur mon visage d'un rapide et discret revers de main, j'étais aussi prête qu'on peut l'être.

— Philip, mon grand, par ici ! a lancé depuis un canapé un type aux cheveux longs et au physique efflanqué qui se tenait courbé au-dessus d'un miroir, un billet roulé dans la main.

Ce qui avait tout l'air d'une fille à poil était enroulé sur ses genoux. Elle le couvait d'un regard qui surpassait l'admiration, frisait la dévotion. Le type a reniflé d'un coup sec, avec un bel élan, puis a tendu le billet à la fille, avant de rabaisser son masque.

— Cally, voici Beth. Beth, Caleb, qui organise cette fête géniale et n'a plus vingt ans.

— Salut, Caleb, enchantée, ai-je dit au masque. Merci pour votre invitation.

Philip, Caleb et la fille ont échangé un regard puis ont éclaté de rire.

— Beth, pourquoi ne goûtes-tu pas un peu à ça et ensuite nous irons rejoindre les autres ? Tout le monde est sur le toit.

— Mm, ça va, merci, ai-je répondu, incapable de détacher les yeux de la fille, qui a roulé sur le dos après avoir aspiré les deux petites lignes que Caleb lui avait préparées.

Techniquement parlant, si on prenait en compte le triangle de soie fuchsia qui lui couvrait le pubis et l'ersatz de soutien-gorge assorti – sans agrafes, ni bretelles ni forme – qui avait échoué à retenir ses seins, elle n'était pas vraiment à poil. La fille a siroté une gorgée de champagne, puis s'est roulée en boule sur le canapé avec un sourire béat et a annoncé qu'elle restait là un petit moment avant de nous rejoindre là-haut.

— Comme tu veux, poupée, a lancé Caleb en nous faisant signe de le suivre.

Nous sommes remontés dans l'ascenseur. À l'aide d'une clé spéciale, Caleb a actionné le bouton marqué « Terrasse », et quand les portes de la cabine se sont rouvertes, j'ai juste failli m'évanouir. Je ne sais pas trop à quoi je m'attendais exactement, mais certainement pas à ça. Peut-être imaginais-je que ça ressemblerait à cette fête que Michael avait organisée pour Halloween en réunissant des collègues d'UBS et des copains de fac dans son cinquième sans ascenseur ? Il y avait des bouteilles de jus de fruits et d'alcool bon marché sur la table de cuisine, et des bols à céréales remplis de sucres d'orge, de bretzels et de sauce ; à un moment donné, un type déguisé en nana avait annoncé que les pizzas étaient en route à l'assortiment d'invités costumés qui évoquaient leurs années de fac, leur boulot, la promotion qu'ils venaient de décrocher, ou encore la façon dont Bush était en train de merder dans les grandes largeurs en Irak.

Mais là, c'était un univers très, très différent. La terrasse elle-même ressemblait à une réplique exacte du SkyBar à Los Angeles – un design aux lignes épurées, élégantes, des lits de repos, des lampes chauffantes et des candélabres qui projetaient une lumière tamisée. Un bar en verre dépoli dépassait de derrière un intimidant rideau de végétation et, disposée dans un coin de sorte à ne rien cacher de la vue saisissante sur la ville qui s'étendait à nos pieds, se trouvait une cabine de DJ. Ceci dit, le spectacle de l'Hudson ne semblait guère avoir de succès, et j'ai vite compris pourquoi : la chair à portée de main était bien plus fascinante qu'une rivière, et offrait une vue bien plus dégagée.

Il y a fête et fête costumée, et puis il y a ce qui se déroulait sur la terrasse de Caleb – qu'on aurait pu, techniquement parlant, qualifier de fête costumée, mais qui en réalité se situait plutôt entre un défilé La Perla et une reprise de *Hair*. J'ai immédiatement eu envie d'envoyer balader chaussures et tailleur pour déambuler en culotte et soutien-gorge, ne serait-ce que par désir pressant de ne pas céder à la concupiscence. L'aurais-je fait que, certainement, j'aurais été toujours plus vêtue que la plupart des autres invitées, mais j'aurais moins détonné.

Caleb s'est éclipsé un instant puis est revenu avec une coupe de champagne pour moi et un verre rempli d'un liquide ambré pour Philip. J'ai vidé ma coupe d'un trait et j'ai dévisagé, bouche bée, la fille que Caleb nous avait ramenée en même temps que les boissons. Avant les présentations, nous avons eu droit au spectacle d'un long baiser à bouche que veux-tu, accompagné de mouvements de langue si enthousiastes que j'avais presque l'impression de participer à l'action.

— Mmmm, a-t-il murmuré en lui mordillant le cou une fois qu'il a eu retiré sa langue des profondeurs de son visage. Les amis, voici… la plus jolie fille de la soirée. Elle est supersexy, non ? Franchement, avez-vous déjà vu quelque chose de plus stupéfiant ?

— Magnifique, ai-je renchéri, même si c'était un mensonge éhonté.

La fille, apparemment, se fichait pas mal que Caleb ait oublié – ou jamais su – son prénom. Cela n'avait rien d'inhabituel, me suis-je douté ; apparemment, la nuit, il était fréquent de ne pas connaître le nom des gens avec lesquels on se trouvait. La musique était toujours trop forte, tout le monde était toujours trop cassé, mais surtout, personne n'en avait rien à fiche. « Je retiendrai son nom quand je l'aurai vu écrit Page Six », avais-je entendu Elisa proclamer une fois à propos de quelqu'un qu'on croisait souvent en soirées.

En tous les cas, cette fille ne semblait nullement vexée. Peut-être parce qu'elle ne captait pas un traître mot de ce qui se disait ? Elle se contentait de glousser, de rajuster de temps à autre sa tenue, et de se concentrer intensément sur Caleb en lui prodiguant des caresses suggestives. Et puis, un type travesti en femme nue, arborant de l'eyeliner pailleté et le même keffieh que Yasser Arafat, est venu nous annoncer que les voitures seraient là dans quelques minutes pour nous conduire au Bungalow 8, où la vraie fête pourrait commencer.

— J'espère que ça sera mieux que ma fête pourrie de l'an passé, a lâché Philip.

— Pourquoi pourrie ? ai-je demandé, moins par intérêt que pour m'empêcher de regarder tous ces gens avec des yeux ronds.

— La tête de nœud à la porte avait laissé entrer n'importe qui et, en moins d'une heure, c'était farci de bourrins de banlieusards. Un cauchemar.

— Tu l'as dit, a acquiescé l'avatar drag queen de Yasser Arafat. Mais ce soir, ce sera mieux. C'est le gros videur, à la porte, comment il s'appelle déjà… Sammy ?

C'est pas une lumière, mais il n'est pas complètement débile non plus.

Sammy ! J'avais envie de chanter son nom, de danser à l'idée de le voir, de serrer dans mes bras le type qui venait de prononcer son nom. Mais tout d'abord, il me fallait survivre à ça.

— Alors, t'es qui toi ? m'a demandé l'enturbanné.

— Elle passe pour une… femme d'affaires anxieuse, a gentiment répondu Philip à ma place tandis que j'observais la faune environnante.

Qu'est-ce qui, dans les soirées costumées, poussait donc les mecs à s'habiller invariablement en femme, et les femmes à se déguiser systématiquement en pouffe ? Qu'il s'agisse d'une soirée sympa et sans esbroufe, ou d'un raout superselect, ça ne loupait jamais. Où étaient donc les filles en habit de chat, d'infirmière, de princesse, de soubrette, de pensionnaire « couvent des Oiseaux », de démons, d'anges ? Aucune des nanas ici présentes ne s'était embarrassée des contraintes inhérentes à ces stéréotypes. Tout comme aucun costume ne méritait ce titre : ce n'était qu'amalgame d'étoffes brillantes et d'accessoires étincelants, visant uniquement à exposer aux regards quelques-uns des plus beaux corps jamais créés par Dieu le père.

J'ai avisé une brune, allongée sur un des lits, dont le pantalon ample, resserré aux chevilles et retenu sur ses hanches par un gros ceinturon, évoquait un costume de gitane ; la transparence de l'étoffe fluide laissait voir un string incrusté de strass et calé entre deux fesses d'une irréprochable fermeté. En haut, elle arborait un soutien-gorge également orné de strass, et son décolleté pigeonnant était parfait – « Regardez-moi ! » semblait-il dire, et non pas « Je rêve d'être la nouvelle Pamela Anderson ». Son amie (qui semblait n'avoir pas plus de seize ans) portait un collant en résille argenté tellement tendu sur ses jambes interminables qu'il semblait par endroits déchiqueté, et à voir son microshort en cuir rouge (ultra taille basse, ultra découpé à l'entrejambe) on ne pouvait qu'en conclure qu'elle avait demandé une prestation sur mesure à son institut d'épilation. Son « costume » se complétait en tout et pour tout d'une paire de pompons à glands collés sur ses seins menus, et d'une tiare géante ornée de plumes multicolores qui retombaient en cascade dans son dos. En vingt-sept ans d'existence, jamais je n'avais éprouvé d'attirance sexuelle pour une autre fille, mais là, je crois bien que j'aurais été partante sur-le-champ pour tenter le coup avec l'une ou l'autre.

— On croirait des mannequins de lingerie, ai-je marmonné entre mes dents, sans m'adresser à personne en particulier.

— C'est ce qu'elles sont, m'a indiqué Philip qui les dévorait des yeux. Tu ne les reconnais pas ? Ce sont les deux mannequins vedettes de Victoria's Secret – leur plus jeune moisson brésilienne de tous les temps.

C'était désespérant de découvrir qu'en fait, les photos de mannequins étaient beaucoup moins retouchées que je n'avais réussi à m'en convaincre. Tandis que nous déambulions, Philip a salué avec familiarité un acteur célèbre, une star du baseball, et embrassé (en loupant à chaque fois de peu les lèvres) toute une ribambelle de rédactrices de mode, d'actrices de sitcom et de starlettes d'Hollywood. Puis, alors que je vérifiais que ni Elisa, ni Kelly n'avaient cherché à me joindre, je l'ai aperçu, du coin de l'œil, qui massait le dos de la fille aux pompons. A présent, je la reconnaissais : c'était elle, sur le catalogue de Victoria's Secret, qui présentait ce modèle de culotte en coton que j'avais commandé quelque temps auparavant. Quand je l'avais essayée devant mon miroir, j'avais mentalement accusé la fille de tromperie sur la marchandise. Un système d'immenses enceintes ultraplates diffusait la compil' de l'Hotel Costes tandis que les invités dansaient, fumaient, se droguaient ou mastiquaient des sushis tout en se matant à qui mieux mieux. Je n'arrêtais pas de surveiller la porte, dans l'attente de l'arrivée d'Elisa, puis, inquiète à l'idée qu'elle ne trouve pas le chemin de la terrasse, j'ai fini par lui envoyer par SMS les instructions relatives aux ascenseurs. À un moment donné, j'ai accepté le verre que me proposait un serveur étourdissant (torse nu, ceint d'un pagne et perché sur des talons) mais sans quitter mon poste de surveillance près de la porte. Il y a eu un bref instant de flottement dans l'ambiance quand Caleb a annoncé qu'une flotte de voitures nous attendait tous en bas pour nous transporter au club, mais presque aussitôt, la fête a redémarré, d'abord dans les ascenseurs, puis dans les deux douzaines de limousines garées à la queue leu leu et quasi à perte de vue le long du bloc.

— Philip, on ne peut pas partir ! ai-je sifflé à mi-voix tandis qu'il tentait de me pousser dans un ascenseur. On attend les clients de BlackBerry.

— Arrête de te tracasser, mon cœur. Elisa m'a appelé pour me prévenir que ton boss l'avait appelée pour lui dire que le rendez-vous de ce soir est annulé.

Non. *Impossible !* J'aurais quitté contre mon gré le dîner de Penelope pour m'occuper de clients qui n'avaient pas besoin qu'on s'occupe d'eux ? J'avais mal entendu.

— QUOI ? Tu plaisantes, j'espère !

Philip a haussé les épaules.

— Écoute, c'est ce qu'elle m'a dit. Allez, viens, mon cœur, tu pourras les appeler de la voiture.

Je me suis calée entre Philip et Caleb, en essayant d'éviter tout contact avec les parties de chair exposée de la fille qui s'était allongée en travers, sur nos genoux.

J'ai appelé Elisa et j'ai bien failli pleurer de frustration quand l'appel a basculé directement sur sa messagerie.

Kelly, elle, a répondu à la troisième sonnerie, d'une voix où perçait une légère surprise.

— Beth ? Je t'entends très mal ! C'est annulé, pour ce soir… On a dîné à Soho House, c'était très bien, puis on a bu un verre près de la piscine, mais je crois qu'ils manquent d'entraînement pour faire la fête à New York. Ils sont rentrés à leur hôtel. Tu es libre. Mais ils sont très excités à l'idée de la soirée ! a-t-elle hurlé pour couvrir le bruit de la musique qui l'environnait, sans réaliser que si elle ne s'entendait pas parler, moi, je l'entendais sans problème.

— Bon, d'accord, si tu es sûre…

— Tu es avec Philip ? a-t-elle crié.

Juste au moment où son nom percutait mon tympan, Philip a refermé une main sur mon genou, et l'a fait remonter le long de la cuisse.

— Oui, il est juste à côté. Tu veux lui parler ?

— Non, non ! Je veux que toi tu lui parles. J'espère que vous allez au Bungalow. Ça va être une soirée d'enfer – tout le monde y sera pour l'anniversaire de Caleb.

— Ah bon ?

— Oui, des tas de photographes, plein d'opportunités…

En dépit de l'étrangeté de ces tactiques dépourvues de subtilité et dignes d'une mère maquerelle, j'aimais bien mon travail – et Kelly. Je savais que jamais je ne ferais marche arrière vers les fonds de placement et je voulais que la soirée BlackBerry soit l'événement phare de l'année. Je me suis donc dit que ça ne pouvait pas nuire de poser aux côtés de Philip devant quelques objectifs avant de m'éclipser en douce pour aller retrouver Penelope et Michael au Black Door. De toute façon, on était déjà en route, non ? Et j'avais beau m'offusquer qu'on m'ait contrainte et forcée à abandonner le dîner de

Penelope, j'essayais de me convaincre que tout n'allait pas si mal…

— Message reçu, Kelly, ai-je acquiescé avec un feint enjouement tout en délogeant la main de Philip de l'endroit où elle s'était égarée (sur l'intérieur de ma cuisse) pour la corriger d'une tape, comme l'aurait fait ma grand-mère. Merci, Kelly, à lundi.

Notre cortège s'est rangé en file indienne le long de la Vingt-Septième Rue. La centaine de gens au moins qui faisait la queue à l'entrée nous a observés, bouche bée, descendre des voitures dans nos costumes extravagants. Sammy se tenait d'un côté de la porte et un des invités de Caleb, accoutré d'une perruque blonde et perché sur des talons vertigineux, l'a apostrophé en hurlant. J'ai essayé d'attirer son attention tandis que nous passions devant tout le monde, mais un autre videur s'est approché de nous.

— Combien êtes-vous ? a-t-il demandé à Philip d'un ton aimable, sans montrer qu'il savait à qui il avait affaire.

— J'en sais trop rien, mec. Quarante ? Soixante ? Comment savoir ?

— Désolé – pas ce soir, lui a répondu le videur en lui tournant le dos. Soirée privée.

— Je crois que tu n'as pas pigé, mon gars…, a dit Philip en lui tapant sur l'épaule.

Le videur s'est retourné, l'air fin prêt à cogner, puis il a remarqué la carte de crédit que Philip brandissait – la légendaire Amex Caviar. Les négociations ont commencé.

— Je n'ai que trois tables de libres pour l'instant. Je peux laisser entrer six personnes par table, plus dix autres au bar, mais c'est tout ce que je peux faire. N'importe quel autre soir, pas de souci, mais ce soir, ça ne dépend vraiment pas de moi.

Ce type était nouveau et n'avait à l'évidence pas idée de l'identité de l'homme auquel il s'adressait. Philip, lui, avait la tête de celui qui s'apprêtait à procéder aux présentations. Il s'est approché à quelques centimètres du visage du portier et lui a craché, d'une voix tendue et glaciale :

— Écoute bien, mec, ton problème, je m'en tape. Caleb est un de mes meilleurs amis et c'est *sa* soirée. Tes trois tables, c'est du foutage de gueule. J'en veux six, avec deux bouteilles par table pour commencer, et tout le monde entre. *Tout de suite.*

J'ai remarqué que Sammy avait terminé sa conversation et j'ai essayé de m'éloigner discrètement de la porte pour me fondre dans la cohue ; j'étais prête à tout pour qu'il ne me voie pas avec Philip. Tout autour de moi, des gens étaient pendus au téléphone, rameutant toute connaissance susceptible d'inciter les videurs à soulever le cordon de velours ; les filles les courtisaient avec des regards de chiot, leur caressaient le bras, les suppliaient gentiment de les laisser entrer. Sammy s'est approché de Philip et a croisé mon regard. J'espérais avec ferveur qu'il leur dise à tous d'aller se faire voir, de remballer leur fric et d'aller faire la fête ailleurs, mais il s'est contenté de me regarder sans ciller, avant de s'adresser à son collègue :

— Anthony, laisse-les passer.

Anthony, qui s'était déjà montré arrangeant et courtois, a semblé consterné.

— Putain, ils sont au moins quatre-vingts ! a-t-il protesté. Je m'en tape de leur pognon ! C'est mon cul en ligne de mire si…

— Je t'ai dit de les laisser entrer. Libère le nombre de tables dont tu as besoin et donne-leur ce qu'ils veulent. Tout de suite.

Sur ce, Sammy m'a lancé un dernier regard et est

entré dans le club, en laissant Anthony se débrouiller de nous.

— Tu vois, mon pote ? n'a pas pu se retenir de jubiler Philip, convaincu sans doute que c'était sa notoriété qui nous avait ouvert les portes. Fais donc comme t'a dit ce gentil garçon. Tu prends cette carte, là, et tu nous trouves nos fichues tables. Tu vas y arriver, n'est-ce pas ?

Anthony a pris la carte de Philip d'une main tremblante de rage et a tenu la porte pour céder le passage aux quarante d'entre nous qui étaient déjà arrivés. Dans la queue, le silence s'est fait ; tout le monde était à l'affût de visages célèbres.

— C'est Johnny Depp ! a chuchoté sans discrétion une fille.

— Ohmondieu ! C'est pas Philip Weston, là ? s'est pâmée une autre.

— Il sortait avec Gwyneth, non ? a lancé un mec.

Philip, boursouflé d'une fierté ostensible, m'a dirigée vers une des tables que le responsable de salle venait de libérer pour nous. Les clients évincés, debout à quelques mètres de là, leur verre à la main et le visage empourpré de honte, nous ont regardés nous installer sur les banquettes.

Philip m'a attirée sur ses genoux et m'a frictionné la jambe, avec une énergie à la limite du supportable. Puis il m'a servi une vodka tonic avec la bouteille à quatre cents dollars qu'on avait immédiatement déposée devant nous et il a entrepris de saluer par leur prénom tous les gens qui passaient à proximité – en enfouissant de temps en temps son visage dans ma nuque. À un moment donné, il est resté, menton calé sur mon épaule, hypnotisé par le mannequin à pompons à peine post-pubère qui s'était assise à côté de moi dans une pose très photogénique – jambes croisées, visage dans les mains, coudes posés sur les genoux, pompons légèrement de guingois.

— Regarde, m'a-t-il chuchoté d'une voix rauque. Regarde comment elle singe ses aînées. Elle imite leurs roulements de hanches, leurs mouvements d'yeux, de lèvres parce qu'elle sait que c'est sexy. Son corps se transforme à peine, elle n'a pas bien réalisé encore ce qu'elle possède et elle apprend déjà comme un poussin qui vient de naître. N'est-ce pas énorme, un tel spectacle ?

Mmm… absolument énorme. Totalement fascinant, même, ai-je songé. Je me suis dégagée en annonçant que je revenais tout de suite et Philip a aussitôt entrepris ma voisine en question, en la complimentant sans détour.

J'ai aperçu Elisa, près de l'entrée, vautrée sur une banquette, lovée contre un beau mec, ses pieds nus – et meurtris par les lanières de ses sandales – posés sur les genoux de Davide. Elle ne me semblait pas concernée, ni préoccupée par le faux bond des gens de BlackBerry. J'ai même douté qu'elle soit consciente – ou même encore vivante – jusqu'à ce que je m'approche et remarque son ventre creux se soulever en rythme.

— Beth, mon chou, tu es là ! s'est-elle écriée, en rassemblant suffisamment d'énergie pour couvrir la musique, mais sans bouger.

Sans doute n'avait-elle pas consommé assez de calories dans la journée pour lui permettre de tenir debout. J'ai décidé que ça pouvait attendre pour aborder le sujet BlackBerry.

— Salut, ai-je marmonné, avec un manque d'enthousiasme patent.

— Viens par là. Je veux te présenter l'esthéticien le plus talentueux de Manhattan. Marco, voici Beth. Beth, Marco.

— Dermo-thérapeute, s'est empressé de corriger l'intéressé.

J'étais partie pour aller remercier Sammy, mais il m'était difficile de m'échapper sans avoir passé au moins quelques minutes à leur table. Je me suis donc assise et me suis aussitôt servi une autre vodka tonic.

— Bonsoir, Marco, enchantée. Comment connais-tu Elisa ?

— Comment ? Mais parce que c'est à moi que revient le mérite de cette peau sans défaut et ce teint *éclatant* ! (Il a pris la tête d'Elisa entre ses mains et l'a tirée vers moi comme s'il s'était agi d'un objet.) Regarde. Tu vois ce grain régulier ? Cette absence totale de défauts ? De tâches de pigmentation ? Un modèle de réussite !

Il s'exprimait avec un léger accent hispanique et force gesticulations.

— C'est vrai, elle a une superpeau. Tu pourrais peut-être m'aider à secourir la mienne, un de ces jours, ai-je dit, faute de savoir quoi dire d'autre.

Je comptais en rester là et m'apprêtais à les prier de m'excuser, mais Elisa s'est tortillée pour s'asseoir et a déclaré :

— Mes chéris, tenez-vous un peu compagnie pendant que Davide et moi allons saluer quelques amis.

J'ai regardé Davide, qui était courbé au-dessus de la table, de telle sorte que le plateau dissimule ses mains. Avec dextérité, il a ouvert, à ses pieds, le réticule Dior d'Elisa, détaché une clé du trousseau, versé d'un minuscule paquet un peu de poudre blanche sur la rainure la plus longue et approché la clé de son nez, rapidement, en la cachant entièrement sous sa main. À moins d'être très attentif, on ne voyait rien de plus qu'un garçon qui se grattait distraitement l'aile de la narine, et souffrait éventuellement d'un petit rhume allergique. Sans perdre de temps, il a re-rempli la rainure et passé discrètement la clé à Elisa qui, elle, a été si rapide que je n'aurais pas pu jurer l'avoir vue sniffer. Quelques secondes plus tard, la clé était retournée à sa place dans le sac, et mes deux collègues se sont levés comme des ressorts, prêts à partir à l'assaut de la salle.

— Ils auraient pu nous en proposer, tu ne trouves pas ? a observé Marco.

— Ouais, sans doute, ai-je dit, ne sachant trop comment lui dire que je n'avais jamais essayé et que, tout en étant curieuse de la chose, ça me flanquait la trouille.

Marco a lâché un soupir lourd de sous-entendus et s'est consolé d'une longue rasade d'alcool. Cette fois, je ne savais plus quoi inventer pour m'échapper.

— Dure journée ? ai-je demandé, en désespoir de cause.

— Ah ça, tu peux le dire ! Elisa m'a foutu le souk dans tout mon emploi du temps. Elle sait pourtant que je déteste qu'on tombe dans les pommes sur mon fauteuil.

— Elle est tombée dans les pommes ? Elle va mieux ?

Il a levé les yeux au ciel, puis lâché un long soupir résigné.

— Regarde-la – elle va bien, selon toi ? Je n'ai rien contre le fait de s'affamer – ça m'est déjà arrivé de le faire – mais tu dois prendre la responsabilité de tes actes. On le *sent*, quand on est sur le point de s'évanouir. On voit des étoiles, on a un peu le vertige. Notre corps nous dit qu'il est temps de croquer dans la barre énergétique qu'on devrait toujours avoir à portée de main pour ce genre d'occasion. Il faut tenir compte de l'avertissement, tu vois, et ne pas venir clamser dans mon fauteuil, ni nulle part ailleurs où on risque de me foutre la zone dans mon emploi du temps.

Ne sachant pas quoi répondre à cette diatribe, je me suis contentée d'écouter.

— Ce genre de nanas passent le week-end à s'envoyer des trucs dans le nez sans rien avaler, puis elles s'imaginent qu'elles peuvent venir s'écrouler chez moi et que je vais les remettre d'aplomb. Bon, je l'ai fait un temps, mais maintenant, j'ai mieux à faire. Pour moi, ça ou les héroïnomanes, c'est du pareil au même : j'en ai strictement rien à cirer de ce que tu te mets dans les veines, mais tu ne viens pas faire une overdose chez moi, parce que là, ça devient *mon* problème. Tu comprends ?

J'ai hoché la tête en me disant que le monde avait bien de la chance d'avoir un type comme Marco, avec la tête si bien d'aplomb sur les épaules.

— Il y a des gens qui en pâtissent plus que moi, a-t-il poursuivi avec sérieux. Un de mes amis est artiste-maquilleur. Il trimballe toujours en plus de sa mallette de maquillage un stock de barres énergétiques et de jus de fruits à cause de ces filles qui n'arrêtent pas de lui claquer entre les doigts. Au moins, chez moi, quand elles tombent dans les vapes, je n'ai pas besoin de tout recommencer à zéro. Faut dire qu'en général, mon ami voit ces filles juste avant des soirées importantes. C'est le moment où elles sont le plus affamées, vu qu'elles n'ont rien avalé depuis des jours pour entrer dans leur robe. C'est pas facile, tu sais. C'est toujours nous qui ramassons les morceaux.

J'ai compris que si je ne m'échappais pas rapidement, cette conversation pourrait durer éternellement.

— Ouais, je veux bien te croire. Bon, Marco, c'était sympa de te rencontrer mais je dois filer dire bonjour à un ami.

— Pas de problème, ravi d'avoir fait ta connaissance. À plus.

Il m'a fait un signe de tête et s'est resservi un verre.

Je voulais remercier Sammy d'être intervenu auprès de son collègue et peut-être lui expliquer que je n'étais pas là au titre de petite amie de Philip, ni même par choix, mais quand j'ai enfin réussi à me faufiler à travers les encombrements à la porte, Sammy n'était nulle part en vue.

— Salut, vous savez où est Sammy ? ai-je demandé à Anthony d'un ton dégagé.

Il semblait calmé depuis notre dernier échange ; il a secoué la tête et consulté son bloc.

— Non, il est parti tôt pour retrouver sa nana. Il me laisse seul pour une des plus grosses soirées de l'année. En général, il ne fait jamais ça, alors ce devait être important. Pourquoi ? Vous avez un problème ? Je peux essayer de vous aider dans un moment, quand je me serai débarrassé de quelques-uns de ces gens.

— Non, non, pas de problème. C'était juste pour lui dire bonsoir.

— Bon, d'accord. Il sera là demain soir.

J'ai taxé une clope à un type accoutré d'une robe de débutante vert pomme et j'ai tenté de re-rentrer dans le club. Ce qui était parfaitement inutile, car la fête était venue à moi.

— Beth ! J'espérais bien te voir ici ! a piaillé Abby tandis que sa poitrine monumentale menaçait de lui engloutir le visage. Tu ne crois pas que tu serais mieux dedans, à tenir ton jules à l'œil ?

— Salut, Abby. Je bavarderais volontiers un moment avec toi, mais justement, je partais.

— Abigail. Viens, rentre, le temps de fumer une ciga-rette avec moi, O.K. ? En souvenir du bon vieux temps.

Je lui aurais volontiers rétorqué qu'il n'y avait pas de bon vieux temps, mais imaginer Sammy pelotonné avec Isabelle, la beauté botoxée, avait sapé mes dernières forces.

— Comme tu veux, ai-je répondu avec apathie.

— Alors, raconte ! Comment ça se passe, avec Philip ? C'est tout de même invraisemblable que vous ayez fini ensemble ! a-t-elle dit en se penchant vers moi avec un air de conspiratrice.

— Invraisemblable ? Non, pas vraiment.

Je cherchais un moyen, n'importe lequel, de mettre un terme à cette conversation.

— Beth ! Mais bien sûr que si ! Dis, je peux te poser une question indiscrète ? Tu vois, j'ai toujours voulu savoir : il est comment au lit ? Parce que – comme tu le sais – il y a des rumeurs comme quoi…

— Écoute, Abby, sans vouloir être grossière, il faut que j'y aille. Je n'ai pas de temps pour cette conversation.

Elle n'a pas bronché.

— Bien sûr, pas de problème. J'imagine bien que ton nouveau boulot t'épuise. Mais je suis sûre qu'on arrivera à se voir très bientôt au calme, pas vrai ? Oh, et j'adore ta façon de porter ce tailleur – il n'y a vraiment que toi pour donner autant de panache à un truc aussi ordinaire.

J'ai reculé comme si j'avais affaire à un chien enragé, et j'ai commencé à battre en retraite vers la table d'Elisa, le temps de reprendre mes esprits, puis finalement j'ai bifurqué vers le bar, où j'ai descendu un martini – dosé exactement comme ceux de Will. Ce n'était pas désagréable, tout compte fait, de se soûler en solo, mais quand une horde de filles sublimes et quasiment à poil est venue envahir mon espace vital, la tentation de partir est devenue irrésistible. Au diable les photos pour Kelly ! Endurer une minute de plus les commentaires fascinés de Philip sur le cycle de croissance des mannequins sud-américains, ou les conseils de Marco sur les façons les plus efficaces de s'affamer était au-dessus de mes forces. J'ai envoyé un SMS à Philip et à Elisa en prétextant une maladie subite, et je me suis effondrée à l'arrière d'un taxi. J'ai regardé ma montre – une heure et demie du

269

matin. Penelope et Michael seraient-ils encore au Black Door ? J'ai eu ma réponse quand Michael, au bout de la cinquième sonnerie, a articulé un « Allô » pâteux dans le téléphone.

— Michael, je suis désolée…

— Je viens juste de rentrer. Tu as loupé une bonne soirée. Mais le Black Door avec Penelope et Avery, ce n'est pas pareil qu'avec Beth et Penelope.

J'ai appelé Penelope aussitôt après, et je me suis acharnée à recomposer son numéro jusqu'à ce que je sombre dans le sommeil, un peu après trois heures. Toutes mes tentatives avaient échoué directement sur la messagerie.

16

J'ai recommencé à appeler Penelope sept heures plus tard. Je voulais à tout prix lui expliquer que les apparences avaient joué contre moi. Mais elle ne répondait pas.

C'est Avery qui a fini par décrocher, peu après midi, et à entendre sa voix, j'ai deviné qu'il se réveillait – et souffrait d'une légère gueule de bois.

— Salut, Beth. Qu'est-ce qui se passe ?

— Salut, Avery. Penelope est là ? ai-je attaqué d'emblée, peu disposée à lui faire plus de conversation que le strict minimum.

J'ai entendu des froissements, un chuchotement étouffé, puis Avery, de nouveau :

— En fait, elle est chez ses parents, pour le brunch. Tu veux que je lui transmette un message ?

— Avery, passe-la-moi, s'il te plaît. Je sais qu'elle est là, et je sais qu'elle m'en veut et je veux m'expliquer. Ce n'est pas ce qu'elle croit…

— Hé, Beth ? m'a-t-il coupé en baissant la voix, tel un conjuré. Te mine pas pour ça. Moi aussi je serais bien allé à l'anniversaire de Caleb, hier soir. Crois-moi que si j'avais trouvé moyen de m'échapper de ce dîner mortel, j'y aurais été avec toi. Pen exagère, elle en fait trois tonnes.

Évidemment – Avery était au courant de la fête. Je me suis sentie prise de nausée.

— Ce n'est pas ce que tu crois, Avery. J'aurais préféré de loin… (Je me suis interrompue car je venais de réaliser que je me justifiais auprès de la mauvaise personne.) Bon, tu me la passes ?

J'ai entendu d'autres froissements et l'instant d'après, Penelope qui disait « Allô ? » comme si elle ignorait qui appelait.

— Pen, salut, c'est moi. Comment ça va ?

— Oh, Beth ! Ça va. Et toi ?

La conversation ressemblait exactement à celles que j'avais avec ma grand-mère, une vieille dame très polie mais légèrement sénile. Comme je le redoutais, Penelope était furax.

— Pen, je sais que tu n'as pas envie de me parler pour l'instant. Désolé si Avery t'a piégée en décrochant, mais je tiens à m'excuser. Hier soir, ce n'était pas ce que tu as cru.

Silence.

— J'ai eu un coup de fil d'Elisa, qui m'a dit que les gens de BlackBerry étaient arrivés plus tôt que prévu en ville et qu'il me fallait les rencontrer. C'est moi qui suis responsable de leur soirée, il m'était impossible de me défiler.

— Oui, c'est ce que tu m'as dit, m'a-t-elle répondu d'une voix glaciale.

— Eh bien, c'est exactement ce qui s'est passé. Dans mon idée, je partais passer une heure avec eux, et j'espérais avec un peu de chance être de retour pour le dessert. J'attendais la voiture qu'Elisa était censée m'envoyer quand Philip s'est pointé. C'était lui qu'Elisa avait envoyé me chercher au lieu de la voiture, parce que les clients tenaient à le rencontrer lui aussi. Je n'en savais strictement rien ! Je te le jure !

Il y a eu une pause. Puis Penelope a lâché :

— Avery dit que tout le monde t'a vue à la fête d'anniversaire d'un mec, *downtown*. Pour moi, je ne qualifierais pas ça de soirée « de boulot ».

Inutile de souligner que ce « tout le monde t'a vue » m'a donné la chair de poule. Je me suis empressée de répondre :

— Oui, je sais, Pen. Philip est arrivé en m'expliquant qu'Elisa lui avait dit que nous devions retrouver Kelly et les clients là-bas.

— Oh. Et… la réunion s'est bien passée ?

Il m'a semblé qu'elle se dégelait un peu, mais ma réponse n'allait malheureusement pas être en mesure de poursuivre le processus.

— Non, ils ne sont même pas venus. Apparemment, ils étaient crevés, et ils sont rentrés à l'hôtel après avoir bu un verre avec Kelly. À ce stade-là, c'était une heure du mat' ! Et je n'arrivais plus à te joindre. Je suis mortifiée, Pen. J'ai quitté ton dîner parce que je croyais ne pas avoir le choix, et il s'est avéré que c'était totalement inutile.

L'excuse était nulle, mais au moins, c'était la vérité.

— Pourquoi ne nous as-tu pas retrouvés au Black Door ? Écoute, a-t-elle enchaîné d'une voix radoucie. Je sais que tu ne serais pas partie juste pour aller à une autre soirée. Avery m'a certifié que tu avais inventé cette histoire de boulot parce que ç'allait être une fête démente, mais je ne l'ai pas cru. Simplement, ç'a été un peu dur de te croire, quand je t'ai vue partir avec Philip.

J'aurais très volontiers étranglé Avery avec le fil du téléphone, mais comme je commençais enfin à rentrer en grâce auprès de Penelope, j'ai préféré me concentrer sur ce front-là.

— Tu sais bien que je n'aurais jamais fait un truc pareil, Pen ! Hier soir, je n'avais envie d'être nulle part ailleurs qu'avec toi. Et si ça peut te consoler, sache que toute la soirée a été une horreur. Absolument pas drôle du tout, je te le jure.

— Bon... je suis sûre d'en lire quelques échos en ligne cette semaine, a-t-elle lâché d'un ton dégagé. (Elle a ri, mais je sentais bien qu'elle était toujours contrariée.) À ce propos, tu as jeté un œil à l'édition de ce matin ?

Mon cœur a loupé un battement.

— Ce matin ? Mais on est dimanche ! De quoi parles-tu ?

— Oh ! C'est moins terrible que d'habitude, ne t'inquiète pas ! (Comme je savais qu'elle disait ça pour me rassurer, j'ai aussitôt flippé.) Avery vient de me le montrer. C'est juste un commentaire vachard sur le fait que tu t'es pointée en tailleur-pantalon à une soirée costumée.

C'était incroyable ! Comparée aux précédentes, cette livraison était parfaitement inoffensive mais, allez savoir pourquoi, cette pique me contrariait davantage que tous les mensonges qu'on avait pu raconter, ou toutes les fausses images qu'on avait pu donner de mes activités nocturnes : si je ne pouvais même plus faire de choix vestimentaire sans m'attirer des commentaires publics, je n'avais vraiment plus du tout de vie privée.

— Génial. Vraiment génial, ai-je dit. (Encore une repartie inspirée...) Tu vois, ce tailleur vaut pour preuve de ma bonne foi : je n'avais aucune intention de quitter ton dîner pour aller à une soirée.

— Je sais, Beth. On passe l'éponge, d'accord.

On était sur le point de raccrocher quand je me suis souvenue que je ne l'avais pas invitée à la soirée BlackBerry.

— Hé, Pen, pourquoi ne viendrais-tu pas mardi soir ?

Amène Avery si tu veux, ou viens seule. Ce devrait être drôle.

— C'est vrai ? a-t-elle dit, l'air ravi. Ça pourrait être une superidée. On pourrait enfin se poser un peu et rattraper notre retard. J'ai l'impression que ça fait un bail, pas vrai ?

— J'adorerais ça, Pen. Tout ce dont j'ai envie, c'est m'esquiver dans un coin avec toi et me moquer de tous les gens qui passent, mais je dois te prévenir que je n'aurais pas une seconde à moi. Je suis responsable de tout le truc, et je sais que je vais passer mon temps à courir dans tous les sens à m'occuper de centaines de trucs. J'ai vraiment envie que tu viennes, mais ce ne sera pas la meilleure soirée pour papoter tranquillement.

— Oh. Bien. Oui, bien sûr. Je m'en doutais.

— Que dirais-tu d'un dîner juste après Thanksgiving, rien que toi et moi, avant ton départ ?

— Mm mm, pas de problème. On en reparle le moment venu ?

Et voilà. Je l'avais de nouveau perdue. J'entendais bien qu'il lui tardait de raccrocher.

— D'accord. Et... excuse-moi encore pour hier soir. J'ai hâte de te voir la semaine prochaine...

— Mm mm. Bonne journée, Beth. Salut.

— Salut, Pen. À très vite.

17

Quand on a vingt-sept ans, et que le téléphone sonne au beau milieu de la nuit, on est en droit de penser que c'est un mec beurré qui appelle avec une proposition malhonnête derrière la tête, plutôt qu'une catastrophe d'ordre professionnel et qui risquerait de dévier à jamais le cours de la vie. Mais comme on était à la veille de la soirée BlackBerry, quand mon portable s'est mis à couiner à trois heures et demie du matin, j'étais bien certaine que j'allais devoir résoudre un problème.

— Vous êtes Beth ? a demandé une voix de femme d'un certain âge.

— Allô ? Oui, c'est moi.

(J'avais beau être complètement dans les vapes, j'étais déjà assise droite dans le lit, un stylo en main.)

— Beth, c'est Mrs. Carter.

— Excusez-moi, vous pourriez me répéter votre nom, s'il vous plaît ?

— Mrs. Carter. La maman de Jay-Z.

Aaaaaaaah !

— Bonjour, Mrs Carter. (J'ai repensé à la façon dont nous avions, sur les listes, classé les invités : Mrs. Carter était la seule invitée mentionnée à la rubrique « Mère

276

de célébrité ». Nous sommes ravis de recevoir votre fils et tous ses co… ses amis. Tout le monde est très impatient !

Je me suis félicitée à part moi de mon talent à feindre l'enthousiasme.

— Eh bien, très chère, c'est justement à ce propos que j'appelle. Il n'est pas trop tard, j'espère ? Je me suis dit qu'une organisatrice de soirée de votre importance ne devait jamais se coucher avant minuit. J'ai eu raison, n'est-ce pas, mon petit ?

— Mm, oui… non. Enfin, je suis à New York, et ici, il est trois heures du matin, mais ne vous inquiétez pas. Vous pouvez m'appeler à n'importe quelle heure. Il y a un problème ?

S'il vous plaît, non ! non ! non ! ai-je psalmodié dans ma tête. Et que pouvais-je faire de plus que le chèque de cent cinquante mille dollars à titre de cachet, les suites en penthouse au Gansevoort Hotel et les billets d'avion en business que j'avais réservés pour l'artiste, sa maman, sa petite copine superstar et neuf de ses plus proches amis ? Quand j'avais demandé pourquoi ils avaient besoin de chambres d'hôtel – même moi je savais que Jay-Z possédait une piaule digne d'un palais à New York –, sa mère avait ri et répondu : « Réservez-les, c'est tout. »

— Voilà, mon petit. Mon fils vient de m'appeler, et il ne comprend pas l'intérêt de prendre un vol de si bonne heure, demain matin. Il espérait que vous pourriez nous déplacer sur un vol plus tardif.

— Plus tardif ?

— Oui, un vol qui arrive plus tard que celui sur lequel vous nous avez déjà…

— Oui, oui, j'ai compris, l'ai-je coupée d'un ton un poil trop pète-sec. Simplement, la soirée débute à dix-neuf heures, et en l'état actuel des choses, votre arrivée à New York est prévue à quatorze heures et si nous vous décalons sur un autre vol, j'ai peur que vous ne soyez pas là à temps.

— Écoutez, mon petit, je suis certaine que vous allez vous débrouiller. Je dois absolument me reposer, maintenant. Ces Los Angeles-New York me crèvent toujours. Faxez-moi juste la confirmation une fois que vous avez tout arrangé. Allez, mon petit, au revoir.

Elle a raccroché sans me laisser le temps d'ajouter quoi que ce soit d'autre.

« Mon petit », « mon petit »… Mais quelle conne ! J'ai balancé le portable contre le mur, et n'ai retiré aucune satisfaction de l'entendre pousser un bêlement faiblard, juste avant que la batterie ne s'éjecte du boîtier et que l'écran ne devienne noir. Millington avait enfoui la tête sous l'oreiller pour s'abriter de mes foudres. Par chance, les compagnies aériennes restaient joignables jour et nuit et avant d'avoir pu endommager quelque autre objet m'appartenant, j'ai appelé American Airlines depuis la ligne fixe.

L'hôtesse qui m'a répondu semblait aussi harassée que moi, et je me suis préparée à affronter ce qui s'annonçait comme une tractation pénible.

— Bonjour, j'ai un petit souci agaçant. J'ai réservé douze places, sur le LAX-JFK de huit heures et j'espérais pouvoir modifier la réservation sur un vol plus tard dans la matinée.

— Le nom ! a aboyé la femme.

Elle n'était pas simplement indifférente, comme je m'y étais attendue, mais carrément hostile. Et j'ai eu peur qu'elle déconnecte mon appel « par accident » pour ne pas avoir à traiter mon problème – un geste que j'aurais compris sans aucun mal.

— La réservation est au nom de Gloria Carter. Ils voyagent tous en business.

Il y a eu un silence pesant et puis la femme a demandé :

— Gloria Carter ? Comme la mère de Jay-Z ?

Comment les gens savaient-ils des choses pareilles ? Voilà qui demeurait pour moi un mystère. Mais j'ai deviné là une ouverture et je m'y suis engouffrée.

— C'est elle. Jay-Z vient se produire à New York, il amène quelques amis, et sa mère. Naturellement, si vous êtes vous-même à New York et si vous pouvez venir, je me ferais un plaisir de vous inviter à assister au petit concert privé qu'il donne.

Je l'ai entendue reprendre sa respiration.

— Non ! C'est vrai ? Écoutez, moi je suis dans notre centre de Tampa, mais mon frère habite dans le Queens et je sais qu'il adorerait venir.

— Bon, voyons ce que nous pouvons faire pour modifier ces réservations… Je ne voudrais pas qu'ils arrivent trop tard. Si vous aviez des places sur un vol une ou deux heures plus tard maximum… Les avions sont-ils à l'heure, en général, sur cette ligne ?

— Jamais. Mais ce ne sont jamais de gros retards. Voyons… j'ai un vol qui décolle de LAX à dix heures – arrivée seize heures à Newark. Ça vous irait ?

— Parfait. Et vous avez douze sièges ? ai-je demandé, pleine d'espoir, en songeant que cette femme était un cadeau tombé du ciel.

Elle a rigolé. Ou ricané, plus exactement. Ce qui n'était pas bon signe.

— Je les ai. Mais ils ne sont pas tous en business. Au mieux, ce sera quatre places en business, six en première et deux en éco. Et naturellement, il vous faudra payer la différence pour les premières, soit un total de… dix-sept mille dollars. Ça vous convient ?

C'était à mon tour de rire. Non pas qu'il y ait matière à rire, bien sûr, mais entre rire ou pleurer…

— Je n'ai pas vraiment le choix.

— C'est sûr, a-t-elle dit, comme si elle se délectait de la situation. Et il va falloir vous décider vite, parce qu'un autre siège de business vient de disparaître.

— Réservez ! ai-je quasiment hurlé. Réservez immédiatement !

J'ai dicté le numéro de ma carte Visa professionnelle, en me disant, pour rationaliser, que c'était toujours mieux que de devoir annoncer à Mrs. Carter que tous les autres vols étaient complets et voir tout le truc tomber à l'eau. Le problème réglé, j'ai aussitôt replongé sous les couvertures.

Quand le réveil a sonné quelques heures plus tard, j'avais l'impression d'avoir passé la nuit allongée sur une dalle en ciment. Fort heureusement, ma tenue pour la soirée était prête et attendait dans un sac. Je n'avais qu'à faire l'effort de me tenir debout sous la douche sans perdre conscience.

Me disant que c'était le jour ou jamais de ne pas lésiner sur le prix d'une course de taxi, j'en ai rattrapé un à une centaine de mètres de chez moi et j'y ai plongé tête la première. Le fait de ne pas être coincée sous terre sans réseau m'a permis de passer en revue quelques sites web à partir de mon BlackBerry flambant neuf – un cadeau du client destiné à me familiariser avec son produit. J'ai parcouru des comptes rendus de la première de *Shrek 3* et du re-lancement de Grey Goose et naturellement, la chronique du New York Scoop, où il était question de Philip, de moi, et de mon tailleur-pantalon.

Comme il fallait s'y attendre, le taxi s'est retrouvé bloqué dans les embouteillages moins de trois blocs plus loin et naturellement, je me suis entêtée – en dédaignant les conseils du chauffeur – à rester dans le véhicule à température contrôlée, sans prendre en compte la vitesse à laquelle le compteur tournait, ni le temps qu'il fallait pour parcourir cent mètres. Je devais procéder au pointage de ma liste de préparatifs pour la soirée. Une cigarette à la main (le chauffeur m'avait donné sa bénédiction), j'ai vérifié sur ma messagerie que Mrs. Carter n'avait pas rappelé. À mon grand soulagement, elle ne s'était pas manifestée – pas plus que Penelope. Même moi, j'avais trouvé mes tentatives pour expliquer comment les apparences avaient joué contre moi plates et minables. Sans doute avaient-elles paru encore plus sujettes à caution pour Penelope ? Le pire, c'était qu'Avery et elle avaient modifié leurs billets et partaient le soir même. Je ne comprenais pas à quoi rimait tant d'empressement. Avery ne commençait-il pas ses cours dans un mois seulement ? Mais peut-être était-il impatient d'explorer un circuit tout neuf de fêtes sur la côte Ouest ? Je savais aussi que Penelope aurait tout fait pour éviter de passer Thanksgiving avec ses parents ou ses futurs beaux-parents. Sa mère avait dépêché son propre personnel pour expédier leurs malles et leurs cartons par fret. Avery et Pen pourraient voyager sans rien d'autre que leurs bagages à main. Michael avait prévu de les accompagner à JFK – ce qui, pour moi, n'était pas une option.

Le seul message émanait de Kelly : elle me rappelait de pointer soigneusement ma liste des préparatifs et de la déposer sur son bureau sitôt arrivée afin qu'on puisse passer toutes les deux en revue les détails de dernière minute. Tout en retirant le capuchon de mon stylo avec les dents, j'ai déplié la liste (qui était désormais dans un triste état) et je l'ai contemplée fixement tandis que le taxi faisait du sur-place. Il me restait du temps avant que Kelly n'arrive à l'agence et dans l'immédiat le plus important était de m'assurer que Jay-Z et sa clique avaient été prévenus de la modification d'horaire.

J'ai survolé les Cancans du Jour qui, pour une fois,

renfermaient de bonnes nouvelles. Quant à la Page Six, elle avait respecté sa part du contrat : on y annonçait ma soirée, en la présentant comme un événement exclusif, très attendu et archicool.

Jay-Z, avons-nous entendu dire, fera une apparition surprise ce soir au Bungalow 8 pour fêter le lancement du dernier-né des ordinateurs de poche BlackBerry. Bien que Beth Robinson, de chez Kelly & Co., refuse de nous le confirmer, nos informateurs laissent entendre que son petit ami, Philip Weston, ami avec le rappeur, serait très vraisemblablement l'invité d'honneur surprise. À ce propos, Mr. Weston a été aperçu samedi soir à une fête d'anniversaire en compagnie de plusieurs amis en train de conter fleurette à des mannequins brésiliens, dont la plus jeune avait à peine quatorze ans.

Auraient-ils indiqué l'adresse Internet où commander le nouveau BlackBerry que je n'aurais pas été plus heureuse : tout suivait exactement l'orientation que j'avais donnée, et je savais que Kelly allait délirer d'excitation en voyant ces quelques lignes. Je me suis autocongratulée et j'ai repensé à une des minileçons que m'avait dispensées Elisa :

— N'oublie jamais qu'il y a une grosse différence entre un scoop et un renvoi d'ascenseur.

— Ça veut dire quoi ? avais-je demandé en fixant les photocopies de pages people qu'elle venait d'étaler sur la table.

— Ça, par exemple. (Elle a posé le doigt sur les propos rapportés d'une costumière qui avait été la première à remarquer que la garde-robe de Julia Roberts avait besoin d'un peu d'aisance à la taille. D'après elle, Julia était enceinte de quelques semaines. Les journalistes de la Page Six avait été les premiers à s'entretenir avec la femme.) Scoop ou renvoi d'ascenseur ?

— Tu me poses la question ?

— Beth ! Tu dois savoir ces choses-là. Comment, sinon, obtiendras-tu de la presse la couverture médiatique pour laquelle nos clients nous payent ?

— Je sais pas… C'est un scoop, ai-je répondu en choisissant l'une des deux possibilité au hasard.

— Exact. Et pourquoi ?

— Écoute, Elisa, je comprends que c'est important, mais si tu m'expliquais carrément de quoi il s'agit au lieu de jouer aux devinettes, ça nous économiserait pas mal de temps à l'une comme à l'autre.

Elle avait levé les yeux au ciel.

— Si tu regardes attentivement, il y a une différence fondamentale entre un « scoop » et un « renvoi d'ascenseur ». Une information croustillante, une indiscrétion avec un léger parfum de scandale, c'est un « scoop ». Une photo de people prise lors d'une soirée ou volée dans la rue, ou la mention d'un endroit où une célébrité s'est rendue, c'est un « renvoi d'ascenseur ». Mais tu ne peux pas demander aux chroniqueurs des renvois d'ascenseur sans les tuyauter sur des scoops. L'information est une monnaie d'échange. Plus tu en as, plus tu obtiens de renvois d'ascenseur.

— En gros, tu es en train de me dire qu'ici, l'attachée de presse de la styliste costumière voulait que la Page Six mentionne sa cliente et qu'en échange, elle leur a donné cette indiscrétion sur Julia Roberts ?

La manœuvre semblait sordide, mais ça se tenait.

— Exactement. Grâce à quoi l'attachée de presse de la styliste a pu exiger qu'ils fassent un article sur sa cliente.

J'avais retenu la leçon. Ça ne semblait pas sorcier. Peut-être la Page Six serait-elle intéressée d'apprendre que l'un des célibataires les plus en vue de la ville avait tenu compagnie à de jeunes Brésiliennes qui étaient non seulement mineures, mais encore loin de pouvoir aller voir certains films sans être accompagnées par leurs parents ? Oui, elle avait été intéressée. Et lorsque, dans la foulée, je leur avais faxé l'habituel communiqué que nous préparions pour l'ensemble de la presse – un document qui détaillait toutes les informations utiles aux journalistes si jamais ils décidaient d'y consacrer quelques lignes – le journaliste du desk m'avait fait savoir avec enthousiasme qu'il pourrait en profiter pour glisser deux mots sur la soirée BlackBerry. Ce n'était pas très compliqué, n'est-ce pas ? Moralement abject et dénué de probité ? Sans aucun doute. Mais difficile, ça, non.

Lorsque Kelly est arrivée à l'agence, j'avais dûment vérifié tous les points de ma liste, et je m'étais assurée par trois fois que le fax mentionnant les modifications de vols était bien arrivé chez Jay-Z, chez sa mère, ainsi que chez son chargé de RP, son agent, son manager et une demi-douzaine d'autres personnes. À neuf heures dix, je suis entrée d'un pas décidé dans le bureau de ma patronne avec un dossier rempli d'emplois du temps, mon répertoire complet de contacts, toutes les confirmations possibles et imaginables et je me suis installée sur la bergère zébrée devant la baie vitrée.

— On est bonnes pour ce soir, Beth ? a-t-elle demandé tout en consultant rapidement son InBox et en avalant un litre de Coca Light. Dis-moi qu'on est bonnes.

— On est bonnes. Et plus que bonnes, compte tenu de *ça*, ai-je chantonné en lui fourrant la Page Six sous le nez.

Elle a parcouru les quelques lignes avec avidité, et j'ai vu son sourire s'élargir au fur et à mesure qu'elle lisait.

— Ohmondieu, a-t-elle murmuré. Ohmondieu. Ohmondieu. C'est toi qui as fait ça ?

J'avais envie d'entamer une petite gigue, là, sur le tapis à pois. Même si à l'intérieur de moi, je bouillais d'excitation, je me suis contentée de répondre avec une sereine assurance :

— Oui, c'est moi.

— Mais comment ? Jamais ils ne couvrent un événement *avant*.

— Disons que j'ai été attentive aux leçons d'Elisa sur les concepts du scoop et du renvoi d'ascenseur. Les gens de BlackBerry vont être contents, tu ne crois pas ?

— C'est fantastique, Beth ! C'est incroyable ! (Elle a commencé à relire le paragraphe pour la troisième fois tout en décrochant son téléphone.) Faxez immédiatement ceci à Mr. Kroner, chez BlackBerry. Et dites-lui que je l'appelle dans un petit moment. (Elle a raccroché et m'a regardée.) Bon, c'est on ne peut mieux parti. Fais-moi la mise à jour de tous les derniers détails.

— Les communiqués sont depuis dix jours chez tous les quotidiens et les hebdos habituels. (Je lui ai tendu une copie de la liste et j'ai poursuivi pendant qu'elle la parcourait.) Présence confirmée pour des journalistes et des chefs de rubriques de *New York magazine*, *Gotham*, *The Observer*, *E !*, *Entertainment Weekly*, *The New York Post*, *Variety*, plus les cahiers Styles des grands quotidiens. J'ai invité quelques journalistes de mensuels par gentillesse, tout en sachant qu'ils ne feront rien.

— Et le *Daily News* ?

Ce quotidien venait justement de descendre en flamme une des chroniques de Will, et le seul fait de les contacter m'avait donné le sentiment de faire acte de trahison.

— Jusque-là, personne n'a RSVPé, mais ça m'étonnerait qu'ils n'envoient pas quelqu'un, aussi les portiers ont-ils pour instruction de laisser entrer toute personne munie d'une carte de presse professionnelle.

Kelly a approuvé d'un hochement de tête.

— Bien, à ce propos, c'est bien *nous* qui contrôlons la porte, n'est-ce pas ? Il est hors de question que les gens de Gray Goose nous amènent n'importe qui.

C'était un point quelque peu sensible. L'alcoolier s'était proposé de sponsoriser la soirée et de nous fournir pour plusieurs milliers de dollars d'alcool gratuit en échange d'un logo sur notre invitation et de mentions de sa marque dans la presse. Il avait affirmé comprendre parfaitement qu'il ne pourrait inviter personne sans notre feu vert préalable et il nous avait soumis une liste de noms à examiner, mais les sponsors étaient connus pour rameuter des douzaines de copains et associés parce qu'ils considéraient que la soirée était aussi la leur. J'en avais discuté avec Sammy – inutilement, car s'étant déjà occupé de centaines de soirées identiques, il connaissait par cœur le protocole – et il m'avait assuré qu'il n'y aurait pas de problème.

— Tout le monde fera de son mieux pour s'assurer que ça n'arrive pas, ai-je dit. Sammy est le plus ancien et le plus expérimenté de l'équipe de sécurité. Il sera à la porte. J'en ai parlé avec lui.

Tout en rêvant de vidanger jusqu'à la dernière goutte de collagène des lèvres de sa copine ! ai-je pensé, mais ça, c'était une autre histoire.

À la différence d'Elisa, Kelly a immédiatement connecté le nom et la personne.

— Parfait. Je l'ai toujours jugé intelligent – autant que peut l'être un portier, du moins. Coté VIPs, qui a RSVPé ?

— Jay-Z et sa bande, évidemment. Il avait demandé qu'on invite tout un contingent de gens de son label, mais la plupart n'ont pas répondu, et je ne pense pas que beaucoup se déplacent. Sinon, Chloe Sevigny, Betsey Johnson, Drew Barrymore, Carson Daly, Andy Roddick,

Mary-Kate et Ashley, et Jon Stewart ont tous confirmé. Ainsi que pas mal de personnalités mondaines de premier plan. Il pourrait y en avoir davantage. Quand un artiste aussi important donne un concert privé dans un club si petit... Je serais bien étonnée que nous n'ayons pas droit à la visite inopinée de Gwen, ou Nelly ou de quelqu'un qui serait de passage en ville. J'ai donné des instructions à la porte.

— Qui a approuvé la liste en dernier lieu ?

— Philip, et avec Elisa ; et en dernière instance, Mr. Kroner, chez BlackBerry, a donné son approbation. Il semble très, très content des invités attendus.

Kelly a vidé son litre de Coca Light et en a sorti un autre du frigo sous son bureau.

— Quoi d'autre ? Fais-moi un petit récapitulatif sur la déco, les sacs de cadeaux, les interviews prévues.

Je voyais bien qu'on approchait de la fin, et j'en étais ravie, non seulement parce que je rêvais d'un second café et peut-être aussi d'une autre ration d'œufs-fromage, mais aussi parce que je savais que Kelly était impressionnée par la maestria avec laquelle j'avais mené à bien ma mission. Depuis que ce projet m'avait échu, j'y avais travaillé d'arrache-pied tous les jours, et tout en étant parfaitement consciente que la teneur même de ce travail était frivole et ridicule, ça me plaisait.

— C'est Samantha Ronson qui sera aux platines. Elle sait comment mettre l'ambiance et la faire durer. Le Bungalow s'occupe de la déco, avec pour instructions de se cantonner à du minimal chic et très, très simple. J'y ferai un saut dans l'après-midi pour vérifier le résultat, mais à mon avis, ils se seront contentés de quelques bouquets de chandelles votives aux endroits clés, et bien sûr, les palmiers seront éclairés par dessous. Je pense aussi que la principale attraction résidera dans les mannequins que nous faisons venir.

En entendant le mot « mannequin », Kelly a redoublé d'attention.

— Combien seront-elles ? Qui sera là ? a-t-elle demandé avec une efficacité de sergent-chef dirigeant des manœuvres.

— J'ai invité tous les tops, comme toujours, et ensuite, on a fait appel à cette nouvelle boîte – comment s'appelle-t-elle déjà… ? Beautiful Bartenders. Ils engagent des acteurs ou des mannequins pour s'occuper du bar et servir en salle. J'en ai vu à la fête Calvin Klein, il y a quinze jours, et j'ai réservé tout un bataillon de garçons, tous aux cheveux longs et qui seront entièrement vêtus de blanc. Ils sont splendides, et les avoir, ça en impose aussitôt question standing.

Non ! Je viens vraiment de dire ça ? me suis-je demandé avant d'enchaîner :

— En ce moment, les stagiaires s'occupent de garnir les sacs de cadeaux. Il y aura des mignonnettes de Grey Goose, une ombre à paupières et un rouge à lèvres M.a.c., un exemplaire d'*US Weekly*, un bon de réduction de trente pour cent chez Barney et une paire de lunettes de soleil Kate Spade.

— Je ne savais même pas que Kate Spade faisait des lunettes de soleil, a observé Kelly qui avait presque achevé son deuxième litre de Coca Light.

— Moi non plus. J'imagine que c'est pour ça qu'elle a tenu à les inclure à nos sacs-cadeaux. Voilà, c'est tout. J'ai reparlé à Mr. Kroner. Il sait exactement ce sur quoi il doit insister auprès de la presse, et ce dont il doit éviter de parler et je serais là toute la soirée pour éviter les pépins. L'un dans l'autre, je pense que tout devrait bien se passer. Ah oui, j'ai aussi eu une petite discussion avec Philip. Il a parfaitement compris qu'en tant qu'invité d'honneur, il devrait éviter de boire des litres de vodka, de lorgner des filles pré-pubères ou de prendre de la drogue à la vue de tout le monde ou *ad libitum*. Je ne peux pas garantir qu'il respectera à cent pour cent la règle du jeu, mais je t'assure qu'il en a au moins eu connaissance.

— Bah, a priori, on sera tous là pour faire la fête, non ? Si Philip veut s'amuser un peu, nous ne serons pas trop strictes sur le sujet. Fais juste en sorte que la presse n'en sache rien, d'accord ?

J'ai hoché la tête avec solennité, en me demandant comment diable j'étais censée tenir journalistes et photographes à l'écart de la personne qu'ils avaient justement été invités à venir voir de près. Mais j'ai décidé que ça pouvait attendre.

— Kelly ? Je ne pourrais jamais m'excuser assez à propos du dernier truc paru dans New York Scoop. J'ai le sentiment d'avoir une cible accrochée dans mon dos – uniquement parce que je sors avec Philip Weston. Si j'étais parano, je me dirais que cette Ellie cherche à se venger de quelque chose.

Kelly m'a dévisagée bizarrement, avec une expression où j'ai cru déceler quelque compassion. Le fait que mon nom soit si fréquemment cité la dérangeait-elle plus qu'elle ne le laissait paraître ? Jusque-là, elle avait toujours balayé mes excuses, en me certifiant que toute association entre Kelly & Co. et Philip Weston était bonne à prendre et ne pouvait que doper l'image de la boîte. Mais peut-être ces attaques commençaient-elles à la fatiguer ? Auquel cas, nous aurions été deux.

— Beth, il faut que je te dise quelque chose, a-t-elle dit, lentement, en sortant un troisième litre de Coca Light de sous son bureau.

À son ton, j'ai immédiatement deviné qu'elle n'allait pas m'annoncer une bonne nouvelle. *Nous y voilà*, ai-je pensé. *Je vais me faire virer à cause d'un truc qui échappe entièrement à mon contrôle. Elle semble*

malheureuse d'en arriver à cette extrémité – après tout,
elle a de la loyauté envers Will. Mais dans son business,
tout est lié à la presse. J'ai lamentablement échoué et
elle est obligée de me virer – elle a monté cette boîte,
et moi je débarque et je lui fiche tout en l'air. Comment
vais-je l'annoncer à Will ? Ou à mes parents ? J'avais
déjà commencé à calculer combien de temps il me
faudrait pour remettre mon CV à jour et commencer à
postuler ailleurs quand Kelly a bu une gorgée puis s'est
éclairci la voix.

— Beth, tu dois me promettre que ce que je vais te
dire ne sortira pas de ce bureau.

J'ai lâché un soupir audible de soulagement. Ça ne
commençait pas exactement comme un discours de
renvoi.

— B… bien sûr. Tu as ma parole.

— J'ai déjeuné l'autre jour avec une fille de chez
Ralph Lauren, avec qui j'espère signer un contrat – ce
serait notre plus gros budget, et le plus prestigieux. Voilà
pourquoi il est crucial que tu gardes ça pour toi. Si
jamais l'information filtre – si jamais tu en parles à qui
que ce soit, la fille saura immédiatement d'où vient la
fuite, et jamais nous ne décrocherons ce budget.

— Je comprends tout à fait, ai-je affirmé avec
solennité.

— Ça concerne le New York Scoop…

— Ellie d'Initiée, tu veux dire…

— Oui. Un pseudo, comme tu le sais. Cette Ellie s'est
démenée pour garder son identité secrète, pouvoir aller
et venir librement et parler aux gens sans que personne
sache qui elle est. J'ignore si son nom te dira quelque
chose, mais Ellie, de son vrai nom, s'appelle Abigail
Abrams.

Je ne saurais dire pourquoi, mais à la seconde où
Kelly s'apprêtait à révéler le nom, j'ai su que ce serait

Abby. Jamais je n'avais soupçonné que cette Ellie puisse être quelqu'un de ma connaissance – ni de près, ni de loin – et pourtant, dans un flash, j'ai eu la certitude que Kelly allait prononcer le nom d'Abby. J'ai néanmoins accusé le choc. Mains glissées sous les cuisses, j'ai fixé Kelly, en proie à cette impression de suffocation que, gamine, j'avais parfois éprouvée en classe de sport lorsqu'un ballon me percutait l'estomac. *Comment ai-je pu être aussi naïve ? Comment ai-je pu ne pas m'en douter ?* J'ai lutté pour retrouver ma respiration et articuler dans ma tête ce que je venais d'apprendre. Tous ces épouvantables ragots – toutes ces exagérations, ces insinuations, tous ces mensonges éhontés – émanaient donc d'Abby, le *vortex* autoproclamé du monde des médias ? *Pourquoi tant de haine ? Pourquoi ? Pourquoi ?* Certes, nous ne nous étions jamais aimées ; c'était évident. Mais qu'est-ce qui pouvait l'inciter à vouloir me pourrir la vie à ce point ? Que lui avais-je fait ?

Il faut croire que Kelly a mal interprété la cause de mon état, car elle a ajouté :

— À moi non plus, ce nom ne me dit rien. Une illustre inconnue, sans doute – ce qui est très futé de sa part : comment se méfierait-on de quelqu'un qu'on ne connaît pas ? La fille de chez Ralph Lauren est mariée avec le frère de cette Abigail et elle m'a fait jurer de garder le secret. J'ai eu l'impression qu'elle voulait juste se décharger d'un poids en le confiant à quelqu'un. À moins que ce ne soit un moyen de tester ma discrétion… Peu importe. Mais n'en souffle mot à personne, et si jamais tu croises cette fille, fais en sorte qu'elle ait accès aux bonnes infos, et aux bonnes photos.

Si j'avais cru que Kelly me révélait l'identité de la chroniqueuse afin que je puisse l'éviter à tout prix, j'étais loin du compte.

— Maintenant, tu peux lui donner toutes sortes de

choses à se mettre sous la dent, a-t-elle poursuivi. Sois cool, prends l'air détendu et donne-lui l'impression que ce sont des scoops – nos clients n'en auront qu'une meilleure couverture hors médias.

— Bien vu, ai-je dit d'une voix brisée.

Je grillais d'impatience à présent de m'échapper de ce bureau pour relire chaque mot qu'Abby avait écrit. D'où tirait-elle ses infos ? Comment se débrouillait-elle pour y avoir accès ? J'ai repensé avec amertume à ce qu'elle avait dû éprouver lorsqu'elle était tombée sur cette mine d'or, au Bungalow 8, le soir où j'avais rencontré Philip. Tout commençait à se mettre en place. Ces derniers temps, je l'avais croisée partout ; elle semblait chaque fois sortir de nulle part, toujours prête à y aller d'un commentaire désagréable ou d'un regard railleur.

— Bon, assez parlé de ça. Ne t'en préoccupe pas trop pour l'instant. Focalise-toi sur la soirée. Ça va être génial, tu ne crois pas ?

J'ai répété « génial » plusieurs fois entre mes dents et j'ai pris congé. J'avais déjà commencé à fantasmer sur le moment où je coincerais Abby entre quatre yeux. Il y avait des millions de scenarii possibles, tous plus jouissifs les uns que les autres. Ce n'est qu'une fois de retour à ma place autour de la grande table, et tandis que je fixais mon ordinateur d'un regard absent, que j'ai réalisé que je ne pouvais rien faire. Je ne pouvais parler de cela à personne – et encore moins à l'intéressée.

J'ai essayé de me concentrer. J'ai découpé l'encart de la Page Six et je l'ai scotché au centre du bureau commun, puis j'ai vérifié sur Internet si l'avion qui devait amener Jay-Z avait quitté New York à l'heure – ce qui augmenterait considérablement ses chances d'aller à Los Angeles et de revenir dans les temps. Jusque-là, tout allait bien. J'ai confié à deux stagiaires le soin d'aller le chercher à Newark avec des voitures. Ceci n'était pas absolument nécessaire, vu que le Gansevoort Hotel leur envoyait deux limousines mais je voulais qu'un membre de la boîte soit présent pour confirmer *de visu* qu'il était bien arrivé et était monté dans sa voiture sans se laisser distraire en chemin. Un petit coup de fil à Sammy – *calme-toi, mon cœur!* – m'a confirmé que les derniers préparatifs se passaient bien. Ma liste était à jour et j'ai essayé de chasser de mon esprit combien Abby était vicieuse. L'après-midi était déjà bien entamé et le seul truc qu'il me restait à faire c'était, eh bien… rien. Absolument rien.

18

Non seulement l'avion de Jay-Z était à l'heure, mais il avait même atterri avec quelques minutes d'avance, et le rappeur s'était révélé charmant – poli, attentif. Presque tous nos invités qui avaient RSVPé étaient venus et, par miracle, tous les gens qui s'étaient présentés à la porte sans invitation étaient en fait ceux que nous aurions volontiers invités. Mr. Kroner a passé la soirée scotché à une table à l'écart avec ses associés et nous avons veillé à ce qu'un flot continu de jolies filles s'arrête pour les saluer.

La plus grosse surprise est venue de Philip. J'avais été terrifiée à l'idée qu'à la faveur d'un état d'ébriété avancée il puisse faire un impair qui nous aurait mis dans l'embarras, moi ou l'agence, mais non : il a surveillé son nez, à tous points de vue, réussissant même à ne le plonger dans aucun décolleté – du moins pas devant des objectifs, et c'était là tout ce qui importait. J'avais tenté de le prévenir de centaines de façons qu'à titre d'invité d'honneur, il devrait se montrer amical avec tout le monde, mais là encore, mes craintes étaient infondées. Il a tenu son rôle à la perfection, circulant inlassablement entre les petits groupes, serrant des mains, opinant du chef avec componction aux propos des hommes d'affaires, commandant des tournées de petits verres de vodka pour les banquiers et des minibouteilles de champagne pour les mannequins, tapant dans le dos de célébrités avec un charme à la Clinton. Tandis qu'il déambulait, sourire aux lèvres, j'observais ses interlocuteurs – hommes et femmes – tomber sous son charme. On comprenait aussitôt pourquoi les chroniques de potins mondains ne le lâchaient pas, pourquoi les femmes se pâmaient lorsqu'il reportait son attention sur elles. Il savait bavarder, plaisanter et écouter avec un tel naturel qu'il ravissait l'entière attention de ses interlocuteurs. À son contact, les gens s'animaient, se réchauffaient, et moi tout autant qu'eux. Je ne pouvais pas nier qu'il m'attirait, d'une étrange façon.

À un moment donné, nous avons tout de même frôlé la catastrophe : le vol qui devait amener Samantha Ronson de Londres avait été annulé, et on s'est retrouvé sans DJ. Mais dans la foulée, j'ai reçu un coup de fil de l'attachée de presse de Jake Gyllenhaal qui me demandait si je pouvais mettre son client sur la liste VIP. Comme je venais de lire un article sur l'art de s'improviser DJ, j'ai demandé à Jake et à quelques autres people d'apporter leur iPod et de nous faire une petite sélection musicale d'une heure chacun après les vingt minutes de set de Jay-Z. L'idée a rencontré un franc succès et tous ces people ont débarqué avec leur iPod rempli de leurs chansons préférées. Quant au reste, tout s'était déroulé sans le moindre heurt. Pas de crêpage de chignon autour des sacs de cadeaux, ni de bagarre à la porte, ni de drame malvenu pour distraire nos invités du message que l'événement souhaitait véhiculer : tous ceux qui sont jeunes, branchés, urbains et archicools font la fête avec BlackBerry, donc, automatiquement, BlackBerry est jeune, branché, urbain et cool. Et par conséquent, vous – qui que vous soyez – vous deviez de posséder un BlackBerry afin de devenir (peut-être) jeune, branché, urbain et cool.

L'un dans l'autre, la soirée était un succès sur toute la ligne. Kelly était contente, le client était ravi (même si légèrement scandalisé et terriblement cassé – apparemment, Mr. Kroner n'était pas accoutumé à cette débauche méthodique d'alcool qui avait eu lieu tout au long de la soirée) et les photographes avaient mitraillé sans relâche toutes les célébrités que nous avions poussées devant leur objectif. Et puis aussi, la soirée a eu des conséquences sur ma vie sentimentale.

À un moment, je suis sortie souffler un peu, sous prétexte, comme d'habitude, d'aller fumer une cigarette. J'ai trouvé Sammy plongé dans la lecture du *Déclin de l'Empire Withing*.

— Tu t'amuses bien ? m'a-t-il demandé en allumant ma cigarette.

J'ai arrondi mes mains autour de la flamme et mon estomac a vacillé quand nos peaux sont entrées en contact. Était-ce du désir ? De l'amour ? Ou juste les signes avant-coureurs d'un cancer du poumon ? Sur le moment, ça ne semblait pas très important. J'ai éclaté de rire.

— Au risque de te choquer, oui. Si tu m'avais dit, il y a quelques mois de ça, qu'un jour j'organiserais une soirée au Bungalow 8 avec Jay-Z, je t'aurais pris pour un fou.

— En tous les cas, tu t'en sors très bien. Tout le monde parle de toi.

— Ah bon ? Je ne suis pas sûre que ça me plaise, ça !

Trois filles se sont présentées à la porte. Sammy s'est détourné un instant pour consulter sa liste, puis pour les laisser entrer.

— Non, je t'assure, tu t'es superbien débrouillée. Tu as pensé à tout, et tout était très bien organisé. Voilà une éternité que je n'ai pas vu une soirée qui se déroule à ce point sans heurt.

— C'est vrai ?

Quelque part, je me rendais bien compte du ridicule de cette conversation – nous parlions, somme toute, d'une *soirée* – mais les compliments étaient néanmoins agréables à entendre.

— Oui. La question, c'est : est-ce que tu aimes ça ?

— Euh… aimer est peut-être un grand mot pour quelque chose d'aussi futile, non ? (Il a éclaté de rire et j'ai dû enfoncer les mains dans mes poches pour m'empêcher de capturer son visage.) C'est assez loin des Peace Corps, c'est certain, mais pour l'instant, ça me va.

Son visage s'est assombri presque aussitôt et il a marmonné un « Ouais » bourru.

— Tu as des projets pour Thanksgiving ? ai-je bafouillé pour changer de sujet. (Mais aussitôt, je me suis rendu compte qu'il pouvait entendre là une invitation à sortir avec moi.) Tu vas quelque part avec ta copine ? ai-je ajouté avec désinvolture, pour lui montrer que j'étais consciente de la situation.

Il m'a décoché encore une fois un regard embarrassé, suivi d'une grimace dont le message était, sans ambiguïté : tu mords la ligne blanche.

— Je… euh, je ne voulais…

— Non, t'inquiète, m'a-t-il coupée en s'adossant contre la porte, comme s'il était pris de vertige. C'est juste que… C'est compliqué. C'est une longue histoire. Bref. Non, ce week-end, je rentre chez moi. Mon vieux n'est pas très en forme, et ça fait deux mois que je ne l'ai pas vu.

— C'est où, chez toi ?

Il m'a regardée d'un air bizarre, comme s'il essayait de lire sur mon visage, et puis il a dit tranquillement :

— Poughkeepsie.

M'aurait-il annoncé qu'il était né et avait grandi au Laos que je n'aurais pas été plus abasourdie. À quoi jouait-il ? Il se payait ma tête ? Il avait découvert d'où je venais et il trouvait ça drôle ? Mais non, il souriait, gentiment.

— Poughkeepsie… dans l'État de New York ? ai-je réussi à articuler.

— Le seul et l'unique.

— C'est dingue ! Je viens de là aussi…

— Je sais. Mais je ne savais pas si tu te souvenais de moi. Moi, je m'en souviens, a-t-il ajouté avec douceur, en regardant de l'autre côté de la rue – où il n'y avait strictement rien à regarder.

Et là, naturellement, tout s'est mis en place. Il n'y avait guère d'indices, mais j'avais toujours eu l'impression que son visage m'était familier. Une fois, sur ce même trottoir, il s'était gentiment moqué d'une cliente en pseudo-caftan à fleurs en disant qu'elle devrait aller faire un tour dans le Nord de l'État, pour prendre des cours avec des pros du style hippy chic. Le jour, au Starbucks, où il avait passé la main derrière sa tête, j'aurais juré avoir déjà vu ce geste. Et le tout premier soir, lors de la soirée de Penelope, lorsqu'il refusait de me laisser entrer, j'avais l'impression qu'il me fixait, comme s'il attendait que je dise quelque chose. C'était tellement évident, mainte-nant. Samuel Stevens, le garçon qui, au lycée, était par trop sublime pour son propre bien. Que tout le monde croyait gay parce qu'il était beau et baraqué mais ne faisait pas de sport, parce qu'il était souvent seul et qu'il servait dans quelques restaurants réputés de la ville. Le garçon que, ados, nous trouvions vaniteux et arrogant parce que nous étions trop jeunes pour comprendre qu'il était surtout timide, solitaire, mal à l'aise en groupe. Nous avions cours de travaux manuels ensemble. Il était toujours concentré sur le boulot, ne flirtait jamais, ne rêvassait ni ne bavardait avec ses voisins. C'était le mec dont toutes les filles seraient volontiers tombées amoureuses mais qu'en fait elles détestaient parce qu'il était inaccessible, parce qu'il ne donnait pas prise à la bêtise des hiérarchies sociales qui sévissent dans les cours de lycée, qu'il semblait indifférent à tous et toutes. J'ai calculé que je ne l'avais pas revu depuis douze ans. L'année où nous avions ce cours de travaux manuels en commun, j'entrais en seconde, il était en terminale, et ensuite, il avait quitté le lycée.

— Le cours de Mr. Mertz en 1991, c'est bien ça ?

Il a hoché la tête.

— Mais pourquoi tu ne m'as rien dit ?

— Je sais pas. J'aurais dû, sans doute. Je pensais que tu ne t'en souvenais pas. Au début, c'était bizarre de ne rien te dire, et ensuite, j'ai laissé passer trop de temps. Je me souviens que quand toute la classe sablait ou sculptait, toi, tu passais ton temps à écrire – des lettres, je crois – des pages et des pages. Je me demandais toujours comment on pouvait avoir autant de choses à dire. Et qui était le petit chanceux.

Les lettres… J'avais presque oublié cette histoire. Cela faisait des années que j'avais laissé tomber cette correspondance – depuis que je n'entendais plus mes parents me demander quotidiennement ce que j'avais fait pour le monde ce jour-là. Ils m'avaient appris l'art d'écrire des lettres dès que j'avais été assez grande pour bâtir des phrases, et aussitôt, j'avais adoré ça. J'écrivais aux membres du Congrès, aux sénateurs, à des PDG, à des groupes d'influence, des organisations environnementales et, à l'occasion, au Président. Chaque soir à table, nous discutions de quelque injustice criante et le lendemain, j'écrivais une lettre à quelqu'un pour faire part de mon indignation face à la peine de mort, la déforestation, la dépendance au pétrole étranger, le refus d'une contraception aux adolescentes, les lois d'immigration prohibitives. Ces lettres étaient invariablement boursouflées de suffisance et odieuses à force d'autosatisfaction, mais mes parents étaient si prodigues en approbation que je ne pouvais pas m'arrêter. Cette marée épistolaire s'était déjà calmée à la fin de mes années de lycée, mais je n'y avais mis un terme définitif qu'en première année de fac, le jour où mon copain du moment en avait trouvé une sur mon bureau et avait souligné avec désinvolture combien c'était adorable d'essayer de sauver le monde. Ce n'était pas tant que son commentaire m'ait échaudée que le fait qu'à ce moment-là, le style de vie de mes parents m'attirait déjà beaucoup moins. Et en un rien de temps, j'avais troqué le rôle de militante en faveur d'une paix universelle pour une vie sociale d'étudiante plus convenue. Parfois, je me demandais si je n'avais pas été trop radicale dans mon rejet. Il devait sans doute exister un juste milieu quelque part, mais ni la finance, ni, soyons honnête, mon nouveau travail ne m'avaient remise sur les rails de l'altruisme.

Je me suis aperçue que Sammy m'observait attentivement.

— Un garçon ? Oh, non ! Je n'écrivais pas à un petit ami. Les garçons n'étaient pas exactement attirés par mon look dreadlocks-espadrilles de l'époque. C'était juste des lettres adressées à... j'en sais rien. Rien de spécial.

— Bon, en tous les cas, je te trouvais supermignonne.

Je me suis aussitôt sentie rougir. Pour une raison qui m'échappait, cela m'a fait plus plaisir que s'il m'avait juré un amour éternel, mais je n'ai guère eu le temps de savourer le compliment, parce qu'un SMS est arrivé à ce moment-là : POUPÉE, T OÙ ? BESOIN CRISTAL ASAP.

Pourquoi Philip ne demandait-il pas son champagne

à l'une des trois douzaines de serveurs/mannequins qui étaient là pour ça ? Ça me dépassait, mais je savais que je devais aller voir ce qui se passait.

— Bon, je dois rentrer m'assurer que tout le monde est assez soûl pour s'amuser, mais pas assez pour faire une connerie. Dis…, je me demandais un truc : veux-tu que demain je t'emmène en voiture à Poughkeepsie ?

— Tu y vas ?

— Impossible de couper à la Fête des Moissons.

— La Fête des Moissons ?

Sammy a soulevé le cordon pour laisser entrer un couple à la démarche assez peu coordonnée, mais encore en possession d'assez de facultés pour se peloter.

— Ne m'en parle pas. C'est un truc que mes parents font tous les ans le jour de Thanksgiving, et je ne peux pas me défiler. Je suis quasi certaine que mon oncle trouvera une excuse pour annuler à la dernière minute, mais il me prêtera sa voiture. Je serais ravie de t'emmener, ai-je ajouté en priant avec ferveur qu'il accepte, et qu'il n'entre pas dans ses projets d'inviter la vieille peau.

— Mm… si ça t'embête pas, ouais, ce serait super. Je pensais prendre un bus jeudi matin.

— Je projetais de partir demain soir en sortant du bureau, donc si tu peux partir mercredi soir au lieu de jeudi, j'adorerais que tu me tiennes compagnie.

— Entendu, a-t-il dit, l'air ravi.

Il va de soi que moi aussi j'aurais été ravie de couper à quatre heures de bus quand deux heures de voiture suffisaient, mais je me suis convaincue que c'était ma compagnie et non pas juste l'opportunité d'échapper à l'atmosphère dégueulasse, poisseuse et claustro du bus qui avait motivé sa réponse.

— Super. Pourquoi ne viendrais-tu pas me retrouver chez mon oncle ? Il habite sur Central Park West, à l'angle de la Soixante-Sixième. Vers dix-huit heures, O.K. ?

Sammy a tout juste eu le temps de me dire qu'il lui tardait ce moment avant que Philip se matérialise sur le trottoir, m'empoigne le bras et me hale littéralement à l'intérieur. Vu ce qui m'attendait le lendemain, je l'ai assez bien pris. J'ai papillonné avec bonne humeur dans la salle, en acceptant des compliments de toutes parts et en écoutant des commentaires élogieux quant au fait que j'avais réuni un panel d'invités très pointu. Quand la soirée a commencé à battre de l'aile, vers deux heures du matin, j'ai invoqué encore une fois un mal de tête auprès de Philip, qui n'avait pas l'air mécontent de rester là en compagnie de Leo et d'une énième bouteille de Cristal. Une fois à la maison, je me suis roulée sous la couette avec un Harlequin flambant neuf. Jamais soirée n'avait été plus parfaite.

19

J'attendais Sammy dans le hall de l'immeuble de mon oncle, survoltée d'excitation. La journée s'était interminablement traînée en longueur. Rien n'avait réussi à chasser cette impression de lenteur – ni le petit déjeuner offert par Kelly pour fêter le succès de la soirée précédente, ni le fait qu'elle m'ait dit qu'elle était si impressionnée par mon travail qu'elle me nommait officiellement au poste de seconde pour la fête *Playboy*, ne devant de comptes qu'à elle. Lorsqu'elle a annoncé ma promotion devant l'équipe, j'ai vu les traits d'Elisa se crisper. Elisa, qui avait un an et demi d'ancienneté de plus que moi, s'était à l'évidence attendue à superviser le plus gros événement de la boîte. Mais après quelques remarques pour souligner qu'elle était ravie de laisser à quelqu'un d'autre la joie de superviser ce qui serait certainement un chaos total, elle a plaqué un sourire sur son visage et a proposé de boire un verre pour fêter ma promotion. Il y avait eu des échos de la soirée BlackBerry dans des journaux et des sites Internet que nous n'avions même pas invités, soulignant qu' « un grand nombre de people et de personnalités en vue » s'était précipité pour fêter « le nouvel accessoire urbain chiquissime ». L'arrivée d'un colis de la part de Mr. Kroner, contenant assez de BlackBerry pour remplir un magasin, a presque failli passer inaperçu, et le mot de remerciements qui l'accompagnait était si enthousiaste que je me suis presque sentie gênée. C'est à peine si j'ai prêté attention aux quelques lignes du New York Scoop qui affirmaient qu'on m'avait aperçue en train de sangloter dans un coin pendant que Philip pelotait un mannequin d'origine nigérienne connu pour faire la pub d'un savon. Je n'ai pas été le moins du monde contrariée quand Elisa m'a avoué que Philip, par un concours de circonstances, l'avait reconduite chez elle en Vespa (elle était ivre et elle s'était disputée avec Davide) mais qu'il ne s'était rien passé – « *absolument rien, je te le jure sur ma vie et sur la tienne!* »). Non, rien de tout ça ne m'importait, parce que ça n'écourtait en rien le temps qui me séparait du moment où je serais dans la voiture avec Sammy.

Quand il est apparu dans le hall en jean élimé et pull douillet, un sac passé à l'épaule, je me suis demandé si j'arriverais à garder les yeux sur la route assez longtemps pour sortir de la ville. J'ai aussitôt feint d'être absorbée par la lecture de mon journal.

— Salut, a-t-il dit en venant vers moi. Tu ne peux pas savoir combien j'apprécie.

— Ne sois pas ridicule, ai-je répondu en me hissant sur la pointe des pieds pour l'embrasser sur la joue. C'est toi qui me rends service. J'appelle mon oncle pour qu'il me descende les clés.

Will avait accepté de me prêter sa Lexus pour le week-end à la seule condition que j'accrédite l'histoire qu'il avait inventée pour justifier sa défection. Et même si je ne faisais que déposer Sammy chez ses parents, Will avait insisté pour que Sammy, lui aussi, soit au courant de l'histoire.

— Tu as bien retenu tous les détails, n'est-ce pas, ma

chérie ? m'a-t-il redemandé, un rien nerveux, tandis qu'il se dessaisissait de ses clés dans le parking souterrain.

— Will, arrête de stresser ! Je ne te trahirai pas, promis. J'endurai seule l'épreuve. Comme d'habitude.

— Ne te moque pas de moi. Révisons une dernière fois. Quand elle te demandera où je suis, que diras-tu ?

— Que Simon et toi ne pouviez pas tolérer l'idée de passer tout un week-end dans une maison chauffée à l'énergie solaire où il n'y a jamais assez d'eau chaude, où rien n'est vraiment jamais nickel faute d'utiliser des nettoyants chimiques, où les draps en fibres naturelles non-traitées grattent, et que par conséquent tu as décidé de contempler plutôt les moissons depuis la suite de ton hôtel en front de mer à Key West. Sans compter que les dîners où toutes les conversations tournent autour des politiques environnementales t'ennuient un peu. C'est bien ça ? ai-je conclu avec un gentil sourire.

Will a jeté un regard désespéré en direction de Sammy et a toussoté.

— Ne vous inquiétez pas, monsieur, Beth a tout enregistré, est intervenu Sammy en s'installant dans la voiture. Simon a été obligé de remplacer un musicien au pied levé, et même si vous aviez très envie de voir tout le monde, vous ne vouliez pas l'abandonner seul en ville tout le week-end. Vous les auriez appelés vous-mêmes, mais vous avez un papier urgent à rendre à votre abruti de chef de rubrique, et vous les appellerez la semaine prochaine. Je vais la mettre au courant des détails pendant le trajet.

Will a lâché ses clefs dans la main que je lui tendais.

— Merci, Sammy. Bon, ma chérie, essaie de ne pas trop t'en faire pour moi – pauvre malheureux qui va se la couler douce au bord de la piscine, avec un daiquiri et un bon roman.

Je l'aurais volontiers haï mais il semblait si heureux de

son alibi et de son plan de fuite que je me suis contentée de le serrer dans mes bras.

— Tu me dois une fière chandelle. Comme d'hab'.

J'ai installé Millington dans son Sherpa Bag sur la banquette arrière et je lui ai donné un biscuit pour la dissuader de pleurer ou gémir tout au long du trajet.

— Je sais, ma chérie. Je te rapporterai un de ces T-shirts kitsch à franges, ou peut-être une ou deux bougies à la noix de coco. D'accord ? Bon, sois prudente. Ou pas… Et s'il arrive quoi que ce soit, ne m'appelle surtout pas. Amuse-toi bien ! a-t-il ajouté en nous soufflant des baisers dans le rétroviseur.

— Il est génial, a dit Sammy tandis que nous nous faufilions dans la circulation pour rejoindre la West Side Highway. On aurait dit un môme qui s'inventait une maladie pour sécher l'école.

J'ai glissé *Monster Ballads* (un CD que j'avais commandé à trois heures du mat', une nuit d'insomnie, sur une chaîne de téléachat) dans le lecteur et j'ai fait défiler les pistes jusqu'à tomber sur « To be with you » de Mr. Big.

— Oui, il est génial. Je ne sais pas ce que je deviendrais sans lui. Si je suis normale aujourd'hui, c'est uniquement grâce à lui.

— Et tes parents ?

— On croirait qu'ils vivent encore dans les années soixante, et ils prennent ça très au sérieux. La première fois que je me suis rasé les jambes, à treize ans, ma mère a pleuré : elle y voyait le signe avant-coureur d'un assujettissement à la dictature des attentes masculines en matière de beauté féminine, et elle était morte d'angoisse.

Sammy a éclaté de rire et a commencé à s'installer à son aise, jambes étendues et mains croisées derrière la tête.

— S'il te plaît, ne me dis pas qu'elle a réussi à te convaincre d'y renoncer !

— Non, pas du tout. Mais ceci dit, je n'ai recommencé qu'une fois en fac. Un jour, ils m'ont quasiment accusée d'être à moi seule responsable du dérèglement de l'écosystème parce que j'avais acheté un porte-clés en peau de serpent. Oh, et il y a aussi eu la fois, au CM2, où ils m'ont interdit d'aller à la boum du siècle parce qu'ils avaient remarqué que les parents de la fille qui l'organisait ne recyclaient pas les vieux journaux. Selon eux, c'était dangereux d'exposer plusieurs heures d'affilée une gamine à un environnement aussi néfaste.

— Tu déconnes ?

— Du tout. Je ne dis pas qu'ils ne sont pas chouettes – ils sont adorables. Mais tellement impliqués ! Parfois, j'aimerais bien leur ressembler davantage.

— Je ne te connaissais pas vraiment, au lycée, mais je me souviens qu'effectivement, tu étais davantage comme ça, et bien moins versée dans tout ce truc de hype new-yorkaise.

Je n'ai pas trop su quoi répondre à tout ça.

— Non, je me suis mal exprimé ! s'est-il repris avec empressement. Simplement, tu donnais l'impression de militer pour toutes sortes de causes. Je me souviens que tu avais écrit un édito, dans le journal du lycée, sur le droit des femmes d'exercer leurs propres choix. J'avais entendu des profs en parler dans le couloir un jour – ils avaient du mal à croire que tu n'étais qu'en seconde. Du coup, je l'avais lu, et moi aussi j'avais eu du mal à le croire.

Un petit frisson m'a secouée à l'idée qu'il avait lu mon papier, et qu'il s'en souvenait. Tout d'un coup, c'était comme si nous avions une connexion intime.

— Ouais, c'est dur de s'y tenir. Surtout quand c'est un

choix qu'on a fait pour toi – auquel tu n'es pas venu par toi-même.

— C'est sûr. Mais tes parents ont l'air d'être intéressants.

— Oh, tu n'as pas idée... Heureusement, quoique hippies, ils restaient *juifs*, et mener une vie de privations ne leur disait trop rien. Ainsi que le souligne encore constamment mon père, on n'est pas plus convaincant en étant matériellement démuni que le contraire – c'est l'argument qui compte, pas le fait d'avoir ou pas accès aux pièges de la consommation.

Sammy a cessé un instant de siroter son café et a tourné la tête. Je sentais son regard posé sur moi. Je savais qu'il m'écoutait attentivement.

— Je suis née dans une communauté du Nouveau-Mexique, et je croyais que l'endroit était un État à part entière jusqu'à ce que je découvre une carte électorale sur CNN. Ma mère adore raconter qu'elle a accouché dans leur lit nuptial devant tous les gosses de la communauté qu'on avait conviés à voir le miracle de la vie se déployer devant leurs yeux. Tout ça sans toubib, sans médicaments, sans linge stérile – juste un mari diplômé de botanique, une sage-femme volubile qui enseignait la respiration yogi, les chants du gourou de la communauté et deux douzaines de gamines pré-pubères qui sont certainement restées vierges jusqu'à trente ans après avoir assisté au miracle en question.

J'ignore ce qui me poussait à parler. Jamais, depuis des années, je n'avais raconté cette histoire à quelqu'un – la dernière à l'avoir entendue, c'était Penelope. Nous venions de nous rencontrer, pendant notre semaine d'orientation à Emory, et nous avions fumé de l'herbe dans les buissons autour des courts de tennis. Elle avait admis que son père connaissait mieux ses employés que sa propre famille et qu'elle avait pris jusqu'à l'âge de cinq ans sa nounou black pour sa mère. Alors, je m'étais dit que le meilleur moyen de lui remonter le moral serait de lui dresser un portrait de mes parents. Nous avions passé quatre heures à nous gondoler de rire, étendues sur la pelouse, *stoned* et heureuses. Mes petits amis, eux, avaient rencontré mes parents, mais jamais je ne leur avais raconté tout ça. À Sammy, j'avais envie de tout raconter, dans les moindres détails.

— C'est incroyable. Combien de temps as-tu passé là-bas ? Tu t'en souviens ?

— Après ma naissance, ils y sont restés deux ans environ, ensuite ils se sont installés à Poughkeepsie parce qu'ils avaient obtenu des postes à Vassar. Mais c'est de là que vient mon prénom. Ils avaient d'abord pensé m'appeler Soledad, en l'honneur de la prison californienne où étaient détenus les contestataires de Berkeley, mais leur chaman, ou je ne sais qui, leur a proposé Bettina, en hommage à Bettina Aptheker, la seule femme membre du comité de pilotage du Free Speech Movement[1] de Berkeley.

— Waou. Ils ont vraiment l'air intéressant. J'aimerais bien les rencontrer un jour.

Comme je ne savais pas trop que répondre à ça – ç'aurait pu le perturber si je lui avais annoncé tout de go qu'ils étaient ses futurs beaux-parents – je l'ai interrogé sur les siens.

— Et toi ? Rien à raconter de croustillant sur ta famille ? Ils sont normaux ?

1. En 1964, les étudiants de Berkeley réclament de l'administration la levée de l'interdiction d'activités politiques sur le campus et la reconnaissance du droit des étudiants à la liberté de parole (Free Speech). Marqué par des heurts parfois violents entre les deux camps, ce mouvement contestataire est souvent cité comme le départ de nombreuses protestations étudiantes des années soixante et soixante-dix aux États-Unis. *(N.d.T.)*

— Normaux, ce serait peut-être beaucoup dire. Ma mère est morte quand j'avais six ans. D'un cancer du sein.

J'ai ouvert la bouche pour m'excuser, murmurer quelque cliché inutile, mais il ne m'en a pas laissé le temps.

— Ça a l'air horrible, je sais, mais en réalité, j'étais bien trop jeune pour m'en souvenir vraiment. C'était bizarre de grandir sans mère, mais c'était plus dur encore pour ma sœur aînée. Et puis, mon père était chouette.

— Il va bien ? Tu as dit quelque chose à propos de sa santé, hier soir.

— Ça va, mais je crois qu'il se sent seul. Il a fréquenté une femme pendant longtemps, mais elle est partie s'installer en Caroline du Sud, il y a quelques mois. Je ne connais pas les détails. Mon père ne vit pas très bien la séparation. Je me suis dit qu'une petite visite lui ferait du bien.

— Et ta sœur ?

— Elle a trente-trois ans. Mariée, cinq gamins. *Cinq*, tu te rends compte ? Quatre garçons et une fille. Elle a commencé aussitôt après le lycée. Elle habite à Fishkill, alors elle voit souvent mon père, mais son mari est un vrai con, et maintenant qu'elle a repris des cours à l'école d'infirmière, elle est très occupée, alors…

— Vous êtes proches, tous les deux ?

C'était étrange de voir prendre forme cet univers, autour de lui, dont j'ignorais tout, dont je n'aurais jamais soupçonné l'existence quand je le voyais échanger des poignées de main avec des nababs et des *wannabee* nababs tous les soirs à la porte du Bungalow 8.

Il a semblé réfléchir un instant à ma question tout en ouvrant une canette de soda qu'il avait sortie de son sac à dos. Il m'en a offert une gorgée avant de boire lui-même.

— Proches ? Je ne sais pas si je dirais ça. Je pense qu'elle m'en veut d'avoir quitté la maison pour aller en fac alors qu'elle avait déjà un gosse et qu'elle était enceinte du second. Elle fait toujours des réflexions sur le fait que je suis la raison de vivre de mon père, qu'il est fier au moins de l'un de nous – ce genre de conneries. Mais elle est sympa. Pfff, je deviens lourd, là. Excuse-moi.

Avant que je puisse protester, lui dire que j'adorais écouter absolument tout et n'importe quoi sortant de sa bouche, le CD a embrayé sur un titre de Whitesnake et Sammy a éclaté de rire.

— Tu aimes vraiment cette musique ? Comment peux-tu écouter une merde pareille ! ?

Après ça, nous avons continué à bavarder comme si nous nous connaissions depuis toujours – à propos de musique, de films, et de tous ces gens ridicules avec lesquels nous devions l'un et l'autre composer toute la journée. Il veillait attentivement à ne pas prononcer le nom de Philip, et je lui ai rendu la faveur en ne mentionnant pas Isabelle. Quand je me suis aperçue que nous n'étions plus qu'à une demi-heure de Poughkeepsie, j'ai appelé mes parents pour les prévenir que je déposais un ami et que j'arrivais bientôt.

— Bettina, ne sois pas ridicule. Invite-le à dîner ! a trompeté ma mère dans le téléphone.

— Maman, je suis sûre qu'il a envie de rentrer chez lui. Il est venu voir sa famille, pas la mienne.

— Eh bien, invite sa famille, en ce cas. On n'a jamais l'occasion de rencontrer tes amis et ça ferait plaisir à ton père. Et naturellement, il est plus que bienvenu demain à la fête. Tout est prêt.

J'ai promis de transmettre l'invitation.

— De quoi s'agissait-il ? a demandé Sammy quand j'ai eu raccroché.

— Ma mère insiste pour que tu viennes dîner, mais je lui ai dit que tu préférais probablement voir ton papa. Sans compter que les trucs qu'ils essaient de faire passer pour de la nourriture sont atroces.

— En fait, a-t-il dit après un silence, si ça t'embête pas, j'accepterais volontiers. Mon père ne m'attend pas avant demain, de toute façon. Je pourrais donner un coup de main en cuisine et rendre ce tofu un peu plus appétissant.

Il avait dit ça avec un feint détachement, mais j'ai senti (prié ! espéré !) qu'il y avait plus que ça.

— Oh… bon, d'accord. Si tu as envie, c'est super, ai-je acquiescé d'une voix plate.

À force de vouloir paraître cool, j'avais carrément l'air réfractaire à l'idée.

— Tu en es sûre ?

— Absolument. Je te conduirai chez toi après dîner, et je te promets de ne pas te retenir dans mes filets plus longtemps que nécessaire. Ils auront largement le temps d'essayer de te convertir à un régime alimentaire végétarien, mais avec un peu de chance, ça restera dans les limites du supportable.

L'étrangeté de la situation s'était dissipée. J'étais extatique. Et un poil paniquée.

— Ça me convient. Après ce que tu m'as raconté, j'ai envie de les connaître.

Lorsque nous nous sommes engagés dans l'allée, ma mère était assise sur la balancelle, sous le porche, enveloppée dans de multiples épaisseurs de laine, les mains protégées par des mitaines. Nous nous sommes garés à côté de la Toyota Prius à moteur hybride qu'ils n'utilisaient qu'en cas d'urgence (je me demandais souvent ce qu'ils penseraient en apprenant que la moitié des stars d'Hollywood en possédaient une, elles aussi) ; elle était bâchée, vu que quatre-vingt-dix-neuf pour cent du temps ils se déplaçaient à bicyclette. Ma mère a lâché son bouquin (*La Technique du batik*) et s'est précipitée à notre rencontre avant même que je coupe le contact.

— Bettina ! s'est-elle écriée en battant des mains.

Elle a ouvert ma portière, m'a tirée par le bras pour me faire descendre plus vite et m'a serrée contre son cœur. *Qui, à part ma mère et mon chien, sera jamais aussi content de me voir ?* me suis-je demandé. Toujours est-il que j'ai immédiatement oublié à quel point je redoutais cette visite.

— Salut, m'man. Tu as une supermine.

C'était la vérité. Nous avions la même chevelure, longue, épaisse, indomptable, mais la sienne avait pris avec les années une belle nuance de gris brillant. Depuis qu'elle était adolescente, elle les portait libres, partagés par une raie au milieu. Grande et mince, elle était de ces femmes dont seule l'expression résolue indique que leur fragilité n'est qu'apparence. Comme d'habitude, elle n'était pas maquillée et arborait seulement au bout d'une chaîne en argent un pendentif en turquoise, en forme de soleil.

— Voici mon ami, Sammy. Sammy, ma mère.

— Bonjour, Mrs. Robinson… Waou, a-t-il repris après une pause. Ça fait bizarre, non ? Mais je suppose que vous y êtes habituée.

— Ah ça… « Jesus m'aime plus que vous ne pourrez jamais le soupçonner. » Quoi qu'il en soit, appelez-moi Anne.

— C'est vraiment très gentil à vous de m'inviter, Anne. J'espère que je ne m'impose pas.

— Ne dites pas de sottises, Sammy. Nous sommes ravis que vous soyez tous les deux-là. Entrez vite, avant de geler sur place.

J'ai libéré Millington qui éternuait de tout son soûl de son Sherpa Bag et nous avons suivi ma mère jusque dans la véranda, à l'arrière de la maison, qu'ils avaient installée quelques années auparavant pour « pouvoir contempler la nature quand le temps n'y mettait pas du sien ». C'était le seul élément contemporain de cette maison, et la pièce que je préférais. Entièrement décalée par rapport au style architectural général qui évoquait la cabane en rondins, la véranda dégageait une ambiance zen et minimaliste. Sous son dôme de verre tout en angles aigus, elle abritait un érable aux feuilles rouges et toutes les espèces de plantes, de buissons, de fleurs imaginables susceptibles de survivre dans ce type d'atmosphère. Il y avait également une mare, à peine plus large qu'un obstacle d'eau sur un parcours de golf, dans laquelle flottaient quelques nénuphars, et des chaises longues en teck. La véranda ouvrait sur l'immense arrière-cour arborée. Mon père était en train de corriger des copies sur une table basse à la lumière d'une lanterne chinoise en papier. Il était raisonnablement présentable en jean et Naot enfilées sur des chaussettes en laine bouclette. (« À quoi bon acheter ces Birkenstock allemandes quand les Israéliens en font qui sont tout aussi bien ? ») Ses cheveux avaient grisonné un peu depuis ma dernière visite mais il s'est levé d'un mouvement aussi alerte qu'à son habitude et il m'a enveloppée dans une accolade affectueuse.

— Bettina, Bettina, tu es de retour au bercail, a-t-il chantonné en m'entraînant dans une petite danse.

Je me suis libérée, un peu embarrassée, en lui plantant un baiser sur la joue.

— Salut, papa. Je te présente mon ami Sammy. Sammy, mon père.

J'ai prié pour que mon cher père se comporte normalement. Il était imprévisible, et il adorait lâcher des vannes que j'étais seule à comprendre, et dont j'étais seule à rire. La première fois que mes parents étaient venus me voir à New York, j'avais invité Penelope à dîner avec nous. Elle les avait déjà rencontrés deux fois, mais sans doute avait-elle oublié les détails de ces rencontres. Mon père, lui, avait une mémoire d'éléphant. Il avait galamment baisé la main de mon amie avant de déclarer, d'un ton pince-sans-rire qui ne trahissait pas la moindre trace de sarcasme :

— Penelope, bien sûr que je me souviens de vous, ma chère. Nous avions dîné tous ensemble et vous nous aviez amené cet adorable garçon. Comment s'appelait-il, déjà ? Adam ? Andrew ? Un jeune homme très brillant, très intelligent, je me souviens.

Voilà le genre de vannes subtiles que mon père affectionnait. Je me souviens qu'Avery s'était pointé à ce fameux dîner tellement raide qu'il avait du mal à répondre à des questions aussi simples que citer sa dominante majeure, ou sa ville natale. De temps à autre, mon père m'appelait encore en se faisant passer pour le dealer d'Avery, me demandant d'une voix de fausset si je serais intéressée par « une livre de très bon shit ». Lui et moi trouvions ça tordant. Penelope, qui ne voyait jamais malice nulle part et avait été élevée par des parents absents, ne s'était aperçue de rien et lui avait souri gentiment. Mais comme mon père ne savait strictement rien sur Sammy, les risques, pour ce soir-là, m'ont semblé limités.

— Prenez un siège et venez tenir compagnie à un vieux monsieur, Sammy. Vous êtes du coin ?

Nous nous sommes tous assis et mon père nous a servi de l'infusion de réglisse que ma mère préparait par litres entiers. Sammy a installé son imposante carcasse avec précaution sur l'un des gigantesques coussins rebrodés de perles disposés autour de la table. Je me suis laissée choir entre lui et ma mère, qui a replié ses jambes en tailleur avec tant de grâce qu'elle semblait vingt ans plus jeune qu'en réalité.

— Alors, comment s'annonce le week-end ? ai-je demandé avec entrain.

— Personne n'arrivera avant demain en fin d'après-midi. Pourquoi n'iriez-vous pas voir s'il y a un spectacle sur le campus ? a demandé ma mère.

— La compagnie de danse de la fac se produit demain en matinée. Si ça vous intéresse, je peux avoir des places, a proposé mon père.

Il enseignait l'écologie à Vassar depuis des lustres, et il était si populaire qu'il pouvait demander n'importe quoi à n'importe qui. Ma mère, elle, travaillait au dispensaire du campus, au département psy ; elle partageait son temps entre la permanence téléphonique (pour gérer les crises en cas de viol, de tentation suicidaire, ou de dépression) et sa campagne de sensibilisation prônant une approche plus holistique des problèmes des étudiants, en faisant appel aux médecines douces – l'acupuncture, les plantes, le yoga. Mes parents jouissaient d'une grande popularité à Vassar, tout comme je savais qu'ils avaient été les chouchous de Berkeley dans les années soixante.

— Oui, pourquoi pas, mais n'oublie pas que Sammy est venu voir sa famille, ai-je souligné en leur décochant des regards lourds d'avertissements – et en priant pour qu'ils en tiennent compte.

Je me suis servi une cuillerée de sucre roux non raffiné et j'ai passé le pot à Sammy.

— Tiens, à ce propos, quelle excuse Will a-t-il inventée cette année pour se défiler ? s'est enquise ma mère avec indifférence.

Mes parents ne gobaient plus depuis bien longtemps les pitoyables excuses que Will forgeait de toutes pièces et se rappeler tous les contes à dormir debout qu'il avait pu inventer était devenu un passe-temps familial. Ma mère et Will étaient proches, en dépit d'un petit détail source de frictions : elle était une exaspérante hippy libérale qui refusait toute affiliation à un parti politique, il était un exaspérant républicain conservateur et fier de l'être. En ma présence, chacun adorait dénigrer l'autre, mais ils se téléphonaient chaque semaine et se débrouillaient même pour se témoigner tous les signes d'une authentique affection réciproque lorsqu'ils se voyaient. Sammy, qui ignorait tout ça, est intervenu sans me laisser le temps de réagir.

— N'était-ce pas à propos du travail de Simon ? Le Philharmonique l'a appelé à la dernière minute pour remplacer un musicien malade. Ils ne lui ont pas laissé le choix.

Sammy avait débité le bobard d'une seule traite avant que je puisse l'arrêter. À son honneur, je devais reconnaître qu'il était loyal.

Ma mère a souri, m'a regardée puis a tourné la tête vers mon père.

— Ah bon ? Il n'avait pas parlé d'un rendez-vous urgent avec son avocat, dans son cabinet du New Jersey ?

Sammy, convaincu de s'être emmêlé les pinceaux, a rougi. Il était temps d'intervenir.

— Ils savent que Simon ne remplace personne, Sammy, et ils savent que tu le sais. Ne t'inquiète pas, tu n'as pas vendu la mèche.

— C'était gentil de votre part, Sammy, mais je connais trop bien mon cher frère pour croire encore à ses histoires. Où sont-ils partis ? Miami ? Les Bahamas ?

— Key West, ai-je dit en resservant une tournée générale d'infusion de réglisse.

— Tu as gagné, a dit mon père en se tournant vers ma mère. Nous avions parié qu'il annulerait à la dernière minute en s'abritant derrière Simon. Franchement, je suis content qu'il ait arrêté de se servir de l'excuse d'avoir un papier urgent à rendre.

Ils ont tous les deux éclaté de rire.

— Bon, il est temps de m'occuper du dîner, a annoncé ma mère. Je suis allée au marché des producteurs aujourd'hui, et j'ai acheté plein de légumes de saison.

— Puis-je vous donner un coup de main ? a proposé Sammy. C'est le moins que je peux faire, après vous avoir menti. Par ailleurs, cela fait un petit moment que je n'ai pas cuisiné dans une cuisine familiale – ça me ferait vraiment plaisir.

Mes parents l'ont dévisagé avec curiosité.

— Sammy est chef, ai-je expliqué. Il a fait l'École hôtelière et il projette d'ouvrir son propre restaurant un de ces jours.

— Non ! s'est exclamé mon père. Mais c'est passionnant ! Et vous cuisinez dans un restaurant à New York, en ce moment ?

Sammy a souri avec timidité, a regardé ses pieds et répondu :

— Eh bien, depuis quelques mois, je fais le brunch du dimanche à la Gramercy Tavern. C'est une clientèle exigeante, mais l' expérience est enrichissante.

J'ai senti comme une décharge électrique. *Qui était ce mec ?*

— En ce cas, accompagnez-moi, a dit ma mère en lui prenant le bras. Pouvez-vous tirer quelque chose d'inté-ressant de quelques courgettes ?

Quelques minutes plus tard, Sammy était aux four-neaux, sous les yeux émerveillés de ma mère qui, tranquillement installée à la table de la cuisine, le contemplait sans pouvoir dissimuler son ravissement.

— Que nous prépares-tu ? ai-je demandé tandis qu'il égouttait une casserole de nouilles avant d'ajouter une giclée d'huile d'olive.

Il s'est essuyé les mains sur le tablier fourni par ma

mère (barré du slogan LA PAIX, TOUT DE SUITE !) tout en surveillant une casserole.

— Je pensais commencer avec, en antipasti, une salade de pâtes avec carottes poêlées, concombre et pignons, et peut-être aussi quelques courgettes. En entrée, ta maman a dit qu'elle voulait un truc simple, alors j'avais envie d'essayer une purée de pois cassés au curry à tartiner sur de la focaccia, avec en accompagnement des poivrons farcis au riz et à la chicorée. Et pour le dessert, que diriez-vous de pommes au four avec de la crème fouettée et le sorbet qui est ici ? Je dois dire que vous avez acheté des ingrédients formidables, Mrs. Robinson.

— Bon sang, maman, qu'avais-tu prévu de faire ?

— Oh… mettre tout ça dans le fait-tout pendant quelques minutes, je pense, a-t-elle répondu, sans quitter Sammy des yeux.

— Ce serait également délicieux, s'est empressé de répondre Sammy. Si vous préférez, je fais ça.

— Nooooon ! mon père et moi nous sommes-nous écriés en chœur. S'il vous plaît, continuez, Sammy. Pour nous, ce sera un vrai cadeau, a poursuivi mon père en lui tapant amicalement sur l'épaule avant de dérober un peu de purée de pois du bout du doigt.

Le dîner était étonnant, évidemment. Tout était si délicieux que je n'ai fait aucun commentaire désobligeant sur l'absence de viande ou l'abondance de produits bios. Tous les soucis que j'avais pu me faire à propos de cette rencontre entre Sammy et mes parents s'étaient évaporés sitôt la salade de pâtes terminée. Mes parents ne cessaient de le complimenter et Sammy était rayonnant. Jamais je ne l'avais vu aussi enjoué et aussi loquace. Brusquement, à la fin du repas, je me suis retrouvée seule à débarrasser la table pendant que mes parents séquestraient Sammy dans la véranda pour lui montrer des photos de moi bébé dans la baignoire et toutes autres choses que j'avais pu accomplir dans ma vie – le genre de choses dont personne, mis à part vos géniteurs, n'a que faire. J'étais mortifiée. Quand mes parents ont enfin annoncé qu'ils partaient se coucher, il était presque minuit.

— Nous ne vous chassons pas, Sammy, naturellement, mais ton père et moi avons besoin de sommeil, a déclaré ma mère en écrasant sa cigarette au clou de girofle – une douceur qu'elle s'accordait lorsqu'elle était d'humeur festive. Nous avons une grosse journée, demain. (Elle a tendu la main à mon père, qui l'a prise avec un sourire.) C'était un vrai plaisir de vous rencontrer, Sammy. Nous adorons rencontrer les *amis* de Beth.

Sammy a bondi sur ses pieds.

— Le plaisir était réciproque. Merci de m'avoir invité. Et bonne chance pour votre fête demain. Ça a l'air super.

— Oui, c'est une tradition. Et nous espérons bien vous y voir. Bonne nuit, a ajouté mon père avec entrain.

Avant d'emboîter le pas à ma mère, il s'est penché vers Sammy pour le remercier, dans un murmure, de lui avoir offert l'occasion de manger un repas comestible.

— Ils sont super, a observé Sammy tranquillement une fois que la porte s'est refermée. Après ce que tu m'en avais dit, j'avoue franchement que je m'attendais à des phénomènes de foire. Ils sont absolument normaux.

— Mouais... tout dépend, j'imagine, de ta définition du mot « normal ». Tu es prêt ?

Il a semblé hésiter.

— Euh... oui. Si tu l'es.

— Je croyais que tu voulais rentrer chez toi, mais si tu as envie qu'on aille faire un tour quelque part, je suis partante, ai-je dit d'une traite en retenant mon souffle.

Il s'est accordé un instant de réflexion.

— Un saut au Starlight, ça te dit ?

J'ai soufflé.

— Excellente idée ! J'adore cet endroit. Pas toi ?

— Encore plus que toi. Quand j'étais au lycée, j'y allais tout seul, tu n'imagines pas à quel point c'était humiliant. Je m'asseyais toujours avec un livre ou un magazine et un café.

Le Starlight avait été l'épicentre de notre vie sociale du temps du lycée. C'était dans ce *diner* que j'avais passé les meilleurs moments de mon adolescence avec mes bandes de copains. Imaginer Sammy seul dans son coin m'a rendue à la fois triste et nostalgique.

Nous nous sommes installés dans le box le moins poisseux et nous avons fait mine de consulter les menus plastifiés, inchangés depuis des décennies. J'avais beau être repue, j'ai tout de même hésité entre des toasts à la cannelle ou une portion de frites. Pour finir, j'ai décidé qu'une décharge massive de carbohydrates était acceptable hors des limites de Manhattan et j'ai commandé les deux. Sammy, lui, s'est contenté d'un café. Une de mes serveuses préférées – la femme avec le plus long duvet du monde sur la lèvre supérieure – a ricané quand Sammy lui a demandé du lait écrémé plutôt que de la crème, et les deux se livraient à présent à un concours de regards agacés par-delà la salle.

— Tu ne m'avais pas dit que tu faisais les brunches à la Gramercy Tavern. Ça me plairait de venir.

— Et toi, tu ne t'étais pas vantée d'être sortie deuxième de ta promo. Ni d'avoir remporté le Martin Luther King Award pour le service communautaire interculturel.

J'ai rigolé.

— Bon sang, ils n'ont vraiment rien oublié ! Et moi qui croyais que comme tu avais quitté le lycée trois ans avant moi, avec un peu de chance, tu ne souviendrais de rien. Mais j'aurais dû me douter que je n'allais pas m'en tirer à si bon compte.

La serveuse a resservi Sammy, en faisant gicler quelques gouttes de café, pour faire bonne mesure.

— Ils sont fiers de toi, Beth. C'est tellement mignon.

— Ils *étaient* fiers de moi. Mais c'est fini. Je ne pense pas que mes toutes nouvelles compétences qui consistent à attirer des célébrités au Bungalow 8 et faire les frais des chroniques de potins mondains soient exactement ce qu'ils avaient en tête pour moi.

— Tout le monde fait des compromis, tu le sais, non ? a-t-il souligné avec un sourire triste. Ça ne signifie pas que tu es différente de celle que tu étais autrefois.

Le ton sur lequel il avait dit ça me donnait envie de le croire.

— On y va ? ai-je lancé en indiquant d'un geste qu'on nous apporte l'addition (qui, quels que soient le nombre de clients ou la nature de la commande, se montait toujours très exactement à trois dollars par personne). Je crois que j'ai besoin de conserver un peu d'énergie pour les festivités de demain, auxquelles j'espère te convaincre d'assister…

Sammy a posé un billet de vingt dollars sur la table (« Pour me rattraper de toutes les fois où j'ai squatté la table pendant des heures en laissant des pourboires minables ») et m'a poussée vers la sortie d'une main posée sur mes reins. On a traîné assez longtemps pour lui permettre de me gagner un petit cochon dans la machine à pince de l'entrée. J'ai serré la peluche contre moi et Sammy a déclaré que c'étaient les deux dollars qu'il avait le mieux employés de sa vie. Une quinzaine de kilomètres nous séparaient de la maison de son père, et je me suis rendu compte que jamais, tout au long de ces années où j'avais vécu à Poughkeepsie, je n'avais mis les pieds dans cette partie-là de la ville. Nous n'avons guère parlé pendant le trajet. Nous étions l'un et l'autre songeurs ; c'en était fini des bavardages, des plaisanteries et des confidences qui m'avaient donné l'impression que ces neuf heures passées ensemble avaient filé en cinq minutes. Je me suis engagée dans la petite allée de gravier qui conduisait à une maison de style colonial.

— C'était super – la soirée, l'après-midi, tout. Merci de m'avoir amené, et merci pour le dîner.

Comme il n'avait pas l'air spécialement pressé de descendre de voiture, j'ai fini par me dire qu'il allait peut-être m'embrasser. Dans n'importe quel roman Harlequin, on n'aurait pas manqué de souligner l'électricité qui crépitait entre nous.

— Tu plaisantes ? C'est moi qui devrais te remercier. Grâce à toi, nous avons échappé à un dîner immangeable, ai-je bafouillé.

J'ai glissé les mains sous mes cuisses pour les empêcher de trembler.

Puis il est descendu. Comme ça. Il a ouvert la portière, il a attrapé son sac sur la banquette arrière et agité la main en marmonnant quelques mots – où il était question de m'appeler le lendemain. La déception était aussi cuisante qu'une gifle. J'ai aussitôt enclenché la marche arrière. Je devais partir avant de me mettre à pleurer. *Pourquoi, pourquoi vas-tu t'imaginer que tu l'intéresses ? Il devait venir ici, tu lui as proposé de le conduire et il s'est montré amical, rien de plus. Tu t'es fait des illusions et tu dois arrêter immédiatement ce délire avant de te ridiculiser.* Au moment où j'allais reculer sur la route, j'ai vu une silhouette approcher.

Il était en train de parler mais je ne pouvais pas l'entendre à travers la vitre fermée. J'ai freiné et descendu la vitre.

— Tu as oublié quelque chose ? ai-je demandé en tentant de contenir le tremblement de ma voix.

— Oui.

— Attends, une seconde, je t'ouvre à l'arrière pour…

Je n'ai pas pu finir ma phrase. Il a passé la main par la vitre, l'a tendue par-dessus mes genoux. Un instant, j'ai eu peur, mais il a juste passé le point mort et coupé le contact. Puis il a débouclé ma ceinture, il a ouvert la portière, et m'a tirée à l'extérieur.

— Quoi ? Je ne sais…

Mais il m'a fait taire en prenant mon visage entre ses mains – ce geste dont rêvent toutes les filles et qu'aucun garçon ne fait jamais. Si ma mémoire était bonne, c'était exactement la scène qui illustrait la couverture d'*Au bord de l'abîme*, et qui avait symbolisé pour moi le summum du romantisme. J'étais convaincue qu'il sentait combien mon visage était en feu sous ses paumes fraîches, mais je n'ai guère eu le loisir de m'appesantir sur ce problème. Il s'est penché et m'a embrassée avec une infinie douceur. J'étais tétanisée, paralysée, trop choquée pour ne serait-ce que répondre à son baiser. Je me suis laissé faire.

— Je te promets de ne pas oublier la prochaine fois, a-t-il dit ensuite, avec cette sorte de brusquerie qu'on n'entend jamais que dans un film.

Il m'a galamment tenu la portière jusqu'à ce que je sois réinstallée derrière le volant. Soulagée de ne plus devoir compter sur mes jambes pour me soutenir, je me suis laissée choir maladroitement sur le siège. Il a refermé la portière et je l'ai regardé s'éloigner en direction de la maison, un immense sourire aux lèvres.

20

J'étais en train de suspendre la dernière lanterne en papier quand ma mère a finalement craqué.

— Dis-moi, chérie, ce Sammy semble très gentil. Ton père et moi avons été ravis de le rencontrer.

— Oui, il est chouette.

Pour une fois, j'allais faire son travail et en savourer chaque seconde. Elle a déposé une coupe d'houmous à côté d'un plateau rempli d'un assortiment d'olives, s'est reculée pour juger de l'effet, puis a reporté son attention sur moi.

— Est-ce qu'il va venir à la fête ?

— Je ne pense pas. Je sais qu'il aimerait bien mais l'un et l'autre, nous ne sommes là que pour quelques jours, et je crois qu'il a besoin de passer un peu de temps avec son père. Il projetait d'aller manger des grillades.

— Ah bon ? a fait ma mère d'une voix tendue.

Elle imaginait très certainement une orgie de viande mais essayait de s'abstenir de commentaires. En fait, Sammy m'avait juste dit qu'ils sortiraient certainement dîner le soir de Thanksgiving – mais c'était trop facile, et trop drôle, de la faire enrager.

— Peut-être aimerait-il passer ensuite pour goûter quelques-unes de nos spécialités locales ?

— Je ne sais pas… mais je veillerai à lui transmettre cette alléchante invitation.

J'avais été assez contrariée quand Sammy avait appelé pour dire qu'il ne pourrait pas venir à la fête, et plus encore lorsqu'il m'avait annoncé qu'il ne rentrerait pas avec moi à New York. Après m'avoir poliment remerciée une fois de plus de l'avoir conduit la veille, il m'avait expliqué qu'il devait travailler le samedi soir et rentrerait donc en bus. J'ai bien songé à repartir plus tôt moi aussi, mais je savais combien mes parents seraient déçus. Du coup, je lui avais souhaité une bonne soirée, avant de raccrocher.

— Hé, Bettina, tu voudrais venir m'aider ?

Mon père était en train d'entasser du petit-bois et des bûches selon un motif d'entrelacs compliqué. Chaque année, le bûcher cérémoniel constituait la *pièce de résistance*[1] de la Fête des Moissons. Tout le monde se rassemblait autour du feu pour danser, boire du vin et « donner la sérénade à la moisson », quel que soit le sens de la chose.

Je suis allée le rejoindre. Dans mon vieux pantalon en velours côtelé tout usé datant du lycée, mon pull en polaire feutré et mon gilet en laine zippé, je me sentais particulièrement libre de mes mouvements. Cet accoutrement avait un côté bizarre et merveilleux, et ça me procurait presque du soulagement d'échapper pour quelques jours aux petits tops à bretelles vaporeux et aux jeans dans le coup, moulants, liftant les fesses et enserrant les cuisses que je portais désormais avec dévotion. Aux pieds, j'avais passé des chaussettes en angora et une paire de mocassins Minnetonka avachis. Avec des

1. En français dans le texte.

326

semelles en caoutchouc. Des perles. Et des franges. Du temps de mes années de lycée, ils avaient été un pied-de-nez à la mode, mais je m'étais tout de même obstinée à les porter. Cela me semblait un peu impur de les ressortir maintenant qu'ils s'étalaient dans les pages de tous les magazines, mais ils étaient bien trop confortables pour les répudier au seul motif d'un principe. J'ai inspiré à pleins poumons l'air frais de novembre et j'ai éprouvé une émotion qui m'a semblé proche du bonheur.

— Qu'est-ce que je peux faire, papa ?

— Rapatrier jusqu'ici ce tas de bois près de la véranda, si tu peux, a-t-il grogné tout en soulevant une bûche particulièrement grosse sur son épaule.

Il m'a tendu une paire de gants de jardin dix fois trop grands et a gesticulé en direction du tas de bois. J'ai enfilé les gants et entrepris de déplacer les bûches une à une. Puis ma mère a annoncé qu'elle partait se doucher mais qu'elle avait laissé de l'infusion de réglisse dans la cuisine. Nous sommes allés nous asseoir pour en boire.

— Alors dis-moi, Bettina, quel genre de relation as-tu avec le charmant jeune homme d'hier soir ? a demandé mon père en essayant de prendre l'air décontracté.

— « Le charmant jeune homme ». ?

C'était plus pour gagner du temps que pour me moquer de lui. Je savais que ma mère et lui voulaient désespérément entendre que Sammy et moi sortions ensemble – et Dieu m'était témoin que personne ne le voulait plus que moi – mais je n'arrivais pas à me résoudre à expliquer toute la situation.

— Bon, tu sais bien entendu que ta mère et moi rêvons de te voir casée avec quelqu'un comme le copain de Penelope. C'est quoi son nom, déjà ?

— Avery.

— C'est ça. Ce serait formidable d'avoir un stock

inépuisable d'herbe de premier choix, mais mis à part un garçon idéal comme lui, ce Sammy paraît très bien.

Il a souri de sa plaisanterie.

— Bon... eh bien, j'ai rien de vraiment excitant à te raconter. Je l'ai conduit jusqu'ici, c'est tout.

Je ne tenais pas à m'étendre sur le sujet – n'étais-je pas un peu trop vieille pour m'ouvrir à mes parents de quelque chose qui, pour l'instant, ne pouvait prétendre à d'autre appellation que celle de « béguin » ?

Mon père a siroté son infusion en me dévisageant par-dessus sa tasse à l'effigie des Vétérans pour la Paix. Ni lui, ni ma mère n'étaient, à ma connaissance, vétérans de quoi que ce soit, mais je n'ai pas relevé.

— Bon, d'accord. Et ton nouveau boulot, ça marche bien ?

J'avais réussi à ne pas penser au travail pendant vingt-quatre heures complètes mais brusquement, j'ai éprouvé l'envie urgente de vérifier si j'avais des messages. Par chance, les portables ne captaient pas chez mes parents et je n'ai pas pris la peine d'interroger ma messagerie depuis leur fixe.

— Ça se passe assez bien, me suis-je empressée de répondre. Bien mieux que je ne m'y attendais. J'aime bien la plupart de mes collègues. Les soirées m'amusent encore, même si je comprends qu'on peut s'en lasser très vite. Et j'ai rencontré des tonnes de gens nouveaux. Dans l'ensemble, et pour l'immédiat, il me semble que c'est un bon plan.

Il a hoché la tête, comme s'il enregistrait ces informations, mais je voyais bien que l'envie de faire une remarque le démangeait.

— Quoi ? Qu'est-ce qu'il y a ?

— Rien, rien. C'est très intéressant.

— Très intéressant ? C'est jamais que des relations publiques. Ce n'est pas non plus fascinant.

— Oui, c'est précisément ce que je voulais dire. Ne le prends pas mal, Bettina, mais nous – ta mère et moi – sommes un peu surpris que tu aies choisi cette voie.

— Bon, c'est pas UBS ! Maman a failli avoir une attaque quand elle a découvert que Dow Chemical était un de leurs clients. Elle m'a écrit chaque jour pendant trois semaines pour m'accuser de soutenir la déforestation, de favoriser le cancer du poumon chez les enfants et aussi – mais là, je n'ai toujours pas compris par quel enchaînement – la guerre en Irak. Tu ne t'en souviens pas ? Elle était dans un tel état de panique que j'ai fini par demander qu'on me retire la gestion de ce compte. Comment pouvez-vous être contrariés que j'aie un nouveau boulot ?

— Nous n'en sommes pas contrariés, Bettina. Simplement, nous pensions que tu étais prête à t'engager dans quelque chose, quelque chose… qui ait du sens. Ne parlais-tu pas de contacter le Planning familial pendant un temps ? Que s'est-il passé de ce côté-là ?

— J'ai parlé d'un tas de trucs, papa. Mais ce boulot s'est présenté, et il me plaît. C'est donc si mal que ça ?

Je savais que j'étais sur la défensive, mais je détestais cette conversation.

Il a posé sa main sur la mienne avec un sourire.

— Bien sûr que non ! Nous savons que tu finiras par trouver ta voie.

— « Trouver ma voie » ? Que de condescendance ! Il n'y a pas de mal à faire ce que je fais…

— Bettina ? Robert ? Où êtes-vous ? a appelé ma mère de quelque part dans la maison. Les filles de la cor-op viennent d'appeler, elles arrivent avec la nourriture. Le bûcher est prêt ?

Mon père et moi nous nous sommes regardés, puis levés.

— On arrive, chérie.

J'ai déposé les tasses dans l'évier et j'ai filé me changer. Le temps de me brosser les cheveux et de m'enduire les lèvres d'un peu de vaseline – ces mêmes lèvres que Sammy avait embrassées un peu moins de vingt-quatre heures auparavant –, j'ai entendu des voix dans l'arrière-cour.

En une heure, la maison s'est remplie de gens que je n'avais jamais vus. Mis à part quelques voisins et collègues de la fac que je connaissais depuis des années, il y avait des groupes entiers de parfaits inconnus qui allaient et venaient en sirotant du cidre chaud et en testant le baba ganoush.

— Qui sont tous ces gens ? ai-je demandé en rejoignant ma mère dans la cuisine où elle préparait une rallonge de limonade.

Le soleil venait juste de se coucher – ou plutôt, vu qu'il ne s'était guère montré de la journée, le ciel s'était assombri – et un genre d'orchestre klezmer avait commencé à jouer. Un homme chaussé de sandales identiques à celles de mon père poussait des cris d'allégresse en exécutant une série de petits bonds qui pouvaient aussi bien être symptomatiques d'un étranglement de hernie que d'une envie de danser. Tout cela n'avait rien d'un dîner de Thanksgiving classique.

— Voyons… Il y a beaucoup de nouveaux, cette année. Comme ton père n'a qu'un seul cours ce semestre, nous avons davantage de temps pour socialiser. Le groupe assis à table est celui de notre coopérative. Tu sais que nous en avons changé, il y a quelques mois de ça ? La nôtre devenait carrément fasciste ! Ces deux charmants couples, là, sont des connaissances du marché bio d'Euclid Street. Voyons… Il y a quelques personnes que nous avons rencontrées pendant la semaine de silence pour réclamer l'abolition de la peine de mort, et quelques autres qui font partie de notre comité de soutien à la construction d'écovillages…

Adossée au comptoir de la cuisine, je l'ai écoutée tout en la regardant remplir les bacs à glaçons pour les replacer dans le freezer. Quand, exactement, avais-je perdu contact avec le mode de vie de mes parents ? me suis-je demandé.

— Viens, je voudrais te présenter Eileen. Elle travaille à la permanence téléphonique avec moi et elle a été notre sauveur, cette année. Elle sait tout de toi et il me tarde que vous vous rencontriez.

Nous n'avons pas eu à chercher Eileen bien longtemps car elle est apparue dans la cuisine avant même que nous puissions disposer les pichets sur un plateau pour les apporter dehors.

— Mon Dieu, vous devez être Bettina ! a-t-elle dit d'une voix essoufflée en se précipitant vers moi.

Elle avait des bras avachis qui tremblotaient quand elle marchait, des rondeurs avenantes et un immense sourire qui inspirait confiance. Je n'ai pas eu le temps de faire un pas que déjà, elle m'avait enlacée comme un petit enfant.

— Quelle joie de vous rencontrer enfin ! Votre mère m'a tellement parlé de vous – j'ai même lu quelques-unes de ces merveilleuses lettres que vous écriviez au lycée !

J'ai décoché un regard assassin à ma mère, qui s'est contentée de hausser les épaules.

— Ah bon ? C'est de l'histoire ancienne. Moi aussi j'ai entendu beaucoup de bien de vous, évidemment, ai-je menti – même si trente secondes auparavant, je n'avais jamais entendu le prénom de cette femme, mais ma mère semblait contente.

— Hum… C'est vrai ? Bon, venez vous asseoir à côté de tante Eileen et racontez-lui l'effet que ça fait d'être aussi célèbre !

Ce « tante Eileen » était un peu de trop, compte tenu

qu'elle avait sans doute à peine dix ans de plus que moi, mais je me suis laissé faire.

— Célèbre ? Non, moi, je ne suis pas célèbre. Je travaille plus ou moins avec des gens qui le sont – je suis dans les relations publiques – c'est tout, ai-je dit lentement, convaincue qu'Eileen m'avait confondue avec la fille de quelqu'un d'autre.

— Ma petite, je vis peut-être à Poughkeepsie, mais personne ne lit autant de presse people que moi. Alors, c'est comment d'être la petite amie de ce dieu de Philip Weston ? (Elle a pris une brève inspiration et a mimé une pâmoison.) Racontez-moi tout ! C'est l'homme le plus sublime de la planète !

J'ai éclaté de rire, mal à l'aise, en réfléchissant à des issues possibles, mais lorsque j'ai vu la tête de ma mère, je n'ai plus ri du tout.

— Pardon ? a-t-elle fait. Philip *qui* ?

Eileen s'est tournée vers elle, incrédule.

— Anne ! Ne me dis pas que tu ignores que la chair de ta chair sort avec l'homme le plus désirable de la Terre ! Jamais tu ne me feras croire ça ! a-t-elle couiné. Si je ne t'ai jamais posé de question, c'est parce que je savais que je rencontrerais Bettina ce soir et que je voulais entendre tous les détails croustillants de la bouche même de l'intéressée !

Ma mère n'aurait pas été plus surprise si je l'avais frappée. J'en ai conclu que mes parents, Dieu merci, n'avaient pas lu les dernières livraisons d'Abby.

— Je… euh… je n'avais pas compris que tu avais un petit ami, a-t-elle bafouillé.

Sans doute se sentait-elle doublement trahie : non seulement sa fille avait omis de la mettre au courant d'une information cruciale mais, en plus, cette défaillance dans la relation mère-fille avait été mise en évidence devant sa collègue. J'avais envie de la serrer dans mes bras et de l'attirer à part pour essayer de tout lui expliquer, mais Eileen continuait à me bombarder de questions.

— Il sait expliquer pourquoi Gwyneth et lui ont rompu? Je me suis toujours demandé... Oh, et a-t-il déjà rencontré la reine d'Angleterre en vrai? J'imagine que oui, puisqu'ils sont affiliés à la famille royale. Je me demande comment ce doit être...

— Famille royale? a murmuré ma mère tout en cherchant appui sur le comptoir.

Il m'a semblé qu'elle avait envie de me poser mille questions, mais n'a réussi qu'à poser celle-ci :

— Et le garçon d'hier soir?

— Il était ici? a aussitôt demandé Eileen, d'un ton impérieux. Philip Weston était ici hier soir? À Poughkeepsie? *Hier soir*? Oh mon Dieu...

— Non, Philip Weston n'était pas ici. J'ai conduit un ami chez son père et il s'est arrêté faire la connaissance de mes parents. Et techniquement parlant, je ne sors pas avec Philip Weston. Nous sommes juste sortis deux ou trois fois ensemble. Il se montre amical avec toutes mes collègues aussi.

— Oooooh! a soufflé Eileen.

À croire que mon explication était assez convaincante. Mais ma mère n'avait pas l'air ravi du tout.

— Tu es sortie deux ou trois fois avec qui? Ce Weston machin chose, ou l'autre? Weston... il est apparenté aux célèbres Weston anglais?

J'étais un peu fière que même ma mère ait entendu parler de lui.

— Les seuls et uniques, ai-je répondu, heureuse de voir enfin la tension s'apaiser.

— Bettina, te rends-tu compte que les Weston sont des antisémites notoires? Tu ne te souviens pas de ce pataquès à propos des comptes des victimes de l'holocauste dans une banque suisse? Et comme si ça ne suffisait pas, ils ont la réputation de faire travailler des enfants dans plusieurs de leurs affaires en Amérique du Sud. Et tu sors avec l'un d'eux ?

Eileen, sentant que la conversation était en train de tourner au vinaigre, s'est discrètement éclipsée.

— Je ne sors pas avec lui, ai-je insisté – mais le déni semblait ridicule maintenant que j'avais reconnu le contraire quelques instants auparavant.

Elle m'a dévisagée, comme si elle regardait une inconnue, avant de secouer lentement la tête.

— Jamais je n'aurais attendu ça de toi, Bettina. Non vraiment… Jamais.

— Attendu quoi ?

— Jamais je n'aurais imaginé que ma fille s'associerait un jour avec ce genre de gens. Nous sommes heureux de tout ce que tu es – une fille intelligente, ambitieuse, qui réussit – mais nous avons aussi essayé de t'instiller un certain degré de conscience sociale et civile. Et c'est passé où, Bettina ? Dis-moi, c'est passé où ?

Avant que j'aie pu répondre, un homme que je n'avais jamais vu est entré en trombe dans la cuisine pour informer ma mère que des gens du journal local l'attendaient dehors pour une photo. Depuis cinq ans, mes parents profitaient de leur fête annuelle pour lever des fonds en faveur des abris pour femmes battues de la région ; à l'échelle de Poughkeepsie, cette fête était devenue une telle institution que tant le journal local que celui du campus couvraient l'événement. J'ai regardé le photographe faire poser mes parents, d'abord dans la véranda, puis devant le bûcher, et ensuite j'ai consacré le reste de la soirée à faire connaissance avec un maximum de leurs amis et collègues. Ni mon père ni ma mère n'ont de nouveau mentionné Philip, ou mon travail, mais il flottait dans l'air une impression bizarre. Brusquement, je n'avais qu'une envie : rentrer à New York.

21

La semaine qui a suivi Thankgiving a été rude. L'anxiété pesait sur moi comme un poids. Philip me harcelait de coups de fil. Et j'avais beau me répéter que je n'avais aucune raison de m'inquiéter, j'étais toujours sans nouvelles de Sammy. J'avais passé deux jours à revivre comme en rêve La Scène du Baiser en me demandant quand il allait se décider à me contacter, mais le charme de ce petit jeu commençait à s'émousser. Pour empirer le tout, en dépit de mes cinq jours d'absence, Abby n'avait pas cessé d'écrire sur moi. C'était à n'y rien comprendre : Abby – de ça, au moins j'en étais certaine – n'était pas présente à la fête de mes parents. Voilà pourquoi c'était à ce point perturbant de voir mon nom jaillir de la une du New York Scoop : DES SOUCIS AU PARADIS ? ROBINSON PART RÉCUPÉRER DANS SA VILLE NATALE. Abby soulignait que mon « soudain éloignement » était d'autant plus notable que Philip et moi avions été « inséparables » et que cette « fuite » dans le giron familial ne pouvait qu'être le signe d'un problème majeur dans notre relation. En guise de cerise sur le gâteau, elle insinuait même que ce « week-end à l'écart du circuit de la nuit » pouvait être lié à la nécessité de me « désintoxiquer », voire de panser mes « plaies après avoir été plaquée ». Elle concluait en encourageant tous ses lecteurs à rester connectés pour de plus amples détails concernant la saga Weston/Robinson.

J'avais rageusement roulé en boule la copie de cette chronique et je l'avais lancée de toutes mes forces à l'autre bout du bureau. Des problèmes dans ma relation ? Désintoxication ? « *Plaquée* ? » Il y avait encore plus insultant que de laisser entendre que Philip et moi sortions ensemble : suggérer que ce n'était pas le cas. Et d'où sortait cette histoire de « désintoxication » ? C'était assez terrible d'être décrite sous les traits d'une fêtarde déchaînée, mais plus embarrassant encore de passer pour quelqu'un qui ne savait pas le gérer. Toute cette histoire commençait à friser des sommets de ridicule. Il m'a fallu trois jours entiers pour rassurer Kelly (et Elisa – qui semblait particulièrement inquiète) sur le fait que Philip et moi ne nous étions pas disputés, que ma visite à Poughkeepsie n'avait pas eu pour but de chercher une éventuelle clinique de désintoxication, que je n'avais aucune intention de « larguer » Philip, pour quelque motif que ce soit.

À présent que je venais de passer le plus clair de décembre à assister à un maximum d'événements, à poser avec Philip devant pléthore d'objectifs et, plus généralement, à susciter des commentaires insidieux de la part d'Abby (qui n'était que trop heureuse de me faire ce plaisir), tout était revenu à une version distordue de la normalité. Pour les vacances de fin d'année, Kelly nous avait assigné un roulement : j'avais accepté d'assister le soir de Noël à un cocktail réunissant les membres juifs des professions libérales en échange de ma soirée du 31, que je voulais passer avec Penelope à Los Angeles. J'avais fini par accepter son invitation, et sitôt connu mon emploi du temps, j'avais acheté mon billet. Noël n'était plus qu'à quinze jours, et ce lundi matin, notre réunion d'équipe était plus frénétique que jamais. Je rêvais éveillée au moment tout proche où Penelope et moi siroterions des bloody mary en shorts et tongs au bord de la plage en plein hiver, quand la voix de Kelly m'a tirée de mes pensées.

— Nous avons un nouveau client et c'est un projet qui m'excite énormément, a-t-elle annoncé avec un immense sourire. À compter d'aujourd'hui, nous représentons officiellement l'Association des Propriétaires de Night-Clubs d'Istanbul.

— Ah bon ? a fait Leo. Il y a une vie nocturne, à Istanbul ?

— Je ne savais pas que les night-clubs étaient autorisés en Syrie ! s'est exclamée Elisa d'un ton outré. Les musulmans ne boivent pas d'alcool, n'est-ce pas ?

— Istanbul est en Turquie, Elisa, lui a rétorqué Leo avec une moue d'autosatisfaction. Et bien que ce soit un pays musulman, la Turquie est très occidentalisée. Il y a comme qui dirait séparation totale entre l'Église et l'État. Ou entre la mosquée et l'État, plutôt.

— Absolument, a abondé Kelly en souriant. Comme vous le savez, nous sommes prêts à étendre nos activités à l'international et cette mission sera un départ parfait. Ce club est constitué d'une trentaine de propriétaires de clubs dans le grand Istanbul ; ils cherchaient quelqu'un pour promouvoir une vie nocturne déjà active. Et ils nous ont choisis.

— Je ne savais pas que les gens allaient faire la fête en Turquie, a reniflé Elisa. Ce n'est pas exactement Ibiza...

— Voilà précisément pourquoi ils ont besoin de nous, a rétorqué Kelly. Si j'ai bien compris, Istanbul est une ville cosmopolite et très chic. Ils n'ont aucun problème à attirer une clientèle européenne glamour amatrice de plages, de clubs et de shopping bon marché. Mais le tourisme a souffert des suites du 11 septembre et ils souhaitent appâter les riches Américains – les jeunes, tout particulièrement – et leur montrer que pour faire la fête, la Turquie est aussi accessible que l'Europe, plus abordable et *plus* exotique. Notre boulot consistera à faire de la Turquie la destination d'élection de cette clientèle.

— Et comment va-t-on s'y prendre ? a demandé Leo qui semblait dépérir d'ennui.

— Tout d'abord, en faisant connaissance avec le sujet de notre mission. Ce pour quoi vous partez tous passer le Nouvel An à Istanbul. Skye restera ici avec moi pour continuer à faire tourner la boutique. Vous partez le 28.

— Quoi ? me suis-je écriée, partagée entre excitation et épouvante – à l'idée de devoir annoncer à Penelope que je n'allais pas à Los Angeles. On part en Turquie ? Dans quinze jours ?

— Kelly, je suis de l'avis de Beth, est intervenue Elisa. Je… Comment dire ? Ce n'est pas dans mes habitudes d'aller faire du tourisme dans les pays déchirés par la guerre.

— Je n'ai pas dit que je ne voulais pas y aller, ai-je murmuré, la mine piteuse.

— « Déchirés par la guerre » ? a répété Skye. Tu es débile ?

— La guerre, moi, je m'en fiche, a décrété Leo en regardant Kelly. Mais aller passer le Nouvel An dans un pays du tiers-monde où la nourriture est dangereuse, où l'eau n'est pas saine et où il est impossible d'avoir un service d'étage décent, ce n'est pas une perspective très attrayante.

— C'est justement une partie du problème, voyez-vous, a repris Kelly, imperturbable – à sa place, j'aurais perdu mon calme. La Turquie est une démocratie occidentale. Ils essaient d'entrer dans l'Union européenne. Il y a un Four Seasons et un Ritz en centre-ville. Et même une boutique Versace. Je n'ai pas l'ombre d'une inquiétude quant à votre confort. Votre seule mission pendant ce séjour sera d'aller dans autant de clubs, de bars et de restaurants qu'il est humainement possible. Emportez de beaux vêtements. Buvez le champagne qu'ils vous serviront. Faites du shopping. Dépensez. Amusez-vous autant que vous le pourrez. Carillonnez le Nouvel An tous ensemble. Et, naturellement, distrayez vos invités.

— Quels invités ? Les proprios de clubs ? Kelly, il est hors de question que je me prostitue avec des tenanciers de clubs turcs. Même pour toi ! a déclaré Elisa en croisant les bras dans une grande démonstration de force d'âme.

— C'est amusant, a répondu Kelly avec un sourire. (Elle s'est tue un instant, pour donner plus d'emphase à ce qui allait suivre.) Mais sois sans crainte, ma petite Elisa. Les invités dont je parle sont quelques prescripteurs de tendances dûment sélectionnés de Manhattan.

— Qui ça ? Que veux-tu dire ? Qui vient ? On aura des people avec nous ? a demandé Elisa, soudain très attentive.

Davide et Leo eux aussi sont devenus tout ouïe, et tous, nous nous sommes légèrement penchés vers Kelly, curieux de savoir ce qu'elle allait nous révéler.

— Ils n'ont pas encore tous confirmé définitivement, mais jusque-là, Marlena Bergeron, Emanuel de Silva, Monica Templeton, Olivier Montrachon, Alessandra Uribe Sandoval et Camilla von Alburg ont accepté l'invitation. C'est une chance qu'aucun événement majeur ne soit programmé ici pour la soirée du réveillon – tout le monde cherche quelque chose à faire. Vous voyagerez tous en jet privé et descendrez au Four Seasons. Le client s'occupe de tout : voitures, boissons, dîners et tout ce dont vous aurez besoin pour leur faire passer – à eux et aux photographes – un bon moment.

— Un jet privé ? ai-je murmuré.

— Des *photographes* ? S'il te plaît, ne me dis pas que tu nous envoies là-bas avec un plein contingent de paparazzi, a larmoyé Elisa.

— Pas plus que d'habitude : ils ne seront pas plus de trois, et tous free-lance, afin de n'être enchaîné à aucune publication ; ajoutez à la liste trois – peut-être quatre – journalistes, et nous devrions avoir une couverture fantastique.

J'ai réfléchi à ce que je venais d'apprendre. Dans moins de deux semaines, je serais *en route*[1] pour Istanbul, avec ordre de boire, danser et lézarder au bord d'une piscine de palace, et mon seul travail consisterait à veiller à ce qu'une poignée de personnalités triées sur le volet soit dûment approvisionnée en alcool et en drogues – histoire qu'ils soient assez soûls pour avoir l'air heureux sur les photos, mais demeurent assez cohérents pour adresser quelques phrases plus ou moins intelligibles aux journalistes. À notre retour, les photos de nos soirées s'étaleraient dans l'ensemble de la presse people, accompagnées de légendes soulignant que toute célébrité digne de ce nom faisait désormais la fête à Istanbul – sans qu'aucun lecteur ne réalise que ces gens avaient été payés pour ça. La manœuvre était intelligente, et illustrait à la perfection la devise de notre profession – Organisez, et publiez. Mais j'ai soudain eu la vision de Penelope et cela m'a coupé le souffle : comment pouvais-je lui faire faux bond – une fois de plus ?

— Beth, j'ai pris la liberté de demander à nos clients de vous réserver la suite nuptiale. C'est le moins que je

1. En français dans le texte. *(N.d.T.)*

pouvais faire pour mon petit couple préféré ! a annoncé Kelly, avec une évidente fierté.

— Philip vient aussi ? ai-je coassé d'une voix étranglée.

Depuis La Scène du Baiser, ma fausse relation avec Philip me mettait encore plus mal à l'aise.

— Évidemment ! C'était en majeure partie son idée ! Je lui parlais de notre nouveau client à la soirée BlackBerry et c'est lui qui a proposé ses services. Il m'a dit qu'il serait ravi d'emmener avec lui un groupe d'amis, si cela pouvait être utile. Il a même proposé le jet de son père, mais les clients avaient déjà prévu de nous envoyer le leur. Beth, tu dois être aux anges !

J'ai ouvert la bouche pour dire quelque chose, n'importe quoi, mais Kelly était déjà sur le pas de la porte.

— Les enfants, nous avons du pain sur la planche pendant ces deux semaines à venir, a-t-elle ajouté avant de quitter la salle. Elisa, je te charge de la liaison entre le client et les invités pour les confirmations et les re-confirmations de tous les détails relatifs au voyage. Leo, tu te concentres sur la presse – tu gardes le contact avec les photographes, les journalistes et les chefs de rubrique. Prépare vite un petit dossier de presse et un communiqué, rassemble toutes les photos dont nous disposons et veille à les fournir aux médias si besoin est. Davide, constitue un dossier sur chaque invité. Tous figurent dans la base de données, naturellement. Tu sors leur CV, leur historique social, la liste de leurs goûts et de leurs dégoûts – le plus vite possible. Tu communiques tout ça à l'équipe, et tu fais suivre les infos au Four Seasons pour que chaque chambre soit fournie en vins, eaux minérales et snacks qui s'imposent. Je n'ai pas connaissance de micmacs sentimentaux au sein du groupe d'invités, mais assure-toi que c'est bien le cas. Mis à part Camilla, qui était la maîtresse d'Olivier qui est maintenant supposé coucher avec Monica, c'est un groupe qui n'est pas trop incestueux. Cela devrait vous faciliter la tâche.

Tout le monde notait avec fureur et les filles de La Liste, qui avaient été autorisées à assister à la réunion sur des chaises au fond de la salle, nous contemplaient avec un certain émerveillement.

— Et moi, Kelly, je fais quoi ? ai-je lancé tandis qu'elle faisait une dernière volte-face.

— Toi ? Mais... Beth, tu t'occupes de Philip, c'est tout. C'est lui la clé de tout ça, donc tu concentres toute ton attention sur lui. Il doit être aussi heureux que possible. Procure-lui tout ce dont il a besoin. Si Philip est content, ses amis le seront également, et cette mission sera une vraie promenade de plaisir.

Elle a appuyé ces dernières phrases d'un clin d'œil, au cas où nous aurions craint d'avoir mal suivi ses pensées, puis elle a filé dans son bureau.

Skye, Leo et Elisa se sont mis à bavarder avec entrain et ont décidé d'aller déjeuner au Pastis. J'ai décliné la proposition de les accompagner. Je ne pouvais chasser de ma tête une image cauchemardesque : Philip, torse nu et en boxer de soie, se livrant à toutes sortes de contorsions de yoga sur le balcon d'une suite nuptiale cossue, tandis qu'un photographe le mitraillait depuis notre lit, et Penelope, découvrant tout ça par voie de presse.

22

J'ai fini par appeler Penelope le lendemain soir. Elle m'a semblé très loin – un éloignement qui n'était pas dû qu'à la seule distance géographique. Elle a eu beau me jurer qu'elle m'avait pardonné mon absence à son dîner de départ, ce n'était pas l'impression qu'elle me donnait. Je ne lui avais rien dit du baiser de Sammy, ni des frictions avec mes parents le week-end de Thanksgiving, ni du fait que c'était Abby qui était derrière tous ces horribles articles du New York Scoop. Trois mois auparavant, de telles omissions auraient été incompréhensibles. Et voilà que je m'apprêtais à empirer la situation. Et annihiler peut-être toute chance de réconciliation.

Trois heures durant, j'avais rassemblé le courage pour passer ce coup de fil, tout en pensant simultanément à Sammy. Se préparerait-il à rompre avec sa petite amie, pour qu'on puisse être ensemble ? Il semblait toujours si content de me voir, lorsque je le croisais au Bungalow 8, que je savais qu'il ferait ce qui s'imposait – rompre avec cette Isabelle afin d'embarquer avec moi pour ce qui s'annonçait comme une longue et heureuse histoire d'amour.

Mes doigts ont fini par obéir à mon cerveau et j'ai

composé le numéro de Penelope, qui a décroché aussitôt, avant que je puisse me raviser.

— Salut ! Comment vas-tu ? ai-je lancé avec bien trop
d'enthousiasme.

Je ne savais pas encore comment lui annoncer la nouvelle et j'essayais de gagner du temps.

— Beth ! Salut ! Quoi de neuf ? a-t-elle répliqué, avec
un enthousiasme identique.

— Rien de spécial. Le train-train…

Et là, j'ai décidé de retirer le pansement d'un coup
– mieux valait une brève sensation de brûlure qu'une
longue et lente torture.

— Pen, j'ai quelque chose à te dire…, ai-je enchaîné.

— Beth, j'ai une mauvaise nouvelle, m'a-t-elle coupée
avant de prendre une longue inspiration. Je ne peux pas
passer le réveillon avec toi.

Quoi ? Elle était déjà au courant de cette histoire de
voyage en Turquie ? Et elle était contrariée au point
qu'elle avait décidé de prendre les devants et d'annuler
nos projets ? Mais sans doute a-t-elle pris mon silence
confus pour de la colère, car elle s'est empressée de
poursuivre :

— Beth, tu es toujours là ? Je suis affreusement désolée, tu n'imagines pas à quel point ! Mes parents viennent de nous annoncer qu'ils ont loué une maison à Las
Ventanas entre Noël et le Nouvel An. Ils ont invité les
parents et le frère d'Avery, et j'ai eu beau leur dire que
j'avais déjà des projets, ils ne m'ont pas laissé le choix.
Comme d'habitude.

C'était trop beau pour être vrai.

— Non ? Tu passes le Nouvel An au Mexique ?

C'était une pure question rhétorique, destinée à m'assurer que j'avais bien compris, mais Penelope l'a inter-
prétée comme un signe de colère.

— Oh, Beth, si tu savais combien je suis désolée !

Naturellement, je te rembourserai ton billet et je t'en offrirai un autre dès que tu pourras venir. Je t'en prie, pardonne-moi ! Et si cela peut te consoler, sache que je vais passer un réveillon cauchemardesque.

Elle semblait si désemparée que j'avais envie de la serrer dans mes bras.

— Pen, ne t'inquiète pas pour ça...

— C'est vrai ? Tu ne m'en veux pas ?

— En toute honnêteté, j'appelais pour te dire que je ne pouvais pas venir te voir. Kelly nous expédie tous en Turquie.

— En *Turquie* ? Pourquoi en Turquie ?

— Pour bosser. Tu le crois ? Nous avons un nouveau client – une association de propriétaires de night-clubs – et ils veulent que nous fassions la promotion de la vie nocturne d'Istanbul. Ce qui consiste, en gros, à exporter la fête chez eux et faire en sorte que la presse, ici, en parle. Ils trouvent que le réveillon du Nouvel An est une date idéale pour débuter l'opération.

Penelope a éclaté de rire.

— Tu appelais pour annuler et tu m'as laissée me répandre en excuses ? Garce !

— Hum... excuse-moi, c'est toi qui m'as coupé la parole pour me dire de ne pas venir, alors je ne vois pas pourquoi tu me traites de garce.

Nous avons éclaté de rire, et j'ai senti un énorme poids s'envoler de mes épaules.

— Sérieusement, ça m'a l'air vachement cool, a-t-elle repris. Tu auras le temps de visiter un peu la ville ? J'ai entendu dire que le Hagia Sofia est une expérience transcendante. Et la Mosquée Bleue. Et le Grand Bazar. Et les balades en bateau sur le Bosphore ! Beth, c'est génial !

Je répugnais à lui confier que la seule activité diurne que j'avais vue couchée sur le programme consistait en un massage aux pierres chaudes, et que la seule balade en bateau prévue serait une soirée-croisière avec force alcool à la clé. Mieux valait changer de sujet.

— Oui, je sais, ça devrait être assez génial. Et toi, comment ça va ?

— Ça va. Rien de neuf, tu sais.

— Pen ! Je te rappelle que tu viens de déménager à l'autre bout du pays. Comment c'est ? Que s'y passe-t-il ? Raconte-moi tout !

J'ai allumé une clope et soulevé Millington pour l'installer sur mes genoux, prête à écouter Penelope me raconter comment Los Angeles était fabuleusement inondé de soleil, mais à son ton, j'ai deviné qu'elle n'était pas ravie.

— Jusque-là, ça se passe assez bien, a-t-elle dit avec circonspection.

— Tu as l'air malheureuse. Que se passe-t-il ?

— Je ne sais pas, a-t-elle soupiré. La Californie est un bel endroit. Vraiment. Une fois que tu passes outre toutes ces conneries de boissons aux graines germées, c'est un endroit agréable à vivre. Nous avons un grand appart à Santa Monica, à deux blocs de la plage, et c'est le pied d'être aussi loin de nos parents. Je ne sais pas, c'est juste...

— Juste quoi ?

— Eh bien... je pensais qu'Avery se calmerait un peu, une fois ici, mais il s'est immédiatement lié avec toute une bande de gamins d'Horace Mann qui sont venus s'installer ici après la fac. C'est à peine si je le vois. Et comme ses cours ne commencent pas avant la mi-janvier, il va encore passer un mois entier à glander et à sortir toutes les nuits jusqu'à pas d'heure.

Je me suis abstenue de dire combien c'était couru d'avance.

— Ma puce, il ne fait certainement que se familiariser avec son nouveau cadre de vie. Ça se calmera une fois qu'il commencera les cours.

— Tu as sans doute raison. C'est juste qu'il… Bah, peu importe, a-t-elle ajouté après une pause.

— Penelope ! Qu'allais-tu dire ?

— Tu vas penser que je suis perverse et diabolique.

— Laisse-moi te rappeler, très chère, que tu parles avec quelqu'un qui sort soi-disant avec un mec uniquement pour raisons professionnelles. Je ne pense pas être, en ce moment, en position de juger qui que ce soit.

— Bon, a-t-elle soupiré. Je suis allée farfouiller sur son compte Yahoo, l'autre soir pendant qu'il était au Viceroy, et je suis tombée sur quelques mails qui m'ont un peu perturbée.

— Vous avez accès au mail de l'autre ? me suis-je écriée, horrifiée.

— Bien sûr que non. Mais ce n'était pas difficile de deviner son mot de passe. J'ai entré le nom de son bong et *voilà*[1] ! Le tour était joué.

— Son bong ? Et alors, qu'as-tu trouvé ?

J'étais loin d'estimer que Penelope faisait preuve d'un esprit pervers et diabolique : des mois durant, j'avais observé Cameron taper le mot de passe de sa messagerie, mais ses doigts étaient trop rapides.

— Je sais que ma réaction est probablement disproportionnée, mais j'ai trouvé quelques mails mignons adressés à une fille avec laquelle il bossait à New York.

— Définis « mignons ».

— Il parle sans arrêt de sa capacité à tenir l'alcool mieux que n'importe quelle autre fille qu'il connaît.

— Waou, un vrai Don Juan. Ce garçon pourrait écrire un traité de séduction.

— Tu trouves ? Je sais que ça va paraître ridicule,

1. En français dans le texte. *(N.d.T.)*

mais tu vois, ces mails avaient un ton de flirt. Il les signe
« xxx ».

— Seigneur ! Il est gay ? Non, sûrement pas, n'est-ce
pas ? Quel mec hétéro sur Terre fait ça ?

— En tous les cas, jamais il ne m'a envoyé de mail
signé xxx. Je trouve ça humiliant. Hier soir, quand il est
rentré à trois heures du matin, je lui ai demandé avec
détachement s'il avait gardé des contacts avec d'anciens
collègues à New York. Il m'a répondu que non, avant de
sombrer. Tu crois que je dramatise ? Ce matin, il était
adorable, il m'a proposé de m'emmener faire du shopping, de passer la journée avec moi...

Je ne savais pas trop quoi répondre. Le mariage était
encore à plus de huit mois de là, et il semblait possible
– je dis bien « possible » – que Penelope réalise avant
qu'il ne soit trop tard qu'Avery était un con fini et ne
valait pas qu'elle lui consacre sa vie de femme mariée.
Je pouvais volontiers attiser les flammes, mais Penelope
devrait parvenir seule à la conclusion. J'ai choisi mes
mots avec beaucoup de soin.

— Eh bien, toute relation connaît des hauts et des
bas, c'est normal, non ? Ce pourquoi les gens commencent par se fiancer. Ce n'est que ça. Une promesse
d'engagement. Pour voir. Et si jamais tu découvres chez
l'autre un trait de caractère que tu ne penses pas pouvoir
supporter toute ta vie, tu n'es pas mariée et...

— Beth, ce n'est pas ce que je dis, m'a-t-elle coupée
d'un ton abrupt. (Oups !) J'aime Avery, et évidemment
que je vais l'épouser ! Je confiais juste à ma meilleure
amie un doute qui, j'en suis certaine, est ridicule et
infondé, et relève d'une suspicion paranoïaque. C'est
mon problème, pas celui d'Avery. Je dois apprendre à
avoir plus confiance en ses sentiments pour moi, c'est
tout.

— Bien sûr, Pen, bien sûr. Je comprends entièrement.

Je ne voulais rien sous-entendre d'autre. Et naturellement, je suis toujours là pour toi, pour t'écouter. Je suis désolée d'avoir dit ça.

— Ce n'est pas grave, je suis juste un peu trop émotive en ce moment. Et j'ai un peu le mal du pays. Merci de m'avoir écoutée. Et excuse-moi de t'avoir pris la tête avec ça. Et toi, comment ça va ? Philip ? Il va bien ?

Comment avais-je pu perdre à ce point le contrôle de la situation ? Non seulement ma meilleure amie me demandait des nouvelles de Philip, mais en plus elle n'avait pas la moindre idée de l'existence de Sammy. Du temps où nous travaillions ensemble, et traînions le soir au Black Door, jamais je n'aurais pu embrasser quelqu'un comme Sammy sans que Penelope le sache dans les trente secondes, mais il y avait des siècles que nous n'avions plus fait ça. Du moins me semblait-il.

— C'est compliqué. Tout le monde croit qu'on sort ensemble – même lui, sans doute – mais en réalité, ce n'est pas vrai.

Je savais pertinemment que cette réponse ne voulait rien dire, mais je n'avais pas assez d'énergie pour tout expliquer.

— Je me mêle certainement de ce qui ne me regarde pas, mais ce n'est pas un garçon pour toi, Beth.

Je me suis demandé ce qu'elle dirait si je lui rapportais les propos de ma mère concernant les Weston.

— Je sais, ai-je soupiré. Je suis juste un peu perturbée en ce moment, tu sais.

— Non, pas vraiment. Tu ne m'as rien dit.

— On dirait que ce boulot s'infiltre dans toute ma vie. Kelly a du mal à faire la distinction entre ce qui se passe au bureau et tout le reste, alors ça se chevauche sans arrêt. Tu vois ce que je veux dire ?

— Non. En quoi ta vie privée regarde ton boss ?

— Il n'y a pas que ça. C'est Will qui m'a dégotté ce

boulot ; c'est une superfaveur et il attend de moi que je réussisse. Je crois que je me débrouille bien, quoi que ça veuille dire. Mais toute l'histoire avec Philip est en quelque sorte intriquée dans tout ça.

— Bon…, a fait Penelope d'un ton hésitant. Je n'y comprends rien, mais si tu as besoin de moi, je suis là. Tu peux toujours m'appeler.

— Je sais. Et j'apprécie.

— Désolée encore pour le réveillon, mais je suis contente que tu aies un projet mille fois plus excitant. Je vais en entendre parler dans tous les journaux…

— Oh, à ce propos, je ne t'ai pas dit… Comment ai-je pu oublier ? Tu sais que New York Scoop n'arrête pas de faire ses commentaires déplaisants sur moi ?

— Ouais, il était difficile de les louper, ces derniers temps.

— Tu n'as aucune idée de qui les écrit ?

— Ben, non, évidemment. C'est un pseudo débile, non ? Ellie quelque chose ?

— Oui. Et tu sais qui est derrière ce nom ?

— Non. Je devrais ?

— Eh bien, ma chère Penelope, ce n'est autre qu'Abby. Vortex. Cette garce m'a suivie partout et publie toutes ces saloperies sous un nom de plume.

J'ai entendu une inspiration brève et violente.

— Abby ? Tu en es sûre ? Que vas-tu faire ? Il faut que tu lui cloues le bec.

— À qui le dis-tu ! ai-je ricané. C'est Kelly qui me l'a confié, il y a quelques semaines. Mais elle m'a fait jurer le secret ! Ça m'obsédait, mais on était tout le temps tellement pressées que j'oubliais de te le dire. C'est dingue, non ? Jamais je n'aurais imaginé qu'elle me haïssait *à ce point*.

— Oui, c'est vraiment bizarre. Je sais qu'elle ne te porte pas dans son cœur – ni moi d'ailleurs. Mais ça, ça paraît excessivement vache. Même de sa part.

— Je n'ai qu'une envie, c'est la prendre entre quatre yeux, mais je ne peux pas. C'est exaspérant au plus haut point. (J'ai regardé l'horloge du boîtier du câble et je me suis levée d'un bond du canapé.) Mon Dieu, Pen, il est déjà huit heures. Je déteste te presser – mais le club de lecture se réunit chez moi ce soir et il faut que je prépare tout.

— Je ne sais pas pourquoi, mais j'adore ça, que tu lises encore ces trucs. Tu es une indécrottable romantique, Beth.

J'ai pensé à Sammy et j'ai failli dire quelque chose mais j'ai décidé au dernier moment de m'abstenir.

— Ouais, tu me connais. Je ne perds jamais espoir, ai-je répondu avec détachement.

Après avoir raccroché, je me sentais un peu mieux. J'aurais dû passer la soirée sur Google, à chercher des informations sur les gens que nous emmenions en Turquie, mais je répugnais à annuler la réunion du club, sauf cas d'absolue nécessité. Il m'a fallu une bonne heure pour arranger l'appartement pour recevoir les filles, mais quand la sonnerie de l'interphone a retenti, je savais que je ne m'étais pas donné du mal en vain.

— J'ai décidé de faire honneur au thème latino de la soirée, ai-je annoncé une fois que tout le monde a été installé. (Nous lisions *Esclave d'un Latin Lover*, et l'illustration de la couverture montrait un grand type en smoking qui enlaçait une femme en robe du soir sur le pont d'un yacht.) Il y a un pichet de sangria et un autre de margarita.

Les filles ont applaudi, se sont servies et ont porté un toast.

— Plus des quesilladas au poulet, des miniburritos et des chips mortelles avec un bol de guacamole. Et en dessert, des madeleines de chez Magnolia.

— Quel rapport entre des madeleines avec un glaçage

rose et notre thème latino ? a demandé Courtney en prenant l'une d'elles sur le plateau.

— Aucun, je le reconnais. Mais je n'ai trouvé aucun dessert espagnol que je préfère à des madeleines de Magnolia. (À ce moment-là, Millington, qui s'était planquée dans un coin, a poussé un jappement.) Viens par là, mon bébé. Viens !

Elle a obéi et a trottiné jusqu'à nous.

— Non ! s'est exclamée Jill en soulevant Millington pour admirer le minisombrero qu'elle arborait en l'honneur de la soirée.

Janie s'est servie une autre quesillada en grattouillant distraitement Millington.

— Beth ! Que de chemin parcouru... Tu es passée de membre qui hésitait à nous réunir chez elle à la Martha Stewart du club... Très impressionnant.

J'ai éclaté de rire.

— J'imagine que c'est mon boulot qui déborde dans d'autres secteurs de ma vie, non ? À ce stade, je crois que je suis capable d'organiser un événement pendant mon sommeil.

Nous avons mangé, bu et ingurgité assez de sangria pour pouvoir avouer avec une totale franchise combien nous avions adoré l'ouvrage sélectionné pour ce soir-là. Quand Vika a sorti son exemplaire tout corné de sa sacoche, on était déjà assez bien parties.

— Je lis le résumé que j'ai trouvé sur le site Internet. Vous êtes prêtes ? Je commence : « Sitôt qu'il pose les yeux sur Rosalind, Cesar Montarez, le millionnaire espagnol, sait qu'il la veut. Jamais aucune femme n'a à ce point électrisé son désir. Mais Cesar n'a guère de respect pour les femmes vénales – maîtresses ou épouses décoratives. Rosalind est déterminée à ne devenir ni l'une ni l'autre, mais lorsque Cesar découvrira qu'elle a des dettes cachées, il comprendra qu'il peut l'acheter et… Rosalind n'aura d'autre choix que d'accepter son prix… » Waou. Ça a l'air chaud. Ça vous inspire quoi ?

— C'est tellement romantique, la première fois qu'il la voit, dans ce restau en bord de mer ! Il *sait* immédiatement que c'est la femme de sa vie. Pourquoi les types normaux ne sont-ils pas comme ça ? s'est lamentée Courtney.

Je suis sûre que Sammy est comme ça, ai-je songé, distraite et rêveuse.

Chacune à notre tour, nous avons évoqué nos personnages préférés, commenté les péripéties de l'intrigue et les scènes érotiques, et inévitablement, la conversation a dévié vers nos propres vies – le boulot, la famille, mais surtout, les hommes.

Peu avant minuit, la sonnerie de l'intercom a retenti.

— Un certain Philip Weston pour vous, Beth, a annoncé Seamus. Je le fais monter ?

Philip ? En bas ?

Sans doute avais-je pensé à voix haute, Seamus a repris :

— Tout à fait, Beth.

— Je suis avec des amies, ai-je répondu, paniquée. Pouvez-vous lui demander de m'appeler quand il rentrera chez lui ?

— Beth, chérie, laisse-moi monter ! ai-je alors entendu. Mon copain, là – comment s'appelle-t-il ? Seamus ? Un brave gars. On a partagé une bière en te tressant des couronnes. Maintenant, sois mignonne et laisse-moi monter.

J'ai contemplé mon jean déchiré et mon vieux T-shirt en me demandant ce que Philip pouvait bien me vouloir à une heure pareille. Avec un mec normal, ç'aurait été évident – mais Philip n'était pas coutumier des coups de fil intempestifs, et encore moins des visites inopinées. Du coup, je me sentais vraiment dans mes petits souliers.

— Et merde. Monte.

— Ohmondieu ! s'est exclamée Janie, le souffle court.

Philip Weston est ici ? *Ici ?* Mais on ne ressemble à rien !
Tu ne ressembles à rien !

Elle avait raison, bien entendu, mais il était trop tard
pour remédier au problème.

— Beth, ne crois pas t'en tirer aussi facilement, m'a
avertie Vika. On s'en va, naturellement, mais tu as intérêt à préparer une explication pour la prochaine fois.

— Oui, a renchéri Courtney. Tu nies le bien-fondé
de ce qui est écrit dans le New York Scoop, et Philip
Weston se pointe chez toi en pleine nuit ? Nous avons
droit à tous les détails croustillants.

On a frappé à la porte, puis il y a eu un bruit sourd
dans le couloir. J'ai ouvert et Philip est entré en titubant.

— Beth, mon cœur, je suis un peu défait, a-t-il
bafouillé en s'affaissant contre le mur.

— Je vois ça. Entre, ai-je dit, moitié en le tirant,
moitié en le soutenant tandis que les filles s'écartaient
de part et d'autre pour nous libérer le passage.

— Philip Weston ! a chuchoté Janie.

— Le seul et l'unique, a répondu l'intéressé avec un
grand sourire avant de se laisser choir sur le canapé en
inspectant la pièce du regard. Dis-moi, poupée, d'où
sortent toutes ces nanas renversantes ?

Coutney l'a dévisagé dix bonnes secondes avant de
se tourner vers moi et d'annoncer, d'un ton lourd de
sous-entendus :

— Beth, on débarrasse le plancher. Allez, les filles,
on y va, on laisse Beth et Philip euh… en tête à tête. Je
suis sûre qu'elle nous racontera tout par le menu la prochaine fois. À ce propos, qu'a-t-on au programme ?

Alex a brandi un exemplaire d'*Un beau démon appri-
voisé*, incliné de telle sorte que nous seules étions en
mesure de voir le titre.

— J'ai sélectionné celui-là.

— Affaire conclue. On le lira pour la prochaine fois. Merci d'être venues, les filles.

— Oh non, merci à toi ! a répliqué Janie.

— Il me tarde de savoir la suite, a chuchoté Jill.

Une fois mes copines parties, j'ai reporté mon attention sur l'Anglais fin soûl vautré sur mon canapé.

— Thé ou café ?

— Gin tonic, ce serait Byzance, mon cœur. Je m'en jetterais volontiers un petit dernier.

J'ai mis la bouilloire en marche et suis allée m'asseoir sur la chaise en face de mon visiteur. Les vapeurs d'alcool qui l'enveloppaient et semblaient suinter par ses pores me soulevaient l'estomac. Même dans ce piteux état, il se débrouillait pourtant pour ne rien perdre de sa séduction. Son bronzage était assez résistant pour lui épargner d'avoir le teint verdâtre et ses cheveux restaient impeccablement hérissés en dépit des circonstances.

— Alors, t'étais où, ce soir ?

— À droite, à gauche. Un maudit journaliste m'a collé au train toute la soirée avec son putain d'appareil photo. Je lui ai dit de me ficher la paix, mais je crois bien qu'il m'a suivi jusqu'ici, a-t-il grommelé en voulant attraper Millington – qui lui a jeté un regard apeuré, a grondé et s'est sauvée.

— Viens par là, le toutou. Viens dire bonjour à Philip. Qu'est-ce qui cloche, chez ton chien, mon cœur ?

— Oh, elle est toujours sur ses gardes en présence d'Anglais soûls qui portent leurs mocassins sans chaussettes. Franchement, ne vois là rien de personnel.

Allez savoir pourquoi, il a trouvé ma réponse hilarante, et il s'est plié en deux sur le canapé, secoué par de grands accès de rire.

— Bon, si elle ne veut pas me dire bonjour, toi au moins tu pourrais approcher et m'accueillir comme il se doit.

La bouilloire s'est mise à siffler et je suis allée préparer le thé. Au passage, j'ai aperçu Millington, recroquevillée dans le noir sur le carrelage de la salle de bains ; elle tremblait légèrement.

— Mon cœur, tu n'aurais pas dû te donner tant de mal, a lancé Philip qui semblait avoir retrouvé un peu de cohérence dans son élocution.

— Je prépare du thé, Philip. C'est juste de l'eau qui bout.

— Non, je voulais parler de tes choix vestimentaires. Franchement, je te sauterais, quoi que tu portes.

Il est parti d'une autre crise de rire. Comment quelqu'un pouvait-il être aussi intelligent ? me suis-je demandé. Quand j'ai posé une tasse de thé devant lui, il m'a pincé les fesses.

— Philip…, ai-je soupiré.

Il m'a attrapée par les hanches et attirée sur ses genoux avec une force surprenante.

— Tout le monde croit que tu es ma petite amie, a-t-il dit avec une élocution de nouveau hésitante.

— Ouais, c'est bizarre, n'est-ce pas ? Surtout que nous n'avons jamais été euh… intimes.

Tout d'un coup, pour la première fois depuis son arrivée, il m'a semblé alerte.

— Tu ne cries pas ça sur les toits, j'espère ?

— Crier quoi ?

— Approche, poupée. Embrasse-moi.

— Je suis près de toi, ai-je répondu en respirant avec la bouche.

Il a glissé une main sous mon T-shirt et m'a caressé le dos. C'était si agréable que j'ai réussi à oublier l'espace de quelques secondes que j'étais avec Philip, soûl, et non pas avec Sammy. Sans réfléchir, j'ai passé les bras autour de son cou, et j'ai pressé mes lèvres sur les siennes. Sans comprendre immédiatement qu'il ouvrait la bouche non pas pour répondre à mon baiser, mais pour protester.

— Waou, mon cœur ! Si tu pouvais éviter d'enlever ta culotte…

Il s'est écarté et m'a dévisagée, l'air aussi choqué que si je venais de faire un strip-tease intégral et de lui sauter dessus.

— C'est quoi le problème ?

Cette fois, je n'allais pas le lâcher – il fallait que je sache une bonne fois pour toutes que ce n'était pas mon imagination, ou quelque excuse débile. Je voulais confirmation de ce que, pour une raison ou une autre, il aurait préféré crever plutôt que de me toucher.

— Évidemment que je te désire, mon cœur. Où est ce gin tonic ? Je pourrais le boire et on discutera ensuite.

Je suis allée chercher une bière dans le réfrigérateur – j'en avais acheté quelques canettes, un an auparavant, après avoir lu dans *Glamour* qu'on devrait toujours avoir de la bière au frais chez soi au cas où un mec se matérialiserait chez vous à l'improviste. Bien vu. Mais le temps que je retourne dans le salon, Philip semblait inconscient.

— Hé, Philip ! J'ai de la bière.

— Argh, a-t-il grogné en papillotant des paupières – signe qu'il feignait.

— Allez, redresse-toi. Tu es soûl, mais tu ne dors pas. Et si je t'appelais un taxi ?

— Mmm, je vais faire une petite sieste, mon cœur.

Il a balancé ses pieds (mocassins inclus) sur le canapé et a étreint un coussin.

À deux heures du matin, j'ai étalé une couverture sur un Philip ronflant, extirpé Millington de l'espace entre le lavabo et la baignoire et que je nous ai mis toutes les deux sous la couette, sans prendre la peine de me déshabiller, ni d'éteindre les lumières.

23

Le jour J a fini par arriver : ce soir-là, nous devions nous envoler pour la Turquie. J'étais passée au bureau pour rassembler quelques trucs de dernière minute et j'y avais trouvé un fax de Will. Sur la page de garde, il avait juste écrit « Beurk » ; la suivante était un extrait du New York Scoop titré : « LE FÊTARD PRÉFÉRÉ DE MANHATTAN EST-IL GAY ? OU JUSTE UN PEU À CÔTÉ DE SES POMPES ? » C'était signé : Ellie d'Initiée. Évidemment. Savoir qui se cachait derrière ce pseudo ne faisait qu'accentuer mon dégoût. Le texte était on ne peut plus explicite :

Philip Weston, héritier de la fortune du même nom et membre du Brat Pack britannique de New York, n'était pas ravi d'avoir été repéré la semaine dernière, au Roxy – ce célèbre et flamboyant night-club de Chelsea. Weston, à qui la presse a attribué des liaisons avec des journalistes de *Vogue*, des mannequins brésiliens et des starlettes d'Hollywood, a été aperçu, dans le carré VIP, en train de fricoter avec un inconnu. Selon nos sources, sitôt qu'il s'est aperçu qu'il avait été pris la main dans le sac, Weston a sauté sur son Vespa pour se rendre chez son flirt du moment, Bettina Robinson, de chez Kelly

& Co. (Voir encadré.) L'attachée de presse de l'intéressé n'a pas souhaité faire de commentaires.

Voir encadré. Voir encadré. Voir encadré. J'ai relu ces deux mots une douzaine de fois avant de me résoudre à regarder à droite de la page. Comme on pouvait s'y attendre, il y avait une photo de moi, au Bungalow 8, datant du soir où j'avais rencontré Philip. J'étais collée à lui dans une pose suggestive. Tête rejetée en arrière, le visage baigné d'extase, je vidais (littéralement) une coupe de champagne dans ma gorge, indifférente à l'objectif braqué sur moi, ou aux mains de Philip sur mes fesses. Si j'avais besoin d'une preuve pour me confirmer que j'avais eu un trou de mémoire après cette soirée, et me permettre d'évaluer à quel point j'étais allumée ce soir-là, eh bien, elle était là. Titre de l'encadré : QUI EST BETTINA ROBINSON ? Signé : Ellie d'Initiée.

L'encadré (une colonne qui s'étirait sur toute la longueur de la page) passait en revue les détails de ma biographie : date et lieu de naissance (Dieu merci, il était simplement indiqué Nouveau-Mexique), établissements fréquentés, intitulé de mon poste chez UBS, nature de mon lien de parenté avec Will – qui était présenté comme « le polémiste décrié dont le lectorat se compose exclusivement de Blancs nantis de plus de cinquante ans ». C'était un cauchemar, évidemment, mais jusque-là, tout était exact. Ce n'est qu'en arrivant au dernier paragraphe que j'ai cru que j'allais vomir. Abby avait trouvé quelqu'un pour témoigner que, du temps de la fac, j'avais « été assidue dans le lit de plusieurs garçons », et que « certaines pratiques académiques d'une intégrité douteuse » m'avaient valu quelques problèmes. Une autre source expliquait comment j'avais manigancé mon coup pour « m'immiscer chez Kelly & Co. » sans aucune expérience dans les relations publiques. Pressée par Abby de préciser sa pensée, la « source » laissait entendre que « de notoriété publique, Bettina Robinson n'écrivait jamais elle-même ses dissertations, et avait la réputation de faire de la lèche aux maîtres-assistants des matières qu'elle trouvait particulièrement difficiles, soit la plupart d'entre elles ». La dernière phrase de ce court paragraphe impliquait que j'avais agressivement poursuivi Philip dès l'instant où je l'avais rencontré, dans le but de voir mon nom imprimé en caractères gras dans la presse et d'asseoir ainsi ma nouvelle carrière.

Ma première réaction, évidemment, a été de vouloir me lancer aux trousses d'Abby pour la soumettre à des tortures inventives et fatales. Mais aucune idée précise de supplice ne se présentait, car j'avais du mal à respirer. J'ai haleté misérablement pendant quelques instants. Bizarrement, je voyais là une sorte d'aveu inconscient de la part d'Abby ; et si elle avait attribué toutes ces turpitudes à elle-même, j'aurais applaudi son honnêteté. Mais cet instant de lucidité n'a duré qu'un instant, et s'est dissipé sitôt que Kelly est apparue sur le seuil de son bureau, une copie de l'article à la main, le visage fendu d'un tel sourire de démente que j'ai instinctivement reculé sur ma chaise. Et ce d'autant qu'elle a foncé sur moi avec la grâce et l'enthousiasme d'un demi de mêlée.

— Beth ! Tu as vu ? Tu l'as lu, n'est-ce pas ?

Interprétant ma stupeur comme un non, elle a littéralement jeté la feuille sur mon bureau.

— Tu n'as même pas lu au moins les Cancans du Jour ? a-t-elle crié d'une voix suraiguë. Les filles m'ont appelée ce matin à la maison pour me prévenir.

— Kelly, je euh… J'en ai marre de tout…

— Petite coquine ! Et moi qui te prenais pour une bonne petite abeille industrieuse, qui avait sacrifié sa vie à la finance et mené un quotidien un peu terne. Et voilà

360

que je découvre que sous ces dehors sages se cache une authentique dévergondée ? Beth, tu n'imagines pas quel choc ça a été ! Nous t'avions tous ici cataloguée comme quelqu'un d'un peu… – ne te vexe pas – réservé. Jamais je n'aurais soupçonné ça de toi… Tu réalises que tu as droit à un *encadré entier* ? Tiens, lis-le.

J'étais hébétée, mais cela ne me choquait plus que Kelly soit ravie, et non horrifiée par ce qui était écrit.

— C'est fait. Tu sais qu'il n'y a pas un mot de vrai, n'est-ce pas ? Tu vois, la fille qui écrit ça et moi étions ensemble à la fac et elle…

— Beth ! Tu es un encadré. Répète. Je suis un encadré. Dans le New York Scoop ! Il y a une immense photo de toi, et tu ressembles à une rock-star. Tu es une star, Beth. Félicitations ! Il faut impérativement fêter ça !

Tandis que Kelly détalait, certainement pour organiser un toast matinal au champagne, j'ai réfléchi à la possibilité de partir à Istanbul et d'y rester à jamais. Quelques minutes plus tard, mon téléphone s'est mis à sonner non-stop, une litanie d'appels déplaisants, tous hideux chacun à leur façon. Mon père appelait pour m'annoncer qu'une de ses étudiantes lui avait envoyé par mail l'article du New York Scoop. Ensuite, ça a été le tour de ma mère : elle avait entendu des bénévoles de la permanence téléphonique se demander quand j'admettrais enfin sortir avec un négrier antisémite et elle m'a demandé si je souhaitais parler de mes problèmes de « promiscuité sexuelle/manque de confiance en moi » avec quelqu'un. Une femme a laissé un message pour me proposer ses services d'attachée de presse, en soulignant gentiment que cet incident ne serait jamais arrivé si j'avais été sous sa surveillance. Deux chroniqueurs people travaillant pour des feuilles de chou à l'autre bout du pays désiraient savoir si j'accepterais de répondre par téléphone à des interviews, pour donner mon avis sur des sujets aussi cruciaux que la rupture entre Brad et Jennifer, mon endroit préféré à New York pour faire la fête et mon évaluation des orientations sexuelles de Philip sur l'échelle de Kingsley. Megu a appelé de la part de Michael pour m'assurer que si j'avais besoin d'une oreille amie, ils étaient là pour moi. Elisa a appelé du taxi qui la conduisait au bureau pour me féliciter sur mon statut d'encadré. Ainsi que Marta, l'assistante de Philip. Simon a appelé pendant que je partais à l'aéroport. Il a déclaré, de façon plutôt touchante compte tenu de nos conversations précédentes, qu'aucune personne respectable ne lisait le New York Scoop et que je n'avais pas à m'inquiéter car il était sûr que personne ne le verrait jamais.

J'ai pris le parti d'ignorer tout le monde, mais je me suis souvenue que je quittais le pays et que je ne pouvais pas vraiment éviter d'appeler mes parents pour leur dire au revoir. J'ai opté pour le portable de mon père, en me disant qu'il ne serait pas allumé et que je pourrais laisser un message à leur intention à tous les deux, pour leur souhaiter une bonne année et leur dire que je les appellerai à mon retour. Mais ce n'était pas mon jour de chance.

— Tiens, tiens, regardez qui c'est ! Anne, viens vite. Notre célébrité de fille au téléphone. Bettina, ta mère veut te parler.

J'ai entendu des bruits étouffés puis quelques bips tandis qu'ils appuyaient par accident sur le clavier et ensuite j'ai entendu la voix de ma mère, puissante et claire.

— Bettina ? Pourquoi écrivent-ils toutes ces choses sur toi ? C'est vrai ? Dis-moi ce qu'il en est, parce que je ne sais plus quoi répondre aux gens quand ils me questionnent. Je n'aurais jamais cru un mot de ce qui est écrit là, mais depuis que j'ai entendu parler de ce petit Weston...

— Maman, je n'ai pas vraiment le temps d'en parler en ce moment. Je pars à l'aéroport. Évidemment que ce n'est qu'un tissu de mensonges – comment peux-tu imaginer le contraire ?

Elle a soupiré mais je ne savais dire si c'était de soulagement ou de frustration.

— Bettina, ma chérie, tu peux comprendre qu'une mère se pose des questions, surtout lorsqu'elle découvre que sa fille vit tout d'un coup une vie étrange et mystérieuse.

— Ma vie est peut-être bizarre à vos yeux, maman, mais elle n'a rien de mystérieux. Je vous expliquerai tout à mon retour. Là, je suis pressée, je vais être en retard pour le vol. Dis au revoir à papa pour moi. Je vous appelle dimanche à mon retour, O.K. ? Je vous aime.

Il y a eu un moment de flottement tandis qu'elle se déterminait entre poursuivre ou non l'interrogatoire, puis un autre soupir.

— D'accord, on en parlera à ton retour. Vois le plus de choses possible, ma chérie, et sois prudente. Et essaie de tenir ta vie privée à l'écart du regard du public, O.K. ?

L'un dans l'autre, ç'avait été une vraie matinée de merde, mais Dieu merci, je disposais d'un nouveau problème à résoudre pour m'ôter l'encadré de l'esprit : Louis Vuitton. De pleines remorques de malles-cabines, de valises et de sacs de volume et forme variés, tous estampillés du fameux monogramme. Apparemment, nos invités s'étaient donné le mot : Vuitton était le nec plus ultra en matière de bagage. Trois porteurs en uniforme lie-de-vin se débattaient pour les transférer du subtilement nommé Million Air Terminal dans le ventre d'un Gulfstream, mais ça n'avançait pas vite. Elisa,

Davide et Leo étaient arrivés en limousine quelques heures plus tôt pour s'assurer que tout serait fin prêt pour accueillir l'hélicoptère qui transporterait Philip et son groupe depuis l'héliport de Wall Street.

Pendant ce temps, je supervisais le chargement des Louis Vuitton et je m'assurais qu'il y avait à bord une réserve suffisante de brumisateurs d'eau d'Évian. Grâce à ces défis stimulants, je n'avais guère le loisir de ruminer sur ce portrait de menteuse et de fille facile qui alimentait la colonne de potins la plus branchée de la ville, et avait réussi à se retrouver entre les mains de tous mes amis, de mes collègues, de ma famille.

L'heure prévue de notre départ approchait et tout le monde était à bord (à l'exception d'une invitée de dernière minute – une mondaine en vue et son « invité » – qui avait appelé pour prévenir qu'ils étaient coincés dans les embouteillages du Lincoln Tunnel) quand la première crise a éclaté. La quantité de bagages était telle qu'il était impossible de tous les caser en soute.

— Nous avons atteint la capacité maximale, m'a expliqué l'un des bagagistes. En général, ce type d'appareil peut contenir six bagages de taille normale, ou quatre de dimensions exceptionnelles par personne, mais votre groupe en a bien davantage.

— Combien de plus ?

— Eh bien…, a fait l'homme en plissant le front. En gros, ça fait quatre bagages de taille exceptionnelle par personne. Une des passagères en a sept, dont une malle si grosse qu'il nous a fallu sortir une grue du hangar pour la hisser à bord.

— Que proposez-vous ?

— Le meilleur scénario serait d'en éliminer quelques-uns.

Sachant pertinemment que c'était le pire scénario envisageable, j'ai voulu me montrer coopérative et je suis montée à bord pour voir si quelqu'un était prêt à renoncer à quelques bagages. J'ai emprunté le micro du copilote et j'ai expliqué la situation dans les haut-parleurs. Comme on pouvait s'y attendre, mon annonce a été accueillie par des cris d'orfraie.

— Vous plaisantez, j'espère ? a lancé Olivier, avec un rire hystérique. Pour l'amour du ciel, on est dans un jet privé ! Dites-leur de se démerder !

Olivier était coutumier de ce genre de décret : il avait créé un fonds spéculatif qui avait rencontré un succès si phénoménal que *Gotham Magazine* l'avait élu le Célibataire le plus Convoité de 2004.

— Si vous croyez une seule seconde que je vais partir sans mes chaussures, je vous conseille d'y repenser à deux fois, a lancé Camilla, l'héritière d'un empire cosmétique, entre deux gorgées de Cristal. Quatre jours, douze tenues et deux paires de chaussures par tenue. Hors de question que j'en laisse une seule paire ici.

— Tous mes bagages sans exception embarqueront à bord de cet avion, a décrété Alessandra. Si j'ai pensé à emporter des malles vides pour tous les trucs que j'achèterai sur place, le moins qu'ils puissent faire, c'est de trouver le moyen de les caser.

La mère d'Alessandra était célèbre pour dépenser des millions par an en vêtements, chaussures et sacs. Sa fille avait de qui tenir.

— Arrête de te ronger les sangs, mon cœur, et viens donc boire un petit verre avec nous. Laisse l'équipage s'occuper de tout – ils sont payés pour ça.

Ce conseil-là émanait, évidemment, de Philip, qui était affalé sur un des sièges en cuir crème, sa chemise Armani à carreaux déboutonnée un cran de trop. Elisa, perchée sur les genoux de Davide, ne semblait pas non plus concernée, concentrée qu'elle était sur un autre problème : trouver le moyen de connecter son iPod au système stéréo de la cabine.

Bien. Si tout le monde s'en fichait, je m'en fichais aussi. Tant que ma seule et unique valise – une Samsonite gris métallisé – ne restait pas en rade, ce n'était pas vraiment mon problème. J'ai accepté une coupe de champagne des mains d'une hôtesse dont l'uniforme bleu marine accentuait la silhouette parfaite, et j'ai écouté un des pilotes – qui lui aussi avait tout d'une star de cinéma avec son menton ciselé à la Brad Pitt et son balayage discret – nous donner des informations sur le vol. C'était légèrement agaçant de regarder les passagers et l'équipage et de réaliser que tous, sans exception, avaient l'air de sortir directement d'un épisode de *La Vie rêvée des stars*, sauf moi.

— Notre temps de vol devrait être de dix heures, avec des turbulences minimales lors de la traversée transatlantique, a annoncé le pilote avec un sourire à couper le souffle et un imperceptible accent européen.

Nous ne devrions pas remettre nos vies entre les mains de quelqu'un d'aussi beau, ai-je songé. Un type un peu plus moche, un peu moins cool avait toutes les chances de boire moins et de dormir davantage.

— Hé, Helmut, pourquoi ne pas détourner ce bébé sur Mykonos ? a lancé Philip au pilote.

Sa proposition a été accueillie avec des cris de joie.

— Mykonos ? Oh, oui, ça me dit davantage que Beyrouth, est intervenue Camilla. Au moins, c'est civilisé. Il y a un Nobu, là-bas.

Helmut a ri de nouveau.

— Dites-moi, les enfants, et je vous emmène où vous voulez.

Une voix de femme a dominé soudain cette effervescence. Elle montait du tarmac, au pied de la passerelle.

— Mykonos ? Ah bon ? Je croyais que nous allions à

Istanbul, disait-elle à la personne qui l'accompagnait et que je ne pouvais pas voir. Putain ! Ma conne d'attachée de presse est infichue de faire un truc correctement. Et moi qui comptais acheter un tapis ! s'est-elle lamentée.

Ce devait être notre mondaine qui manquait à l'appel, une femme qui ne travaillait pas et n'avait aucun besoin apparent d'attachée de presse. Juste au moment où je la félicitais à part moi de savoir qu'Istanbul se trouvait en Turquie, un couple est entré dans la cabine et a regardé autour de lui – un couple qui, comme cela arrive généralement, était constitué de deux personnes. Il a fallu à mon cerveau une seconde pour enregistrer le fait que la moitié mâle de ce couple-là n'était autre que Sammy. Mon Sammy.

— Isabelle, ma chérie, évidemment que nous allons à Istanbul ! On ne vous a pas menti. Les garçons plaisantaient – vous savez comment ils deviennent sitôt qu'on parle des îles grecques ! Posez vos affaires ici et venez boire un verre, a dit Elisa en se précipitant pour réconforter la femme que j'avais vue dans le parc et que j'ai immédiatement reconnue. Et présentez-nous donc votre sublime ami.

À ces mots, Sammy a semblé se raidir, et il paraissait si mal à l'aise que j'ai bien cru qu'il allait s'évanouir. N'ayant pas eu le temps de passer en revue tous les gens présents dans la cabine, il ne m'avait toujours pas remarquée. Il a réussi à marmonner quelques mots.

— Sammy. Du Bungalow 8, a-t-il dit d'une voix curieusement haut perchée.

Elisa l'a fixé d'un regard vide pendant qu'Isabelle se débattait pour hisser à bord un gros sac Vuitton. Elle a tapé sur l'épaule de Sammy, lui a désigné le sac d'un mouvement de menton. Sammy l'a soulevé sans effort pour le placer sous l'un des sièges.

— Bungalow ? a répété Elisa, perplexe. On s'est rencontré un soir là-bas ?

Je me suis aussitôt souvenue de la demi-douzaine de fois où j'étais allée au Bungalow avec elle, et où je l'avais regardée flirter avec Sammy, le serrer dans ses bras, le remercier et, d'une manière générale, se comporter avec lui comme s'ils étaient les meilleurs amis du monde. Mais là, pour ce que j'en voyais, elle ne jouait pas la comédie : elle ne le remettait absolument pas.

À ce stade-là, ce petit échange avait monopolisé l'attention générale et tout le monde devait se demander pourquoi ce très bel inconnu leur semblait si familier.

— J'y travaille, a précisé Sammy en regardant Elisa bien en face.

— Au Bungalow 8 ? a dit Elisa, l'air plus confus que jamais. Oh, j'y suis ! Vous voulez dire que vous y passez tellement de temps que c'est devenu comme un bureau pour vous ! Ouais, je vois complètement ce que vous voulez dire. C'est un peu pareil pour nous, pas vrai, Beth ? a-t-elle gloussé avant de s'accorder une gorgée de champagne, soulagée d'avoir résolu l'énigme.

J'ai vu Sammy tressaillir en entendant mon nom, mais il a continué à fixer Elisa, comme s'il était physiquement empêché de bouger. Puis, au bout de dix bonnes secondes, il a tourné la tête, lentement, et m'a regardée, avec un sourire attristé, mais exempt de surprise.

— Salut, a-t-il dit – murmuré plutôt.

Isabelle était allée s'asseoir à côté d'Elisa et les conversations ont repris, ce qui n'a fait qu'accentuer l'impression d'intimité du moment. Je me suis efforcée de conserver un air détaché, tandis que mon esprit essayait avec frénésie de traiter ce nouveau développement.

— Salut.

Lorsque Kelly nous avait communiqué la liste définitive du groupe d'invités, elle avait mentionné qu'Isabelle

Vandemark n'avait accepté de venir que si elle pouvait amener son assistant. Naturellement, Kelly avait accepté. Cela voulait-il dire qu'Isabelle n'était pas la petite amie de Sammy ? Il me fallait savoir.

— Prends un siège par là, ai-je dit en gesticulant vers ma gauche.

Il a jeté un coup d'œil vers Isabelle, qui bavardait avec Elisa, et a commencé à escalader des jambes et des sacs pour me rejoindre. À côté de Leo, à la mise toujours flamboyante, et de Philip, vêtu avec un soin étudié, Sammy offrait un contraste austère – plus masculin, et plus vulnérable en même temps. Quand il s'est laissé tomber sur le siège à côté du mien, j'ai eu l'impression que tout l'oxygène de la cabine se retirait.

— Beth, j'ignorais totalement que tu serais ici, a-t-il commencé. (Il parlait si doucement qu'il a fallu que je me penche pour l'entendre.) Je suis désolé. Je ne savais vraiment pas que tu organisais ce voyage.

— Quoi ? ai-je répondu, en retenant mes larmes. Elle t'a juste dit que vous partiez tous les deux quelques jours à Istanbul ?

— Crois-le si tu veux, mais oui, c'est exactement ce qui s'est passé. Elle a annoncé la semaine dernière qu'elle voulait que je l'accompagne à Istanbul – un voyage aux frais de la princesse, m'a-t-elle expliqué – et ne m'en a plus reparlé jusqu'à hier. C'est vrai que je n'ai pas posé de questions, non plus… Je me suis contenté de faire mon sac.

— Tu vas partout où elle te dit d'aller ? Et ton travail ? Et tes cours ? Tu plantes tout juste parce qu'elle te le demande ? J'ai du mal à comprendre. De tous les gens présents ici, aucun ne travaille, alors ça n'a rien de bizarre qu'ils partent à Istanbul d'un coup de jet quand il leur en prend l'envie. Mais toi ? Ça veut dire que tu as démissionné ?

Il a d'abord pris un air piteux, puis ses traits se sont durcis.

— Non, ils ont compris, au boulot. C'est une situation qui se produit de temps en temps.

— Oh… tout s'explique, ai-je raillé méchamment.

— Beth, je suis désolée. C'est compliqué. *Elle* est compliquée.

Je me suis un peu radoucie en voyant à quel point il avait l'air malheureux.

— Écoute, Sammy, je suis désolée. Ça ne me regarde pas. Je suis surprise, c'est tout.

Il m'est aussi venu à l'esprit que malheureusement, il ne me devait aucune explication. Depuis Le Baiser, je ne l'avais revu que le soir, à la porte du Bungalow. Et l'une de ces fois, il avait sur le dos une bande de jeunes banquiers qui n'étaient pas contents d'être laissés pour compte dans la queue. Il m'avait à peine regardée, m'avait à peine souri ; il s'était contenté de soulever le cordon pour me laisser passer.

— Parlons d'autre chose, d'accord ? a-t-il dit en fermant les yeux. J'ai passé une journée de merde pour essayer de l'amener ici dans les temps.

J'ai repensé à ma propre journée et à l'ignoble Cancan du Jour, mais je me suis retenue de marquer un point sur lui.

L'équipage est venu à bout du problème de bagages et après une démonstration effroyablement sommaire des consignes de sécurité, nous nous sommes envolés dans un ciel sans lune. Quelques minutes plus tard, Elisa a partagé un petit tas de pilules sur la tablette devant elle et les enchères ont commencé. On se serait cru chez Sotheby's.

— J'ai des excitants, et des calmants. Qui veut quoi ? On fait la fête ou on dort ? a-t-elle demandé au groupe qui commençait déjà à dépérir d'ennui. Ceci est officieux, d'accord ? a-t-elle ajouté en se tournant vers un journaliste, qui a opiné frénétiquement.

— On dort, a gémi Isabelle. Je viens de passer la semaine la plus infernale de ma vie. Je suis épuisée.

— Oui, on dort, a renchéri Leo en retirant ses baskets Prada et en déployant ses orteils talqués en éventail.

Davide a hoché la tête et même Philip est convenu que ce serait plus sage de profiter du vol pour se reposer vu que notre seule occupation pendant les quatre jours à venir consisterait à faire la fête.

— Vous êtes pas marrants, les mecs ! a protesté Elisa avec une moue enfantine qui feignait la déception. Mais bon, je m'incline devant la volonté générale... Comment puis-je être utile ?

— Qu'est-ce que tu as ? a demandé distraitement Emanuel, le milliardaire argentin, qui semblait incapable de décoler son visage du verre de martini (de la taille d'un saladier) qu'il tenait à deux mains.

— Tout, lui a répondu Elisa. Dites-moi ce que vous voulez. De toute façon, il nous faut nous débarrasser de ça avant d'atterrir. J'ai vu *Midnight Express* et je ne veux pas finir dans une prison turque.

— Ouais, en Turquie, faut pas déconner avec les drogues, a renchéri Philip. Le concierge de l'hôtel se chargera de tout pour nous, alors je vous déconseille de trimballer des trucs sur vous.

— Deux Valium pour moi, a annoncé Leo.

— Du Xanax.

— Tu aurais de l'Ambien ? Si j'en prends deux avec un verre, ça devrait être bon.

— Et du Percocet ? Tu peux me trouver ça ?

Tous ont patiemment attendu qu'Elisa fasse le tour de la cabine, pour distribuer à chacun le cachet demandé, selon le dosage souhaité. Seuls Sammy et moi avons décliné, mais personne n'a semblé le remarquer. J'ai allumé une cigarette, histoire de ne pas passer pour quelqu'un de trop angélique, mais avec cette bande, cela ne faisait pas exactement office de substance toxique ; Sammy s'est excusé, en disant qu'il avait mal à la tête, et a demandé à Philip s'il ne voyait pas d'inconvénients à ce qu'il aille s'allonger dans la chambre.

— C'est pas mon avion, mec, alors fais comme chez toi. Le seul truc... ne le prends pas mal si je te demande de vider les lieux dans un moment, a-t-il ajouté en coulant un regard lubrique dans ma direction.

Intérieurement, je me suis hérissée, mais je me suis obligée à remonter mon appui-pieds et à me concentrer sur *Pulp Fiction* qui venait de commencer sur l'écran plasma géant de la cabine. Juste au moment où je commençais à entrer dans le film, à réussir à ne pas penser à Sammy pendant trente secondes d'affilée, Elisa s'est glissée sur le siège à côté du mien.

— Je n'ai toujours pas tout pigé, a-t-elle dit en ouvrant un nouveau paquet de Marlboro Lights. Qui *est* ce mec ?

— Quel mec ? Sammy ?

— Le mec d'Isabelle. Qu'est-ce qu'il a voulu dire, avec cette histoire de bosser au Bungalow ?

— C'est le videur, Elisa. Tu as dû le voir un millier de fois déjà.

— Le *videur* ? Qu'est-ce qu'un videur vient faire dans notre voyage ? a-t-elle sifflé entre ses dents. Ooooh, j'ai pigé..., s'est-elle exclamée tandis que son visage s'illuminait et chassait une expression de dégoût. C'est un mec de Downtown. Mais bien sûr, c'est évident !

— Non, je ne crois pas qu'il habite *downtown*, ai-je répondu – en essayant de me souvenir si je savais seulement où il habitait.

Elisa m'a toisée avec dédain.

— Beth, tu *connais* Downtown Boys. C'est cette société qui loue les services de mecs sublimes pour faire les barmans, la sécurité ou l'accueil dans des soirées privées ou événementielles. Tu te souviens de tous ces jolis garçons que tu avais commandés pour la soirée BlackBerry ? Eh bien, Downtown est une agence beaucoup plus exclusive. Leurs employés pourvoient à tous les besoins de leur clients et clientes – quels qu'ils soient. Ce n'est un secret pour personne.

Je me suis tournée vers elle.

— Qu'est-ce que tu racontes ?

— Ça ne me surprendrait pas qu'Isabelle emploie Sammy comme larbin, pour l'accompagner à des soirées, organiser ses soirées. *Lui tenir compagnie*. Des trucs dans le genre. Son mari n'est pas spécialement passionné par ses obligations sociales.

— Elle est mariée ?

C'était la meilleure nouvelle de la journée.

— Tu es sérieuse ? a demandé Elisa, abasourdie. Tu crois qu'elle est la mondaine la plus en vue de Manhattan uniquement parce qu'elle est charmante ? Son mari est un genre de vicomte autrichien – non que ce soit très dur d'obtenir un titre de noblesse, en Autriche – et il figure tous les ans depuis les années quatre-vingt dans la liste des cent plus grosses fortunes du monde du magazine *Forbes*. Quoi ? Tu croyais que ce videur était son petit ami ?

Mon silence était un aveu. Elisa a explosé de rire.

— Oh mon Dieu, oui, tu l'as cru ! C'est tellement adorable, Beth ! Tu crois sincèrement que quelqu'un comme Isabelle Vandemark sort avec des videurs ? Tu imagines le tableau ? C'est génial ! Elle se le *tape* – ça oui, peut-être. Mais de là à *sortir* avec lui, sûrement pas !

Elle riait tellement qu'elle semblait sur le point de s'étrangler. J'ai brièvement songé à la brûler avec ma cigarette, mais ce qu'elle venait de m'apprendre m'avait rendue euphorique et tempérait ma haine. Assez rapidement, elle s'est lassée. Elle est repartie s'enrouler autour de Davide – dont le regard semblait aimanté par la poitrine d'Isabelle – et elle a essayé de flirter avec Philip, qui débattait avec Leo des mérites et inconvénients respectifs du rasoir et de la pierre ponce lorsqu'ils demandaient à la pédicure de les débarrasser de leur corne plantaire. Les photographes et les journalistes, eux, faisaient plus ou moins bande à part et jouaient aux cartes autour de la grande table de salle à manger tout en s'enfilant des verres de bourbon. Tous les autres étaient inconscients, ou près de l'être, et avant même que Travolta enfonce une aiguille dans la poitrine d'Uma Thurman, je dormais moi aussi.

24

Je n'ai pas eu une minute de répit et de solitude avant le lendemain quatorze heures. Nous avions atterri à onze heures du matin, et étions passés de la cabine climatisée et des confortables sièges en cuir du Gulfstream aux habitacles climatisés et aux confortables banquettes de cuir d'une flotte de limousines affrétée par l'Association des Propriétaires de Nightclubs – l'ANO, ainsi que Mr. Kamal Avigdor l'appelait en raccourci. Mr. Avigdor avait manifestement reçu le mémo soulignant l'attachement de notre petit groupe aux apparences. Il nous attendait sur le tapis rouge déroulé sur le tarmac, le visage éclairé d'un sourire chaleureux, et accompagné de deux superbes filles – qu'il a présentées comme ses assistantes, mais qui avaient probablement l'une et l'autre été ses petites amies. Il arborait un costume noir très ajusté comme seuls les Européens peuvent se le permettre, avec une chemise verte et une cravate coordonnée qui illuminaient sa peau mate, ses cheveux bruns et ses yeux verts. Naturellement, tous les accessoires étaient choisis sans faute de goût – mocassins Ferragamo, montre Patek Philip et une espèce de sac-pochette en cuir souple qui aurait arraché des sanglots d'humiliation à n'importe quel Américain mais qui, sur lui, accentuait une allure virile. Il devait avoir dans les trente/trente-cinq ans, mais cela ne m'aurait pas du tout surprise d'apprendre qu'il avait dix ans de plus, ou de moins. Le plus impressionnant de tout, c'était qu'il avait accueilli chaque invité par son nom lorsque nous avions débarqué.

Elisa, Davide, Leo et moi-même sommes montés dans la voiture de Mr. Avigdor – qui a insisté catégoriquement pour que nous l'appelions Kamal. Il nous a instruits du programme détaillé du week-end en nous assurant que notre seule responsabilité serait de veiller à ce que nos invités passent un fabuleux séjour. Il s'occuperait de tout le reste. Nous devions lui faire savoir si nous avions besoin de quoi que ce soit, n'importe quoi (« Et j'entends par là absolument n'importe quoi – filles, garçons, articles en cuir, nourritures rares, alcools, substances récréatives… Tout. ») et il veillerait à ce que la requête parvienne entre les mains de la bonne personne. Les feuilles de route qu'il nous a distribuées ressemblaient davantage à des listes de restaurants et de clubs qu'à un emploi du temps. Toutes les journées étaient laissées en blanc, ce qui nous offrait du temps pour les siestes de beauté, les soins en instituts, le shopping et les bains de soleil dont tout le monde avait certainement besoin, mais les soirées et les nuits, elles, commençaient à vingt heures et étaient chargées. Trois soirs de suite, nous dînerions dans quelque fabuleux restaurant, irions boire un verre dans deux fabuleux bars *lounge* avant de terminer dans un club superfabuleux et extra-exclusif où nous resterions jusqu'aux premières lueurs de l'aube, comme les jeunes Turcs et les Européens de passage. La soirée du réveillon ne se différenciait des autres qu'en ce que nous devrions sabrer le champagne au douzième coup de minuit – et ce en direct à la télé. Des photographes seraient là pour documenter chaque minute de ce prodigieux divertissement qui, espérait Kamal, générerait de la publicité tant en Turquie qu'en Amérique – après tout, qui n'avait pas envie de faire la fête dans les pas de l'illustre Philip Weston ?

L'installation à l'hôtel s'est passée sans heurt (avec seulement une demi-douzaine de réclamations concernant les chambres : « Trop près des placards à balais ! » « Pas assez de serviettes pour se sécher les cheveux » « Je m'en fiche pas mal d'avoir vue sur une *mosquée* ! ») et c'est dans la bonne humeur générale que nous nous sommes retrouvés pour le très élégant brunch au champagne donné en notre honneur sur la terrasse du toit de l'hôtel, qui faisait face au majestueux Palais Topkapi. J'ai réussi à m'éclipser discrètement au bout d'une heure pour aller traîner au Grand Bazar, à quelques pâtés de maisons de l'hôtel, où je projetais de regarder bouche bée tout et tout le monde. J'ai franchi la porte Nuruosmaniye aux cris de « Miss, miss, j'ai ce que vous cherchez ! », et j'ai erré sans but dans cette caverne d'Ali Baba, en flânant entre les étals qui regorgeaient de perles, d'objets en argent, de tapis, d'épices, de hookahs, sous l'œil des marchands qui passaient leur temps à siroter du thé et à fumer. J'étais affairée à marchander un pashmina bleu pâle avec un tout petit bonhomme qui avait au moins quatre-vingt-dix ans quand j'ai senti une main me tapoter l'épaule.

— Tu réalises que tu batailles pour l'équivalent d'environ quarante cents, n'est-ce pas ? a demandé Sammy, avec le sourire de celui qui vient de découvrir un très gros secret.

— Évidemment ! me suis-je indignée – même si, bien entendu, je l'ignorais.

— Alors pourquoi le fais-tu ?

— Visiblement, tu n'es pas familier des pratiques culturelles locales. Les gens attendent que tu marchandes. Si tu le fais pas, ils se sentent insultés.

— Vraiment ? Monsieur, combien voulez-vous pour

377

cette écharpe ? a-t-il demandé au vendeur bossu avec la voix la plus douce qui se puisse imaginer.

— Six dollars US, sir. C'est du premier choix. Du Sud. Tissée par ma propre petite-fille il y a tout juste une semaine. C'est très beau.

L'homme a souri, en découvrant une mâchoire édentée qui bizarrement ne le rendait que plus amical.

— On la prend, a annoncé Sammy en tirant de son portefeuille quelques livres turques qu'il a glissées dans la main parcheminée du vieil homme. Merci, monsieur.

— Merci à *vous*, sir. Un beau pashmina pour une belle jeune fille. Bonne journée ! a-t-il ajouté d'un ton joyeux en donnant une petite tape dans le dos de Sammy avant de retourner à son narguilé.

— Ouais, tout à fait. (Sammy m'a regardée en souriant.) Je crois qu'il s'est vraiment senti insulté.

Il m'a enroulé l'écharpe autour du cou, a rassemblé mes cheveux en chignon pour les soulever avant de les laisser retomber sur l'étoffe douce.

— Tu n'étais pas obligé de faire ça ! me suis-je récriée – tout en pensant : *Mais je suis tellement heureuse que tu l'aies fait*.

— Je sais. Je voulais m'excuser de m'être imposé dans ton voyage. Je t'assure, Beth, je ne savais pas que tu serais là. Je suis vraiment désolé.

— Désolé pour quoi ? ai-je répliqué avec détachement. Ne sois pas ridicule, tu n'as à t'excuser de rien.

— On va boire un café ? Ça fait des heures qu'on est en Turquie et je n'ai toujours pas bu de café turc. Qu'en dis-tu ?

— Avec plaisir. D'après mon guide, le meilleur endroit pour en boire se trouve à quelques salles d'ici.

— Ton guide ?

— *Lonely Planet*. Tu peux aller quelque part sans un *Lonely Planet*, toi ?

— Quelle bête tu fais ! s'est-il exclamé en tirant sur l'extrémité de mon pashmina. On est au Four Seasons, on se fait balader en bagnole par des chauffeurs privés, on a des frais illimités et toi tu fais suivre ton *Lonely Planet* ? Incroyable.

— Pourquoi incroyable ? J'ai peut-être envie de voir des trucs qui ne sont pas dans le circuit des spa-restaurants-bars réservés aux membres d'un club.

Tout en secouant la tête, il a ouvert son sac à dos.

— Voilà pourquoi c'est incroyable, a-t-il dit en sortant du sac un exemplaire du même bouquin. Allez, viens, trouvons cette échoppe.

Nous avons tiré deux tabourets devant un minuscule guéridon et commandé d'un signe deux cafés qui sont arrivés accompagnés d'une petite assiette de loukoums.

— Je peux te poser une question ? ai-je demandé en buvant une gorgée du breuvage sirupeux.

— Oui, vas-y…

Je me suis efforcée de prendre un air détaché.

— Quelle relation as-tu exactement avec Isabelle ?

Ses traits se sont aussitôt durcis. Il n'a rien répondu et s'est contenté de fixer la table, mâchoires crispées.

— Oublie. Ça ne me regarde pas, me suis-je empressée d'ajouter, désespérée à l'idée de gâcher ce moment.

— C'est compliqué.

— Oui, tu me l'as déjà dit. (J'ai observé un chaton sauter d'une immense pile de tapis pour rejoindre la jeune fille du stand qui lui tendait une écuelle de lait.) Bon, à toi la donne. Contentons-nous de savourer notre café, d'accord ?

Il a bu une gorgée et cherché mon regard.

— Elle me paye pour passer du temps avec elle, a-t-il dit doucement.

Je ne savais pas trop comment interpréter cette information. Je ne tombais pas des nues – compte tenu de ce que m'avait dit Elisa – mais la façon dont il avait dit ça, très calmement, avec un détachement qui, je le découvrais, était typique de sa personnalité... Cela faisait un effet bizarre.

— Je ne suis pas certaine de comprendre. Ça a un lien avec ces agences qui louent les services de mecs sexys pour servir dans les soirées ?

Il a explosé de rire.

— Non, je ne suis jamais passé par là, mais je suis flatté que tu me trouves à la hauteur de leurs critères de recrutement.

— En ce cas, je ne comprends vraiment pas.

— En bossant au Bungalow, je rencontre des tas de gens qui m'embauchent pour travailler dans leurs soirées privées. L'été dernier, je faisais le barman dans ce genre de soirées, et Isabelle était souvent là. J'imagine qu'elle a commencé à bien m'aimer. Au début, elle me payait mille dollars pour m'occuper du bar lors de ses dîners, ou pour accueillir les invités à ses galas de charité. Puis, quand elle a été nommée coprésidente du gala caritatif des Jardins Botaniques de New York, elle a décidé de m'employer à temps plein comme assistant. J'imagine que c'était un choix qui tombait sous le sens vu que je pouvais faire aussi euh... d'autres choses.

— Comment ça ? Elle te paye pour coucher avec elle ? ai-je bafouillé sans réfléchir.

— Non ! s'est-il récrié d'un ton cassant, en me décochant un regard dur. Excuse-moi. Ça n'a rien d'étonnant que tu penses ça. Mais je suis un peu chatouilleux sur le sujet. En court, la réponse est : non, je ne couche pas avec elle. Mais pour être honnête, je ne sais pas combien de temps encore je vais pouvoir me défiler. Au début, je n'avais pas du tout envisagé que ça puisse être un aspect de mon travail, mais il est devenu assez clair que c'est attendu.

— Et son mari ?

— Quoi, son mari ?

— Il s'en fiche que sa femme embauche un jeune mec canon qui traîne à la maison, l'aide à faire ses levées de fonds et l'accompagne à Istanbul pour une escapade romantique ? Il ne doit pas être ravi, j'imagine.

Je ressentais un léger fourmillement à l'avoir qualifié de canon.

— Pourquoi ne serait-il pas ravi ? Tant qu'elle est discrète, qu'elle ne lui cause pas d'embarras et qu'elle est disponible quand il a besoin d'elle pour ses obligations professionnelles, je crois au contraire qu'il est enchanté d'échapper à toutes ces conneries de mondanités. Comme ça, il n'est pas obligé de lui dire combien elle est sexy et de discuter à perte de vue pour savoir s'il la préfère en Stella McCartney ou Alexander McQueen. C'est lui qui signe mes chèques, au fait. C'est un mec bien.

Je ne savais pas trop quoi répondre à ça. J'ai essayé de trouver quelque chose qui ne soit pas offensif.

— C'est juste un boulot qui paye très, très bien, a-t-il enchaîné. Si je veux ouvrir un jour mon propre restau, je ne veux pas cracher sur un salaire à six chiffres pour sortir avec une belle femme quelques heures par semaine.

— Six chiffres ! Tu déconnes ?

— Pas du tout. Pourquoi penses-tu que je fais ça ? C'est archi-humiliant, mais j'ai les yeux fixés sur ma récompense. Qui, d'ailleurs, pourrait arriver plus vite que je ne le pensais, a-t-il ajouté en croquant dans un loukoum.

— Comment ça ?

— Rien n'est encore sûr, mais la semaine dernière, j'ai été approché par quelques types de l'École hôtelière qui m'ont proposé de m'associer avec eux pour ouvrir un restaurant.

— Ah bon ? ai-je fait en me rapprochant. Raconte.

— Bon… ce serait plus un genre de franchise qu'une création. Ces gens sont déjà propriétaires du Houston, et ils ont aussi quelques établissements sur la côte Ouest. Ils disent que les endroits cartonnent. C'est un menu américain assez basique – je n'aurais pas vraiment l'opportunité de créer car le concept et le menu ne sont pas négociables, mais ce serait mon restau. Enfin, le mien et le leur.

Il me semblait aussi enthousiaste que quelqu'un qui vient d'apprendre qu'il a contracté une maladie sexuellement transmissible.

— Ça a l'air génial, ai-je dit en m'efforçant de montrer un peu d'allant. Tu dois être superexcité, non ?

Il a réfléchi un instant, puis il a soupiré.

— Je suis pas certain qu'excité soit le mot juste, mais je pense que c'est une bonne opportunité. Même si ce n'est pas exactement ce que j'avais en tête, c'est un pas dans la bonne direction. Ce serait fou de croire qu'à ce stade de ma carrière je serais capable d'imprimer à un lieu ma propre vision des choses – c'est irréaliste. Alors pour répondre à ta question, est-ce que je grille d'envie de détenir un tiers d'un restaurant Houston dans l'Upper East Side ? Non, pas vraiment. Mais si ça me permet d'arrêter de bosser au Bungalow 8 et que ça me sert de tremplin décent, alors oui, je pense que ça vaut le coup.

— Bon calcul. Ça me semble une superopportunité.

— Pour l'instant. (Il s'est levé et est allé chercher deux autres cafés.) À ton tour.

— Mon tour de quoi ? ai-je demandé innocemment, même si je voyais très bien où il voulait en venir.

— Quel est ton marché avec Mr. Weston ?

— C'est compliqué.

Il a éclaté de rire et, pour rire, a levé les yeux au ciel.

— Hum hum, c'est mignon. Allez, je viens de te

raconter toute cette histoire sordide. Comment diable as-tu fini par sortir avec ce type ?

— Qu'entends-tu par là ?

— Vous semblez tellement... tellement différents, tous les deux.

— Différents comment ?

Je voyais parfaitement ce qu'il voulait dire, mais c'était trop drôle de le voir si mal à l'aise.

— C'est bon, Beth ! Épargne-moi les salades. Je sais ce que c'est de débarquer de Poughkeepsie et de se retrouver embringuée dans la clique des gens cools et branchés de New York, d'accord ? Ça, je le comprends. Ce que je ne comprends pas, c'est comment tu peux apprécier ce type. Traîner avec ces gens ne signifie pas que tu deviens l'un d'eux. Ce qui, soit dit en passant, est une bonne chose.

J'ai réfléchi un instant à ce que je venais d'entendre, puis j'ai dit :

— Je ne sors pas vraiment avec lui.

— Ce n'est pas ce qu'on lit dans toutes les rubriques de ragots. Et au Bungalow, je te vois constamment avec lui. Tu n'appelles peut-être pas ça « sortir ensemble », mais à mon avis, il ne l'a pas encore pigé.

— Franchement, je ne sais pas trop t'expliquer ce qui se passe car je ne suis pas certaine de le comprendre moi-même. C'est comme si Philip et moi avions conclu un arrangement tacite pour faire semblant d'être ensemble alors qu'on ne s'est jamais touchés.

Sammy a relevé la tête d'un mouvement brusque.

— Quoi ? C'est impossible !

— Pas du tout. Je ne te dis pas que je ne me suis pas demandé pourquoi je ne semble pas l'intéresser, ce serait un mensonge. Mais je t'assure, nous n'avons jamais pris ce chemin-là...

Sammy a terminé son café et a réfléchi à ce qu'il venait d'entendre.

— Donc, en clair, tu n'as jamais couché avec lui ?

Je l'ai regardé, heureuse de voir que cela importait à ses yeux.

— Jamais. Et pour ne rien te cacher, j'ai essayé de le séduire une ou deux fois. Mais il avait toujours une excuse – il avait trop bu, il avait trop fait la fête la veille. C'est horriblement vexant, quand tu y songes bien, mais que veux-tu ? Tout le temps que je passe avec lui a des effets directs sur mes responsabilités au boulot. Sa présence fait de la pub à l'agence, Kelly est ravie, et tout ce que j'ai à faire, c'est sourire devant quelques photographes. Rien de tout ça n'était prémédité, mais c'est comme si on avait passé un marché : je me conduis comme sa petite amie, et il me donne un énorme coup de pouce au boulot. Ça flanque la chair de poule, mais bizarrement, je m'en fiche un peu. Nous y gagnons l'un et l'autre.

Quel soulagement de formuler à voix haute ce que je n'avais encore décrit à personne.

— Je n'ai rien entendu de ce que tu viens de dire.

— Génial. Merci d'avoir écouté. Je te signale que c'est toi qui as posé la question.

— J'ai zappé après que tu as dit que tu n'avais jamais couché avec lui. Alors c'est vrai ? Tu ne sors pas avec lui ? a-t-il insisté en faisant tourner sa tasse vide entre ses pouces.

— Sammy, tu vois bien comment est Philip. Il est incapable d'avoir une relation suivie avec qui que ce soit. J'ignore totalement pourquoi il m'a choisie *moi*, mais en toute sincérité, c'est bon pour mon ego. Mais jamais je ne pourrais être avec un type pareil. Même s'il a des tablettes de la mort.

— Des tablettes de la mort, ah ouais ? a répété Sammy en soulevant aussitôt le devant de sa chemise.

— Bon sang ! ai-je murmuré en tendant la main pour

caresser les ondulations qui se dessinaient sur un ventre absolument plat. Je pourrais devoir t'accorder ça.

— Tu *pourrais* ? (Il a lâché sa chemise, mais m'a attrapé la main.) Viens, approche.

Cette fois, nous nous sommes embrassés pour de vrai, en nous rapprochant autant que le permettaient les tabourets, et en nous caressant le visage, les cheveux et le cou.

— Ça ne se fait pas, ici ! a lancé un homme en frappant deux fois sur la table. Ce n'est pas bien.

Nous nous sommes écartés l'un de l'autre, embarrassés par la réprimande, et nous sommes redressés. Sammy s'est excusé auprès de l'homme, qui s'est contenté de hocher la tête avant de passer son chemin, puis il s'est tourné vers moi.

— Viendrait-on de s'embrasser en public pour la première fois ?

J'ai ri, ravie.

— Oui, je crois bien. Et c'était plus qu'un baiser. C'était carrément du pelotage. Dans le grand bazar d'Istanbul, rien que ça !

— Y a-t-il un meilleur endroit ?

Il s'est écarté d'un pas pour me laisser me lever, et tandis que je commençais à m'éloigner dans l'allée, il m'a retenue par la main.

— Je ne plaisante pas, Beth. Je ne joue pas avec toi.

— Moi non plus, Sammy.

J'ai bien cru m'étrangler en prononçant ces mots mais la vue de son sourire a été comme une bouffée d'oxygène.

— Je meurs d'envie de te serrer dans mes bras, mais je n'ai pas envie de me faire flageller pour conduite indécente sur la voie publique, a-t-il dit en se contentant de glisser un bras sur mes épaules. Essayons de survivre au reste du séjour, d'accord ? On s'échappera dès qu'on le pourra, mais il ne faudra pas qu'on se fasse prendre.

J'ai hoché la tête. À dire vrai, je n'avais qu'une envie : dissoudre un tube entier de Valium dans les verres de Philip et d'Isabelle, et les contempler battre l'air un instant avant de s'installer confortablement et sereinement dans un repos éternel. Non, c'était injuste, aucun des deux ne méritait de mourir. J'acceptais de leur laisser la vie sauve, à condition qu'ils embarquent, avec un aller simple, à destination d'un village de leur choix en Afrique sub-saharienne. Ce serait un compromis acceptable.

Il nous a fallu une heure pour parcourir les quelques pâtés de maisons qui nous séparaient de l'hôtel. Ruelles ou passages déserts, entrées d'immeubles, arbres, bancs : tout ce qui pouvait nous abriter des regards réprobateurs quelques minutes était prétexte à s'embrasser, s'étreindre, se caresser, se coller l'un contre l'autre. Lorsque nous sommes arrivés en vue de la façade dorée du Four Seasons, j'avais réussi à établir presque sans aucun doute que Sammy portait un caleçon Calvin Klein.

— Entre la première. Et fais ce que tu as à faire pendant ces quelques jours – sauf toucher Philip Weston, de quelque façon que ce soit, a dit Sammy avec une moue de dégoût.

— Parce que moi, tu crois que ça m'enchante de penser que tu vas te glisser dans le lit à côté d'Isabelle, en lui disant qu'elle est sublime dans son nouvel ensemble La Perla ?

Cette seule vision me donnait la nausée.

— Vas-y, a-t-il répété en collant ses lèvres contre les miennes. On se voit ce soir au dîner, d'accord ?

— D'accord. Tu vas me manquer, ai-je balbutié avant de pouvoir m'en empêcher.

J'ai souri au portier et j'ai foncé dans le hall en direction des ascenseurs.

Philip était étendu sur le lit, vêtu en tout et pour tout d'une serviette de bain et d'un masque en soie posé sur les yeux. À peine lui ai-je prêté attention.

— Où étais-tu passée, mon cœur ? a-t-il gémi. Je suis lessivé. J'ai une gueule de bois carabinée, et tu m'abandonnes seul ici. Pourquoi ne me prépares-tu pas une compresse fraîche ? Ce serait le paradis.

— Pourquoi n'irais-tu pas chercher ta compresse toi-même, Philip ? ai-je répliqué d'une voix guillerette. Je passe juste déposer mes affaires avant de filer au spa. Avale un ou deux Advil et retrouve-moi à huit heures moins le quart dans le hall. D'accord ?

J'ai claqué la porte de toutes mes forces pour faire le plus de boucan possible et j'ai filé rejoindre le hammam de l'hôtel. J'ai demandé à l'hôtesse d'accueil d'ajouter à mon gommage un massage, une pédicure et un grand verre de thé à la menthe. Puis, je me suis lentement dévêtue dans la salle de vapeur parfumée à l'eucalyptus, la tête pleine de Sammy.

25

Nous étions un groupe de douze personnes qui n'avait rien d'autre à faire que boire et traîner ensemble. Ce premier soir, au dîner, nous avons joué à un genre de *quizz* sur la pop music. Nous nous sommes bien gardés, évidemment, de mentionner qu'il s'agissait d'un jeu de société car ç'aurait été du dernier ringard, mais à entendre les questions fuser, il s'agissait bien de ça.

Je pouvais difficilement prétendre à une quelconque supériorité intellectuelle sur Elisa et Marlena au motif qu'elles pouvaient citer tous les copains de Madonna ralliés à la cause de la Cabale, dans la mesure où moi, je me souvenais du nom de l'organisatrice de mariage de Trista et Ryan, et du prénom du petit Cambodgien qu'avait adopté Angelina Jolie. Ceci dit, jamais je n'avais vu une clique de gens blasés de tout et indifférents à tout jouer avec autant de ferveur.

— Bon, tout le monde sur la planète sait que Marc Anthony avait déjà deux fils quand il a épousé J. Lo. Ça, c'est le b. a. ba, mais peux-tu me dire devant quelle cour il a plaidé son divorce ? a hurlé Alessandra à l'intention de Monica.

— Pfff, tu plaisantes ! Si tu as jamais lu trois lignes

dans ta vie, tu sais qu'il a divorcé en République domi-
nicaine pour accélérer la chose. Ce que vous ignorez
certainement – parce que ça n'a jamais été révélé à la
populace qui se repaît quotidiennement de ces torchons
de tabloïds –, c'est le nom du bateau de George, dans sa
villa du lac de Côme.

— George ? a répété Oliver tandis que tout le monde
tendait l'oreille.

— Clooney ! a riposté Marlena. Qui d'autre ?

— Ohmondieu, je ne peux pas écouter ça une seconde
de plus ! s'est lamenté Leo. Vous êtes pathétiques.

À part moi, j'ai félicité Leo pour son bon sens, mais
j'étais allée un peu vite en besogne.

— Vous croyez que ça a un intérêt ? a-t-il poursuivi.
Donnez-moi plutôt le nom de trois mecs avec qui est
sortie Jade Jagger et le nom du bijoutier chez qui elle
travaille en ce moment.

Philip a poussé un soupir et asséné mollement une
claque amicale dans le dos de Leo.

— Oui, Leo, vas-y mets-nous au défi. C'est la pire question imaginable, vu que toutes les personnes ici présentes
étaient invitées à l'inauguration de la boutique Garrard.

Ça a continué sur cette lancée pendant tout le dîner, et
ce n'est qu'au dessert que nous avons commencé à nous
demander à quoi ressemblerait un night-club turc.

— En ce qui me concerne, il est hors de question que
je me couvre davantage, a décrété Isabelle en regardant
sa robe. Je sais qu'on est dans un pays musulman, mais
je suis habillée avec autant de conservatisme que le
permet ma garde-robe.

Elle portait une robe qui semblait réalisée en métal, et
dénudait entièrement son dos et partiellement ses fesses ;
toute partie vraiment obscène, cependant, était dûment
couverte et la robe descendait jusqu'aux genoux. Devant,
le décolleté, large, plongeait jusqu'au nombril mais sans

bâiller le moins du monde. L'« étoffe » semblait collée contre ses seins, juste à côté des tétons. Après plus ample inspection, j'en ai conclu qu'elle l'avait scotchée. Des sandales argentées à talons aiguilles et une pochette en crocodile complétaient sa tenue.

— Vous croyez qu'ils ont du Cristal, ici ? a demandé Davide, de l'urgence dans la voix. Ils servent bien à la bouteille, n'est-ce pas, Beth ?

Je m'apprêtais à lui répondre qu'il arriverait probablement à survivre à la soirée avec ou sans magnum de Cristal, mais Kamal, qui nous écoutait tranquillement avec une expression indéchiffrable, s'est penché vers la table avec un air de conspirateur.

— Les amis, je vous promets que vous trouverez tout ce qu'il faut pour vous satisfaire. L'endroit où nous allons ce soir ne peut que vous plaire. Nous avons tout prévu.

— Bon, Kamal, parlons filles, est intervenu Philip. Comment ça se passe, avec les Turques ?

Davide a ri avec reconnaissance et Elisa a mis un point d'honneur à me regarder en levant les yeux au ciel. J'ai vite pigé que c'était là la réaction attendue de la part d'une petite amie et je l'ai imitée.

— En théorie ? s'est enquis Kamal, avant de s'accorder un instant de réflexion. Mr. Weston, à mon avis, vous trouverez que les Turques ressemblent aux Américaines, ou aux Anglaises, ou à toutes les autres femmes du monde : quelques-unes sont – comment dire ? – peu farouches ; d'autres sont issues de familles respectables, et ne veulent rien entendre de tout ça.

— Lesquelles allons-nous rencontrer ce soir, Kamal ? a insisté Philip. Les peu farouches, ou les reines de glace ?

Philip avait à l'évidence conquis Kamal car celui-ci est entré dans son jeu avec un large sourire. Il a bu une longue gorgée, puis s'est composé une expression de sérieux avant de répondre :

— Les premières, Mr. Weston. Je vous prédis des rencontres plus nombreuses avec la première catégorie.

Philip lui a présenté sa main pour taper dans la sienne à la manière des Black, un geste que Kamal a aussitôt compris.

— Ça m'ira très bien, Mr. Avigdor. Merci.

Comme on pouvait s'y attendre, nulle addition n'est apparue sur la table. Nous avons embarqué à bord du yacht qui allait nous conduire au Bella, en descendant le Bosphore. Je baignais dans une brume légère et, finalement, je passais une soirée agréable. Tout en m'interdisant de regarder Isabelle tripoter Sammy à la moindre occasion, j'ai fait le tour des invités pour les persuader de poser pour les photographes dans la demi-heure qui suivrait notre arrivée au club, et d'accepter que pendant cette demi-heure, tout ce qu'ils feraient ou diraient soit enregistré et rapporté par les journalistes que nous avions amenés avec nous. Après quoi, le travail serait officiellement terminé et tout le monde pourrait se lâcher, sans trop redouter de faire les frais de ces assommants gros titres – par exemple, « COKE ET PROSTITUÉES ! ». Il fallait tout de même se méfier des médias turcs, mais selon mes prévisions, ils ne poseraient guère de problème, et Kamal avait promis de les tenir à l'écart des salons VIP. L'un dans l'autre, l'arrangement paraissait satisfaire tout le monde, et la petite bande semblait presque excitée quand le bateau a accosté devant un ponton sur lequel on avait déroulé un tapis rouge.

— Kamal ? Est-ce que tous les hommes vont nous dévisager ? a demandé Elisa, les yeux écarquillés d'inquiétude.

— Vous dévisager ? Pourquoi donc ? Ils vont remarquer votre beauté, évidemment, mais je doute qu'ils fassent quoi que ce soit qui vous mette mal à l'aise.

— S'ils ne voient que des femmes en burka, j'imagine qu'on va détonner, a-t-elle insisté.

Sammy m'a coulé un regard – qui n'était pas le premier de la soirée puisque nous avions été placés l'un en face de l'autre au dîner – et j'ai réussi à étouffer un rire. Mais j'ai tout de même laissé échapper un ricanement. Elisa a fait volte-face et m'a fusillée du regard.

— Quoi? T'as envie de te faire mater toute la soirée par un troupeau de blaireaux, toi? Pas besoin d'aller à l'autre bout du monde pour ça. Il me suffisait d'aller dans le New Jersey!

Kamal a gentiment ignoré sa réflexion tout en aidant les dames à débarquer. Puis il nous a présentés à un groupe d'hommes – les autres propriétaires de clubs. Tous étaient séduisants, tous arboraient les signes convenus de la réussite, et chacun d'eux avait une ou deux paires de filles splendides suspendues à leurs lèvres. À la grande surprise d'Elisa et d'Isabelle, ces filles ne portaient pas la burka. Elles ne portaient même pas de soutien-gorge – pour entrer dans des précisions techniques – et la quantité de chair qu'elles offraient aux regards était presque aveuglante.

L'un des nouveaux venus s'est présenté et a annoncé, avec un certain panache, qu'il était le propriétaire du Bella, le tentaculaire complexe de loisirs qui s'étendait devant nous. Il possédait sa propre marina pour permettre aux célébrités et aux VIP de passage de couper court au problème de l'attente à la porte; ces clients-là pouvaient quasiment passer directement de leur bateau à un canapé, où le moindre de leur désir serait immédiatement satisfait. Nedim – c'était son nom – ressemblait à n'importe quel propriétaire de club que j'avais pu rencontrer: avec son T-shirt vintage, ses baskets rétro, ses cheveux hérissés, et la clope qui ne quittait jamais ses lèvres, c'était le type qu'on n'aurait jamais remarqué s'il n'avait pas conduit une Porsche rouge et offert des bouteilles de champagne.

— Mesdames, messieurs, bienvenue au Bella, la première destination d'Istanbul *by night*, a-t-il dit avec un ample mouvement de bras. Le Bella est situé, comme vous pouvez le voir, sur les rives du Bosphore, pile à la frontière entre l'Europe et l'Asie, et notre clientèle reflète assurément ce sentiment international. Suivez-moi, je vous prie, et préparez-vous à profiter de tout ce que le Bella peut vous offrir.

Il nous a escortés jusqu'à une section ceinte de cordons de velours qui hurlait « VIP ! » et installés autour d'une table. Nous surplombions le Bosphore de quelques dizaines de centimètres, et seul un mince portail de teck nous séparait de l'eau – un vrai désastre potentiel en cas d'ivresse, si j'en avais jamais vu un. Mais la vue était magique : des bateaux de toutes tailles sillonnaient les eaux limoneuses du fleuve, passant devant une mosquée magnifiquement illuminée et dotée de minarets qui semblaient grimper jusqu'au ciel.

Les planchers étaient faits d'un bois presque noir et brillant, et les canapés étaient tendus d'un satin broché de fils d'or. Tout le club était en plein air, à l'exception de quelques tables disposées derrière des tentures de toile que le vent gonflait, et qui donnaient au décor une touche d'exotisme et de sensualité. La lumière était dispensée par des lanternes de verre dans le style turc et des centaines et centaines de bougies votives disposées dans des photophores en perles. De belles coupes grossièrement ciselées remplies de mini-abricots et de pistaches étaient disposées sur toutes les surfaces planes. Le cadre, d'un chic renversant, absolu, en remontrait sans problème à tous les lieux branchés de New York ou de Los Angeles, car ce chic-là était naturel, et dépourvu de cette prétention arrogante qui était la signature de tous nos clubs à la mode.

Une flopée de serveurs stylés a accouru prendre nos commandes. En l'espace d'une demi-heure, tout le monde était plaisamment éméché, et arrivé minuit, Philip et Elisa dansaient sur les tables. Les photographes nous mitraillaient à qui mieux mieux, mais comme Nedim et son équipe ne cessaient de remplir leurs verres et de les approvisionner en filles et autres distractions, ils ont loupé l'occasion d'immortaliser Marlena assise à califourchon sur les cuisses d'un célèbre joueur de foot turc, client lui aussi du carré VIP. J'ai réussi à séparer ces deux-là avant que quelqu'un ne les remarque et à convaincre Marlena qu'ils seraient bien plus à leur aise dans sa chambre du Four Seasons. Ils se sont laissé escorter sans protestation jusqu'à une limousine qui attendait devant l'entrée du club. J'ai donné pour instructions au chauffeur de les reconduire à l'hôtel, et j'ai appelé le concierge, qui m'a promis de faire entrer discrètement Marlena et son invité, et de leur éviter de se faire flasher par les photographes qui faisaient le pied de grue dans le hall. Je terminais cette conversation quand Sammy est apparu à côté de moi.

— Hé, où te cachais-tu ? a-t-il demandé en m'enlaçant par-derrière et en me plantant un baiser dans le cou. J'ai réussi à ne pas te perdre de vue toute la soirée, et tout d'un coup, tu avais disparu.

Il a regardé alentour pour s'assurer que ni Isabelle ni Philip ni personne muni d'un appareil photo n'étaient en vue, puis il m'a de nouveau embrassée dans le cou, avec plus de rudesse et de fougue cette fois. Pour la toute première fois, j'avais l'indice que Sammy n'était pas juste un gentil garçon bien élevé. Dieu merci.

— Sammy ! J'ai envie, mais je ne peux pas. Je dois

garder tout le monde à l'œil – c'est littéralement ma seule responsabilité.

— Il est presque deux heures du mat'. Tu crois qu'ils vont tenir encore combien de temps ?

— Toi mieux que quiconque devrais connaître la réponse. Jusqu'à l'aube, sans problème. On pourra peut-être se débrouiller pour se voir plus tard, à l'hôtel, mais pour l'instant, le devoir m'appelle.

Il m'a lâchée, et a lâché aussi un profond soupir.

— Je sais, mais c'est chiant. Vas-y, je te rejoins dans deux minutes.

Il commençait à passer la main dans mes cheveux, quand quelqu'un a crié son nom, d'une voix perçante qui ricochait sur l'eau. Isabelle. Il a aussitôt retiré sa main.

— Sammy ? Tu es là ? Auriez-vous vu mon petit... mm... mon assistant ? a-t-elle demandé à un des agents de sécurité en uniforme qui nous surveillait tous de près pour s'assurer que personne ne nous importune.

— Putain ! a marmonné Sammy en s'écartant de moi. Elle ne peut pas trouver les toilettes toute seule ? Je dois filer.

Je l'ai retenu par la main.

— Non, attends, laisse-moi faire. Isabelle ! Ici ! Sammy est ici.

Elle a pivoté la tête d'un mouvement brusque. En nous voyant, elle a d'abord eu l'air soulagé, puis la perplexité s'est peinte sur son visage.

— Ça fait des heures que je te cherche ! a-t-elle pleur-niché, en m'ignorant.

— Désolée de vous l'avoir enlevé, Isabelle. Marlena et son cavalier étaient assez cassés et Sammy a eu la gentillesse de m'aider à les mettre dans une voiture. Nous rentrions justement vous retrouver.

Mon explication a semblé l'amadouer un peu, même

si elle continuait à faire comme si j'étais transparente. Elle regardait fixement Sammy qui, lui, fixait ses pieds.

— Bon, je vais voir où en sont les autres, ai-je annoncé d'une voix enjouée.

Je me suis éloignée mais j'ai tout de même entendu Isabelle, dont le ton plaintif s'était changé en une voix vicieusement froide, siffler :

— Je ne te fais pas des ponts d'or pour m'abandonner !

— Oh, arrêtez, Isabelle, a répondu Sammy, d'un ton plus las qu'agacé. J'ai pris cinq minutes pour lui donner un coup de main. Ce n'est pas vraiment vous abandonner.

— À ton avis, ça me fait quoi, de rester assise là toute seule pendant que mon cavalier file aider quelqu'un d'autre ?

Malheureusement, j'étais obligée de franchir la porte d'entrée, et je n'ai pas entendu la réponse de Sammy. Le temps que je me fraye un chemin entre le *vulgum pecus* et que j'atteigne le carré VIP, celui-ci s'était entièrement vidé. Le rap *made in USA* et le hip-hop avaient laissé place à une espèce de *trance* locale, et on aurait dit que le club tout entier pulsait de corps à peine vêtus. Camilla, Alessandra et Monica s'étaient toutes trouvé un homme – un joueur du Real Madrid, un présentateur de CNN International, et un play-boy anglais qui prétendait connaître Philip depuis leurs années de pensionnat – et les trois couples s'étaient réfugiés à l'écart, en divers coins de la boîte, sous l'œil attentif de Nedim et de ses confrères. J'ai aperçu Elisa et Davide en lisière de la piste, qui gesticulaient avec fureur l'un en face de l'autre. J'ai d'abord cru qu'il y avait de la scène de ménage dans l'air, mais en m'approchant, j'ai compris ma méprise. En fait, ils ne se disputaient pas – ils étaient bien trop défoncés à la coke pour pouvoir discuter au sens propre du terme et chacun était à ce point absorbé par l'importance de ses propres paroles qu'il hurlait pour couvrir la voix de l'autre. Comme d'habitude, les photographes et les journalistes faisaient bande à part à une table et se soûlaient une fois de plus avec des alcools forts. Six paquets vides de cigarettes gisaient sur la table devant eux, et c'est à peine s'ils m'ont accordé un regard quand je suis allée leur demander s'ils avaient besoin de quelque chose. Leo n'était nulle part en vue, mais Philip, lui, n'était pas difficile à localiser – il m'a suffi de repérer la fille la plus blonde et la mieux lotie en tour de poitrine de la soirée, et de déporter mon regard de quelques centimètres sur la droite. Il l'enlaçait par la taille, devant la cabine du DJ. La fille me rappelait vaguement quelqu'un, mais de dos, il m'était impossible de la reconnaître. Tandis que j'attendais qu'ils se retournent, j'ai vu Philip sortir une énorme liasse de billets de la poche de son jean et l'agiter sous le nez du DJ – un garçon décharné qui, comme tout DJ qui se respecte, gardait en permanence un écouteur du casque coincé entre l'oreille et l'épaule.

— Hé, mec, combien faut te payer pour que tu joues un truc civilisé ? (La fille a gloussé et bu une gorgée de son verre.) J'en peux plus de ces turqueries de merde !

Le DJ a attrapé le fric et l'a fait disparaître sous l'une des platines. Il a fait signe d'approcher à un autre gamin qui était avec lui dans la cabine, et lui a dit quelques mots. Ce dernier est allé vers Philip :

— Que voulez-vous écouter ? Il jouera ce que vous voulez.

— Dis-lui de nous passer un petit Bon Jovi, ou un Guns n'Roses.

Le garçon a traduit le message, et le DJ a hoché la tête, l'air dérouté. Mais quelques secondes plus tard, les enceintes ont déversé les premières mesures de

« Paradise City » et Philip s'est mis à battre la cadence avec de grands mouvements de tête. Quand il m'a aperçue, il s'est penché vers la fille, lui a dit quelques mots à l'oreille. Elle a hoché la tête et a décampé.

— Hé, mon cœur ! C'est pas mieux, cette musique ? m'a lancé Philip en contemplant son reflet dans la vitre de la cabine.

— C'était Lizzie Grubman ? ai-je demandé, en comprenant enfin pourquoi cette blonde avait un air si familier.

Il a continué à se cogner la tête contre un mur imaginaire.

— Ouais, apparemment, Tara Reid et elle ont entendu parler de notre petite virée ici ce week-end, et elles ont voulu venir voir par elles-mêmes.

— Elle est euh… elle est jolie…

Réponse lamentable s'il en est, sachant que j'aurais dû être aux anges – d'un point de vue professionnel, s'entend – que Lizzie Grubman et Tara Reid aient suivi notre groupe jusqu'à Istanbul.

— Son visage ressemble à un sac en croco, m'a précisé Philip en m'entraînant sur la piste. Allons, mon cœur, détends-toi un peu. Viens danser.

Je me suis échappée d'entre ses griffes quelques minutes plus tard, et suis allée rejoindre Elisa, qui semblait un peu calmée. Assise sur les genoux de Davide, elle bavardait paisiblement tandis qu'il lui massait les épaules tout en tirant de longues bouffées sur le pétard suspendu à ses lèvres.

— Tu pourrais t'occuper de ce qui se passe ici ? Un tas de gens sont rentrés à l'hôtel, et je devrais aller m'assurer que tout se passe bien là-bas.

— Bien sûr. Tu te fais trop de souci, Beth. Tout le monde s'éclate. Où est Leo ? Dis-lui juste que tu pars et on se retrouve à l'hôtel. D'accord ?

Davide lui a soufflé un peu de fumée au visage et elle a gloussé.

— Génial, ai-je dit. Je fais ça. À demain.

— Ouais. Je ne prévois pas de voir la lumière du jour demain, mais je te retrouve dès que je me réveille. Au fait, où est Philip ? a-t-elle demandé, en faisant un gros effort pour prendre un air détaché.

— Philip ? La dernière fois que je l'ai vu, il dansait avec Lizzie Grubman et Tara Reid.

— Quoi ? Elles sont là ? (Elle a bondi sur ses pieds et accroché un large sourire à ses lèvres.) Je vais les saluer tout de suite. À plus, Beth.

Je me suis mise en quête de Leo – en vain. Sans doute avait-il dû rencontrer un mec et le ramener à l'hôtel pour s'offrir une petite récréation. Nedim m'a proposé de me raccompagner dans sa Porsche et j'étais tentée d'accepter quand sa main m'a effleuré les reins. Que dirais-je d'une visite des endroits branchés qui fermaient tard ? s'est-il enquis avec un sourire suggestif. J'ai décliné poliment son offre et embarqué à bord d'une limousine. À l'hôtel, l'employée de la réception m'a accueillie par mon nom et m'a énuméré qui, du groupe, était déjà rentré, et à quelle heure.

— Oh, attendez, il y a aussi un message pour vous, a-t-elle ajouté en me tendant une feuille pliée.

Je l'ai immédiatement ouverte, certaine d'apprendre un désastre. RETROUVE-MOI CHAMBRE 18 QUAND TU RENTRES, était-il écrit. Il n'y avait pas de signature, mais une clé magnétique était glissée entre les plis de la feuille.

J'ai réfléchi un instant. Le message émanait forcément de Sammy. Il avait dû se débrouiller pour trouver une chambre loin de celle d'Isabelle, afin que nous puissions passer un moment tous les deux. C'était, si j'osais y penser, l'attention la plus romantique, la plus excitante dont j'avais jamais été l'objet. Grâce à ma séance de hammam, jamais mon corps n'avait été aussi doux et poli, et maintenant, mon amoureux secret me donnait un rendez-vous clandestin. Rien que ça !

Le trajet en ascenseur m'a paru durer une éternité, et lorsque j'ai frappé à la porte indiquée, je tremblais d'excitation.

Cette maudite porte a mis une bonne minute à s'ouvrir – une minute qui a duré un mois – et soudain, un atroce pressentiment m'a étreinte : et si le message n'était pas de Sammy ? Et s'il avait été laissé à l'intention de quelqu'un d'autre ? En trente secondes, j'ai entrevu une douzaine de quiproquos possibles, et j'ai commencé à paniquer. Comment allais-je devoir réagir, si ce n'était pas lui qui m'attendait derrière cette porte, prêt à me dévêtir sauvagement et à me jeter sur le lit ? S'il vous plaît, ai-je prié à l'adresse de quelque entité inconnue, s'il vous plaît ! Faites que ce soit lui, et faites qu'il me désire autant que je le désire, et faites aussi en sorte qu'il…

La porte s'est ouverte, une main m'a happée à l'intérieur de le chambre, et avant même d'avoir refermé la porte, Sammy a collé sa bouche sur la mienne.

— J'ai tellement envie de toi…, a-t-il murmuré d'une voix saccadée tout en me couvrant le visage, le cou, les épaules de baisers et en me retirant ma robe.

Ce sont les derniers mots qui ont été échangés. Nous nous sommes effondrés sur le lit et jetés l'un sur l'autre avec une férocité qui aurait pu m'effrayer si elle ne m'avait pas autant plu. Nos membres se sont emmêlés, et j'ai perdu toute notion de temps et d'espace. J'aurais été incapable de dire quelle partie de mon corps il caressait. J'étais submergée de sensations – le poids de son corps, le parfum de son déodorant, les duvets sur mes bras et mes reins qui se dressaient chaque fois qu'il me passait la main dans le dos. Je vivais une scène érotique droit sortie d'un roman Harlequin – en mieux peut-être. Ce n'est qu'en entendant frapper à la porte que j'ai remarqué les douzaines de bougies allumées dans la chambre, les deux verres de vin rouge intacts, et que j'ai entendu la compilation du Bouddha Bar que diffusait le lecteur de CD encastré dans les tables de nuit.

— Tu sais qui ça peut être ? ai-je chuchoté en me dégageant et en m'effondrant sur le dos.

— Personne d'autre que la réception. J'ai mis la chambre sur ma carte de crédit perso.

— Isabelle aurait pu t'entendre ?

— Impossible. Elle a avalé une pleine poignée d'Ambien pour se remettre du décalage horaire. Elle ne se réveillera pas avant deux jours.

Nous avons continué à débattre ainsi pendant un petit moment, jusqu'à ce que je m'aperçoive que le jour était levé, et que je ferais mieux de regagner la chambre dans laquelle j'étais censée me trouver, si je ne voulais pas devoir répondre à des tas de questions.

Sammy m'a à nouveau hissée sur lui et a commencé à m'embrasser le lobe de l'oreille, boucle d'oreille comprise.

— Ne pars pas. Pas tout de suite, du moins.

— Je suis désolée, mais il le faut. Tu n'as pas envie que tout le monde soit au courant, n'est-ce pas ? Du moins pas encore, et pas comme ça.

— Je sais, tu as raison. Pas comme ça. On aura tout le temps du monde devant nous une fois rentrés à New York.

— Tu ne pourras plus te débarrasser de moi, une fois qu'on sera rentrés, ai-je chuchoté.

Ma minirobe rebrodée de perles était roulée en boule sur le bureau, mais j'ai réussi à la renfiler avec un semblant de dignité avant de m'effondrer à nouveau sur le lit. L'idée de remettre quelque sous-vêtement que ce soit m'était insupportable ; alors j'ai récupéré mon soutien-gorge sans bretelles qui pendait sur la tête de lit, et je l'ai fourré, avec le reste, dans mon sac.

Sammy a tiré un drap du lit que nous avions mis sens dessus dessous et l'a enroulé autour de sa taille tout en me reconduisant à la porte. Puis il a pris mon visage entre ses mains avec autant de délicatesse que s'il tenait une petite chose fragile et sublime.

— Beth, merci pour cette incroyable nuit.

Je me suis hissée sur la pointe des pieds pour me suspendre à son cou une dernière fois.

— C'était merveilleux. Parfait.

Et ça l'était, comme dans mes rêves les plus fous, jusqu'à ce que j'ouvre la porte et que je sois accueillie par le flash le plus vif, le plus agressif qu'il m'avait jamais été donné d'expérimenter. Une série de flashes en rafale, plus exactement, qui m'ont pétrifiée sur place.

— Oups ! Désolé. Je me suis trompée de chambre, a dit John, un de nos photographes embarqués.

— C'est quoi, ce bordel ? a demandé Sammy.

— Laisse-moi m'en occuper. Attends ici.

Je suis sortie dans le couloir et j'ai refermé la porte derrière moi.

— Qu'est-ce que c'est que ça ? Que faites-vous ?

Je hurlais presque.

— Hé, ma belle, je suis désolé. Ne vous inquiétez pas, je n'ai rien vu, promis.

Sa réponse était bien peu convaincante. John était le plus mielleux de la bande de journalistes et dès le départ, sa présence m'avait rendue nerveuse – son travail consistait principalement à alimenter les pires tabloïds en clichés qu'il vendait au plus offrant. Kelly avait insisté sur l'avantage qu'il y avait à l'emmener avec nous car les directeurs artistiques adoraient ses photos.

— Pourquoi surveillez-vous ma chambre ? Enfin…
euh, la sienne. Je fais le tour des chambres pour établir
le planning de la journée. Franchement, ça n'a rien de
très intéressant pour vos lecteurs.

— Écoutez, c'est pas mes oignons de savoir avec qui
vous vous envoyez en l'air. (Il a lâché un gloussement
entendu.) Naturellement, j'imagine que je pourrais trouver preneur pour cette info, mais vous êtes superchouette
avec nous, alors on va juste oublier l'incident.

Salaud. Il scrutait mon visage – certainement barbouillé de traces de maquillage – et reluquait avec concupiscence ma tenue débraillée, et mon allure générale qui
en disait long sur ce que je venais de faire.

— D'autant, a-t-il poursuivi en rangeant le flash dans
sa sacoche, que ce que j'espérais trouver derrière cette
porte aurait été bien plus chaud qu'une partie de jambes
en l'air entre vous et le mec d'Isabelle.

— Pardon ?

J'avais envie de l'étrangler, parce qu'il suggérait
qu'il pouvait y avoir mieux que la nuit que je venais de
passer, parce qu'il n'avait pas gobé mon bobard ridicule
à propos de la préparation des emplois du temps et parce
qu'il avait le culot de tenir pour acquis que Sammy était
la propriété d'Isabelle. Naturellement, j'étais incapable
de penser à une repartie un tant soit peu insultante ou
intelligente.

— Bon, disons simplement que d'après certaines
sources, il y aurait dans l'air une partie privée entre votre
petit ami et un de ses plus proches amis.

Il a haussé ses sourcils broussailleux et crispé les
lèvres dans une tentative de sourire.

— Quand je dis « votre petit ami », j'entends Philip
Weston, a-t-il précisé avec un rictus.

J'ai ravalé ma rage.

— Mmm… passionnant. Mais si vous voulez bien m'excuser, je dois remonter continuer ma tournée.

Je suis passé devant lui, pieds nus, mes sandales dans une main, mon sac dans l'autre et j'ai foncé en ligne droite vers l'ascenseur.

Plus j'y pensais, moins l'incident me paraissait cauchemardesque, d'autant qu'il n'avait pas semblé particulièrement passionné par le scandale – enfin le non-scandale – que constituait cet aparté entre Sammy et moi. *Et pourquoi aurait-il dû l'être ?* me raisonnais-je. Cet homme passe sa vie à suivre des gens célèbres dans le monde entier pour documenter tous les drames qu'ils s'ingénient à créer. En quoi pourrait-il être intéressé par une insignifiante chargée de relations publiques qui saute sur les lits en dehors de ses heures de service ? Et avec quelqu'un qui n'est même pas célèbre ! Évidemment, il y avait Philip, et ça c'était un problème. Et si Kelly apprenait que j'avais été surprise en compagnie de l'assistant d'Isabelle, elle ne serait pas contente. Isabelle pourrait faire pression pour que je sois virée. Mais n'étais-je pas en train de me monter la tête ? Ce John tiendrait sa langue. Mes faits et gestes n'intéressaient apparemment qu'Abby et ses tentacules n'étaient pas assez longs pour atteindre Istanbul. *Voilà pourquoi j'ai été si choquée et contrariée en découvrant ce photographe qui me mitraillait !* ai-je songé. Pendant vingt-quatre heures de pure félicité, j'avais oublié la sensation que cela procurait de se sentir surveillée, espionnée, vulnérable. Abby étant à dix mille kilomètres de là, j'étais libérée de cette odieuse crainte de voir ma vie privée étalée en public. J'ai inspiré profondément en me rappelant que ç'aurait pu être bien plus grave et j'ai remercié qui de droit pour le fait qu'Abby était sur un autre continent.

En approchant de la porte de notre suite, j'ai remarqué qu'elle était imperceptiblement entrouverte. Des bruits étouffés me sont parvenus. J'ai immédiatement pigé que la fameuse partie fine avait bel et bien lieu – dans ma chambre. J'ai vaguement songé à frapper discrètement à la porte, puis finalement je me suis contentée d'entrer.

J'ai traversé le salon et me suis avancée sur le seuil de la chambre, où j'ai découvert Leo étendu sur le lit, sur le dos, nu. Il m'a fallu une ou deux secondes de plus pour comprendre que la touffe de cheveux qui montait et descendait au-dessus de la région pelvienne de Leo appartenait à Mr. Philip Weston, dont les fesses nues me saluaient. Leo m'a aperçue avant que j'aie pu réagir.

— Hé, Beth, ça va ? a-t-il lancé avec nonchalance, sans tenter le moindre geste pour se couvrir.

En entendant mon nom, Philip a pivoté la tête, exposant les quelques centimètres carrés de nudité de Leo qui étaient restés cachés jusque-là.

— Oh, salut, poupée, comment vas-tu ? a-t-il demandé en s'essuyant délicatement les lèvres sur une taie d'oreiller. Où étais-tu passée, toute la soirée ?

— Où j'étais passée toute la soirée ? ai-je répété bêtement, fidèle à mon habitude.

— Je t'ai attendue, mon cœur. Une éternité ! a-t-il pleurniché, en sautant du lit, avec autant d'énergie qu'un môme le matin de Noël, pour aller enfiler un peignoir.

J'ai réalisé que c'était la première fois que je le voyais entièrement à poil.

— Une éternité, ah oui ? ai-je brillamment répondu.

— Si tu étais rentrée à l'heure à laquelle tu aurais dû rentrer, je ne pense pas que Leo aurait fini dans mon lit. Tu ne crois pas, mon cœur ?

J'ai éclaté de rire. Ça, c'était la meilleure !

— Philip ! Je t'en prie ! Tu n'as pas voulu coucher avec moi en…

— Hé, du calme, poupée, détends-toi. Leo s'est pointé ici et s'est effondré sur le lit. J'ai dû m'endormir moi

405

aussi. On a été dingues de boire autant, mais au moins, après cette petite sieste, on a dessoûlé.

À ce stade-là, mon rire s'était transformé en fou rire.

— Tu es sérieux ? Tu es en train de me dire que je n'ai pas vu ce que je viens de voir ?

Si seulement l'un des deux avait eu la courtoisie de paraître ne serait-ce qu'un peu gêné par l'incident, j'aurais pu – je dis bien *j'aurais pu* – être capable de gérer la situation.

— Hé, les mecs, je vais commander du jus d'orange, du café et peut-être quelques croissants, a annoncé Leo. Je sens arriver une gueule de bois carabinée.

Sans faire le moindre effort pour se couvrir, il a attrapé la télécommande de la télé et a consulté la liste des films disponibles.

— Excellente idée, mec. Pour moi, ce sera un double expresso, quelques aspirines, et un bloody mary XXL.

— Je rêve, non ? ai-je fait, en me demandant à quel moment ma nuit – ma vie entière – avait basculé dans la quatrième dimension.

J'avais l'impression de vivre dans une réalité parallèle, mais apparemment, j'y vivais seule. Philip a écarté les pans de son peignoir, l'a laissé glisser à terre et est entré dans la salle de bains en laissant la porte grande ouverte derrière lui.

— Mmm... tu disais ? a-t-il lancé depuis la cabine de douche. Leo ? Explique donc à ta collègue que toi et moi on est juste potes.

Leo a réussi à s'extraire de l'enchevêtrement de couvertures qui semblaient avoir enduré plusieurs heures de mauvais traitements, et a enfilé son jean – sans sous-vêtement.

— Bien sûr, Philip. Beth, mon chou, Philip et moi, on est juste amis. Tu veux grignoter quelque chose ?

— Mmm, non, merci... Je crois que je vais aller

prendre mon petit déjeuner en bas, d'accord ? On se voit plus tard.

J'ai fourré un jean, un T-shirt et une paire de mules, dans un des sacs à linge de l'hôtel et j'ai filé sans demander mon reste, en me sentant vaguement nauséeuse tandis que je laissais Philip et Leo à leur tranquillité domestique.

Pour tuer un petit moment avant de pouvoir regagner ma chambre en toute sécurité, je me suis installée dans la salle de restaurant. Juste au moment où le serveur me présentait des cafetières et une corbeille de viennoiseries et de pâtisseries incroyables, Elisa a débarqué et s'est laissée choir sur le fauteuil en face de moi.

— Impossible de dormir. Et je suis au bord du suicide, a-t-elle annoncé.

J'ai paniqué aussitôt, convaincue qu'elle était déjà au courant de ce qui s'était passé. Il était huit heures, et je m'étais imaginé – à tort – que personne ne serait réveillé d'aussi bon matin. Mais Elisa, avec ses cheveux emmêlés, ses yeux cerclés de noir et ses mains tremblantes, avait probablement pris beaucoup trop de drogue pour ne serait-ce que caresser l'idée de dormir. Donc, elle était descendue pour attendre que ça se tasse.

— Je t'en prie, prends donc un siège, ai-je répondu, en m'efforçant d'avoir l'air détendu.

Le serveur lui a apporté une tasse et une sous-tasse, qu'elle a fixées un instant d'un œil vitreux, comme si elle n'avait jamais vu ni l'une ni l'autre de sa vie, puis elle s'est ressaisie et s'est servie du café.

— Tu es tombée du lit, a-t-elle observé en me dévisageant avec suspicion avant d'avaler son café d'un trait. Où est Philip ?

— Philip ? (J'ai voulu lâcher un rire désinvolte qui s'est étranglé dans ma gorge.) Il dort encore, je crois.

Je ne sais pourquoi je me suis levée si tôt. Le décalage horaire, sans horaires.

— Le décalage horaire ? a-t-elle répété avec un reniflement de dédain. Si c'est là ton seul problème, avale un Xanax et ce sera résolu. Je me sens comme une merde.

— Tiens, mange un truc. Ça te fera du bien.

Autre reniflement dédaigneux.

— Ce muffin contient au bas mot autant de graisses et de glucides que deux Big Macs. Merci bien !

Elle s'est resservi une tasse de café, qu'elle a de nouveau vidée d'une seule gorgée.

— Davide est en haut ? ai-je demandé – non parce que j'en avais quelque chose à fiche, mais parce que j'avais le sentiment qu'il me fallait dire quelque chose.

— Je ne sais pas où il est. J'ai perdu sa trace vers trois heures du matin. Il a dû rentrer avec une Turque.

Elle ne semblait ni contrariée, ni surprise. Je me suis contentée de la dévisager. Elle a soupiré.

— Philip ne te ferait jamais un plan pareil, lui, pas vrai ? Il est tellement génial...

J'ai manqué de recracher ma gorgée de jus d'orange, mais j'ai réussi à garder une contenance.

— Mm mm... Tu n'as jamais entendu dire que Philip était, euh... Qu'il s'intéressait...

— Qu'il s'intéressait à quoi ? a-t-elle demandé avec un regard voilé.

— Oh, je ne sais pas... aux garçons ?

La question lui a d'abord arraché un hoquet, puis elle est restée bouche bée.

— Philip Weston ? Gay ? Tu plaisantes ? Beth, comment peux-tu être si naïve ? Parce qu'il a un style fabuleux, qu'il roule en Vespa et qu'il fait du yoga ne signifie en aucune façon qu'il aime les mecs.

Bien sûr que non, ai-je songé. *Mais que signifie le fait que je l'ai surpris, il y a une demi-heure, en train de tester les joies du sexe oral sur notre collègue très ouvertement gay ?*

— Certes. J'entends bien ce que tu dis. C'est juste que…

— Beth, quand vas-tu te décider à apprécier ce garçon à sa juste valeur ? Toute fille saine d'esprit ferait tout et n'importe quoi pour le garder, mais on dirait que c'est un détail qui t'échappe. Dis donc, il paraît qu'il y a eu du scandale ici, ce matin…

Le changement de sujet était si abrupt que je n'ai pas eu le temps d'enregistrer que je pouvais être concernée.

— Du scandale ? Quelqu'un du groupe ? Il y a des témoins ?

Elle m'a regardée dans les yeux, et l'espace d'un instant, j'ai eu la certitude qu'elle était au courant de toute l'histoire. Mais elle s'est contentée de dire :

— Je ne sais pas trop. Un des photographes – le gros, comment s'appelle-t-il, déjà ? – a mentionné qu'il avait pris quelques clichés « intéressants » de quelqu'un dans une situation compromettante. Tu n'as pas une idée de qui il parlait, ou de ce qui s'est passé ?

J'ai mastiqué mon croissant avec application, le regard rivé sur la une de l'*International Herald Tribune*.

— Mmm… non, je n'ai rien entendu dire. Tu crois qu'on devrait s'inquiéter ? Il ne faudrait pas qu'il laisse filtrer une info dommageable.

Elisa s'est resservi une troisième tasse de café et s'est autorisée cette fois une dose de saccharose. C'était un tel effort pour elle d'ouvrir le sachet que ses mains tremblaient.

— À mon avis, il nous suffit d'attendre. Bon, je vais essayer de dormir – je redescendrai dans une heure ou deux pour mon gommage au hammam. J'ai entendu dire que c'est meilleur pour la peau qu'un peeling au laser. À tout à l'heure.

Je l'ai regardée s'éloigner, en clopinant sur ses jambes aussi maigres que des échasses. Pourquoi avions-nous une relation aussi bizarre, elle et moi ? me suis-je demandé. Mais parlant de gommage, ça m'a rappelé mon propre rendez-vous. J'ai terminé mon petit déjeuner et j'ai gagné le spa, pour me faire masser avant d'entreprendre ma tournée des hauts lieux touristiques, et j'ai ajouté une pédicure à la paraffine pour faire bonne mesure. Celle-là, je ne l'avais pas volée.

26

— Je dois avouer que mon préféré, c'est celui-là, a déclaré Will en me tendant une impression papier par-dessus la table.

Son ton n'avait rien d'amusé. Il avait pris l'initiative de constituer, depuis que je travaillais chez Kelly & Co., une petite collection d'articles où mon nom était cité. Nous étions en train de la consulter, attablés devant le brunch. J'étais rentrée de Turquie la semaine précédente, convaincue que ce voyage avait été un succès incroyable. Personne ne semblait avoir le moindre soupçon de ce qui s'était passé avec Philip, ou avec Sammy. Mais à l'évidence, je m'étais détendue trop vite.

À croire qu'Abby était omnisciente. Sans doute s'était-elle débrouillée pour entrer en contact avec John, le gros photographe, car elle avait réussi à se procurer une minuscule parcelle de vérité, qu'elle avait tissée dans un hideux mensonge. Cette perle était parue le vendredi, et cette fois, j'avais bien cru que Kelly allait avoir une crise cardiaque.

À en croire nos sources, la chargée de relations publiques Bette Robinson a fait quelque peu parler d'elle alors qu'elle encadrait un voyage de presse à Istanbul le mois dernier. Nous apprenons que Robinson, surtout connue pour ses liens avec Philip Weston, a entretenu des relations de la plus grande intimité avec Rick Salomon – l'homme par qui la cassette porno de Paris Hilton est arrivée jusqu'à nous – dans l'hôtel même où elle partageait une chambre avec Weston. Les lecteurs sont-ils en droit d'espérer un remake de la fameuse cassette avec, cette fois, dans le rôle principal, l'organisatrice de soirées préférée de tout monde ? À suivre…

Ce charmant article s'accompagnait de la photo qui avait été prise lorsque j'avais ouvert la porte de la chambre de Sammy. Mes sandales dans une main, l'autre glissée dans ma tignasse emmêlée de fille qui sort du lit, j'avais la bouche ouverte d'une façon disgracieuse et les yeux barbouillés de maquillage. J'avais l'air tout aussi salope que Paris, son corps et ses fringues fabuleuses en moins. On avait flouté la silhouette qui apparaissait en arrière-plan ; en y regardant de plus près, on distinguait clairement un corps masculin, un drap de lit enroulé autour de la taille, mais toute identification plus précise était impossible. C'était Sammy, naturellement – et ce salaud de photographe qui avait passé cinq jours avec lui le savait parfaitement, mais apparemment, il avait négligé de passer l'info à Abby en même temps que la photo. J'imaginais qu'elle avait consacré un peu de temps à essayer de deviner l'identité de mon amant illicite avant de choisir au hasard quelqu'un de particulièrement dommageable pour ma réputation.

Pour la toute première fois depuis que je travaillais pour elle, Kelly n'était pas contente de cette publicité. Elle m'avait demandé, loyalement, s'il y avait du vrai dans tout ça, puis elle m'avait demandé pourquoi Abby s'acharnait sur moi. Je l'ai assurée que je n'avais jamais rencontré ce Rick Salomon, et encore moins couché avec lui – avec ou sans caméra – et elle a semblé me croire. Bizarrement, il ne lui était pas venu à l'idée de me demander qui était l'homme sur la photo. Je n'avais donc pas eu besoin de lui mentir. Après ce petit interrogatoire, elle m'a donné pour instruction d'aplanir toute animosité avec Abby puisque ce genre de publicité n'avait rien d'utile. Elle m'a également rappelé que nous n'étions plus qu'à quatre semaines à peine de la fête *Playboy* : à compter de ce jour et dans l'intervalle, il ne devait plus y avoir de publicité négative, vraie ou fausse, concernant ma vie privée. Je l'ai assurée que je comprenais parfaitement et j'ai fait le serment de mettre un terme à tout ça, même si je n'avais aucun plan d'action réaliste pour y parvenir. Je savais que je devais appeler Abby et m'expliquer avec elle, mais cette seule idée me rendait malade d'angoisse.

Philip, naturellement, avait tenu sa langue ; j'étais seule à savoir combien il était soulagé que la photo parue concerne mon indélicatesse – même si, du coup, il passait pour un pauvre type que sa petite amie trompait ouvertement ou, pour reprendre les mots de Will, un cocu. Au moins, ce n'était pas une photo immortalisant sa petite visite à l'équipe adverse. Philip et moi n'avions toujours pas ne serait-ce que mentionné ce qui s'était passé ce soir-là à Istanbul. Pas un mot. *Nada*. Les choses avaient repris leur cours normal pour le reste du séjour. Séances au spa dans la journée, et débauche jusque tard dans la nuit. Deux jours et deux nuits à échanger des regards avec Sammy sans pouvoir le toucher (les Ambien d'Isabelle n'avaient pas fait effet assez longtemps) et, plus généralement, à veiller à ce que les invités soient satisfaits et n'aient aucun ennui. Pour Philip et moi, le voyage s'était terminé comme il avait commencé – nous faisions semblant d'être ensemble – mais quiconque se serait donné la peine d'y regarder de plus près aurait remarqué que je n'avais guère fait plus qu'une sieste dans notre suite nuptiale.

Au cours de la semaine qui avait suivi notre retour, Philip et moi nous étions revus, et aucun de nous n'avait démenti lorsque les gens prenaient pour acquis que nous étions ensemble. Après le chaos provoqué par la photo, cette réconciliation m'a donné quelque marge de manœuvre auprès de Kelly. Mais il me fallait trouver un moyen de me sortir de cette « relation » avec un minimum de drame – non seulement à cause de la pression exercée par la presse à scandales, mais parce que j'aimais vraiment bien Sammy.

Il y avait tout de même de bonnes nouvelles : tous les grands quotidiens et hebdomadaires avaient consacré de grands papiers à la débauche soigneusement orchestrée du groupe ; l'Association des Propriétaires de Nightclubs était ravie et convaincue d'accueillir rapidement un nombre sans précédent de fêtards américains. Seul le New York Scoop avait publié cette horrible photo de moi. Kelly s'était calmée une fois prévenue que Philip et moi nous étions « réconciliés ». Sammy s'était répandu en excuses, mais Isabelle tenait la laisse si serrée que nous ne nous étions que très peu vus depuis notre retour. Les seuls qui semblaient vraiment aux quatre cents coups, c'étaient mes parents.

Ma mère était en proie à une telle hystérie lorsqu'elle a appelé que j'ai été obligée de raccrocher au milieu de la conversation et de demander à Will de la rappeler pour lui expliquer qu'il ne faut pas croire tout ce qu'on lit dans les journaux – surtout quand il s'agit des rubriques « people ». Il a réussi à lui faire entendre un peu raison, mais cela ne changeait rien à un fait quelque peu dérangeant : même si je n'avais pas couché avec l'homme qui avait fait la fameuse cassette de Paris Hilton, mes parents avaient tout de même vu une photo de moi prise juste après que j'avais, de façon assez patente, couché avec quelqu'un. Ils ne comprenaient rien à ce que je trafiquais, tant d'un point de vue professionnel que personnel. Le problème était loin d'être résolu, mais le gros de la tempête semblait passé, et Will était le seul à en faire encore des gorges chaudes.

Le dimanche, une semaine exactement après mon retour de Turquie, je prenais le brunch avec Will et Simon. J'étais en train de déplorer l'absence de faits étayés et de vérité dans cet article quand Will m'a interrompue.

— Beth, chérie, arrête d'employer le mot *vérité* à propos des rubriques de potins. Ça te fait passer pour une oie blanche.

— Comment suis-je supposée réagir ? Je dois me réjouir de ce qu'ils publient tout ce que cette garce vengeresse décide d'inventer à mon propos ? C'est un miracle, et une bénédiction que je n'aie pas perdu mon boulot.

— Tu crois ? a fait Will en buvant une gorgée de bloody mary.

— C'est toi qui m'as quasiment obligée à prendre ce boulot, si je me souviens bien. Toi qui as dit que je devais me faire plus d'amis, sortir, avoir une vie. Eh bien, c'est ce que j'ai fait. Rien de plus.

— Ce n'est pas *ça* que j'avais en tête, m'a-t-il rétorqué en brandissant la photo pour souligner son argument. Et tu le sais parfaitement. Enfin, ma chérie ! Je suis heureux de te soutenir dans tout ce qui te rend heureuse, mais nul besoin d'être fin observateur pour dire que ce n'est pas le cas de *ça*.

Bon… La remarque m'a momentanément cloué le bec.

— Bien. Que proposes-tu, alors ? Tu trouvais que travailler dans une banque était mortel, et maintenant, tu désapprouves le boulot que *tu* m'as trouvé parce qu'une fille que j'ai connue dans une vie antérieure en a après moi ? Ça me paraît injuste.

Will a soupiré.

— Tu t'en remettras, ma chérie. Tu es une grande fille, maintenant, et je suis sûr que tu trouveras quelque chose d'un peu plus – comment pourrais-je formuler ça ? – *discret* que ton style de vie du moment. Organiser des soirées et sortir, boire un verre ou deux, se livrer à quelques ébats amoureux avec un joli garçon, ce sont là des choses que j'encourage totalement. Mais fréquenter un fils à papa pour faire plaisir à ta patronne, voir ton nom et ta photo s'étaler sur tous les torchons de cette ville *et* oublier l'anniversaire de ton oncle parce que tu es trop occupée à jouer les baby-sitters internationales pour des stars de seconde zone et des mondains désœuvrés n'étaient pas exactement ce que j'avais en tête lorsque je t'ai conseillé d'accepter ce travail.

L'anniversaire de Will. Le 2 janvier. Je l'avais oublié.

Will a fait signe au serveur de lui apporter un autre bloody mary et a sorti son portable.

— Ma chérie, excuse-moi un instant, je sors donner un coup de fil. Je ne sais pas où est passé Simon. Ça ne lui ressemble pas d'être en retard.

Il a posé sa serviette sur la chaise et traversé la salle du restaurant en quelques enjambées, avec une distinction de gentleman. À son retour, il était souriant et calme.

— Comment se porte ta vie sentimentale, ma chérie ? s'est-il enquis, comme si nous n'avions pas du tout parlé de Philip.

— Je n'en ai pas dit assez ? Je me moque pas mal de Philip.

— Ma chérie, je ne parlais pas de Philip. Où est passé ce grand gaillard avec lequel tu es partie à Poughkeepsie ? Il me plaisait bien.

— Sammy ? Comment peux-tu savoir si tu l'aimes bien ? Tu ne l'as vu que trente secondes.

— Oui, mais trente secondes qui m'ont montré qu'il était entièrement disposé à mentir pour moi. Ça, c'est une qualité. Alors dis-moi, il ne t'intéresse pas du tout ? a-t-il demandé, en me dévisageant avec une insistance dont il n'était guère coutumier.

Allais-je lui raconter ce qui s'était passé à Istanbul ? J'ai soupesé la question, puis j'ai décidé de me lancer. Une personne au moins dans ma vie devait savoir que je n'étais pas une coureuse invétérée.

— Mmm… je ne dirais pas ça.

— Tu dirais quoi, alors ? Qu'il t'intéresse ? Ou pas ?

Will m'a décoché un clin d'œil. J'ai pris mon inspiration.

— C'était lui, le garçon sur la photo. Mais on ne pouvait pas le reconnaître.

J'ai eu l'impression que Will luttait pour réprimer un grand sourire.

— Donc, il était en Turquie avec toi ? Et comment as-tu manigancé tout cela, très chère ?

— C'est une longue histoire. Disons juste que je ne savais pas qu'il serait là.

— Vraiment ? a fait Will en haussant un sourcil. En tous les cas, je suis heureux d'entendre ça. Je suis navré que ça ait fini dans la presse à scandales, mais je suis content que vous deux ayez… cimenté votre relation.

De là, Will s'est mis à discourir : il m'avait toujours imaginée avec un garçon comme Sammy – le genre costaud et taciturne – et il était temps que je me trouve un vrai petit ami, capable de comprendre ce qui importait vraiment. Ah, et à ce propos, quelles étaient ses inclinations politiques ? J'ai répondu avec plaisir à toutes ces questions, heureuse de parler de Sammy à défaut d'être avec lui. Au moment où nous attaquions nos omelettes, Will a mis sur le tapis le seul sujet que je voulais oublier.

— Maintenant, je sais au moins que c'est pour une bonne raison que je n'ai revu ma nièce qu'une semaine après son retour au bercail. Si tu avais simplement passé toutes tes soirées dehors par obligation professionnelle, j'aurais été vexé, mais maintenant qu'il y a un petit ami dans le tableau… Toute nouvelle histoire d'amour doit être dorlotée et les commencements sont ce qu'il y a de meilleur ! Oh, je me souviens si bien de tout ça ! Tu n'es jamais rassasiée de l'autre. Chaque instant de séparation est une torture. Cela dure deux ans, environ… Après quoi, les choses prennent un virage à cent quatre-vingts degrés et tu essaies de grappiller chaque moment possible de solitude. Mais tu as bien le temps avant d'en arriver là, ma chérie. Alors raconte, c'était comment ?

J'ai piqué une bouchée d'omelette, que j'ai repoussée sur le bord de l'assiette avant de poser ma fourchette.

— En fait, nous ne nous sommes pas revus depuis notre retour. (C'est en le disant à voix haute que j'ai réalisé combien c'était atroce.) Mais tout va bien ! me suis-je empressée d'ajouter. Il est très occupé, il a des gens à voir, pour son projet de monter un restaurant – ce n'est pas son principal objectif, mais une opportunité se présente en ce moment – et on s'est parlé plusieurs fois au téléphone, et puis de toute façon, moi-même j'ai couru dans tous les sens pour organiser la soirée *Playboy*, alors tu sais comment c'est…

En entendant ces mots sortir de ma bouche, je savais que je donnais l'impression d'une fille sans trop d'illusions qui essayait de se convaincre, et de convaincre les autres, qu'un garçon s'intéressait vraiment à elle, en dépit de tous les signes extérieurs qui indiquaient le contraire. J'étais terriblement contrariée et ébranlée de n'avoir pas revu Sammy, mais je disais vrai : nous avions été l'un et l'autre débordés – sans compter qu'à New York, ça n'avait rien d'exceptionnel de ne pas revoir un nouveau petit copain de toute une semaine. D'autant qu'il m'avait appelée trois fois en sept jours, m'avait dit plusieurs fois qu'il avait passé un moment de rêve en Turquie avec moi, et qu'il lui tardait que les choses se calment un peu, afin qu'on puisse enfin sortir tous les deux, en amoureux. J'avais lu assez de romans sentimentaux pour savoir que la pire des attitudes serait d'insister, d'être en demande. Jusque-là, tout s'était déroulé selon un schéma naturel, et même si j'aurais aimé le revoir une fois ou deux au cours de la semaine écoulée, il n'y avait pas motif à se mettre martel en tête. J'étais à peu près certaine qu'un long avenir radieux s'ouvrait devant nous, alors à quoi bon s'emballer ?

— Mm mm, je vois, a marmonné Will. (Il a eu l'air un instant troublé, puis son front s'est déridé.) Tu sais ce que tu fais, ma chérie, j'en suis sûr. Tu prévois de le revoir bientôt ?

— Oui, demain justement. Je dois passer à la soirée de *In Style* ; il y travaillera. Il m'a proposé d'aller boire un café après.

Will a paru satisfait de ma réponse.

— Parfait. Transmets-lui mon meilleur souvenir. (Il a joint ses mains et s'est penché vers moi, comme une fillette impatiente d'entendre les dernières nouvelles.) Et je t'ordonne de l'inviter au brunch dimanche prochain, a-t-il ajouté tandis que Simon arrivait enfin.

— Sammy ? Oooh, quelle bonne idée ! s'est exclamé Simon. Oui, donne-nous l'occasion de vraiment faire connaissance avec ce jeune homme.

Selon toute évidence, ma relation archi-secrète avec Sammy était quelque peu éventée.

— Aussi alléchante que soit cette idée, mes amis, le dimanche, Sammy prépare le brunch à la Gramercy

Tavern, donc il ne pourra pas être des nôtres. Une autre fois, peut-être, ai-je ajouté en voyant la déception se peindre sur leurs visages.

— Eh bien, nous pourrions peut-être nous déplacer jusque-là, a proposé Will à contrecœur. J'ai entendu dire que c'est plutôt bon.

Simon a opiné avec un flagrant manque d'enthousiasme.

— Oui, pourquoi pas ? C'est une bonne idée. À un moment donné...

Finalement, et heureusement, la conversation a dérivé sur leur prochain séjour dans la Caraïbe, et j'ai fait mine de les écouter, tout en rêvant à ce rendez-vous du lendemain pour un café du soir avec mon nouveau petit ami.

27

La journée du lundi a filé dans un flou total. J'étais si excitée à l'idée de retrouver Sammy après le boulot que j'ai traversé la journée en flottant, comme dans un rêve. Je ne me souvenais d'aucun des points abordés le matin en réunion et j'ai dû demander à une des filles de La Liste de me photocopier ses notes. Toute l'agence était en état de mobilisation maximale à présent que la soirée *Playboy* approchait à grand train, et même si j'étais officiellement responsable du dossier, j'étais incapable de me concentrer. À l'heure du déjeuner, je me suis éclipsée pour un rendez-vous chez la manucure. À quinze heures, j'ai annoncé que je descendais chercher un café, alors qu'en réalité, j'ai foncé chez la couturière récupérer la robe de cocktail très sexy que j'avais achetée la veille, et apportée à raccourcir. Et aux alentours de dix-huit heures, j'ai commencé à débiter des sornettes inintelligibles à propos de mes parents, de Will, d'un ami malade – tout ce qui serait susceptible de m'autoriser à partir tôt, afin de disposer de deux bonnes heures pour rentrer chez moi, décompresser, me pomponner. J'ai prévenu par mail Elisa et Kelly que j'irais faire un saut au cocktail de *In Style* et qu'elles auraient un compte rendu le lendemain, puis j'ai filé, à dix-huit heures trente tapantes.

Le début de soirée a disparu dans un tourbillon de préparatifs exhaustifs (rasage de jambes, gommage du visage, épilation de sourcils, pédicure express, brossage de cheveux, crémage) et quand le taxi m'a déposée devant le Bungalow, j'avais quasiment le souffle coupé à force de joie anticipée. La veille, après le brunch, Will m'avait traînée chez Bergdorf et avait insisté pour m'acheter la sublime robe que je portais. Elle avait une taille Empire magique qui dissimulait la mienne, et descendait ensuite avec fluidité jusqu'aux genoux. Jamais de ma vie je n'avais possédé un vêtement aussi beau, ou aussi cher ; dès l'instant où j'avais remonté la fermeture Éclair dans mon dos, j'avais su que cette soirée ne serait pas comme les autres.

La tête de Sammy lorsque je suis descendue du taxi ne m'a pas déçue. J'ai vu son regard remonter de mes talons argentés étincelants jusqu'aux pendants super-glamour que Penelope m'avait offerts pour mon dernier anniversaire, tandis que son sourire ne cessait de s'élargir. L'inspection terminée, il a lâché un « Waou ! », suivi d'un son qui ressemblait à un gémissement étouffé. J'ai bien cru trépasser de bonheur.

— Tu aimes ? ai-je demandé en résistant à l'envie de tournoyer devant lui.

Par quelque miracle, nous étions seuls sur le trottoir, car le dernier groupe de fumeurs venait tout juste de re-entrer.

— Beth, tu es absolument sublime ! a-t-il déclaré, d'un ton qui avait tous les accents de la sincérité.

— Merci ! Tu n'es pas mal non plus.

Sois enjouée et légère, me répétais-je. *Sois enjouée et légère. Donne-lui envie d'en vouloir davantage.*

— Toujours d'accord, pour tout à l'heure ? m'a-t-il

demandé en faisant signe à deux filles qui venaient d'arriver d'attendre deux secondes.

— Absolument. Si c'est O.K. pour toi…

J'avais l'air décontracté, mais en réalité, ce n'était qu'au prix d'un effroyable effort que je ne m'étranglais pas de félicité.

— Tout à fait. Si ça ne t'ennuie pas de m'attendre, je pourrais probablement m'en aller vers une heure. Une heure et quart, au pire. Je connais un endroit chouette dans le coin.

J'ai soupiré de soulagement. Il n'allait pas annuler. Et tant pis si je devais patienter quatre bonnes heures et être un vrai zombie le lendemain au boulot. Rien de tout ça ne comptait, parce que dans un laps de temps auquel je pouvais survivre, je serais au chaud sur une banquette, la tête appuyée sur son épaule musclée, en train de siroter un expresso et de rire comme une gamine de toutes les délicieuses choses qu'il me susurrerait à l'oreille – par exemple, qu'il était temps que nous tirions au clair nos situations respectives avec Isabelle et Philip pour pouvoir être ensemble, entièrement, sans se cacher ; ou encore, qu'il n'avait jamais rencontré personne qui l'avait aussi bien compris ; ou encore combien c'était incroyable que nous nous soyons côtoyés sans nous connaître, ados, à Poughkeepsie. Il me dirait que ce ne serait pas facile d'être ensemble, compte tenu des pressions sociales et professionnelles auxquelles nous devrions tous les deux faire face, mais que ça valait le coup de se battre, qu'il était prêt, qu'il ne désirait rien d'autre. Je ferais semblant de réfléchir à tout ça ; de temps à autre, je hocherais la tête ; par moments, je la relèverais, comme pour dire : « Oui, je vois très bien ce que tu veux dire. » Et quand je lèverais enfin les yeux vers lui, pour lui dire que oui, tout cela me semblait une très bonne idée, il m'attirerait contre lui et m'embrasserait, délicatement d'abord, puis avec plus de fougue. À compter de là, nous serions ensemble dans toutes les acceptions du mot – à la fois meilleurs amis, amants, âmes sœurs – et nous traverserions côte à côte les obstacles qui ne manqueraient pas de surgir. J'avais si souvent lu cette histoire dans mes romans, que j'avais peine à croire que j'allais enfin la vivre pour de vrai.

Avant qu'il puisse changer d'avis, je me suis faufilée gracieusement (du moins l'espérais-je) devant lui, j'ai moi-même ouvert la porte et je me suis glissée dans la salle bondée.

Les heures qui me séparaient de mon rendez-vous ont passé incroyablement vite. J'ai mis à profit ma bonne humeur pour circuler dans la salle, bavarder avec Elisa et Davide, puis avec quelques mecs que je connaissais vaguement par Avery. Rien ne pouvait me gâcher la soirée – pas même apercevoir Abby qui rôdait dans un coin sombre près du bar. Malheureusement, elle m'a vue aussi, et aussitôt elle s'est précipitée pour me serrer dans ses bras. Je me suis dégagée, j'ai reculé d'un pas, je l'ai dévisagée, comme si j'avais du mal à la remettre, puis j'ai simplement tourné les talons. Elle m'a appelée, elle a tenté de me suivre, mais j'ai agité une main en l'air tout en m'éloignant, et le temps que j'atteigne la table de Kelly & Co., elle avait disparu. Je me versais tranquillement un verre de champagne quand Sammy est apparu et m'a fait signe qu'il pouvait partir.

Nous avons parcouru près de dix blocs avant d'atteindre un minuscule *diner* qui avait encore en vitrine ses guirlandes lumineuses de Noël. Sammy m'a tenu la porte, puis il a choisi un petit box d'angle – exactement comme dans ma vision. J'ai soufflé sur mes mains pour les réchauffer et lorsque je les ai placées autour de ma tasse de chocolat chaud, Sammy les a enveloppées dans les siennes.

— Beth, j'ai quelque chose à te demander, a-t-il déclaré en me regardant droit dans les yeux.

J'ai bien failli m'étrangler, mais j'ai réussi à contrôler ma respiration. *Quelque chose à me demander ? Quoi donc ? Si je sors avec quelqu'un d'autre parce que, selon toi, ce serait le moment d'arrêter ? Me demander si je vois en toi le compagnon de toute ma vie ? La réponse est oui – oui, évidemment, Sammy, mais n'est-ce pas un peu tôt pour ce genre de discussion ?* J'en étais à considérer toutes ces possibilités et bien d'autres encore quand il a ajouté :

— Je voudrais te demander d'être patiente.

Voilà typiquement le genre de phrase qui équivaut à un coup de freins avec grands crissements de pneus. *Patiente ?* Sans vouloir être catégorique, ce n'était pas le type de phrase qui préludait à une conversation où il était question d'engagement. Du moins pas dans un roman sentimental qui se respecte.

Comme d'habitude, toute maîtrise que j'avais pu avoir dans le passé de ma langue maternelle s'est évanouie aussi sec.

— Être patiente ?

— Beth, je veux que ça marche entre nous – je le veux plus que n'importe quoi d'autre – mais il va te falloir être patiente avec moi. J'ai reçu un coup de fil ce matin, qui m'a complètement sidéré.

— Quel genre de coup de fil ?

Tout ça partait décidément très mal.

— D'un avocat. Associé dans un très gros cabinet de la ville. Il représente des investisseurs qui seraient intéressés pour financer la création d'un nouveau restaurant. Apparemment, ils possèdent déjà des parts dans tout un tas d'affaires diverses et variées, mais pas encore dans un restaurant. Ils cherchent le nouveau chef qui va faire parler de lui – ce sont ses termes, pas les miens – et réfléchissent à plusieurs options. L'avocat m'a demandé si j'étais intéressé.

J'ignore à quoi je m'attendais, mais certainement pas à ça.

— Félicitations ! ai-je lancé machinalement, en me souvenant que j'étais censée réagir. C'est une super-nouvelle, non ?

— Oui, a-t-il dit, l'air soulagé. Bien sûr. Simplement, si je veux donner suite à cette proposition, je vais être totalement débordé. Ils veulent que je rédige un projet qui englobe toutes mes idées en termes d'espace, de thème, de déco, que je réfléchisse à la constitution d'une équipe de préparateurs, sous-chef et chef pâtissier – tout ça pour le mois prochain. Et je dois en même temps leur faire trois propositions de carte.

J'ai fini par comprendre pourquoi je devrais être « patiente ».

— Entre le boulot et les cours, a-t-il poursuivi, j'ai à peine eu le temps de m'y consacrer pour l'instant, mais ce projet va me prendre chaque minute de mon temps libre. La bonne nouvelle, c'est que ça me permettra de mettre un frein au problème avec Isabelle – et ça, c'est un immense soulagement. Mais je vais être plus occupé que jamais. C'est culotté de ma part de te demander de m'attendre mais… bon, si jamais tu pouvais comprendre que…

— N'en dis pas plus, l'ai-je coupé en me penchant vers lui. Je comprends parfaitement et je ne pourrais pas être plus heureuse pour toi.

Je me suis forcée à dire ce qui s'imposait – ce dont plus tard, en me repassant cette conversation une fois rentrée chez moi, je me féliciterais. Ce n'étaient pas les mots que j'espérais entendre, c'était certain, mais comme toutes les héroïnes de mes romans, je me battrais pour avoir ce que je voulais.

Sammy semblait sincèrement affolé par ce qui l'attendait. Je me suis forcée à lui sourire.

— Tu vas réussir, j'en suis sûre.

Nous avons entrelacé nos doigts, et j'ai retenu mes larmes jusqu'à ce qu'il m'ait installée dans un taxi. Ce n'était jamais qu'un autre obstacle à surmonter, et je voulais le surmonter. Tout ce qui méritait d'être possédé valait la peine qu'on y consacrait, et Sammy en faisait partie. Si cette peine-là s'appelait patience, alors oui, je serais patiente. Sammy et moi étions manifestement faits l'un pour l'autre.

28

— O.K., les enfants, on se calme et on commence !

Kelly venait d'ingurgiter son quatrième Coca Light et en avait commandé un cinquième pendant que nous nous installions pour l'ultime réunion avant la soirée *Playboy*. Nous nous trouvions au Balthazar, le restaurant préféré de Kelly pour ses déjeuners professionnels et la dernière réunion d'équipe avant un événement important. Les plats venaient d'arriver ; Kelly a écarté sa salade niçoise et s'est levée, mains légèrement tremblantes sous l'effet de toute cette caféine qu'elle avait avalée.

— Comme vous le savez toutes et tous, demain, c'est jour J. Nous allons passer en revue ensemble la liste des préparatifs, mais ce n'est qu'une formalité. Pourquoi, me demanderez-vous ? Parce que tout – *absolument tout* – doit se dérouler sans un seul accroc. Si la perfection doit exister un jour, ce sera demain soir. Et juste au cas où il subsisterait un doute dans l'esprit de quelqu'un, tout sera parfait, parce que je n'accepterai pas qu'il en soit autrement.

Nous avons tous opiné, habitués à ces ralliements avec tambours et trompettes avant un événement, quand une légère agitation s'est produite à l'entrée du restaurant. Tous, autour de la table – et en même temps que l'ensemble des autres clients – nous nous sommes retournés. C'est Leo qui a parlé le premier :

— Ashlee et Jessica Simpson avec... (Il a tendu le cou pour apercevoir les personnes qui les accompagnaient.) Ce gamin, comment s'appelle-t-il déjà ? Celui avec lequel Ashlee sortait par intermittence ? Ryan quelque chose ? Et le père des filles.

— Qui s'en charge ? a aboyé Kelly.

— Moi ! a aussitôt répondu Elisa.

Elle a extrait son téléphone de son énorme sac Marc Jacob bleu canard et a fait défiler les noms de son répertoire jusqu'à trouver celui qu'elle cherchait. Dix secondes plus tard, elle débitait son baratin à son correspondant.

— Bonjour, c'est Elisa de chez Kelly & Co... Oui, tout à fait. Je viens d'apprendre que les filles sont en ville et nous aimerions beaucoup les inviter demain à notre soirée *Playboy*.

Il semblait acquis que son interlocuteur était au courant de la soirée du lendemain. Après tout, qui ne l'était pas ? Elisa a regardé Kelly avec un sourire entendu tout en pointant son téléphone.

— Oui, bien sûr, a-t-elle repris. Non, je comprends tout à fait. Nous serons enchantés de leur réserver une fenêtre d'arrivée exclusive de quinze minutes pour qu'elles ne partagent le tapis avec personne d'autre. Et naturellement, elles seront escortées à leur table dans le carré VIP... Soyez sans crainte, les filles auront un concierge pour leur service exclusif. Tout ce dont elles pourraient avoir besoin sera immédiatement pourvu. Non, elles ne seront pas sollicitées pour répondre à des interviews, je vous le garantis ; mais si elles avaient la gentillesse de poser un instant pour quelques photographes dûment sélectionnés, ce serait un plaisir pour nous de couvrir le montant de leurs frais d'hôtel, coiffeur, maquilleur et transport – et éventuellement, de garde-robe.

Elisa s'est tue un instant. Elle a plissé le front.

— Oui, ils seront là tous les deux, naturellement. Mm… je me ferais un plaisir d'arranger ça pour vous. (On voyait que son enthousiasme était retombé et qu'à présent, son enjouement était forcé.) Formidable ! Je vous rappelle demain matin sans faute pour mettre au point les détails. Je suis impatiente de les accueillir demain ! Fabuleux ! Ciao !

— Bien joué ! a lancé Kelly tandis que notre petit groupe applaudissait discrètement – ce qui m'a fait songer une fois de plus qu'en matière de patronne, Kelly était vraiment chouette. Quelle était cette dernière requête ?

Elisa a serré les dents.

— Oh ! L'attachée de presse a mentionné que les deux filles craquaient sur Philip. Elle voulait savoir s'il accepterait de leur être présenté.

— Mais naturellement ! s'est récrié Kelly d'une voix perçante. Rien de plus simple ! Beth, Philip et toi irez accueillir ces filles à la porte et vous les conduirez à leur table. Dis à Philip de flirter, flirter, sans retenue. Elisa, tu laisseras Beth prendre le relais. C'est elle qui rappellera l'attachée de presse demain, d'accord ? À ce propos, Beth, comment ça se passe de ton côté ?

J'ai senti le regard d'Elisa peser sur moi, et j'ai senti également que ce n'était pas un regard débordant d'affection.

— Mmm… tout paraît en ordre.

Toute mon attention était concentrée sur la surprise qui aurait lieu à minuit. J'y avais travaillé d'arrache-pied depuis un mois, j'avais fignolé chaque détail à la minute près et j'étais désormais certaine que le résultat serait spectaculaire. J'avais soumis mes plans à Kelly approbation et, voulant à tout prix éviter les risques de fuites dans la presse, elle avait insisté pour que tout cela reste entre nous. Du coup, personne d'autre qu'elle, moi et Hefner lui-même n'était au courant de ce qui se passerait à minuit.

— Le spectacle de minuit sera une première – j'espère que tout se passera sans encombre.

Elisa a bâillé ostensiblement. J'ai poursuivi.

— J'ai crédité tous les journalistes de passes impossibles à reproduire, falsifier, ou contrefaire, qui seront livrés en mains propres par coursier une heure avant le coup d'envoi des festivités. Voici des copies de la grille d'interviews, ai-je ajouté en faisant circuler la liasse de feuilles. Tout y est noté : nom des journalistes, des photographes, de celui ou celle d'entre nous qui sera leur interlocuteur ; angle qui les intéresse en priorité ; personnalités auxquelles leur rédaction consacre le plus de pages ; personnes et tables auxquelles ils pourront, ou pas, avoir accès, et bien sûr, leurs boissons préférées.

Kelly a parcouru la grille en hochant la tête.

— As-tu également planifié qui d'entre vous escorterait chaque représentant de la presse ?

— Tout à fait. J'ai établi un tour de rôle, afin qu'on soit certain que journalistes et photographes croisent bien les invités que nous souhaitons qu'ils voient.

— J'ai eu une dernière réunion hier avec la boîte de prod', et je suis ravie de la façon dont ça se profile avec eux, est intervenue Elisa. La disposition des bars, le choix des barmans, les éclairages, les contremarches, la musique, la déco et le buffet semblent en tous points conformes à nos instructions et aux souhaits du client.

Kelly a pourchassé du bout de la fourchette une feuille de laitue dans son assiette, puis a renoncé et a bu une gorgée de chardonnay.

— Bon, très bien, très bien, a-t-elle murmuré. Mais revenons un instant au problème de la presse. Beth, as-tu contacté tous les DA pour leur garantir notre entière coopération concernant tout ce dont ils pourraient avoir besoin ?

— Oui. J'ai demandé à deux stagiaires de les appeler en début de semaine, et mercredi, tout le monde avait été contacté et prévenu. L'un dans l'autre, je crois qu'on est parés.

La réunion s'est poursuivie ainsi pendant encore une heure, puis Kelly nous a donné quartier libre pour le restant de l'après-midi, afin que nous puissions aller à nos rendez-vous en institut de beauté, nous détendre et nous préparer mentalement à la soirée du lendemain. J'avais déjà prévu de ne pas sortir de chez moi ce soir-là, et de m'installer devant la télé avec Millington et un gigantesque saladier de pop-corn pour mater navet après navet sur TNT. Apprendre que j'avais également l'après-midi libre ne m'a que davantage réjouie. Bien entendu, cela signifiait que j'aurais encore plus d'opportunités de penser à Sammy. Au cours des deux semaines qui venaient de s'écouler, le problème ne s'était guère posé, noyée que j'étais par le travail des préparatifs. Mais savoir à quel point il pouvait m'obséder dès que j'avais une seconde libre me faisait frissonner.

Kelly a réglé l'addition et tout le monde se disait au revoir quand Elisa m'a attirée à part.

— Je peux te parler une minute ?

— Oui, bien sûr. Qu'y a-t-il ?

— Écoute, je sais que c'est devenu un peu bizarre entre nous, mais je crois vraiment qu'on devrait faire de notre mieux pour coopérer, demain soir. Aucune de nous ne veut passer toute la soirée à bosser, donc il faut qu'on s'organise pour pouvoir se relayer sur le front et se détendre à tour de rôle. Tu vois ?

J'étais étonnée de l'entendre reconnaître qu'il y avait

un peu de tension entre nous, mais assez contente de voir que son agacement s'était dissipé.

— Bien sûr, bonne idée. Je ne crois pas qu'on aura beaucoup de temps pour profiter de la soirée, mais on peut essayer.

Apparemment, c'était là tout ce qu'elle voulait entendre.

— Génial. À demain !

Quelle fille bizarre ! ai-je songé en la regardant resserrer son écharpe à franges autour de son cou maigre avant de s'élancer pour héler un taxi. J'ai attendu que celui-ci ait redémarré, puis je me suis mise en route à mon tour. Je disposais de tout un après-midi de liberté pour la première fois depuis des temps presque immémoriaux, et je ne voulais pas en gâcher la moindre seconde.

29

Je venais de finir de regarder *Vous avez un Mess@ge* et m'apprêtais à enchaîner sur *Can't Buy Me Love* quand le téléphone a sonné. À ma grande surprise – et immense joie – le numéro de Penelope s'affichait sur l'écran. Je lui avais raconté dans les grandes lignes ce qui se passait avec Sammy, mais elle n'avait pas la moindre idée de l'adoration qu'il m'inspirait. J'avais deviné, à écouter ses soliloques empreints de lassitude, qu'Avery ne brillait guère par son assiduité auprès d'elle, qu'elle n'avait toujours pas trouvé de travail, et que les couples avec lesquels ils sortaient n'étaient pas vraiment son genre – soit autant de points que jamais elle n'admettrait ouvertement. Du coup, les sujets de conversation étaient limités. Nous échangions, par mail, quelques-unes des âneries que nous recevions, nous nous écrivions des choses sans grand intérêt et lorsque nous nous parlions au téléphone, nous n'abordions que des sujets sans risque. Il y avait si longtemps que je n'avais pas reçu un bon vieux coup de fil, tard le soir, de ma meilleure amie, que le souvenir du dernier s'était perdu dans ma mémoire.

— Salut, Beth. Comment vas-tu ? Désolée d'appeler si tard. C'est chiant, ce décalage horaire. Mais je me suis dit que tu étais peut-être encore debout. Avery n'est pas là ce soir, et comme je n'ai personne d'autre dans le coin à enquiquiner à cette heure-ci, c'est toi l'heureuse gagnante !

Sa voix avait un son caverneux et j'ai regretté que nous ne soyons plus près l'une de l'autre.

— Pen ! Je suis si heureuse de t'entendre ! Comment vas-tu ?

— Je ne te réveille pas, n'est-ce pas ?

— Du tout. Je matais des navets à la télé. Quoi de neuf ? C'est si bon d'avoir de tes nouvelles.

— Ton petit ami plein aux as est là ?

En temps normal, Penelope aurait déjà analysé avec moi une centaine de fois ce que recouvrait cette « patience » que m'avait demandée Sammy et elle m'aurait rassurée en me répétant que ce n'était qu'une question de temps, que tout allait s'arranger, que nous serions ensemble… Alors que là, bien qu'au courant de l'existence de Sammy, elle ne semblait même pas comprendre que je ne sortais pas avec Philip.

— Pen, ce n'est pas mon petit ami, tu le sais. Philip et moi sommes censés aller à la soirée *Playboy* ensemble, mais c'est juste pour les photos.

— C'est vrai, j'oubliais. C'est quand ? C'est un gros truc, non ?

— Demain soir ! Je suis superstressée. Ça fait des mois que je bosse là-dessus et je suis responsable de tout. Jusque-là, tout semble rouler. Si les photographes se tiennent bien et si toutes les Bunnies viennent, tout devrait bien se passer.

La conversation s'est poursuivie quelques minutes sur cette lancée. Ni l'une ni l'autre nous n'étions prêtes à reconnaître que chacune avait désormais perdu le fil de la vie de l'autre.

— Alors, que comptes-tu faire au sujet d'Abby et de ces bobards qu'elle s'acharne à publier sur toi ?

Cette question m'a donné l'impression, pour la première fois depuis bien longtemps, de retrouver la Penelope d'autrefois. J'évitais le plus possible de penser à Abby, car sitôt que je le faisais, la rage – doublée de la sensation d'avoir été violée – me rendait dingue.

— Je ne comprends toujours pas pourquoi elle me hait à ce point. C'est un supplice de ne pas pouvoir lui parler entre quatre yeux. Tu penses que les gens ont vraiment cru que j'avais une liaison avec ce type qui a filmé Paris Hilton ? Je ne connaissais même pas son nom !

Penelope a gloussé.

— Bien sûr que non ! J'ignore quel est son problème, mais ceci dit, quand on est capable de voler le devoir d'une camarade, il n'y a pas un grand pas à franchir pour écrire des diffamations. Tu te souviens qu'en seconde année, elle avait loupé les obsèques de sa grand-mère parce que le journal du campus faisait passer des entretiens de recrutement ? Cette nana a vraiment un grain. Avery a toujours dit qu'elle serait capable de vendre ses propres parents pour avancer, et je pense qu'il a raison. Il a couché avec elle, évidemment, alors je suppose qu'il sait de quoi il parle.

— Quoi ? Avery a baisé avec Abby ? Je ne savais pas !

— Je n'en mettrais pas ma main à couper, mais je ne crois pas trop me tromper. Tous ses copains ont couché avec elle. Elle s'est tapé tout le campus.

J'ai ravalé une vague de nausée à cette pensée et rassemblé assez d'énergie pour dire :

— À ce propos, comment va ton fiancé ? Tu disais qu'il n'est pas là ?

Penelope a poussé un soupir plus éloquent que les phrases qui ont suivi.

— Je suppose qu'il va bien. On ne peut pas dire que je le voie beaucoup. Je croyais que ça changerait, une fois qu'il aurait commencé les cours, mais en fait, il n'a que plus d'occasions de vadrouiller. Il a toute une bande de nouveaux amis… J'imagine que c'est une bonne chose.

— Et leurs copines ? Il n'y a personne avec qui tu accroches ?

Elle a ricané.

— Quelles copines ? Ils ont tous vingt-deux ans, c'est des gamins qui sortent de l'école. Avery se conduit avec eux comme un parrain avec ses acolytes. C'est un peu dérangeant, mais que veux-tu que je dise ?

Bon, on était deux dans la même situation. J'ai essayé de tirer la conversation vers un terrain plus neutre.

— C'est sûrement une simple période d'adaptation. Vous avez exploré la ville ? Je sais que Los Angeles n'est pas New York, mais il doit bien y avoir des trucs à faire, non ?

— Je descends à la plage, de temps en temps. Je vais faire des courses à Whole Food. Je me suis inscrite au yoga, je bois des jus de fruits frais, je passe un tas d'entretiens. Je sais que quelque chose va finir par se présenter, mais jusque-là, je n'ai rien trouvé d'intéressant. Avery rentre après-demain, et on ira peut-être se balader en voiture jusqu'à Laguna. Ou peut-être irons-nous de nouveau au Mexique – c'était cool. S'il ne lui faut pas passer le week-end à bosser.

Elle me semblait tellement molle que j'avais envie de pleurer pour elle.

— Il est où, mon chou ? Il est parti depuis quand ?

— Il est rentré à New York, pour quelques jours. Des affaires de famille à régler, je ne sais pas exactement – une histoire de rendez-vous avec le gestionnaire de son fonds de placement. Comme j'avais un entretien aujourd'hui, il m'a assuré qu'il pouvait se débrouiller seul, que je n'avais aucune raison de traverser tout le pays pour l'accompagner.

— Je vois. Dommage… j'aurais bien aimé que tu viennes à la soirée *Playboy*. Je t'aurais chargée de surveiller les Bunnies et de patrouiller en salle pour t'assurer qu'aucune n'avait perdu sa queue. Fantastique, non ?

— Tu l'as dit. Beth, tu me manques énormément.

— Toi aussi, tu me manques. Et si tu en as envie, saute dans un avion et viens faire un tour ici. Tu n'es pas partie à Guam[1], tu es juste sur l'autre côte. Si tu as le mal du pays, on adorerait te voir. Toi, moi et Abby on pourrait aller déjeuner ensemble et le lendemain, on lirait dans le journal qu'on a été vues toutes les deux en train de nous taper tous les défenseurs des Giants. Ce serait génial, non ?

Penelope a éclaté de rire.

— Pour tout te dire, je n'ai rien contre l'idée de me taper l'équipe au complet. Il n'y a pas de mal, n'est-ce pas ?

— Aucun, mon chou, absolument aucun. Écoute, il faut que j'essaie de dormir un peu – demain va être horriblement long. Mais on se rappelle dès que cette soirée sera enfin passée, d'accord ?

— Bien sûr. Ça me fait un bien fou d'entendre ta voix. Bonne chance pour demain, j'espère que tu t'en tireras sans scandale majeur. Je t'aime, Beth.

— Moi aussi, Pen. Tout va s'arranger, je te le promets. À très vite.

J'ai raccroché et je me suis glissée sous la couette pour finir de regarder le film, heureuse à la seule idée que Penelope et moi étions plus ou moins rabibochées.

1. Petite île du Pacifique Sud rattachée au territoire des États-Unis. *(N.d.T.)*

30

— Contrôle ! Un-deux, Un-deux… Contrôle ! Est-ce que tout le monde m'entend ? Comptez ! Un…, criais-je dans le micro discrètement suspendu de mon oreillette, et qui descendait au niveau de ma lèvre supérieure.

J'attendais les retours des autres membres de l'équipe pour vérifier le bon fonctionnement du système. Quand j'ai entendu Leo annoncer son numéro, le seize, j'ai eu confirmation que tout le monde était connecté et j'ai pris une profonde inspiration. Les premiers invités arri- vaient et je me démenais encore pour tenter d'endiguer la marée de problèmes qui semblait ne jamais vouloir refluer. Tout le sang-froid, l'assurance et les plans tirés au cordeau dont je m'étais enorgueillie la veille com- mençaient sérieusement à vaciller, et la panique me gagnait.

— Skye, tu m'entends ?

— Beth, mon chou, je suis là. Calme-toi, tout se passe bien.

— Je me calmerai quand tu me diras que la mise en place des panneaux de pubs est enfin terminée. Il y a dix minutes, c'était encore le bordel intégral !

— Je suis dehors, et tout est en place. Dix mètres de

panneaux avec le logo *Playboy* qui n'attendent que les people qui vont se faire tirer le portrait à côté d'eux. On vient de terminer les finitions, tout devrait être sec dans une minute. Ne t'inquiète pas.

— Elisa ? On a la liste presse définitive pour la sécurité ? Sammy, du Bungalow 8, s'occupe de l'entrée VIP et il a besoin de connaître les noms des photographes accrédités.

J'aboyais mes ordres comme une forcenée et à chaque minute qui passait, je haïssais davantage le son de ma voix. Je n'avais toutefois pas marqué la moindre hésitation en prononçant le nom de Sammy et cela était un progrès. À mon arrivée, quelques heures plus tôt, quand il m'avait embrassée sur la joue en me chuchotant « Bonne chance », j'avais manqué de m'évanouir. La seule chose qui me donnait l'énergie nécessaire pour survivre à l'épreuve de cette soirée, c'était de savoir que nous allions passer les prochaines six heures au même endroit.

— Contrôle ! Contrôle ! a appelé Elisa dans mon oreillette. *ET* et *Access Hollywood* ont des placements prioritaires. *E! Channel* hésitait encore à envoyer quelqu'un – ils râlent de n'avoir pas eu l'exclusivité – mais si une équipe se présente, on est prêts. Tous les journalistes de ces trois chaînes, plus ceux de CNN et MTV, plus un type qui réalise un docu pour Fox et a un laissez-passer d'un gros bonnet des studios sont autorisés à entrer ; les paparazzi qui bossent pour les tabloïds restent dehors. Tout le monde a été briefé sur qui est qui, et qui est assez VIP pour passer par cette entrée. Beth, juste une question ? Qui est Sammy ?

Je ne pouvais pas vraiment lui répondre que Sammy était relié à notre système et entendait tout ce qui se disait – ni que le simple fait de poser les yeux sur lui m'incendiait les nerfs.

— Elisa, tu es mignonne. Donne-lui la liste, un point

c'est tout. O.K. ? ai-je repondu en priant pour qu'elle se satisfasse de cette réponse.

Mais Elisa, qui avait perpétuellement les idées brouillées à force de s'affamer, a insisté d'un ton pleurnichard.

— Non, sérieusement, Beth, qui est Sammy ? Oh, attends, je sais ! C'est le chef de l'équipe de prod', pas vrai ? Pourquoi a-t-il besoin de la liste VIP définitive ?

— Elisa, Sammy est en charge de la sécu, ce soir. Comme on ne sautait pas au plafond à l'idée d'employer la Gestapo qui contrôle la porte du Sanctuary, Sammy a gentiment proposé de nous donner un coup de main. Il doit être à l'entrée, en train de vérifier les détails de dernière minute. Donne-lui juste la liste.

Je pensais qu'on avait fait le tour du sujet, mais évidemment, je me trompais.

— Oh, attends ! Sammy ! C'est pas le mec qui bosse pour Isabelle ? Mais si ! Je me souviens maintenant. Il était avec nous à Istanbul, n'est-ce pas ? Elle l'a fait galoper comme un esclave tout au long du week-end. Tu croyais qu'il était son…

— Quoi ? Elisa ? Je t'entends mal ! Je dois parler avec Danny, alors je coupe mon écouteur. Je le rebranche dans un instant.

J'ai arraché mon oreillette et je me suis effondrée sur une banquette, en m'efforçant de ne pas imaginer ce que Sammy avait pu penser de ce petit échange.

— Ça gaze ? m'a lancé Danny qui, posté au bar, reluquait un essaim agité de Bunnies se préparant à affronter les regards concupiscents des hommes et les œillades assassines des femmes.

— Ça va. Je crois qu'on est prêts, n'est-ce pas ?

— Absolument.

— Tu penses à quelque chose que j'aurais oublié ?

— Non, rien.

Il a descendu sa troisième bière en l'espace de cinq minutes et lâché un renvoi.

En regardant autour de moi, j'étais contente de ce que je voyais. Le club avait été transformé en lieu idéal où célébrer cinquante ans de posters de pin-up. Nous avions ménagé deux entrées, une pour les VIP, une pour tous les autres, chacune coiffée d'une marquise noire, dotée de mètres et de mètres de tapis rouge et encadrée de logos. Les équipes de sécu seraient toutes en costume et munies d'oreillettes discrètes afin de se faire remarquer le moins possible. Après avoir pénétré dans une tente dressée à l'extérieur, chaque invité serait introduit le long du couloir tout enveloppé de noir et jusqu'au pied de l'escalier, orné à l'arrivée de tentures noires. Après avoir monté les marches et franchi les rideaux, les invités se retrouveraient sur une sorte de scène, d'où tout le monde pourrait les voir descendre dans la salle. Un bar de vingt-cinq mètres de long y avait été dressé du côté gauche ; trente-cinq barmaids en pantalon moulant, soutien-gorge de maillot et oreilles de lapin y prépareraient des cocktails toute la soirée. Derrière le comptoir, le mur était tapissé du sol au plafond d'agrandissements de tous les posters *Playboy* parus en cinquante ans. Le carré VIP, délimité par des cordons, avec ses banquettes de velours noir, et ses tables portant la mention RÉSERVÉ à côté d'un seau réfrigérant, était installé à l'opposé du bar. Au centre de salle scintillait une vaste scène ronde, en forme de gros gâteau d'anniversaire à plusieurs étages. Les deux niveaux inférieurs serviraient d'estrade aux Bunnies qui danseraient pendant le spectacle, et la partie supérieure se découvrirait à minuit pour dévoiler notre surprise. Une immense piste de danse rayonnait autour de cette scène, agrémentée le long de son périmètre de banquettes de velours.

— Salut, tout se passe bien ? a demandé Kelly en

pivotant sur elle-même pour montrer sa robe portefeuille ultramoulante, ultracourte et d'une opacité toute relative. Tu aimes ?

— J'adore, ai-je répondu avec sincérité.

— Beth, j'aimerais te présenter Henry. Henry, voici Beth, une des étoiles les plus brillantes de ma galaxie.

Un homme d'une quarantaine d'années, agréable à regarder, mais totalement ordinaire – taille moyenne, corps quelconque, cheveux châtains – m'a tendu la main avec un sourire incroyablement chaleureux.

— Enchanté de vous connaître, Beth. Kelly m'a beaucoup parlé de vous.

— En bien, j'espère ? ai-je répondu sans une once de créativité. J'espère qu'on va s'amuser ! Ça devrait démarrer sans tarder.

Kelly et lui ont éclaté de rire et ont échangé un regard si débordant d'affection qu'il était impossible de ne pas les haïr.

À vingt-deux heures, la fête était sur les rails. Hefner a pris possession des deux tables VIP les plus en vue avec ses six amies et a bu des Jack Rabbit – un mélange de Jack Daniel's et de Coca Light. Tout un assortiment de personnalités, accompagnées de leur entourage, était disséminé aux tables voisines : James Gandolfini, Dr. Ruth, Pamela Anderson, Helen Gurley Brown, Kid Rock, Ivana Trump, Ja Rule... Tous avaient l'air satisfait des boissons à volonté et des assiettes de chocolat en forme de Bunnies qui leur étaient offertes. Quant à ceux qui composaient le menu fretin, ils commençaient à atteindre le point où, après quelques verres, ils étaient prêts à danser. Les Bunnies étaient entrées en action et circulaient dans la salle en frôlant les hommes comme les femmes. C'était un ballet captivant à regarder : la salle entière palpitait de cet essaim de quelque deux cents filles, coiffées d'oreilles de lapin et vêtues de bustiers de satin noir et de strings, qui secouaient leur derrière pour mettre en valeur leur queue de lapin et avançaient leur pelvis pour montrer les petits rubans en forme de mors sur lesquels étaient imprimés leur nom et celui de leur ville natale. Ce que les hommes ignoraient, c'est que la vraie fête avait lieu au sous-sol, dans les toilettes des dames, où les Bunnies se retrouvaient pour fumer, papoter et se moquer de ces mâles qui les reluquaient. Pour pouvoir faire pipi, elles étaient obligées de retirer leur bustier, qu'elles ne pouvaient remettre sans aide. En attendant qu'un box se libère, j'ai observé une blonde tendre les mains vers une paire de seins de la taille de pastèques et les prendre en coupe. Elle les a admirés deux secondes puis, sans les lâcher, elle a demandé à leur propriétaire :

— C'est du vrai ou du toc ?

— Ceux-là, ma fille, a gloussé l'intéressée, ils sortent direct de chez le marchand.

Sur ce, elle s'est accroupie, s'est penchée vers l'avant, a écrasé les fameux seins de toutes ses forces contre son buste, puis elle a fait signe à son admiratrice de remonter la fermeture de son bustier. Quand elle s'est redressée, à peine le satin recouvrait-il les mamelons et on aurait dit que sa poitrine allait lui faire perdre l'équilibre. Les deux filles ont vidé leur cosmo, ont abandonné les verres à côté du lavabo et sont reparties se mêler à la fête, moitié en courant, moitié en sautillant.

Quand je suis remontée à mon tour, j'ai procédé à une vérification rapide auprès de tout le monde pour m'assurer que tout se passait selon les plans. Il n'y avait heureusement que peu d'urgences : une boule à tango était tombée, mais sans assommer personne ; une ou deux bagarres sans gravité avaient éclaté, mais Sammy et son équipe les avaient déjà désamorcées ; une pénurie de cerises au marasquin – du fait, m'a-t-on expliqué, que les Bunnies affamées les chipaient par poignées entières derrière le bar. Elisa paraissait sobre et semblait maîtriser le carré VIP ; quant à Leo, il avait réussi à garder son pantalon assez longtemps pour patrouiller au bar et dans la salle. Il ne restait plus qu'une heure avant la surprise de minuit et il était temps que je me concentre là-dessus.

La performance qui devait avoir lieu à minuit était mon bébé. J'y avais travaillé d'arrache-pied depuis mon retour de Turquie et je voulais désespérément que tout se passe bien. Jusque-là, seules Kelly et la responsable de com' de *Playboy*, ainsi que Hefner, savaient à quoi s'attendre, et j'étais impatiente de voir les réactions des autres. Je m'apprêtais à vérifier pour la troisième fois auprès de Sammy et son équipe qu'ils veilleraient bien à refouler Abby si jamais elle se présentait à la porte quand j'ai entendu la voix de Sammy grésiller dans mon oreille.

— Beth ? Ici Sammy. Jessica et Ashlee viennent d'arriver.

— Entendu. Je suis là dans deux secondes.

J'ai raflé un gin-tonic au bar pour appâter Philip, mais il n'était nulle part en vue. Ne voulant pas que les deux filles entrent sans escorte, j'ai fait une annonce générale dans mon micro pour prier la première personne qui verrait Philip de lui demander de me rejoindre à la porte, puis j'ai foncé, juste à temps pour voir les deux sœurs descendre de la Bentley que nous leur avions envoyée.

— Bonjour, les filles, ai-je dit, avec un manque patent de grâce. Nous sommes tous ravis que vous ayez pu venir. Entrez, suivez-moi.

Je les ai dirigées vers le tapis rouge, en clignant des yeux à cause des flashes qui crépitaient. Pendant les quinze minutes que nous avions requises de leur part, elles ont posé comme des pros, en se déhanchant, en se tenant par le bras et en marchant d'un pas leste sur leurs talons aiguilles de douze centimètres. Puis, je les ai conduites à l'intérieur. Nous sommes passées devant Sammy (qui m'a fait un clin d'œil) et nous nous sommes dirigées droit vers le carré VIP. J'ai fait signe au superbe mec que nous avions engagé pour veiller à ce qu'elles ne manquent de rien de nous rejoindre, et j'ai détalé à la recherche de Philip.

J'ai eu beau envoyer un nombre incalculable d'appels de détresse par radio, et passer plusieurs fois la salle au peigne fin, Philip demeurait introuvable. J'étais sur le point de dépêcher quelqu'un jusqu'aux toilettes des hommes voir s'il ne s'y trouvait pas (en train de faire Dieu sait quoi) quand j'ai vu à ma montre qu'il était presque minuit moins cinq. Le spectacle allait commencer d'une minute à l'autre. J'ai foncé alors vers la cabine pour faire signe au DJ, qui a aussitôt interrompu « Dancing Queen » pour faire résonner un roulement de tambour électronique. C'était le signal. Hef s'est extirpé de son troupeau de filles pour grimper sur le second niveau de la scène.

— Merci à vous tous d'être là ce soir ! a-t-il crié à tue-tête dans le micro.

Un tonnerre d'applaudissements l'a interrompu, suivi par les hurlements frénétiques du public, qui psalmodiait « Hef ! Hef ! Hef ! »

— Merci ! Merci infiniment de votre présence pour fêter, avec mon équipe et moi-même, ces cinquante années de reportages marquants... (Il a fait une pause et adressé un clin d'œil aux invités, qui se sont mis à crier de plus belle.)... d'articles signés par des plumes estimées, et bien sûr, de superbes filles !

La foule a continué à hululer tout au long du discours, et les cris ont culminé, atteignant un volume assourdissant lorsque, après avoir une dernière fois remercié ses invités, il a regagné la table où l'attendait son harem. Quelques personnes, croyant que ça allait en rester là, ont commencé à se diriger vers le bar ou vers la piste, mais se sont immobilisées en entendant les premières mesures de « Joyeux Anniversaire ». Et aussitôt, une minuscule scène ronde s'est soulevée du sommet du gâteau et a continué à s'élever dans les airs. Toute l'assistance s'est alors dévissé le cou pour admirer la silhouette de femme qui se distinguait sous un long voile transparent. Quand la mini-plate-forme a surplombé la foule de plusieurs mètres, le voile arachnéen a glissé et révélé aux yeux de tous Ashanti, ravissante dans un étroit et long fourreau violet rebrodé de perles scintillantes, un boa en fourrure autour des épaules. D'une voix de gorge, grave et chaude, elle a entonné la version la plus sexy de « Joyeux Anniversaire » que j'avais jamais entendue. C'était un remake évident de la célèbre performance de Marilyn devant JFK, à cette différence près qu'Ashanti a dédié sa performance à « Hef, Président de *Pussyland* ». Lorsqu'elle s'est tue, un vent de folie a soufflé dans l'assistance. Le public a acclamé la vedette sous une pluie de confettis dorés, tandis que quatre-vingt-cinq Bunnies postées sur le niveau le plus bas de la scène reprenaient en chœur la ritournelle. Puis le DJ a embrayé sur « Always On Time » et les danseurs, jusque-là excités, se sont déchaînés. J'ai entendu dans mon dos un type qui hurlait dans son portable, « C'est la soirée du siècle, mec ! » et plusieurs couples formés depuis peu ont commencé à se peloter sur la piste. Mis à part le trait d'esprit concernant le « *Pussyland* », tout s'était déroulé comme je l'avais prévu – mieux, même, sans doute.

Elisa, Leo et Sammy avaient déjà rapporté par micros interposés que c'était un mégasuccès ; même Kelly avait réussi à mettre la main sur un micro pour me féliciter. L'euphorie a perduré encore sept ou dix minutes – avant que tout commence à partir en vrille, à une vitesse plancher, menaçant de m'emporter dans le déluge.

J'inspectais le carré VIP en quête de Philip quand, planquée dans un recoin sombre, j'ai aperçu une tête blonde qui dodelinait entre une paire de seins digne d'une Bunnie. Aussitôt, j'ai cherché avec fébrilité à repérer un objectif de photographe dans les parages : si l'un d'eux avait la bonne idée de surprendre Philip en train de picorer dans le décolleté de cette fille et de placarder le cliché dans tous les journaux de la ville, je pourrais enfin rompre avec lui. Ce serait l'occasion rêvée. Ça me semblait bizarre de le voir lancé dans un corps à corps aussi intime avec une fille, si peu de temps après l'avoir surpris dans un autre corps à corps tout aussi intime avec un mec, mais pour moi, c'était une porte de sortie facile, et celle que je voulais plus que tout. J'ai compris que je tenais là ma chance : si cela était une raison valable pour en finir une fois pour toutes avec lui, j'étais prête à endosser de gaieté de cœur le rôle de la petite amie trahie. Je me suis approchée pour lui taper sur l'épaule, bien décidée à me donner en spectacle, mais j'ai eu un mouvement de recul quand le garçon s'est retourné en aboyant :

— Qu'est-ce que vous voulez ? Vous ne voyez pas que je suis occupé ?

Ce n'était pas Philip. Ce garçon-là n'avait pas l'accent britannique, pas de mâchoire ciselée, pas de sourire de sale gosse pris la main dans le sac. Mais, à ma grande surprise, je connaissais très bien ce visage déformé par la colère et l'agacement.

— Avery ?

— Beth…, a-t-il murmuré, bouche bée.

J'étais pétrifiée, incapable de bouger, de parler, de trouver une seule repartie convenable. J'étais vaguement consciente que la fille nous toisait tous les deux avec un certain dédain, mais la pénombre m'empêchait de distinguer précisément ses traits. D'autant qu'elle avait les lèvres enflées par les baisers dévorants, le menton et les joues barbouillés de rouge à lèvres. Mais tout même, au bout de quelques secondes, j'ai réalisé que je la connaissais, elle aussi.

— Beth, c'est euh… Ce n'est pas ce que tu crois…, a bafouillé Avery. Beth, tu connais Abby, n'est-ce pas ?

Il transpirait à grosses gouttes et agitait ses mains secouées de spasmes en direction de la fille, tout en se comportant comme si elle n'était pas là.

— Beth ! Quel plaisir de te revoir ! J'ai lu ce petit article sur toi, l'autre jour… a gazouillé Abby en caressant ostensiblement le dos d'Avery.

Tandis que je continuais à les fixer, frappée de mutisme, j'ai compris qu'Abby supposait que j'ignorais toujours son identité professionnelle. J'étais la proie d'un affreux dilemme : à qui allais-je m'en prendre en premier ? Mais apparemment, Avery a pris mon silence comme une invitation à s'enferrer dans des explications :

— Penelope sait que je suis à New York, a-t-il commencé d'une voix pâteuse, et elle sait bien sûr que j'adore sortir, mais mm… je ne suis pas certain que ce soit la meilleure solution qu'elle apprenne que mm… je suis ici. Elle a mm… du mal à s'habituer au déménagement et je ne pense pas que mm… ce soit très indiqué de la perturber davantage. Tu vois ce que je veux dire ?

Abby a choisi ce moment pour se pencher vers lui et s'attaquer au lobe de son oreille, en me regardant droit dans les yeux. Avery l'a repoussée comme il l'aurait fait d'un moucheron, il s'est levé et m'a pris le bras pour m'éloigner de leur table. Pour quelqu'un qui n'était pas loin du coma éthylique, il se déplaçait assez adroitement.

Je me suis d'abord laissé faire, puis au bout d'une

seconde, j'ai repris pied avec la réalité et je me suis dégagée d'un coup sec.

— Salaud ! ai-je sifflé entre mes dents.

J'avais voulu hurler, mais le volume n'avait pas suivi. Abby est venue se faufiler à côté d'Avery.

— Il y a un problème ?

Je l'ai toisée, presque effrayée par la haine qu'elle m'inspirait.

— Un problème ? Non, pourquoi ? Il n'y a aucun problème. Mais c'est drôle, j'ai comme l'impression que demain, tu t'abstiendras de raconter comment tu t'es jetée sur le fiancé d'une autre fille, que tu connais maintenant depuis huit ans. Oui, j'imagine que demain, dans ta petite chronique, tu ne parleras ni de toi, ni d'Avery. Tu raconteras plutôt quelque charmante histoire à mon propos – comme quoi je volais les pourboires des serveurs, ou prenais de la drogue avec les danseuses, ou faisais une partouze avec les photographes. Pas vrai ?

Ils m'ont regardée tous les deux fixement. C'est Abby qui a réagi la première.

— De quoi tu parles, Beth ? Ça n'a pas de sens.

— Vraiment ? Tiens, tiens. Malheureusement pour toi, vois-tu, je sais que c'est toi qui signes Ellie d'Initiée. Et tu veux savoir pourquoi c'est vraiment con pour toi – en dehors du fait que c'est un pseudo vraiment naze ? Parce que je n'aurais de cesse que tout le monde le sache. Je vais appeler tous les journalistes, tous les chefs de rubriques, contacter tous les bloggers et les assistants de la ville pour leur dire qui tu es, et comment tout ce que tu écris n'est qu'un tissu de mensonges. Mais c'est avec ta rédac' chef que je vais le plus m'amuser, quand je vais lui parler de poursuites pour diffamation. Peut-être aussi que ça l'intéressera d'apprendre que tu as failli te faire virer de la fac pour avoir volé les devoirs de tes camarades ? Peut-être aussi qu'elle entendra parler de la soirée où tu as couché non pas avec un, ni deux, ni trois mais *quatre* mecs de l'équipe de lacrosse. Alors, Abby, t'en dis quoi ?

— Beth, écoute, je…, est intervenu Avery.

Il semblait ne pas avoir écouté un seul mot de ma harangue, et visiblement, seules le concernaient les éventuelles répercussions de l'incident sur sa propre vie.

— Non, Avery, c'est *toi* qui vas m'écouter, ai-je sifflé d'une voix gonflée de venin. Tu as une semaine à compter d'aujourd'hui pour tout dire à Penelope. Tu m'entends ? Une semaine. Sinon, c'est moi qui me chargerais de le lui dire.

— Putain, Beth, arrête ! Tu ne sais pas ce que tu racontes. Merde ! Tu ne sais rien de ce qui s'est passé en réalité. Il ne se passait rien !

— Écoute-moi bien, Avery. Une semaine. Pas un jour de plus.

J'ai tourné les talons, en priant à part moi pour qu'il me prenne au mot, et ne m'oblige pas à tout dire à Penelope. Ce serait déjà assez difficile de dire à ma meilleure amie que sa saleté de fiancé l'avait abandonnée seule dans une ville inconnue pour rentrer à New York se soûler et la tromper, mais ce serait particulièrement pénible de devoir le faire quand notre relation, à elle et moi, était encore un peu vacillante.

Je m'étais éloignée de quelques pas quand Avery m'a empoignée par le coude. J'ai trébuché et je me serais affalée s'il ne m'avait retenue avant de me précipiter sur une banquette et de coller son visage à quelques centimètres du mien. Son haleine qui empestait l'alcool était brûlante contre ma peau et son esprit semblait avoir recouvré assez de clarté quand il a chuchoté :

— Beth, je nierai jusqu'au dernier de tes mots. Qui croira-t-elle ? Moi, le mec qu'elle *vénère* depuis dix ans,

ou l'amie qui a séché son dîner de départ pour aller traîner avec un mec ? Hein ?

Il me surplombait de toute sa corpulence, le visage
crispé dans une expression tout à la fois douloureuse
et menaçante. Il m'est passé par la tête qu'un coup de
genou bien placé serait peut-être une réponse appropriée.
Sa proximité m'inspirait plus de dégoût que de crainte
pour ma sécurité, mais je n'ai pas eu besoin de prendre
une décision. Avant même que je puisse positionner mon
genou, tout le corps d'Avery a semblé refluer.

— Puis-je vous aider ? a demandé Sammy en retenant
Avery debout par le dos de sa chemise.

— Dégage, mec ! T'es qui, toi ? a craché Avery, l'air
plus soûl et plus agressif que jamais. C'est pas tes oignons,
connard !

— Je suis chargé de la sécurité, et je fais mon boulot
de connard.

— Je suis avec une amie. On discute, alors dégage,
connard.

Avery a redressé les épaules, dans une tentative loupée
pour recouvrer un poil de dignité.

— Vous discutez, ah ouais ? C'est marrant, parce que
votre *amie* n'a vraiment pas l'air ravi de « discuter »
avec vous. Maintenant, dehors, connard.

Tout en frictionnant mon bras, j'ai regardé les deux
hommes se toiser, en me demandant lequel allait doubler
la mise et caser deux fois « connard » dans la même
phrase.

— Écoute, mon pote, on se calme. Personne n'a
besoin de ton aide, d'accord ? Je connais Beth depuis des
années, alors tu repars d'où tu viens et tu nous laisses
finir notre conversation. Tu n'as pas… des verres à servir
par exemple ?

L'espace d'un instant, j'ai bien cru que Sammy allait

lui en coller un, mais il s'est contenu, il a pris une longue inspiration et il s'est tourné vers moi :

— Ça va aller ?

Je voulais tout lui expliquer – qu'Avery était le futur mari de Penelope et que je l'avais surpris avec une autre fille, qui se trouvait être Abby, qui elle-même n'était autre qu'Ellie d'Initiée ; que tout en sachant qu'Avery n'était qu'un salaud d'infidèle, jamais je ne l'avais vu déployer tant d'agressivité. Je voulais me suspendre à son cou et le remercier sans fin de veiller sur moi, d'être intervenu quand il avait senti que j'avais un problème. Je voulais lui demander conseil – qu'allais-je dire à Penelope ? quelle attitude adopter à l'égard d'Avery ? J'ai brièvement songé à tout envoyer balader –, la soirée, mon boulot. À attraper Sammy par le bras, et tout planter là. Mais naturellement, il a lu dans mes pensées. Il s'est penché vers moi et m'a chuchoté discrètement :

— Reste calme, Beth. On parlera de tout ça plus tard.

J'essayais donc de me calmer quand Elisa et Philip ont déboulé, bras dessus, bras dessous.

— Que se passe-t-il ici ? s'est enquis Philip, d'un air totalement désintéressé.

— Philip, ne te mêle pas de ça, ai-je répondu en voulant qu'ils disparaissent de ma vue.

— Elisa, pourquoi ne dis-tu pas à ton garde-chiourme de me lâcher les baskets ? a pleurniché Avery en se servant un autre verre. Cette tête de nœud se mêle de ce qui ne le regarde pas. Je discutais avec une amie, et tout d'un coup il a pété les plombs. Il travaille pour toi ?

Philip s'est laissé choir avec flegme sur le canapé et s'est absorbé dans la préparation d'un gin tonic. Mais Elisa, qui n'aimait pas entendre que le staff importunait un de ses fêtards préférés, est montée au filet.

— Qui êtes-vous ? a-t-elle demandé à Sammy.

Sammy l'a regardée en souriant, comme pour dire « Tu te fous de moi, pauvre conne ? On vient de passer cinq jours ensemble à l'étranger, et là, tu ne sais plus qui je suis ? » Mais quand il a vu son regard vide, il s'est contenté de répondre, d'une voix égale et dépourvue de toute trace de sarcasme ou d'ironie :

— Je suis Sammy, Elisa. On s'est vus quelques dizaines de fois au Bungalow 8, et on était ensemble à Istanbul. Je suis responsable de la sécurité ce soir.

— Mm, passionnant. Donc, tu es en train de m'expliquer que parce que tu fais la porte du Bungalow 8 quelques soirs par semaine et que tu sers de larbin à Isabelle Vandemark, tu te crois tout d'un coup autorisé à traiter un de nos amis – un VIP, rien que ça – avec grossièreté ?

Cela crevait les yeux qu'elle avait quelques verres dans le nez et qu'elle se régalait de faire étalage de son pouvoir devant un public.

Sammy l'a considérée, le visage impassible.

— Avec tout le respect que je lui dois, ton ami était en train d'emmerder ma... d'agresser physiquement ta collègue. Comme elle n'avait pas l'air ravi de l'attention qu'il lui portait, j'ai encouragé le jeune homme à déporter cette même attention ailleurs.

— *Sammy* ? C'est bien ça, ton nom ? a repris méchamment Elisa. Avery Wainwright est un de nos plus proches amis, et je sais avec certitude que Beth n'est pas importunée par sa compagnie. Ne devrais-tu pas plutôt aller séparer des mecs qui se battent dans les chiottes, ou dire à tous ces ploucs de balieusards qui attendent sur le trottoir qu'on ne veut pas d'eux ici ?

— Elisa, suis-je intervenue, sans savoir ce que j'allais dire. Il faisait juste son travail. Il a cru que j'avais besoin d'aide.

— Pourquoi le défends-tu, Beth ? Je veillerai à ce

que ses supérieurs sachent qu'il a initié un incident dans notre carré VIP. (Elle s'est tournée vers Sammy et lui a tendu une bouteille vide de whisky.) Tiens, rends-toi utile. Va nous en chercher une autre.

— Elisa, mon chou, elle le défend parce qu'elle baise avec lui, a pépié quelqu'un derrière nous. (Abby – on s'en serait douté.) Du moins je crois. Philip, tu ne dois pas être ravi, n'est-ce pas ? Ta nana qui se tape le videur du Bungalow. Ça c'est du scoop !

Elle a éclaté de rire. Philip, qui n'avait pas trop envie de s'embarquer dans le jeu du qui-couche-avec-qui, s'est contenté d'étirer les jambes sous la table, de glousser et de lâcher :

— Maaaais non ! Elle n'est peut-être pas un modèle de fidélité, mais de là à l'accuser de se taper le personnel… N'est-ce pas, mon cœur, que tu ne te tapes pas le personnel ?

— Clair qu'elle se le tape, a gloussé Abby. Hé, Elisa, pourquoi tu ne m'avais jamais dit ça ? C'est tellement évident – tu aurais dû t'en douter. C'est incroyable que je n'aie jamais rien remarqué.

J'ai eu l'impression de recevoir un coup sur la tête. *Pourquoi tu ne m'avais jamais dit ça ?* Soudain, tout est devenu complètement, horriblement clair. Abby savait en permanence où et avec qui j'étais parce que Elisa la tuyautait. C'était aussi simple que ça. Fin du mystère. Le seul détail qui m'échappait, c'était pourquoi Elisa faisait une chose pareille. De la part d'Abby, c'était moins déroutant : c'était une fille malveillante, vengeresse et méchante qui aurait vendu sa mère agonisante – ou couché avec le fiancé d'une amie – si cela pouvait l'aider à avancer dans sa carrière ou à booster sa réputation. Mais Elisa ?

Elisa, ne sachant trop sur quel pied danser, a gloussé à son tour et a siroté son champagne. Elle m'a coulé un regard, un seul – mais assez appuyé pour que je comprenne que je ne m'étais pas trompée – puis elle a détourné la tête avant que je puisse dire un mot. Avery avait recommencé à plaider sa cause, et Sammy était en train de tourner les talons avec une grimace d'écœurement. Seul Philip, qui était soit trop soûl, soit trop indifférent pour vraiment comprendre ce qui se passait, en a remis une louche.

— C'est vrai, poupée ? Tu t'envoies en l'air avec le videur ? m'a-t-il asticotée en jouant distraitement avec les cheveux d'Abby qui me dévisageait avec intensité, le visage baigné de contentement.

Ce n'est qu'à ce moment-là que je me suis demandé si Philip était, lui aussi et depuis le début, au courant de l'alliance secrète entre Elisa et Abby – ou pire, si par désir de voir publiquement confirmée son hétérosexualité, il était complice. C'était trop horrible à imaginer.

— Hum... la question ne manque pas de piment, Philip, ai-je répondu, aussi fort que je l'osais. (Avery, Elisa, Abby et Sammy se sont tous tournés vers moi.) En quoi cela t'intéresse-t-il, que je couche ou non avec le « videur », comme tu dis ? Ce ne peut pas être de la jalousie de ta part. Après tout, toi et moi ne sommes jamais allés plus loin qu'un pelotage inoffensif.

Philip m'a regardée comme si je le poignardais. Tous les autres ont pris un air déconcerté.

— Quoi ? Allons, s'il vous plaît ! Vous qui savez tout sur tout le monde, vous n'avez jamais soupçonné que ce type qui s'autoproclame un cadeau tombé du ciel pour les femmes de New York préfère les hommes ? C'est incroyable !

Et là, tout le monde s'est mis à parler en même temps.

— Oui, bien vu, a dit Elisa.

— Beth, mon cœur, pourquoi racontes-tu ces sornet-

456

tes ? a demandé Philip d'une voix posée qui contrastait avec son expression.

À ce moment-là, un des intérimaires employés pour la soirée a crié dans mon oreillette que Puff Daddy, qu'on n'attendait pas, venait de se présenter à la porte, au sortir d'une autre fête dans le voisinage. En temps normal, cette arrivée inopinée nous aurait comblés de joie, mais ce soir-là, vu qu'il se présentait avec un aréopage de cent personnes, on courait à l'incident diplomatique. Apparemment, il était très mécontent qu'on le fasse poireauter à la porte, mais dans la mesure où Sammy se trouvait à l'intérieur, son second n'avait pas voulu prendre de décision. Que lui disions-nous ? a insisté l'intérimaire. Qu'il ne pouvait pas passer parce qu'il y avait déjà trop de monde ? Qu'il pouvait entrer avec dix personnes de son choix et avoir une table VIP, mais que le reste du groupe devait partir ? Ou bien fallait-il virer cent des personnes déjà à l'intérieur pour faire de la place à son groupe ? Et qui serait l'heureux messager de ces nouvelles ? Personne ne se bousculait au portillon.

Avant qu'on puisse trouver une solution au problème, une des stagiaires a averti que des membres d'un boys-band très en vue étaient en train de se faire arrêter pour avoir acheté de la drogue dans les toilettes – où un des agents de la police municipale chargés de contrôler la foule à l'extérieur était brièvement descendu. L'aspect dérangeant de l'incident, selon la stagiaire, tenait surtout à la présence de cinq paparazzi qui immortalisaient la scène – des clichés qui, évidemment, se retrouveraient dans tous les journaux à scandales et jetteraient une ombre au beau tableau que nous voulions promouvoir.

Juste après cela, Leo m'a informée que, mystérieusement, la société de production avait mal calculé son coup et était à court de champagne.

— C'est impossible ! Ils savaient combien de personnes nous attendions. Ils savaient que notre principale inquiétude, bien avant les alcools forts et la bière, c'était le champagne ! Tout le monde boit du champagne. Les Bunnies. Les filles. Les banquiers. Le seul moyen de retenir des filles quelque part, c'est de leur donner du champagne. Et il n'est que minuit et demi ! Qu'allons-nous faire ? ai-je hurlé pour couvrir les décibels d'une chanson d'Ashlee Simpson.

— Je sais, Beth. Je suis sur le pont. J'ai dépêché quelques barmans chercher autant de caisses qu'ils pourront trouver, mais à cette heure-ci, ça ne va pas être facile. On peut dégoter quelques bouteilles dans les magasins d'alcool, mais je ne sais pas où ils vont en trouver en quantités massives.

L'intérimaire de service à la porte est revenu à la charge, de la panique dans la voix.

— Beth, j'ai besoin de savoir ce que vous voulez que je fasse avec notre euh… VIP ? Il s'impatiente.

— Beth, tu m'entends ?

C'était Kelly. Elle s'était emparée d'un micro et tentait de démêler ce qui se passait. Et la patronne généralement si gentille s'était muée en une furie démoniaque.

— Tu te rends compte que nous avons ici des gamins en train de se faire coffrer pour trafic de drogue ? Personne ne se fait ARRÊTER à nos soirées, tu m'entends ? Personne ! Beth, tu m'entends ? Tu règles tout ça *pronto* ! Tout part à vau l'eau et tu es introuvable ! Où es-tu passée ?

J'ai vu Elisa retirer son oreillette – par pur désir de sabotage, ou simplement parce qu'elle était trop défon-cée, je n'aurais su dire – et se laisser choir à côté de Philip où elle a commencé à rivaliser avec Abby pour capturer son attention. J'étais en train de rassembler mon énergie pour débrouiller tous ces problèmes qui m'importaient si peu quand j'ai entendu un dernier commentaire.

— Hé, mec… Ouais, toi, là.

C'était Philip, qui enlaçait Elisa d'un bras et Abby de l'autre. Il appelait Sammy. Avery, à côté d'eux, tenait des propos incohérents.

— Ouais…, fait Sammy qui n'était pas tout à fait certain que Philip s'adressait à lui.

— Sois sympa et va nous chercher une bouteille de quelque chose. Hé les filles, vous voulez quoi ? Des bulles ? Ou de la vodka ?

On aurait dit que Sammy avait reçu une gifle.

— Je ne suis pas votre larbin.

À croire que Philip a trouvé cette réponse hilarante, car il a éclaté de rire, et repris :

— Contente-nous de porter à boire, veux-tu, mec ? Les autres détails ne m'intéressent pas.

Je n'ai pas attendu de savoir si Sammy allait lui coller un gnon, l'ignorer ou aller chercher la bouteille. Je ne pensais plus guère à grand-chose, sinon que ce serait le pied de me glisser dans un lit confortable et que je me fichais pas mal que Puff Daddy entre avec une personne, ou cent, ou même entre tout court. J'ai pris soudain conscience que je passais chaque jour, chaque nuit, presque chaque seconde de ma vie en compagnie des pires personnes que j'avais jamais rencontrées, et que ça ne me rapporterait rien d'autre qu'une boîte à chaussures pleine de coupures de presse qui m'humiliaient – non seulement moi, mais également toutes les personnes que j'aimais. J'ai observé un photographe voler un énième cliché de Philip qui faisait le malin tandis que dans mon oreillette on égrenait une litanie de problèmes avec autant d'affolement que s'il s'agissait de crises internationales majeures, et j'ai pensé à Will, à Penelope, à mes parents, à mes copines du club de lecture et aussi, naturellement, à Sammy. Et avec la sensation de retrouver un calme que je n'avais plus connu depuis des mois, j'ai tout simplement retiré mon oreillette, je l'ai posée sur la table et j'ai annoncé tranquillement à Elisa :

— Je me casse.

Puis je me suis tournée vers Sammy et j'ai ajouté, sans me préoccuper de savoir qui écoutait :

— Je rentre chez moi. Si tu veux passer plus tard, j'adorerais te voir. J'habite sur la Vingt-Huitième Est, au 145, appartement 1313. Je t'attendrai.

Sans laisser à personne le temps de réagir, j'ai tourné les talons, j'ai traversé la piste, en ignorant un couple qui était, je crois bien, carrément en train de baiser à côté de la cabine du DJ, et j'ai filé droit en direction de la porte, où une horde de gens oscillait au rythme de la musique. Du coin de l'œil, j'ai aperçu Kelly, et quelques-unes des filles de La Liste qui flirtaient avec des copains de Puff Daddy, mais je les ai dépassées avec flegme, et je me suis éloignée le long du trottoir. La foule menaçait de prendre possession de la rue ; personne ne me prêtait attention. J'avais parcouru la moitié du bloc et je venais de héler un taxi quand j'ai entendu Sammy crier mon nom. Il m'a rejointe en courant et a claqué la portière que j'étais en train d'ouvrir.

— Beth, ne fais pas ça. Je peux encaisser. Reviens, on parlera de tout ça plus tard.

Je me suis hissée sur la pointe des pieds pour l'embrasser sur la joue et j'ai levé le bras pour héler un autre taxi.

— Non, Sammy, je ne veux pas y retourner. Je veux rentrer chez moi. J'espère te voir tout à l'heure, mais là, je dois m'en aller.

Il a ouvert la bouche pour protester, mais j'ai grimpé dans le taxi.

— Moi aussi je peux encaisser, ai-je ajouté avec un sourire, avant de m'éloigner de ce cauchemar aux allures de déferlante.

31

À deux heures du matin, il n'y avait toujours aucun signe de Sammy. Mon téléphone sonnait sans répit – Kelly, Philip, Avery – mais je n'ai pas répondu. J'avais recouvré suffisamment de calme pour écrire le brouillon d'une lettre d'excuses à l'intention de Kelly, et à trois heures du matin, j'étais parvenue à la conclusion qu'Elisa – à la différence d'Abby – n'était pas forcément diabolique et malveillante, mais juste très, très affamée. Quand quatre heures ont sonné et que j'ai vu que Sammy ne donnait toujours pas signe de vie, j'ai commencé à redouter le pire. Sur le coup des cinq heures, je me suis endormie, et lorsque je me suis réveillée quelques heures plus tard, j'ai failli éclater en sanglots en découvrant que je n'avais aucun message de lui.

Il a fini par appeler, à onze heures. J'ai brièvement songé à ne pas répondre – en fait, j'avais décidé que je ne répondrais pas – mais il a suffi de voir son nom s'afficher sur l'écran pour annihiler ma volonté.

— Allô ?

J'avais voulu prendre un ton détaché, mais le son qui était monté de ma gorge évoquait davantage une pénurie d'oxygène.

— Beth, c'est Sammy. Je te dérange ?

Eh bien, ça dépend, avais-je envie de répondre. *Tu appelles pour t'excuser de n'être pas passé cette nuit – ou tout au moins pour m'offrir une explication ? Parce que si c'est le cas, tu ne peux pas mieux tomber – amène-toi illico, je vais te préparer une omelette, masser tes épaules endolories et te couvrir de baisers. Si en revanche tu appelles pour ne serait-ce que suggérer qu'il y a un problème – avec toi, avec moi, ou pire que tout, avec nous – alors peut-être devrais-tu deviner que je suis très, très, très occupée en ce moment.*

— Non, bien sûr que non. Quoi de neuf ?

Voilà qui sonnait relax et détaché, non ?

— Je voulais savoir comment ça s'était passé pour toi, hier soir. J'étais superinquiet – tu as tout planté en plein coup de feu.

Il n'a pas mentionné le fait que je l'avais invité à passer ensuite, mais l'inquiétude qui s'entendait dans sa voix a largement rattrapé ce détail. Savoir qu'il se souciait de moi m'a délié la langue, et une fois que j'ai été lancée, impossible de m'arrêter.

— C'est nul de ma part, de m'être cassée au beau milieu de la soirée – c'est totalement immature, absolument pas professionnel. J'aurais dû rester, même si ça se passait mal. Mais je n'étais plus moi-même. Alors je suis partie. Et je suis contente de l'avoir fait. Tu as compris ce qui se passait, hier soir ?

— Non, pas vraiment, mais j'ai compris une chose, c'est que tous ces gens me sortent par les yeux. Que te voulait cet Avery ? Que se passait-il ?

Je lui ai tout expliqué. Comment j'avais surpris Philip et Leo ensemble à Istanbul. Qu'Abby et Ellie n'était qu'une seule et même personne et que c'était Elisa qui lui fournissait les informations. Je lui ai dit qu'Elisa, ces derniers temps, faisait montre d'un vif esprit de compétition, et qu'elle avait des vues sur Philip, mais que j'étais choquée de ce qu'elle ait pu me faire ça. Je lui ai parlé de Penelope et d'Avery, et je lui ai raconté comment j'avais trouvé Avery en train de peloter Abby. J'ai avoué que j'avais annulé bon nombre de dîners et esquivé plusieurs brunches avec Will et Simon parce que j'avais toujours plus urgent à faire. J'ai confessé que depuis des mois, je négligeais de rappeler Michael qui m'avait proposé à plusieurs reprises d'aller boire un verre, parce que j'étais trop occupée, et que je ne savais pas quoi lui dire. J'ai reconnu que j'avais déçu mes parents à tel point qu'ils ne me parlaient presque plus, et que je n'avais quasi plus la moindre idée de ce qui se passait dans la vie de ma meilleure amie. Et puis je me suis excusée auprès de lui pour avoir voulu cacher qu'on était sortis ensemble, alors qu'en réalité, loin d'en avoir honte, ça me transportait de joie.

Sammy m'a écoutée, m'a posé quelques questions, mais quand je l'ai mentionné, lui, il a soupiré. Mauvais signe.

— Beth, je sais que tu n'as pas honte – je sais que ça n'a rien à voir avec ça. Nous étions convenus tous les deux de ne rien dire, vu nos situations respectives. Ne sois pas si dure avec toi-même. Tu as fait ce qu'il fallait faire, hier soir. C'est moi qui devrais m'excuser.

— De quoi parles-tu ? Tu as été super.

— Non, j'aurais dû coller mon poing dans la gueule de ce mec. Tout simplement.

— Quel mec ? Avery ?

— Avery, Philip, quelle importance ? J'ai dû faire un immense effort sur moi-même pour ne pas le tuer.

Il n'aurait pas pu trouver meilleure réponse, alors pourquoi avais-je cette crampe bizarre à l'estomac ? Parce que je me demandais jusqu'à quel point il s'était vraiment inquiété pour moi, vu qu'il avait laissé passer dix heures avant de m'appeler ? Ou parce que je ne l'avais pas encore entendu prononcer un seul mot au sujet de nous ? Ou peut-être était-ce plus simple ? Peut-être commençais-je juste à stresser à cause de mon chômage inattendu ? Je voyais déjà voir se profiler la réalité d'une nouvelle recherche d'emploi. J'avais toujours su que je n'étais pas faite pour la finance ; mais s'essayer à un domaine entièrement différent – et indéniablement amusant – et me rendre compte que je n'étais pas taillée pour ça non plus, c'était déstabilisant. Comme par transmission de pensée, Sammy m'a demandé comment je comptais rebondir. Je lui ai dit que Kelly m'avait gentiment offert de travailler sur quelques projets en free-lance, lorsque je l'avais appelée plus tôt dans la matinée pour m'excuser, mais qu'elle avait accepté ma démission sans protestation. J'ai ajouté qu'il était peut-être temps de ravaler ma fierté et de rallier l'équipe de Will. Je me suis aperçue soudain que, tout à mes élucubrations, je ne lui avais toujours pas demandé de nouvelles de son restaurant.

Quand j'ai abordé le sujet, il a d'abord gardé un instant le silence.

— Les nouvelles sont bonnes, a-t-il dit enfin.

— Ça a marché ! me suis-je écriée sans réfléchir. Ça a marché ? ai-je répété avec plus d'hésitation.

— Ouais, ça a marché. (Je l'entendais sourire.) J'ai soumis le pitch et les propositions de carte en moins de quinze jours. L'avocat m'a dit que ses clients étaient impressionnés. Ils m'ont embauché, et ils ont acheté un petit local dans East Village.

L'excitation m'avait rendue muette, mais Sammy n'a pas semblé y prendre garde.

— Tout s'est passé très vite, a-t-il repris. C'était un restau qui était sur le point d'ouvrir, puis les investisseurs se sont dédits à la dernière minute. Un scandale d'entreprise qui a filtré, apparemment. Bref, *mes* investisseurs ont sauté sur l'occasion et racheté l'endroit à un très bon prix. De là, ils se sont aussitôt mis en quête d'un chef et ils veulent ouvrir le plus rapidement possible. C'est incroyable, non ?

— Toutes mes félicitations ! ai-je lancé avec un enthousiasme sincère. Je savais que tu y arriverais !

Je le pensais vraiment, évidemment, mais au moment même où je le disais, mes tripes se sont nouées. Je me détestais de nourrir de telles pensées, mais le fait est qu'en ce qui nous concernait *nous*, ce n'était pas une bonne nouvelle.

— Merci, Beth. Ton soutien signifie beaucoup pour moi. Il me tardait de te l'annoncer.

Avant même de réfléchir à la meilleure façon de formuler ma pensée, j'ai bafouillé :

— Mais ça veut dire quoi, pour nous ?

Une atroce, une terrible chape de silence est tombée, mais je n'ai tout de même pas pigé immédiatement. Je savais que nous étions faits l'un pour l'autre. Les obstacles n'étaient pas insurmontables, ce n'était jamais que des rochers à escalader pour consolider une relation. Quand Sammy s'est décidé à répondre, il avait une voix de vaincu, mais exempte de tristesse.

— Je vais être marié à ce projet, tu sais.

Voilà tout ce qu'il a été capable de dire. À l'instant même où il a prononcé ces mots, j'ai su que c'était perdu – qu'il n'y aurait pas de « nous » qui tienne.

— Bien sûr, ai-je répondu machinalement. C'est la chance de ta vie.

À ce moment-là, un héros de roman sentimental aurait rétorqué, « Toi aussi tu es la chance de ma vie, voilà pourquoi je vais faire tout ce qui est en mon pouvoir pour que ça marche entre nous. » Mais Sammy n'a rien dit de tel.

— Beth, je te respecte trop pour te demander de m'attendre même si, bien sûr, une part de moi espère que tu le feras.

Va au diable ! ai-je pensé. *Demande-moi d'attendre et j'attendrai. Demande-moi de comprendre qu'il faudra passer un cap difficile, mais qu'ensuite nous serons heureux, amoureux, ensemble. Mais s'il te plaît, laisse tomber ces sornettes de respect – je ne veux pas de ton respect ! Je veux que tu me veuilles !*

Mais je n'ai rien dit de tout ça. J'ai essuyé les larmes qui ruisselaient sur mon menton et je me suis concentrée pour garder une voix ferme. Quand j'ai enfin parlé, j'étais fière de ma contenance et de la clarté avec laquelle je m'exprimais.

— Sammy, je comprends combien c'est une chance incroyable, et je ne pourrais pas être plus heureuse pour toi. Tu dois consacrer tout ton temps et toute ton énergie à faire de ce restau une adresse fantastique. Je ne t'en veux pas, je te le promets. Je ne suis pas contrariée, je suis incroyablement heureuse pour toi. Fonce. Fais ce que tu dois faire. Et j'espère que tu m'inviteras à dîner quand ton restau sera devenu l'endroit le plus couru de New York. On reste en contact, d'accord ? Tu vas me manquer.

J'ai reposé tranquillement le combiné et je l'ai contemplé pendant cinq bonnes minutes avant de commencer à pleurer pour de bon.

Il n'a pas rappelé.

32

— Pen, redis-moi déjà comment ma vie va s'améliorer un de ces quatre ?

Nous étions assises toutes les deux dans mon salon. J'étais affalée sur le canapé en tenue d'intérieur, comme tous les jours depuis trois mois et demi, et n'éprouvais aucun désir de renfiler un jour des vêtements d'extérieur.

— Mais bien sûr, mon chou. Tu n'as qu'à voir comment tout se met merveilleusement en place dans ma propre vie ! m'a-t-elle rétorqué d'un ton sarcastique.

— Il y a quoi, ce soir, à la télé ? Tu as pensé à enregistrer le *Desperate Housewives* de la semaine dernière ?

Elle a lâché son *Marie-Claire* et m'a décoché un coup d'œil acerbe.

— Beth, on l'a regardé quand il est passé dimanche. Pourquoi l'aurait-on enregistré ?

— Je veux le revoir, ai-je pleurniché. Allons, il y a forcément un truc décent à regarder. Et si on regardait ce docu sur le porno sur HBO ? On l'a enregistré, ça ?

Penelope s'est contentée de soupirer.

— Et *Real World* ? (Je me suis redressée et j'ai commencé à pianoter sur la télécommande de TiVo.) On a

467

forcément un épisode en mémoire. Même un vieux. Le contraire est impossible.

À ce stade, j'étais quasiment au bord des larmes.

— Bon sang, Beth ! Il faut que tu te reprennes en main ! Ça ne peut plus durer.

Elle avait raison, évidemment. J'étais prostrée depuis si longtemps que c'était devenu la norme. Cette période de chômage n'avait guère de points communs avec la première. Fini les grasses matinées bienheureuses, ou les virées furieuses à la confiserie du coin, ou les longues balades pour découvrir des quartiers inconnus. Je ne tentais rien pour retrouver un boulot et je subsistais (chichement) en faisant de la vérification d'informations pour Will. J'enfilais mon peignoir en flanelle le matin, et je trouvais entièrement justifié de ne pas le quitter de la journée. Mais à voir Penelope – qui avait toutes les raisons d'être plus mal en point que moi – reprendre du poil de la bête chaque jour davantage, j'avais commencé à m'alarmer.

Je n'avais plus de nouvelles de Sammy depuis cette conversation au lendemain de la soirée *Playboy* – soit depuis trois mois, deux semaines et quatre jours. Ce jour-là, à peine avais-je eu raccroché avec Sammy que Penelope m'avait appelée pour m'annoncer qu'elle venait de parler avec Avery et qu'elle savait « tout ». Avery l'avait appelée dans la nuit pour lui confesser qu'il avait vraiment bu plus que de raison et qu'« accidentellement » il avait embrassé une fille au hasard. Penelope était bouleversée mais lui cherchait encore des excuses. À la fin, j'avais pris mon courage à deux mains, et je lui avais raconté toute l'histoire. Et lorsqu'elle s'était confrontée avec Avery, il avait avoué coucher avec Abby depuis un petit moment, en même temps qu'avec quelques autres.

Très calmement, Penelope avait demandé à sa bonne

(un cadeau de fiançailles des parents d'Avery) d'emballer toutes ses affaires et de les expédier à New York. Elle avait ensuite réservé deux places en première sur un Los Angeles-New York, s'était fait conduire à l'aéroport dans la limousine la plus luxueuse qu'elle avait trouvée (en chargeant le tout sur la carte de crédit d'Avery) et elle avait entrepris de noyer son chagrin dans le champagne, allongée sur deux sièges. J'étais allée la récupérer à JFK et je l'avais traînée directement au Black Door, où nous nous étions soûlées méthodiquement. Les premières semaines, elle était repartie habiter chez ses parents – qui, à leur crédit, s'étaient abstenus de lui conseiller de pardonner et de passer l'éponge – et lorsqu'elle n'avait plus pu les supporter, elle était venue s'installer sur mon canapé.

Nous étions finalement réunies – malheureuses, le cœur brisé, et au chômage. Nous formions la paire : nous partagions le loyer, une salle de bains, de multiples bouteilles de vin, et ingurgitions des quantités exceptionnelles de mauvais programmes télé. Tout avait été parfait, jusqu'à ce que Penelope retrouve un boulot – dans une boîte spécialisée en fonds spéculatifs à Westchester – et m'annonce qu'elle s'installerait dans son propre appartement quinze jours plus tard. Je savais bien que nos cocooning-parties ne pouvaient pas durer éternellement – elles se prolongeaient déjà depuis un bon moment – mais je n'ai pas pu réprimer un sentiment de trahison. Penelope remontait si bien la pente qu'elle avait même craqué sur le type qui lui avait fait passer son entretien de recrutement. L'évidence crevait les yeux : mon amie repartait de l'avant et moi, j'étais destinée à demeurer à l'état d'épave pour le restant de mes jours.

— Combien de temps tu crois que je dois attendre avant d'aller voir à quoi ressemble le restaurant ? lui ai-je demandé pour la millième fois au moins.

— Je te l'ai déjà dit. Je serais ravie de me travestir et d'aller y faire un tour avec toi. Je serais très discrète – il ne m'a jamais vue ! C'est peut-être un peu pervers, mais ce serait superdrôle.

— Tu as vu l'article dans le *Wall Street Journal* ? Ils adorent l'endroit. Ils disent que Sammy est le meilleur chef a avoir émergé au cours des cinq dernières années.

— Je sais, mon chou, je sais. Le consensus est général, à ce qu'on dirait. Tu n'es pas heureuse pour lui ?

— Oh, tu n'imagines pas à quel point…, ai-je marmonné entre mes dents.

— Quoi ?

— Rien, rien. Oui, évidemment que je suis heureuse pour lui. J'aimerais juste être heureuse *avec* lui.

Sammy avait ouvert son restaurant – un endroit charmant et très personnel dédié à la cuisine « fusion » – deux mois plus tôt, sans fanfare. Je n'en aurais même rien su si Will ne l'avait pas, en passant, mentionné lors de l'un de nos dîners hebdomadaires. À compter de ce jour-là, je n'avais eu de cesse de traquer toute nouvelle info. Au début, elles étaient succinctes : une biographie du chef, quelques détails à propos de la célérité avec laquelle l'endroit s'était monté, quelques commentaires de clients disséminés sur des sites Internet, et une brève mention du restaurant dans un article qui se penchait sur la gentryfication du quartier. Mais ensuite, le vent a tourné et en l'espace de quelques semaines, le restaurant de Sammy, d'adresse de quartier sympa, est devenu la coqueluche de la ville entière.

D'après un article que j'avais lu, le restaurant, baptisé Sevi, avait attiré dès l'ouverture une clientèle de quartier assidue. Mais sitôt que Frank Bruni l'avait eu chroniqué dans le *New York Times*, sa réputation avait fait un pas de géant. Bruni lui avait décerné trois étoiles, du jamais-vu pour un chef dont jamais personne n'avait entendu parlé et qui en était à son coup d'essai. Les autres journaux et magazines de la ville avaient aussitôt suivi en publiant eux aussi des chroniques dithyrambiques. Le magazine *New York*, qui ne faisait jamais les choses à moitié, avait carrément déclaré que Sevi « était le seul restaurant qui comptait en ville ». D'adresse confidentielle, Sevi était devenu l'endroit où il fallait absolument décrocher une réservation pour ne pas finir dans le purgatoire des exclus de la hype. Mais il y avait une entourloupe : Sammy ne prenait jamais lui-même de réservation. Pour personne. Sous aucun prétexte. Dans toutes les interviews que j'avais lues de lui – et faites-moi confiance, je les lisais *toutes* – il déclarait que tout le monde était le bienvenu chez lui et que personne ne bénéficierait d'un traitement de faveur. « J'ai passé tellement d'années à déterminer qui pourrait ou ne pourrait pas entrer », avait-il déclaré dans l'une d'elles « que ça ne m'intéresse plus du tout. Si quelqu'un souhaite venir dîner ici, qui qu'il soit, il est le bienvenu, comme tout un chacun. »

— Mais il faut obligatoirement réserver ! m'étais-je écriée la première fois que j'avais lu ça.

— Et alors ? m'avait rétorqué Penelope.

— Et alors, ça signifie traiter avec une réceptionniste odieuse qui va te soutenir mordicus qu'il n'y a pas de table libre avant six mois ! Pen, je te jure ! avais-je crié en la voyant éclater de rire. Je sais comment ça marche. La seule façon d'attirer les gens quelque part, c'est de leur en faire voir de toutes les couleurs pour franchir la porte. Pour emplir rapidement une salle de restaurant, il faut faire croire à tous ceux qui appellent que c'est complet pour plusieurs mois, se dépêcher de multiplier par deux les prix de la carte, et embaucher des serveurs qui rechignent à s'abaisser à servir les clients, ainsi qu'une hôtesse qui toise tous les arrivants avec désapprobation. S'il fait ça, il aura une chance.

Je ne plaisantais qu'à moitié mais ça n'avait pas grande importance : la technique de Sammy avait clairement porté ses fruits.

La critique parue dans le *Wall Street Journal* expliquait comment la scène de la restauration new-yorkaise était dominée ces derniers temps par l'ouverture de tout un tas de restaurants haut de gamme, avec aux manettes des chefs superstars. Pas moins de cinq établissements de ce genre avaient ouvert récemment dans le nouvel immeuble de la Time Warner. Du coup, dans le même temps, les gens s'étaient lassés de toute cette pompe et rêvaient d'un excellent repas dans un endroit sans apparat. C'était précisément ce que proposait Sammy avec son restaurant. J'étais tellement fière de lui que j'étais au bord des larmes chaque fois que je lisais une nouvelle chronique, ou entendais quelqu'un mentionner le Sevi, ce qui arrivait de plus en plus souvent. Je mourais d'envie d'y aller voir par moi-même, mais je ne pouvais nier l'évidence : Sammy n'avait pas décroché son téléphone pour m'inviter.

— Tiens, a dit Penelope en me tendant le classeur renfermant les menus de restaurants qui livraient à domicile. Je t'invite. Commande quelque chose. Et on pourrait sortir boire un verre ensuite.

Je l'ai dévisagée comme si elle venait de suggérer de sauter dans un avion à destination du Bangladesh.

— Un verre ? *Dehors ?* Tu plaisantes !

J'ai feuilleté le contenu du classeur avec un total désintérêt.

— Il n'y a rien.

— Rien ? a répété Penelope en m'arrachant le classeur des mains et en sortant une liasse de menus. Chinois, hamburgers, sushi, thaï, pizza, indien, vietnamien, kasher, salades, italien… Rien que ça. Choisis, Beth. Tout de suite.

— Non, toi tu choisis. Franchement, ça m'est égal.

Elle a composé le numéro d'un restaurant baptisé Nawab et je l'ai entendue commander deux poulets tikka avec du riz basmati, et deux corbeilles de chapatis. Puis elle a raccroché et s'est tournée vers moi.

— Beth, je te pose la question pour la dernière fois : que veux-tu faire ce week-end ?

J'ai lâché un soupir éloquent de sous-entendus et je me suis réinstallée sur le canapé.

— Pen, je m'en fiche. Ce n'est pas un anniversaire bien marquant. Je dois déjà me plier au rituel avec les filles du club, c'est bien assez. Je ne comprends pas ton insistance à vouloir faire un truc spécial – pour ma part, je préférerais juste oublier.

— Ouais, c'est ça, a-t-elle reniflé. Tout le monde dit toujours n'en avoir rien à fiche, et personne ne s'en fiche vraiment. Pourquoi ne me laisses-tu pas organiser un petit dîner samedi soir ? Toi, moi, Michael, quelques personnes de chez UBS, éventuellement. Quelques filles de ton club.

— C'est une idée sympa, Pen, vraiment, mais Will a déjà parlé d'un dîner samedi. Il m'emmène dans un bon restaurant, je n'ai pas retenu le nom. Tu veux venir ?

Nous avons bavardé jusqu'à ce que le dîner arrive, puis j'ai réussi à hisser mon derrière qui s'élargissait à vue d'œil du canapé pour me traîner jusqu'à la table de la cuisine. Tandis que nous nous servions de gros morceaux de poulet parfumé sur des assiettes de riz, j'ai songé que Penelope allait terriblement me manquer. Sa présence était une immense source de distraction, et plus important, nos relations étaient enfin revenues à la normale. Je l'ai regardée agiter sa fourchette pour ponctuer une histoire drôle qu'elle était en train de raconter, et tout d'un coup, je me suis levée pour la serrer dans mes bras.

— Beth, qu'est-ce que tu as ?

— Tu vas tellement me manquer, Pen.

33

— Merci à vous toutes. Vous êtes vraiment géniales, les copines.

Elles faisaient cercle autour de moi tandis que je les serrais l'une après l'autre dans mes bras. Lors de nos sessions spéciales « anniversaire », le club se réunissait autour d'un gâteau et de quelques verres. Mon gâteau était une mousse de chocolat blanc, à faire descendre avec du limoncello. Je me sentais légèrement embrumée et notre petite célébration, qui s'était conclue avec un chèque cadeau de cent dollars chez Barnes et Noble, m'avait requinquée.

— Profite bien de ton dîner. Et passe un coup de fil si tu veux nous retrouver en sortant de chez ton oncle, a lancé Vika tandis que je prenais congé.

J'ai hoché la tête et je me suis éloignée en agitant la main. Tout en m'engageant dans l'escalier, j'ai pensé au fait qu'il était grand temps de recommencer à accepter des propositions de sorties. Comme il n'était qu'une heure de l'après-midi, et que Will ne m'attendait pas avant vingt heures, je me suis installée dans le patio du Starbucks d'Astor Place avec un *latte* à la vanille et le *New York Post*. Certaines habitudes ont la peau dure, donc, machinalement, je suis allée directement à la Page Six et ce que j'ai vu m'a laissée bouche bée : il y avait un grand article consacré à Abby, accompagné d'une photo. New York Scoop, ai-je lu, venait de mettre un terme à la chronique d'Ellie d'Initiée, et de congédier sa collaboratrice pour avoir falsifié son CV. Les détails étaient succincts, mais d'après une source non citée, l'intéressée avait affirmé être diplômée d'Emery quand, en réalité, il lui manquait trois certificats pour pouvoir prétendre à ce titre, et n'était même pas titulaire d'une licence. J'ai appelé Penelope avant même d'arriver à la dernière ligne.

— Pen ! Est-ce que tu as lu la Page Six aujourd'hui ? Tu dois voir ça ! Tout de suite !

Il serait faux de dire que j'avais oublié Abby, mais je n'avais rien tenté pour sceller sa perte, comme je me l'étais pourtant juré. Elle n'avait plus écrit une ligne sur moi depuis la soirée *Playboy*, mais j'ignorais si c'était par peur des représailles, ou parce que, du moment que je ne travaillais plus chez Kelly & Co. et que je ne sortais plus avec Philip, je ne présentais plus le moindre intérêt. Il y avait aussi une autre possibilité : que son aventure avec Avery soit terminée. D'une manière ou d'une autre, je n'avais eu de cesse de prier pour son trépas.

— Bon anniversaire, Beth !

— Hein ? Ah ouais, merci. Mais écoute, as-tu vu le *Post* d'aujourd'hui ?

Elle a ri pendant une bonne minute, et j'ai eu la nette impression que je loupais un truc.

— C'est mon cadeau pour tes vingt-huit ans, Beth. Bon anniversaire !

— Qu'est-ce que tu racontes ? Je ne comprends rien. Tu as quelque chose à voir avec cet article ?

— Oui, on peut dire ça...

— Pen ! Explique-toi, tout de suite ! Ce pourrait être le plus beau jour de ma vie. Dis-moi !

— D'accord. Calme-toi. Tout cela a commencé de façon très innocente, en fait. Disons que c'est juste tombé du ciel.

— Quoi donc ?

— L'information que notre chère Abby n'était pas diplômée.

— Et comment ça ?

— Eh bien, après que mon ex-fiancé m'a dit qu'il couchait avec elle…

— Correction, Pen. Il t'a dit qu'il couchait avec *quelqu'un d'autre* – et c'est moi qui t'ai appris qu'il couchait avec *elle*.

— Exact. Bref, après avoir appris qu'il couchait avec elle, j'avais l'intention de lui écrire une petite lettre pour lui dire ma façon de penser.

— En quoi ça concerne le fait qu'elle n'est pas diplômée ? ai-je demandé, trop impatiente d'entendre les détails croustillants pour supporter ceux qui n'avaient pas de rapport avec le sujet.

— Beth, j'y arrive ! Je ne voulais pas lui envoyer un mail parce qu'il y avait le risque qu'elle le fasse suivre à un million de personnes à New York, mais son adresse postale est sur liste rouge – elle doit se prendre pour une célébrité et craindre que les gens viennent défoncer sa porte pour apercevoir leur idole en chair et en os. J'ai appelé le New York Scoop, mais ils ont refusé de me la communiquer. Et c'est là que j'ai eu l'idée d'appeler Emory.

— O.K. Jusque-là, je te suis.

— Je me disais qu'en tant qu'ancienne étudiante moi aussi, je n'aurais aucun mal à me la procurer. J'ai contacté l'association des anciens élèves en expliquant que je cherchais à joindre une camarade que j'avais perdue de vue et que je voulais inviter à mon mariage.

— Bien joué.

— Merci, je trouve aussi. Toujours est-il qu'ils ont cherché dans leurs dossiers et m'ont répondu qu'ils n'avaient personne à ce nom. Je te fais grâce des détails sordides, mais en gros, en insistant un peu, j'ai fini par apprendre que cette chère Abby n'avait pas passé son diplôme en même temps que nous – ni jamais.

— Seigneur, je vois où tu veux en venir. Pen, je suis fière de toi !

— Attends, ça se corse. La fille que j'ai eue au téléphone m'a dit, sous le sceau du secret, pourquoi Abby n'avait jamais obtenu ses trois derniers certificats : la doyenne avait découvert qu'elle couchait avec son mari, et elle lui avait suggéré de se retirer immédiatement. On ne l'a jamais su parce que Abby ne s'en est pas vantée et qu'elle a continué à traîner sur le campus jusqu'à ce que nous passions tous notre diplôme.

J'en avais le souffle coupé.

— Incroyable ! Ceci dit, ça ne me surprend guère.

— Ouais. À partir de là, j'ai créé un compte Hotmail anonyme, et hop ! J'ai fait savoir à ces braves gens du New York Scoop que leur chroniqueuse-star n'était pas diplômée, en leur donnant quelques indices quant aux raisons qui l'avaient contrainte à quitter la fac en catastrophe. Ensuite, j'ai appelé tous les jours la rédaction en demandant à lui parler, et hier, on m'a annoncé qu'elle ne faisait plus partie de leur équipe. J'ai aussitôt adressé, sous couvert d'anonymat, quelques tuyaux utiles à la Page Six.

— Pen, mais tu es une garce diabolique ! Je n'imaginais pas que tu avais ça en toi !

— Donc, encore une fois, bon anniversaire ! Cela fait quelques mois déjà que j'ai découvert tout ça, mais je me suis dit que si je patientais un peu, ça serait un supercadeau d'anniversaire.

En raccrochant, j'étais sur un petit nuage. J'imaginais Abby, déambulant dans les rues en faisant la manche ou – encore mieux – vêtue d'un tablier derrière un comptoir de McDo. Quand le téléphone a sonné quelques instants plus tard, j'ai pris l'appel sans même regarder qui appelait.

— Tu as oublié un autre détail juteux ? ai-je demandé, convaincue de parler à Penelope.

— Allô ? a dit une voix d'homme. Beth ?

Oh mon Dieu, Sammy. Sammyyyyyyyyyyyyyyyyyy ! J'ai failli me mettre à danser et hurler son nom dans tout le coffee-shop. Je n'arrivais pas à croire que ce coup de fil que j'attendais depuis près de quatre mois arrivait enfin.

— Salut, ai-je lâché dans un souffle.

Mon émotion par trop évidente lui a arraché un petit rire.

— C'est bon d'entendre ta voix.

— Oui, c'est bon d'entendre la tienne, ai-je répondu, avec beaucoup trop de précipitation. Ça va ?

— Oui, très bien. J'ai ouvert un restau, finalement et…

— Je sais ! J'ai lu plein d'articles à son propos. Félicitations ! C'est un carton énorme ! C'est incroyable !

Je mourais d'envie de savoir comment il s'était débrouillé pour aller si vite en besogne, mais je ne voulais prendre aucun risque en le mitraillant de questions.

— Ouais, merci. Bon, écoute, je suis un peu pressé, mais je voulais t'appeler et…

Oh. Il avait le ton de quelqu'un qui était passé à une autre étape de sa vie – très vraisemblablement une nouvelle petite amie, qui s'épanouissait dans un boulot altruiste, qui ne se vautrait pas toute la journée en vieux jogging taché mais lézardait dans l'appartement vêtue d'un élégant pyjama de soie. Qui...

— ... voir si tu voulais bien dîner avec moi ce soir ? Avais-je bien entendu ?

— Dîner ? ai-je répété d'une voix hésitante. Ce soir ?

— Tu es certainement déjà prise, n'est-ce pas ? Je suis désolée d'appeler à la dernière minute, c'est juste que...

— Non, non, je suis libre ! me suis-je écriée avant qu'il puisse changer d'avis.

Je n'avais pas loupé un seul dîner ou brunch hebdomadaires depuis que j'avais quitté Kelly & Co., donc Will devrait comprendre. J'ai cru l'entendre sourire.

— Génial. C'est bon si je passe te chercher vers dix-neuf heures ? On pourrait boire un verre près de chez toi, et ensuite, j'aimerais t'emmener au restaurant. Si ça te dit...

— C'est parfait. Absolument parfait. Dix-neuf heures. À ce soir.

Et j'ai raccroché avant de risquer de dire un mot qui gâche tout. Le destin. C'était indubitablement le destin qui avait inspiré à Sammy l'idée de m'appeler le jour de mon anniversaire – encore un signe que nous étions, définitivement, faits pour passer notre vie l'un avec l'autre.

Les préparatifs ont été frénétiques. J'ai appelé Will en le suppliant de me pardonner, mais il s'est contenté de rire et m'a répondu qu'il était content de remettre notre dîner à un autre jour puisque j'avais enfin rendez-vous avec un garçon. J'ai foncé au salon en bas de chez moi pour m'offrir une manucure et une pédicure, puis j'ai claqué dix dollars de plus pour un massage des épaules, en espérant me détendre un peu. Penelope s'est chargée de me concocter une tenue stylée, et avant de partir retrouver Michael et Megu, elle est passée me déposer trois robes et un haut à bretelles rebrodé de perles, deux paires de chaussures, quatre sacs, et tout un chargement de bijoux.

J'ai procédé aux essayages, puis j'ai mis un peu d'ordre dans l'appartement, j'ai dansé avec Millington dans les bras sur « We Belong » de Pat Benatar, et enfin, soixante minutes avant exactement l'heure dite, je me suis sagement assise sur le canapé pour attendre Sammy.

Quand Seamus m'a appelée sur l'intercom, j'ai bien cru que j'allais arrêter de respirer. Sammy s'est présenté à ma porte un instant plus tard, plus beau que jamais. Il portait une chemise sans cravate et une veste qui lui donnaient un style à la fois sophistiqué et désinvolte. Et j'ai remarqué que ses cheveux avaient poussé et atteint cette longueur parfaite, ni vraiment longue, ni vraiment courte – un peu à la Hugh Grant. J'ai humé un parfum de savon et de menthe quand il s'est penché pour m'embrasser sur la joue, et si je n'avais pas agrippé le chambranle de la porte, je me serais certainement évanouie.

— Je suis superheureux de te voir, Beth, m'a-t-il dit en me prenant la main pour m'entraîner vers l'ascenseur.

Je me déplaçais sans aucun effort dans mes sandales D&G d'emprunt et je me sentais jolie et féminine avec ma jupe dont l'ourlet m'effleurait les genoux, et mon cardigan en cachemire très fin qui révélait juste ce qu'il fallait de décolleté. La scène était digne d'un roman Harlequin : on ne s'était pas revus depuis des mois, mais on aurait cru qu'on s'était quittés la veille.

— Moi aussi, ai-je réussi à dire, heureuse à l'idée de contempler son visage toute une soirée.

Il m'a emmenée dans un charmant bar à vin, à trois blocs de chez moi. Nous nous sommes installés à une table au fond de la salle et avons immédiatement commencé à discuter. J'étais ravie de voir qu'il n'avait pas changé du tout.

— Raconte-moi comment tu vas, a-t-il dit en buvant une gorgée du syrah qu'il avait commandé en connaisseur.

— Non, non, pas question, ce n'est pas moi qui ai des nouvelles superexcitantes. (*Ça, c'est l'euphémisme du siècle, non*? ai-je pensé.) Je crois que j'ai lu absolument tout ce qui a été écrit sur toi. Les critiques sont toutes dithyrambiques.

— Ouais, bon, j'ai eu de la chance. Beaucoup de chance. (Il a toussoté et j'ai eu l'impression qu'il était un peu mal à l'aise.) Écoute, Beth, j'ai… quelque chose à te dire.

Seigneur. Ce ne pouvait en aucun cas être bon signe. Je m'en suis voulu de mon enthousiasme prématuré, et d'avoir imaginé que son coup de fil – et le jour de mon anniversaire, de surcroît – témoignait d'autre chose que d'un geste amical pour tenir promesse à une vieille amie. C'était la faute de ces maudits Harlequin – c'étaient eux le problème ! Je me suis aussi sec juré de renoncer à jamais à en lire. Ils ne savaient qu'entretenir des attentes déraisonnables. Franchement, est-ce que Dominick ou Enrique déclaraient « J'ai quelque chose à te dire » avant de demander sa main à la femme de leur vie ? Ces mots-là étaient clairement ceux d'un mec sur le point de m'annoncer qu'il était amoureux – de quelqu'un d'autre. Or, je ne pensais pas pouvoir encaisser la moindre mauvaise nouvelle.

— Ah oui ? ai-je réussi à dire, en croisant les bras devant ma poitrine, dans un geste inconscient de protection.

Il m'a décoché un autre regard vraiment étrange, avant que le serveur vienne nous interrompre pour déposer l'addition devant Sammy.

— Désolé de vous bousculer, mais nous fermons tôt pour une soirée privée. J'encaisse dès que vous êtes prêts.

J'avais envie de hurler de frustration. Entendre Sammy m'annoncer qu'il était amoureux d'un top model doté du charisme de Mère Teresa serait déjà assez dur

– fallait-il en plus que je *marine* pour apprendre ça ? Apparemment, oui. Sammy a fouillé dans son portefeuille pour trouver l'appoint, puis il est parti aux toilettes. Une fois sur le trottoir, il a fallu encore attendre un taxi, puis attendre de nouveau le temps que Sammy indique au chauffeur le meilleur itinéraire pour rejoindre le Sevi. Et l'attente s'est poursuivie quand Sammy, après s'être répandu en excuses, a répondu à un coup de fil. Je l'ai écouté murmurer quelques « mm mm » et, à un moment donné, il a prononcé un « oui » intelligible, mais sinon, il s'appliquait à rester dans le vague et j'ai deviné, au nœud qui s'était formé dans mon estomac, que c'était à *elle* qu'il parlait. Quand il a enfin raccroché, je me suis tournée vers lui, je l'ai regardé droit dans les yeux et j'ai dit :

— Tu voulais me dire quoi ?

— Je sais que tu vas trouver ça éminemment bizarre – mais je te jure que je n'ai découvert toute l'histoire qu'il y a à peine quelques jours. Tu te souviens de ces investisseurs dont je t'avais parlé ?

Hum... voilà qui ne prenait pas le chemin d'une déclaration d'amour pour une autre fille.

— Oui. Ils cherchaient à investir auprès du nouveau jeune chef qui allait faire parler de lui. Ils voulaient que tu leur soumettes des idées et des propositions de carte.

— Exactement. Et tu vois, je dois te remercier pour tout ça.

Je l'ai contemplé avec ravissement, prête à l'entendre me dire que j'avais été pour lui une source d'inspiration, d'encouragements, une *muse*, mais ce qu'il a ajouté n'avait aucun rapport avec tout ça – vraiment aucun.

— Ça me fait tout bizarre d'être celui qui te l'annonce, mais ils ont insisté pour qu'il en soit ainsi. Mes investisseurs sont Will et Simon.

— Quoi ? ai-je lâché en pivotant de tout mon corps vers lui. *Mes* Will et Simon ?

Il a hoché la tête et m'a pris la main.

— Tu n'en savais donc rien, hein ? Je pensais que c'était toi qui les avais convaincus, mais ils m'ont juré que tu ignorais tout. Moi-même, je ne l'ai découvert que récemment. Je ne les avais pas revus depuis qu'ils étaient venus bruncher à la Gramercy Tavern, il y a des mois de ça.

J'étais tellement assommée que j'en avais perdu l'usage de la parole. Je n'avais enregistré qu'une seule information : jusque-là, Sammy ne m'avait pas annoncé qu'il était fou amoureux d'une autre fille.

— Je ne sais pas quoi dire.

— Dis-moi juste que tu n'es pas en colère, m'a-t-il répondu en se rapprochant de moi.

— En colère ? Mais pourquoi serais-je en colère ? Je suis superheureuse pour toi ! Je ne sais pas pourquoi Will ne m'a rien dit. J'imagine qu'il me racontera tout dimanche, au brunch.

— Ouais, c'est précisément ce qu'il a prévu.

Je n'ai pas eu le loisir de réfléchir plus avant à ce coup de théâtre car le taxi avait atteint le Lower East Side en un temps record. Sitôt qu'il s'est rangé le long d'un trottoir, j'ai reconnu l'auvent riquiqui que j'avais vu en photo dans la presse. Au moment où Sammy claquait la portière derrière nous, j'ai remarqué un couple élégant qui examinait une affichette apposée sur la porte. Ils se sont tournés vers nous, la mine dépitée.

— Bon, on dirait que c'est fermé, ce soir, ont-ils remarqué avant de passer leur chemin et de se mettre en quête d'un autre restaurant.

J'ai interrogé Sammy du regard, mais il s'est contenté de me sourire :

— J'ai une surprise pour toi, a-t-il murmuré.

— Une visite privée ? ai-je répondu, d'une voix où suintait tant d'espoir que c'en était embarrassant.

Il a hoché la tête.

— Oui, je voulais que ce soit une soirée particulière. Alors j'ai fermé, pour qu'on puisse être tranquilles. J'espère que tu ne m'en voudras pas si je t'abandonne quelques instants pour passer en cuisine. J'ai prévu un menu spécial Sevi pour toi.

— C'est vrai ? Il me tarde ! Que signifie Sevi, au fait ? Je ne crois pas l'avoir lu nulle part.

Il m'a pris la main, m'a souri puis a dit, en contemplant ses pieds :

— Ça veut dire *amour*, en turc.

J'ai bien cru mourir de bonheur. Au lieu de quoi, je me suis concentrée pour avancer un pied devant l'autre et entrer à sa suite. La salle était plongée dans la pénombre. Tandis que j'essayais d'ajuster ma vision, il a allumé la lumière, et j'ai tout vu. Ou plutôt, tout le monde.

— Surprise ! a hurlé l'assemblée.

A suivi une cacophonie de « Joyeux Anniversaire ! » et ensuite, je me suis aperçue que je connaissais tous les visages devant moi.

— Oh mon Dieu…

C'est tout ce que j'ai réussi à dire.

Les petites tables avaient été rassemblées au milieu de la salle. Tous mes amis et toute ma famille étaient là, autour de cette grande table, à me faire signe et à m'appeler.

— Viens par ici, a dit Sammy en me reprenant la main pour me conduire en bout de table.

J'ai embrassé tout le monde en chemin et je me suis laissée choir à la place qui m'avait été désignée. Penelope s'est approchée pour me déposer une tiare en carton sur la tête en déclarant – ce qui était on ne peut plus embarrassant :

— C'est toi *l'héroïne*, ce soir.

— Bon anniversaire, ma chérie ! a lancé ma mère en se penchant pour m'embrasser. Ton père et moi n'aurions loupé ça pour rien au monde.

Elle sentait discrètement l'encens et portait un superbe poncho tricoté main. Mon père était assis à côté d'elle, les cheveux soigneusement tirés en queue-de-cheval, et il arborait fièrement sa plus belle paire de Naots.

J'ai contemplé la tablée : Penelope et sa mère (ravie que sa fille soit assez introduite pour les amener dans le restaurant dont toute la ville parlait) ; Michael et Megu, qui avaient tous deux pris leur soirée pour fêter mon anniversaire ; Kelly et Henry, son cavalier de la soirée *Playboy* ; toutes les copines du club de lecture, et naturellement, Simon, plus que jamais tout de lin vêtu, et Will qui, en face de moi à l'autre bout de la table et sans me quitter des yeux, descendait tranquillement un martini (j'allais apprendre plus tard que Sammy avait baptisé le bar « The Will »).

À force d'entendre les invités psalmodier « Un discours ! Un discours ! », j'ai fini par me lever pour prononcer quelques phrases maladroites. Presque aussitôt, un serveur a apporté du champagne et tout le monde a porté un toast à mes vingt-huit ans et au succès de Sammy. Puis le dîner a commencé pour de bon. On a vu émerger de la cuisine des serveurs aux bras chargés d'assiettes de mets fumants qui sentaient délicieusement bon. J'ai regardé Sammy s'asseoir d'un côté de la table, lever les yeux vers moi et m'adresser un clin d'œil. Puis il a commencé à bavarder avec Alex. Je l'ai vu désigner le piercing de son nez, et lui dire quelque chose qui lui a arraché un éclat de rire. Je les ai observés un instant tout en me délectant d'un délicieux plat d'agneau au cumin et à l'aneth, puis j'ai laissé mon regard errer autour de la table. Tout le monde bavardait avec entrain tout en se passant les plats et se resservant du champagne. J'ai entendu mes parents se présenter à Kelly pendant que Courtney parlait de notre club de lecture à la maman de Penelope. Simon, lui, racontait des blagues à Michael et Megu.

Je me repaissais de ce spectacle quand Will a tiré une chaise pour s'asseoir à côté de moi.

— C'est une soirée vraiment pas comme les autres, hein ? Tu as été surprise ?

— Totalement ! Will, comment as-tu pu me cacher que Simon et toi étiez derrière tout ça ? Je ne sais pas comment vous remercier !

— Tu n'as pas besoin de me remercier, ma chérie. Nous n'avons pas fait ça pour toi, ni même pour Sammy, même si j'ai beaucoup d'affection pour lui. Quand tu nous as dit qu'il travaillait à la Gramercy Tavern, ça a piqué notre curiosité. Simon et moi lui avons fait une petite visite, il y a trois mois de ça, et je dois dire qu'on a été soufflés. Ce garçon est un génie ! Non seulement ça, mais il doit écouter attentivement quand on lui parle, car tout était absolument parfait : le bloody mary était servi exactement comme je l'aime, bien relevé, avec deux rondelles de citron vert. Un exemplaire du *New York Times* était posé sur la table, ouvert à la section Style. Et il n'y avait aucune pomme de terre en vue nulle part. Pas une ! Cela fait des lustres que je prends des brunches à la Essex House et ils n'ont toujours pas enregistré ça ! Après quoi, nous n'arrêtions pas de parler de lui, et nous nous sommes dit que nous ferions bien de l'alpaguer avant que quelqu'un d'autre ne s'en charge. On dirait qu'on a eu raison, n'est-ce pas ?

— Vous êtes allés à la Gramercy Tavern ? Juste pour voir Sammy ?

Will a joint les mains et haussé les sourcils.

— Ma chérie, tu étais si manifestement entichée de

ce garçon que Simon et moi étions curieux ! Nous ne nous attendions certainement pas à être aussi impressionnés par son talent – ça, c'était un bonus. Ce jour-là, quand je lui ai demandé quels étaient ses projets d'avenir et qu'il nous a parlé d'une franchise répondant au nom de « Houston », j'ai compris qu'on devait faire quelque chose pour le sauver.

— Oui, il m'avait dit, quand nous étions en Turquie, que des gens de l'école de cuisine envisageaient d'ouvrir un lieu dans le Upper East Side.

Will a eu un hoquet horrifié et hoché la tête.

— Je sais. Quel cauchemar ! Ce garçon n'est pas fait pour travailler dans une franchise. J'ai dit à l'avocat que je fournissais les investissements, mais que Sammy serait en charge de tout le boulot. À l'exception d'une table toujours ouverte pour moi, je ne souhaitais être consulté sur rien. Tu sais qu'obtenir une table ici est pire qu'essayer d'entrer au gouvernement ? Et puis tu vois, je cherchais une nouvelle voie dans laquelle m'investir. J'abandonne ma chronique.

Cette nouvelle-là m'a secouée. Dans une soirée qui regorgeait de surprises, c'était peut-être la plus choquante.

— Tu quoi ? Tu es sérieux ? Pourquoi maintenant ? Le monde entier lit tes chroniques. Will ? Que s'est-il passé ?

Il a bu une gorgée de martini, l'air songeur.

— Que de questions, ma chérie, que de questions. Ça n'a rien d'une histoire palpitante, je t'assure. C'est juste le temps qui fait son œuvre. Je n'ai pas besoin que New York Scoop me dise que ma chronique est devenue une relique. Elle a eu du succès pendant très, très longtemps, mais il est temps d'essayer quelque chose de nouveau.

— Oui, je comprends.

Je savais confusément qu'il avait pris la bonne décision.

Mais c'était déconcertant de songer que cette chronique, que Will écrivait depuis même avant ma naissance, allait tout simplement cesser d'exister.

— Ceci dit, sache que j'ai discuté avec mon chef de rubrique – un gamin ! – et qu'il m'a assuré qu'il y aurait toujours une place pour toi à la rédaction si jamais tu te décidais un jour. Je ne veux pas rabâcher, Beth, mais c'est une option que tu devrais considérer. Tu écris merveilleusement bien, et je ne comprends pas pourquoi tu n'as jamais mis ce don à profit. Tu n'as qu'un mot à dire pour qu'ils te prennent, d'abord au service de documentation, et ensuite, j'espère, pour faire tes armes comme journaliste.

— En fait, j'ai un peu réfléchi à tout ça, ai-je dit – alors que je m'étais juré de ne pas en parler avant d'y avoir accordé plus mûre réflexion – et j'aimerais bien essayer d'écrire…

— Excellent ! Je souhaitais vraiment entendre cette réponse. Elle s'est fait attendre, mais mieux vaut tard que jamais. Je l'appellerai dès demain et…

— Non, non, je ne pensais pas à ça. Will, tu vas détester mon idée…

— Oh, Dieu du ciel, s'il te plaît, ne me dis pas que tu veux couvrir les mariages pour la section Style. S'il te plaît !

— Pire, ai-je répondu, plus pour l'effet que par conviction. Je veux écrire un roman sentimental. En fait, j'ai déjà la trame, et je pense qu'elle tient la route.

Je me suis préparée à essuyer un déluge de protestations qui, curieusement, n'est jamais arrivé. Will a scruté mon visage, comme s'il y cherchait une réponse, et il s'est contenté de hocher la tête.

— Peut-être tous ces martinis que j'ai bus y sont-ils pour quelque chose, mais je pense que c'est cohérent, ma chérie, a-t-il dit finalement, en se penchant pour m'embrasser.

Écrire un roman sentimental – c'était vraiment ce que j'avais en tête. Depuis le séjour en Turquie, et après avoir découvert l'univers du luxe en travaillant chez Kelly & Co., j'avais imaginé un couple de personnages que tout opposait mais que les événements amèneraient à se rencontrer. On aurait pu dire que je travaillais d'après expérience, ou d'après imagination, mais dans un cas comme dans l'autre, je le sentais bien. Et c'est le premier truc que je sentais bien depuis très longtemps.

Je me préparais à faire part de mon projet à mes parents quand mon portable a sonné. *Curieux*, me suis-je dit, *toutes les personnes que je connais sont ici*. J'ai sorti le téléphone du sac pour l'éteindre, mais je n'ai pas pu m'empêcher de remarquer que l'appel émanait d'Elisa – Elisa, dont je n'avais plus aucune nouvelle depuis la soirée *Playboy*. Elisa qui, pour une raison que j'avais du mal à démêler (un cerveau souffrant de malnutrition? une fixette sur Philip? ou simplement par jeu?) avait abreuvé Abby d'informations à mon sujet des mois durant. La curiosité m'a démangée. Je me suis retirée en cuisine.

— Allô? Elisa?

— Beth? Tu m'entends? Écoute, j'ai une nouvelle géniale!

— Ah bon? Et quoi ça? ai-je demandé, heureuse d'entendre que ma voix était suprêmement détachée, exactement comme je voulais qu'elle le soit.

— Voilà, je me suis souvenue que tu avais des euh… connexions avec ce videur du Bungalow qui a ouvert le Sevi. C'est bien ça?

Comme d'habitude, elle feignait de ne pas se souvenir du prénom de Sammy, mais cette fois, j'ai laissé couler.

— Ouais, exact. Et je suis au Sevi en ce moment.

— C'est vrai ? Oh mon Dieu, mais c'est tout simplement parfait ! Écoute, je viens juste d'apprendre que Lindsay Lohan doit passer la soirée à New York – un problème de correspondance sur son Londres-Los Angeles. Tu sais qu'on s'occupe des RP de Von Dutch, n'est-ce pas ? Et que Lindsay est leur porte-parole ? Bon, devine quoi ? Elle veut dîner au Sevi ce soir ! Elle a vraiment insisté. Je pars la chercher au Mandarin Oriental. Je ne sais pas trop combien ils seront, sans doute pas plus d'une demi-douzaine. Ils seront là dans une demi-heure, une heure au plus tard. Dis à ton copain de leur concocter un menu VIP, d'accord ? Beth, ça va lui faire une presse d'enfer !

Je mentirais si je disais que je n'ai pas envisagé de passer le message à Sammy. C'était une formidable opportunité – un moyen ultrarapide de se garantir de la pub de la part de tous les magazines qui n'avaient pas encore parlé de lui. Mais j'ai regardé par le hublot de la porte et j'ai vu Sammy, dans la salle, qui plaçait un énorme gâteau au centre de la table – un gâteau rectangulaire, recouvert de crème fouettée et de glaçage coloré, et en y regardant de plus près, j'ai reconnu une reproduction parfaite de la couverture d' *Un grand brun cajun*. Toute la tablée était en train de s'esclaffer et de demander où j'étais passée.

La fenêtre dans laquelle Lindsay aurait pu, l'espace d'une seconde, se glisser, s'est refermée d'un coup.

— Merci, Elisa, mais c'est non. C'est une soirée privée, ce soir.

J'ai raccroché sans lui laisser le temps de protester et j'ai regagné la table. *Ce n'est même pas un mensonge*, ai-je songé en regardant autour de moi. *Ce n'est ni plus ni moins que LA soirée de l'année.*

Remerciements

Je me dois de remercier trois personnes qui m'ont particulièrement soutenue dans ce projet :

Marysue Ricci, la seule directrice littéraire qui compte, et qui est maître dans l'art de dire de cent façons subtilement tournées, « C'est nul ».

David Rosenthal, mon éditeur, dont le carnet d'adresses et les dîners en ville m'ont évité sept jours sur sept de me faire livrer à dîner.

Deborah Schneider, mon incroyable agent, qui gère tous les détails logistiques de ma carrière afin de me laisser libre d'écrire la littérature qui marquera notre époque.

Mille et mille mercis également à Hanley Baxter, Aileen Boyle, Gretchen Braun, Britt Carlson, Jane Cha, Deborah Darrock, Nick Dewar, Lynne Drew, Wendy Finerman, Cathy Gleason, Tracey Guest, Maxine Hitchcock, Helen Johnstone, Juan Carlos Maciques, Diana Mackay, Victoria Meyer, Tara Parsons, Carolyn Reidy, Jack Romanos, Charles Salzberg, Vivienne Schuster, Jackie Seow, Peggy Siegal, Shari Smiley, Ludmilla Suvorova et Keryl White.

Et naturellement, un immense merci à mes parents, Cheryl et Steve, et à ma sœur Dana. Sans vous, jamais je n'aurais pu écrire un tel chef-d'œuvre.

*** Si tous les personnages de ce roman sont fictifs, Millington le Yorkshire est directement inspiré, lui, de Mitzy la Maltaise.

Les coulisses de l'enfer

Le Diable s'habille en Prada
Lauren Weisberger

Andrea n'en revient pas : même fraîchement débarquée du Connecticut, même avec ses fringues dépareillées, elle l'a décroché, ce job de rêve... assistante personnelle de la rédactrice en chef de *Runway*, prestigieux magazine de mode new-yorkais ! Mais la jeune fille découvre vite que derrière les paillettes de cette usine à rêves se cache un univers hostile, peuplé de créatures aux langues fourchues et aux silhouettes acérées. Leur raison de vivre ? Répondre à TOUTES les angoisses existen-tielles de Miranda, l'esclavagiste en talons aiguilles...

(Pocket n° 12476)

Il y a toujours un Pocket à découvrir

L'accro du shopping revient !

L'accro du shopping à Manhattan
Sophie Kinsella

Bien qu'à présent conseillère vedette d'une émission consacrée à la gestion et aux placements financiers, Becky Bloomwood, la terreur des distributeurs, ne s'est pas vraiment assagie question dépenses ! Heureusement, elle file le parfait amour avec le séduisant Luke, qu'elle accompagne à New York pour affaires. New York... le rêve pour toute accro du shopping qui se respecte ! La jeune femme se grise à l'envi de soldes et de marques, mais l'ivresse risque bien de tourner à la gueule de bois...

(Pocket n° 12081)

Il y a toujours un Pocket à découvrir

Chaussure à son pied
Jennifer Weiner

À ma gauche : Rose Feller, avocate dans un grand cabinet de Philadelphie. Toujours sur le point de commencer un régime. Un désir ? Rencontrer un homme qui la trouve belle. Un espoir ? Que sa sœur, Maggie, arrête de lui piquer argent, chaussures et amoureux. À ma droite : Maggie Feller, serveuse, chanteuse, vendeuse. Un corps de rêve et un succès fou auprès des hommes. Son rêve à elle ? Devenir une star. Son but ? Prouver qu'on peut être une bombe sexuelle et se servir de son cerveau. Leurs seuls points communs ? Même ADN, même pointure, même revanche à prendre sur la vie…

(Pocket n° 12582)

Faites de nouvelles découvertes sur
www.pocket.fr

- Des 1ers chapitres à télécharger
- Les dernières parutions
- Toute l'actualité des auteurs
- Des jeux-concours

Il y a toujours
un **Pocket** à découvrir

Cet ouvrage a été imprimé en France par

C P I
Bussière

à Saint-Amand-Montrond (Cher)
en novembre 2009

POCKET - 12, avenue d'Italie - 75627 Paris Cedex 13

— N° d'imp. : 91774. —
Dépôt légal : mai 2007.
Suite du premier tirage : décembre 2009.